ROBERTS LADLEMS

BĀNKROFTA STRATĒĢIJA

ROBERT LUDLUM

THE BANCROFT STRATEGY

ROBERTS LADLEMS

BĀNKROFTA STRATĒĢIJA

KONTINENTS
RĪGA

UDK   821.111(73)-31
       La 144

Roberta Ladlema romāna "Bānkrofta stratēģija"
publicēšanas tiesības pieder
"Apgādam "Kontinents""

No angļu valodas tulkojis Āris Jansons
Vāka dizains Dairis Hofmanis

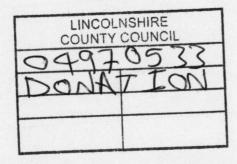

ISBN 978-9984-35-387-6

© Tulkojums latviešu valodā,
mākslinieciskais noformējums,
"Apgāds "Kontinents"", 2008

*DŽAFEIRA: Esmu saderināta ar dedzīgiem vīriem,
kas spēj labot visas cilvēces Jaunumu.*

Tomass Otvejs, "Atklātā sazvērestība" (1682)

PROLOGS

Austrumberlīne, 1987. gads

Vēl nelija, taču bija skaidrs, ka svina pelēkās debesis drīz atvērsies. Gaiss bija spriedzes pilns, it kā kaut ko gaidītu. Jauns vīrietis šķērsoja *Unter den Linden* ielu un devās uz Marksa un Engelsa laukumu, no kurienes uz pilsētas centra pusi aklām, nekustīgām acīm noraudzījās abu ģermāņu, sociālisma ciltstēvu, bronzas statujas. Viņiem aiz muguras atradās akmens frīzes, kas attēloja cilvēka priekpilno dzīvi komunismā. Vēl nelija. Taču drīz, pavisam drīz mākoņi pārplīsīs un debesis atvērsies. Vēsturiska neizbēgamība, vīrietis domāja, ar sarkasmu atsaukdams atmiņā sociālistisko runas veidu. Viņš bija mednieks, kas izseko upuri, un viņš bija ticis upurim tuvāk nekā jebkad agrāk. Tieši tāpēc bija jo sevišķi svarīgi apvaldīt satraukumu, kas viņā mutuļoja.

Šajā pašpasludinātajā strādnieku paradīzē viņš izskatījās tāds pats kā miljoniem citu. Viņa apģērbs bija pirkts *Centrum Warenhaus*, plašajā Aleksandra laukuma universālveikalā, – tādu acīmredzami zemas kvalitātes izstrādājumu citur netirgoja. Taču vairāk nekā apģērbs viņu citiem līdzīgu padarīja Austrumberlīnes padevīgums. Viņš gāja tādā pašā vienaldzīgā, paklausīgā, neizteiksmīgā gaitā kā ļaudis viņam visapkārt. Ja kāds vērotu viņu, tam nemūžam neienāktu prātā doma, ka pirms divdesmit četrām stundām šis cilvēks ieradies no Rietumiem, turklāt pirms pāris mirkļiem bijis drošs, ka nav piesaistījis neviena uzmanību.

Pēkšņi viņa ādu sāpīgi savilka adrenalīns. Viņam šķita, ka pazīst soļus, ko dzird aiz muguras, bezmērķīgi pastaigādamies pa Kārļa Lībknehta ielu. Soļu raksts likās pazīstams.

Lai gan visi soļi šķiet vienādi, tie ir atšķirīgi – soļus ietekmē svara un gaitas variācijas, skaņa ir atkarīga no apavu zoles sastāva. Soļi ir pilsētas solfedžo. Kāds instruktors reiz Belknepam teica, ka soļi ir ikdienišķa pilsētas skaņu kopa, kam neviens nepievērš uzmanību, taču trenēta auss spēj tos atšķirt – tāpat kā cilvēki atšķir balsis. Vai Belkneps šajā brīdī kļūdījās? Viņš nespēja pieļaut iespēju, ka viņu kāds izsekotu. Viņam gluži vienkārši *bija* jākļūdās.

Vai arī jāpārliecinās, ka viss ir kārtībā.

Todu Belknepu, jaunāko līdzstrādnieku ASV Valsts departamenta sevišķi slepenā nodaļā, kuras uzdevums bija konsulārās operācijas, pavadīja tāda cilvēka reputācija, kurš atrod tos, kas cenšas būt neatrodami. Tāpat kā vairākumam pēddziņu, vislabāk viņam patika strādāt vienam, lai gan ikvienam aģentam bija skaidrs, ka izsekošanā pareizais risinājums ir darbs komandā – jo lielākā, jo labāk. Taču tāda cilvēka uzraudzīšana, kurš nolēmis izgaist, nav vienkārša, tāpēc bija pats par sevi saprotams, ka šajos uzdevumos iesaistīja gandrīz visus nodaļas aģentus. Tomēr pieredzējušie spiegi, sava amata meistari, sen bija apjautuši priekšrocības, kādas rodas vientuļam, spējīgam operatīvajam aģentam, ja tam ļauj brīvi pārvietoties pa pasauli un neapgrūtina to ar svītu, kas prasa lielus izdevumus. Ja tam ļauj brīvi pārbaudīt visas nojautas, lai cik nepamatotas tās liktos. Ļauj brīvi sekot savai ožai.

Un šī oža, ja veiksies, aizvedīs viņu pie mērķa, amerikāņu slepenā aģenta Ričarda Lagnera, kas pārgājis pretinieka pusē. Dzinis pēdas pēc neskaitāmiem viltus pavedieniem, Belkneps nešaubījās, ka beidzot ir pārbēdzējam uz pēdām.

Taču vai kāds nav uzodis *viņu*? Vai kāds neizseko pēddzini?

Pēkšņi apsviesties nebūtu prāta darbs. Belkneps apstājās un žāvādamies paraudzījās visapkārt, it kā aplūkotu varenās statujas, taču īstenībā grasīdamies izvērtēt ikvienu, kas atradās tuvumā.

Taču nevienu viņš neredzēja. Tikai abus bronzas vīrus ar apsūbējušām bārdām un ūsām – Marksu, kurš sēdēja, un Engelsu, kas viņam blakus stāvēja, nikni raudzīdamies tālumā. Divas liepu rindas. Plašs, nelīdzens zāliens. Pāri ceļam – bezgaumīga varas krāsas stikla kaste, Republikas pils. Tā bija zārkam līdzīga celtne, gluži kā uzbūvēta, lai tajā apbedītu cilvēka garu. Laukums bija tukšs.

Belkneps tomēr nejutās drošs. Vai viņš drīkstēja noticēt, ka soļi bijis tikai māns? Viņš zināja, ka spriedze reizēm ar smadzenēm izspēlē jokus, uzburdama ēnās rēgus. Nemieru vajadzēja apslāpēt, jo pārāk sasprindzināts aģents, ko nodarbina iedomāti draudi, kļūdās spriedumos un neievēro īstās briesmas.

Belkneps sāka strauji iet uz ļauni mirgojošās Republikas pils, režīma iespaidīgākās celtnes, pusi. Šajā ēkā atradās ne vien VDR parlaments, bet arī koncertzāles, restorāni un neskaitāmi kabineti, kuros birokrāti nodarbojās ar saviem birokrātiskajiem pienākumiem. Tā nudien bija vieta, kurā viņam neviens neuzdrošinātos sekot, īstā vieta, kur ārzemnieks neuzdrīkstētos ieiet, – un īstā vieta, lai viņš pārliecinātos, ka viņam patiešām nav pavadoņa. Šis lēmums vai nu apliecinās viņa profesionālismu, vai parādīs, ka viņš kļūdījies gluži kā iesācējs, Belkneps nodomāja. Ilgi nebūs jāgaida, drīz viņš to uzzinās. Cenzdamies izskatīties garlaikots un bezrūpīgs, Belkneps pagāja garām durvju sargiem, kuri ar akmenscietu sejas izteiksmi uzmeta acis viņa nobružātajai apliecībai. Caur lielu un smagu turniketu viņš iegāja garā gaitenī, kas stiepās cauri visai ēkai un oda pēc dezinfekcijas līdzekļa. Virs galvas, gluži kā izlidošanas tablo lidostā, bija pakarināts kabinetu un telpu saraksts. *Neapstājies un neatskaties; izturies tā, it kā tu zinātu, ko šeit dari, un citi pieņems, ka tā tas ir.* Belkneps prātoja, par ko viņu var noturēt. Par nesvarīgu ierēdni, kurš atgriežas no ieilguša launaga? Pilsoni, kam nepieciešami jaunas automašīnas dokumenti? Viņš pagriezās ap stūri, tad ap vēl vienu, līdz nonāca pie durvīm ēkas otrā pusē. Tās veda uz Aleksandra laukumu.

Iziedams no pils, Belkneps nopētīja ēkas sienas spoguļstiklā atspulgus. Kāds izstīdzējis lamzaks strādnieka drēbēs. Sieviete kuplām krūtīm un pietūkušām, paģirainām acīm. Pāris ierēdņu pelēkos uzvalkos ar tādu pašu sejas krāsu. Belkneps nevienu nepazina, un neviens no šiem cilvēkiem neizraisīja viņā trauksmes izjūtas.

Viņš turpināja ceļu pa staļiniskā neoklasicisma promenādi, Kārļa Marksa aleju. Gar platās ielas malām bija sabūvētas astoņstāvu mājas ar pārmērīgi augstiem logiem un romiešu stila balustrādēm virs pirmā stāva, kur bija veikali. Dekoratīvās krēmkrāsas keramikas flīzes, ar kurām ēkas bija klātas, ik pēc noteikta attāluma atainoja apmierinātus strādniekus, acīmredzot tādus kā tie, kuri šo pastaigu vietu pirms vairāk nekā trim gadu desmitiem uzbūvēja. Ja pareizi atceros vēsturi, Belkneps sprieda, tie bija strādnieki, kuri sacēlās pret sociālistisko kārtību 1953. gada jūnijā un kuru dumpi nežēlīgi apslāpēja padomju tanki. Staļina iecienītais "konditora" arhitektūras stils bija patiešām rūgts tiem,

9

kas bija spiesti pēc šīs receptes cept. Šī promenāde bija brīnišķīgi meli.

Toties Ričards Lagners bija pretīgs melis. Lagners pārdeva savu valsti, turklāt ne jau lēti. Lagners bija apjēdzis, ka Austrumeiropas tirānus, kas pamazām zaudē savu spožumu, pārņem izmisums un šis izmisums samērojams ar viņa, Lagnera, mantkārību. No slepenajām ziņām, ko viņš piedāvāja, kā arī no dziļi konspirējušos amerikāņu aģentu vārdiem, kuri strādāja pēc padomju stila veidotajos drošības dienestos, nebija iespējams atteikties – šī nodevība radīja nenovērtējamas iespējas. Lagners noslēdza darījumu ar ikvienu Austrumu bloka locekli. Tā kā "prece" bija pārbaudīta un tās autentiskums pierādīts – viņš piedāvāja pa vienam amerikāņu aģentam, kurus pirms aresta rūpīgi izsekoja, pēc tam spīdzināja un sodīja ar nāvi, – Lagners drīkstēja nosaukt savu cenu.

Ne katrs tirgotājs saglabā labas attiecības ar pircējiem, taču Lagners acīmredzot rīkojās piesardzīgi – viņš droši vien pārliecināja savus klientus, ka patur dažas kārtis sev, ka amerikāņu noslēpumu veikals, kas viņam pieder, vēl nebūt nav iztukšots. Kamēr vien bija iespēja šo veikalu izmantot, tā īpašnieku vajadzēja pasargāt, tāpēc bija vērts sameklēt viņam mitekli kaut kur starp "Stasi" amatpersonām un VDR nomenklatūras darbiniekiem, kas bija apmetušies par "darbaļaužu dzīvokļu fondu" pasludinātajos mājokļos, lai gan īstie strādnieki bija spiesti mitināties no betona plāksnēm saslietās neizteiksmīgās kārbās. Protams, Lagners nebija tāds cilvēks, kurš vienā vietā uzturas ilgi. Pirms pusotra mēneša viņš pagaisa no Bukarestes dažas stundas pirms tam, kad tur ieradās Belkneps. Otru tādu kļūmi Belkneps negrasījās pieļaut.

Viņš pagaidīja, kamēr garām pabrauc dažas apbružātas automašīnas Škoda, un šķērsoja bulvāri tieši pirms krustojuma, kur ielas stūrī virs sagrabējuša saimniecības preču veikala durvīm blāvi mirdzēja izkārtne Eigentümer. Vai kāds viņam sekos tajā iekšā? Vai "asti" pirms brīža viņš tikai iedomājās? Kad Belkneps iegāja veikalā, lētās organiskā stikla un alumīnija durvis skaļi aizcirtās. No letes otras puses uz viņu drūmi nolūkojās īgna sirma sieviete ar tikko manāmām ūsām. Belkneps jutās tā, it kā būtu viņu iztraucējis, it kā būtu šeit ielauzies. Šaurajā telpā oda pēc mašīneļļas, plaukti bija piekrauti ar nekam nederīgiem priekšmetiem – tas kļuva skaidrs, tiklīdz tiem uzmeta skatienu. Grūtsirdīgā pārdevēja ne uz mirkli no viņa nenovērsās, iekams viņš sameklēja piederumus, kas vedināja uz domām, ka viņš grasās remontēt dzīvokli, – spaini, sagatavotu apmetumu, javas maišeli, platu špakteles lāpstiņu. Pilsētā, kur pastāvīgi kaut kas jāremontē, darbarīki izskaidros viņa klātbūtni visur, kur viņš parādīsies. Sieviete aiz letes veltīja Belknepam vēl vienu nelaipnu skatienu, pauzdama, cik liels apgrūtinājums viņai ir pircēja apkalpošana, pēc tam nīgri paņēma naudu, it kā nelabprāt pieņemtu kompensāciju par pāridarījumu.

Ieiet dzīvojamā namā, kā izrādījās, bija pavisam vienkārši – paradoksāla iezīme valstī ar iespaidīgu drošības režīmu. Belkneps nogaidīja, kad pāris iesmaržojušās mājsaimnieču ar audekla iepirkumu somām rokā dodas uz durvīm, uz kurām rakstīts *HAUS 435*, un sekoja viņām līdzi iekšā. Viņa darbarīki ne vien attaisnoja viņa uzrašanos, bet acumirklī izpelnījās klusu atzinību. Viņš izkāpa no lifta 7 *Stock*, stāvu augstāk nekā sievietes. Ja Belkneps nekļūdījās – ja viņa kārnais informators ar taukainajiem matiem viņu nemānīja –, viņš atradās pāris jardu atstatumā no sava medījuma.

Belknepa sirds, gluži kā tamtams, skaļi dauzījās, un viņa spēkos nebija to savaldīt. Tas nebija parasts medījums. Ričards Lagners bija izsprucis no visiem iespējamiem slazdiem, kādus pats, kalpodams Amerikas Savienoto Valstu dienestā, bija izplānojis ne vienu vien. Amerikāņu izlūki pēdējos astoņpadsmit mēnešos bija sakrājuši plašu arhīvu ar liecībām par viņa parādīšanos redzeslaukā, bet par ticamiem atzinuši tikai dažus ziņojumus. Belkneps pats arī pēdējos trijos mēnešos nez cik reižu nonāca strupceļā, līdz beidzot viņa darba devēji pieprasīja šā atkritēja "tiešu un acīmredzamu atklāšanu". Šajā reizē Belknepam nebija jāaprobežojas ar dežūru kādā bārā, kafejnīcā vai lidostas uzgaidāmā telpā, šajā reizē viņam bija adrese. Vai īsta? Būt par to pārliecinātam nebija iespējams. Tomēr Belknepa intuīcija – viņa oža – vēstīja, ka uzsmaidījusi veiksme. Viņš bija taustījies pa tumsu un kaut ko sataustījis.

Nākamie mirkļi būs izšķirīgi. Lai nokļūtu pie Lagnera mitekļa – acīmredzot tas bija liels dzīvoklis ar logiem gan uz galveno ielu, gan šauro sānielu, Kopenštrāsi, – vispirms bija jādodas uz priekšu pa garu gaiteni, pēc tam pa īsu. Belkneps tuvojās luksusdzīvokļa durvīm, pie kurām nolika zemē spaini, no attāluma izskatīdamies pēc strādnieka, kurš pielabo saplīsušās grīdas flīzes. Pārliecinājies, ka gaitenis ir tukšs, Belkneps

11

nometās ceļos pie durvju roktura – šajā valstī gandrīz nekur nemanīja apaļus rokturus – un atslēgas caurumā ievietoja mazu optisku periskopu. Ja viņam izdosies pārbēdzēju fiksēt, viņš efektīvi turpinās novērošanu, kamēr mobilizēsies izsauktā operatīvā grupa.

Ja viņam izdosies... Šajā reizē pēdas bija pietiekami drošas, lai Belkneps lolotu cerības. Viss sākās kādā vēlā vakarā, kad viņš apmeklēja Frīdrihštrāses dzelzceļa stacijas tualeti un tur sāka sarunu ar vienu no tā dēvētajiem stacijas zēniem, puišeļiem prostitūtām, kas šādās vietās nereti uzturējās. Kā drīz noskaidrojās, viņi informācijā dalījās ar daudz lielāku nepatiku nekā savā ķermenī, turklāt par daudz augstāku maksu. Belkneps allaž bija pārliecināts, ka pārbēdzēju nodos viņa īpašā nosliece, kas mudināja viņu uz nodevību, – vēlme pēc nenobriedušas miesas. Šī dziņa Lagneru pazudinātu, ja viņš būtu palicis Vašingtonā, un tā nebija vajadzība, ko var remdēt viegli vai uz ilgu laiku. Toties Austrumu bloka valstīs viņš bija privileģēts viesis, tāpēc paļāvās, ka šeit uz viņa tieksmi pēc trīspadsmit gadus veciem puišeļiem lūkosies caur pirkstiem. Darbodamies policejiskā valstī, stacijas zēni jutās drošāk, ja turējās kopā. Ja kāds no viņiem "izklaidēja" dāsnu amerikāni ar rētainu seju, Belkneps domāja, skaidrs, ka šī ziņa būs izplatījusies viņa likteņbiedru vidū.

Pēc ilgas pierunāšanas un atkārtotiem solījumiem samaksāt žūksni marku ielas zēns beidzot aizgāja apjautāties un atgriezās pēc divām stundām ar papīra strēmeli rokā un triumfa pilnu skatienu pūtainajā sejā. Belkneps atcerējās informatora elpu, kas oda pēc saskābuša piena, un viņa miklās rokas. Taču tā papīra strēmele! Belkneps uzdrošinājās to uzskatīt par pierādījumu.

Viņš pakustināja optisko periskopu, uzmanīgi iegrozīdams to vajadzīgajā stāvoklī. Belknepam nebija pārāk veikli pirksti, taču kļūdīties viņš nedrīkstēja.

Izdzirdējis aiz muguras skaņu, tādu kā zābaku švīkoņu uz flīzēm, viņš apcirtās – un ieraudzīja īsstobra karabīnes SKS stobra melno caurumu. Pēc tam vīrieti, kurš to turēja. Tas bija ģērbies pelēkzilā formas tērpā ar tērauda pogām, un siksnā pie labā pleca tam bija piesprādzēta smilškrāsas plastmasas sarunu ierīce.

"Stasi". Austrumvācijas slepenpolicija.

Belkneps nešaubījās, ka šis vīrs norīkots, lai apsargātu svarīgo Lagnera kungu. Acīmredzot bija sēdējis kādā blāvi apgaismotā stūrī, paslēpies skatienam.

Tēlodams apmulsumu, Belkneps paceltām rokām lēni slējās kājās un domās apsvēra uzbrukumu.

Sargkareivis, cieti izrunādams līdzskaņus kā īsts berlīnietis, kaut ko kliedza savā smilškrāsas pārnēsājamā rācijā. Roka ļengani aptvēra ieroci. Bija redzams, ka, visu uzmanību veltīdams sarunu ierīcei, viņš negaidīti pretinieka kustībai nav sagatavojies. Belknepa šaujamais bija makstī pie kājas potītes. Varbūt izlikties, Belkneps drudžaini sprieda, ka viņš sargam grib parādīt savus špaktelēšanas piederumus, un tajā pašā laikā pagrābt ieroci?

Piepeši viņš izdzirdēja, ka atveras dzīvokļa durvis, un juta uzplūstam siltu gaisu. Nākamajā mirklī kāds iesita viņam pa sprandu un spēcīgas rokas nogāza viņu uz grīdas. Uz pakauša uzliktā zābakotā kāja spieda seju pret priekštelpas parketu. Belkneps juta, ka neredzamas rokas viņu iztausta un izvelk nelielo pistoli, kas bija paslēpta makstī pie potītes. Pēc tam viņu iegrūda dzīvoklī, un durvis aizcirzdamās smagi noklaudzēja. Aptumšotajā istabā bija nolaistas žalūzijas, un vienīgā gaisma plūda no šaura erkera loga sānielas pusē. Pagāja dažas minūtes, iekams acis ar drūmo puskrēslu aprada.

Sasodīts! Vai tie izsekoja viņu visu laiku?

Belkneps nopētīja telpu. Viņš atradās tādā kā mājas kabinetā, kur uz grīdas bija dārgs austs turku paklājs, pie sienas ziloņkaula ietvarā karājās spogulis un vienā malā novietots bīdermeiera stila rakstāmgalds.

Pie tā stāvēja Ričards Lagners.

Cilvēks, ar kuru Belkneps nebija ticies, bet kura seju pazītu it visur. Viņa mute atgādināja spraugu, bakurētainie vaigi bija iekrituši, pār pieri kā otra kreisā uzacs izliecās piecus centimetrus gara rēta – tieši tāds viņš bija fotogrāfijās. Belkneps acumirklī ievēroja šā cilvēka mazās, ļaunās acis, kas bija antracīta melnumā. Rokās Lagneram bija iespaidīgs šaujamais, un tā divi dziļie caurumi blenza uz Belknepu gluži kā otrs acu pāris.

Divi citi bruņoti vīri – labi apmācīti profesionāļi, tas bija redzams pēc veida, kādā viņi turēja ieroci, un modrā skatiena, – stāvēja katrs savā rakstāmgalda pusē, arī pavērsuši ieroci pret Belknepu. Personiskie miesassargi, Belkneps nodomāja, vīri, uz kuru uzticību un lietpratību var paļauties, kurus viņš algo un kuru liktenis ir atkarīgs no viņējā. Ieguldīt naudu šādā svītā Lagneram

13

bija vērts. Ieročus nenolaizdami, abi sargi tuvojās Belknepam un nostājās viņam sānos.

– Vai tu neesi viens apnicīgs, neatlaidīgs tips? – Lagners beidzot sacīja nazālā balsī, kas nepatīkami grieza ausīs. – Tu esi gluži kā tāds *ērce.*

Belkneps klusēja. Viņš bija profesionāli ielenkts un saprata, ka ne ar kādu spēju kustību nespētu grozīt situāciju sev par labu. Nāves ģeometrija bija skaidra.

– Māte mēdza mums, bērniem, izņemt ērces ar karstu sērkociņa galviņu. Ellīgi sāpēja. Bet kukaiņiem sāpēja vairāk. Viens miesassargs klusi, kā aizsmacis, iesmējās.

– Tikai netēlo nevainīgu aitiņu, – nodevējs turpināja. – Mans cilvēks Bukarestē man pastāstīja par jūsu tikšanos, pēc kuras veselu mēnesi viņš ieģipsēto roku auklēja cilpā. Tas viņu, šķiet, neiepriecināja. Tu uzvedies *slikti.* – Lagners savilka seju ironiska nosodījuma izteiksmē. – Kaušanās nav risinājums... Vai tad septītajā klasē tev to neiemācīja? – Viņš groteski pamirkšķināja Belknepam.

– Žēl, ka es tevi nepazinu, kad tu gāji septītajā klasē. *Es* tev būtu šo to iemācījis.

– Turi muti! – Belkneps dobjā balsī izgrūda.

– Mieru, mieru... tev jāpārvalda emocijas. Ja ne, emocijas valdīs pār tevi. Un tagad pastāsti, zaļknābi, kā tu mani atradi. – Lagnera skatiens kļuva ciets. – Vai man būs jānožņaudz mazais Ingo? – Viņš paraustīja plecus. – Nu, mazais patiešām apgalvoja, ka viņam patīkot sāpes. Es viņam apsolīju, ka aizvedīšu uz vietu, kur viņš nekad nav bijis. Nākamo reizi mēs gluži vienkārši ķersimies pie izšķirīgā posma. Pēdējā posma. Nedomāju, ka tas kādu pārāk satrauks.

Belkneps neviļus nodrebēja. Lagnera algotņi pasmīnēja.

– Neraizējies, – nodevējs sacīja tādā tonī, it kā Belknepu mierinātu. – Es *tevi* arī aizvedīšu uz vietu, kur tu iepriekš neesi bijis. Apsolu. Vai esi kādreiz šāvis ar *Mossberg* no tuva attāluma? Uz cilvēku, es gribu teikt. *Es* esmu. Nekas ar to nav salīdzināms.

Belkneps, brīdi vēries Lagnera ieroča stobra cauruma bezdibenīgajā melnumā, ielūkojās tikpat bezdibenīgi tumšajos pretinieka acīs. Lagners acumirklī novērsās, aizslīdināms skatienu sāņus un pievērsdams to sienai savam gūsteknim aiz muguras.

– Vari būt drošs, neviens netraucēs mūsu privāto ballīti. Šajos daudzdzīvokļu namos ir apbrīnojami biezas mūra sienas – mīkstas svina lodītes, skardamas apšuvumu, nespēj tām kaitēt. Turklāt esmu gādājis, lai apšuvums ir skaņas necaurlaidīgs, jo sapratu, ka nebūtu prāta darbs uztraukt kaimiņus, ja kāds no stacijas zēniem galu galā būtu *čīkstulis*. – Āda runātājam ap muti savilkās derdzīgā smaidā, atsegdama porcelāna zobus. – Taču tev šodien paredzēts kas īpašs. Vai zini, *Mossberg* patiešām saplosīs tavu diafragmu. Tas izraus tevī tādu caurumu, ka tu varēsi tajā iebāzt roku.

Belkneps viegli sakustējās, taču acumirklī juta sev ribās tērauda stobru.

Lagners uzmeta abiem miesassargiem skatienu, kurā vīdēja gaidpilna izteiksme, kāda mēdz būt televīzijas pavāriem pirms sava kulinārijas brīnuma demonstrēšanas.

– Vai tu domā, ka es pārspīlēju? Ļauj, es tev parādīšu, jo tu vairs nekad kaut ko tādu nepieredzēsi. – Ar klusu klikšķi viņš atlaida pistoles drošinātāju. – Nekad vairs.

Belkneps turpmākās sekundes spēja izprast tikai vēlāk, tās atcerēdamies. Skaļi šķindēdama, piepeši plīsa rūts, pārsteigtais Lagners pagriezās uz erkera loga pusi, pie viņa pistoles stobra spoži uzliesmoja uguns, uzdzirkstīdama krēslainajā dzīvoklī gluži kā zibens un atspīdēdama spoguļos un metāla virsmās... un Ričarda Lagnera deniņos piepeši izplauka sarkans zieds – asinis.

Nodevēja sejas vaibsti piepeši zaudēja izteiksmi, un nākamajā mirklī viņš sabruka uz grīdas. Pistole nokrita reize ar viņu gluži kā triekas ķerta cilvēka spieķis. Kāds nekļūdīgi bija iešāvis Lagneram galvā.

Miesassargi metās uz priekšu, tēmēdami ieročus pret izsisto logu. Vai tas bija snaipera darbs?

– Ķer! – atskanēja kāda balss, un Belknepa virzienā lidoja pistole. Belkneps to instinktīvi notvēra, izmantodams miesassargu pussekundes neizlēmību, kad tie nespēja izšķirties, vai jāšauj uz gūstekni vai... kalsnas miesas būves iebrucēju, kas lēca iekšā pa četrrūšu logu. Kad lode nosvilpa Belknepam gar plecu, viņš metās uz grīdas, divas reizes izšaudams uz miesassargu. Viņš tēmēja tam krūtīs – tā bija pareiza rīcība, ja vajadzēja šaut krītot. Taču tāds šāviens nebija piemērots, jo pretinieks atradās pārāk tuvu. Draudi acumirklī būtu neitralizēti, ja lode skartu centrālo nervu sistēmu. Mugurkaulā nāvīgi ievainotais vīrs, asinīm noplūdis, drudžaini šāva, līdz aptvere bija tukša. Izturīgām konstrukcijām aprīkotais dzīvoklis liela kalibra patronu būkšķus it kā pastiprināja, un baltie uzliesmojumi pie stobra cauruma sāpīgi žilbināja acis.

Belkneps izšāva otru reizi, trāpīdams vīram sejā. Pistole, vecmodīgā pusautomātiskā *Walther*, ko pārsvarā izvēlējās bijušās militārpersonas, uzskatīdamas, ka tā nekad neiestrēgst, ar dobju troksni atsitās pret grīdu, kur pēc mirkļa nogāzās arī tās īpašnieks.

Belknepa glābējs, slaids, veikls vīrietis, ģērbies dzeltenbrūnā strādnieka kombinezonā, uz kura vizēja stikla drumslas, vairīdamies no otra algotņa uguns, krita sāniski uz grīdas, vienlaikus raidīdams precīzu šāvienu tam galvā. Sekoja vēl viens būkšķis.

Piepeši iestājies klusums Belknepam šķita pārdabisks – tās bija garas dziļa klusuma sekundes, kādas Belkneps līdz tam nebija pieredzējis. Vīrs, kas bija iznīcinājis Lagneru un viņa sargus, izskatījās gluži vai garlaikots, un nekas neliecināja, ka viņa pulss būtu paātrinājies.

Gurdenā balsī svešais beidzot ierunājās.

– Pieļauju, ka gaiteni uzmanīja "Stasi" aģents, – viņš sacīja.

To pašu klusībā pieļāva Belkneps. Domās viņš sodījās par savu muļķību kopš brīža, kad bija iegrūsts šajā telpā.

– Es nedomāju, ka viņš pievērsīs man uzmanību, – Belkneps noteica. Viņa mute bija izkaltusi un balss čērkstoša. Kājas muskulis, vibrēdams kā čella stīga, trīsēja. Līdz šim tikai mācību nodarbībās viņš bija blenzis pistoles stobra caurumā.

– Ceru, ka viņam ir krietna saimniecības vadītāja, – vīrietis sacīja, ar knipi notrausdams stikla drumslu no smilškrāsas kombinezona. Viņi stāvēja starp trim asiņojošiem ķermeņiem policejiskas valsts vidū, bet izskatījās, ka šis cilvēks nekur nesteidzas. Viņš sniedza Belknepam roku. – Starp citu, mani sauc Džereds Rainharts. – Rainharta rokasspiediens bija stingrs un sauss. Stāvēdams viņam tik tuvu pretī, Belkneps ievēroja, ka viņš nav ne nosvīdis, ne izspūris. Iemetis ātru skatienu spogulī, Belkneps redzēja, ka ir pilnīgs pretstats Rainhartam, kurš ne uz mirkli nebija zaudējis aukstasinību.

– Tu izšķīries par tiešu uzbrukumu. Drosmīga izvēle, bet nedaudz pārsteidzīga. Sevišķi, ja vienu stāvu augstāk ir brīvs dzīvoklis.

– Skaidrs, – Belkneps noņurdēja, vērodams ikvienu Rainharta kustību un aši apsvērdams situāciju. – Ņemšu vērā.

16

Rainharts ar saviem garajiem, slaidajiem locekļiem šķita tāds kā izstiepts, atgādinādams Kristu manieristu gleznojumos. Viņam bija savadi dvēseliskas zaļganpelēkas acis, un, sperdams pāris soļu uz Belknepa pusi, viņš kustējās ar kaķa lunkanumu.

– Nevajag sevi šaustīt par to, ka neievēroji vīru no "Stasi". Patiesībā es jūtu bijību pret to, ko tu paveici. Es centos sadzīt pēdas Lagnera kungam daudzus mēnešus, bet man tas neizdevās.

– Šoreiz jūs viņu dabūjāt rokā, – Belkneps teica. *Velns parāvis, kas tu tāds esi,* viņš gribēja pajautāt, taču izlēma nogaidīt.

– Ne gluži, – viņa glābējs atbildēja. – Es dabūju rokā *tevi.*

– Mani. – Soļi Marksa un Engelsa laukumā. Nozuda kā īsts profesionālis. Izstīdzējušā lamzaka atspulgs Republikas pils spoguļstikla sienā.

– Es šeit nonācu tikai tāpēc, ka izsekoju tevi. Tu biji... dzinējsuns, kas iet pa lapsas pēdām. Un es, tāds lauku džentlmenis galifē biksēs, aizelsies tev sekoju. – To pateicis, viņš brīdi klusēja un pārlaida skatienu istabai, it kā izvērtēdams situāciju. – Dieva dēļ! Tu taču nedomā, ka esmu rokzvaigzne, kas ieradusies šeit paciemoties. Manuprāt, viss ir skaidrs. Mani darba devēji katrā ziņā būs apmierināti. Lagnera kungs bija ļauns spiegs, kas dzīvoja ar pārāk plašu vērienu, sev neko neliegdams, tāpēc mira. – Viņš uzmeta skatienu Lagnera līķim un tad pavērās Belknepam acīs. – Alga par apgrēcību un visu pārējo.

Belkneps paraudzījās visapkārt uz trim nogalinātajiem vīriem. Austaja paklaja sūcās asinis, piešķirdamas tam rūsas nokrāsu. Viņu sagrāba nelabums.

– Kā jūs zinājāt, ka sekot vajadzēja man?

– Es izlūkoju – vai, pareizāk, *slaistījos* – Aleksandra laukumā. Kad tevi ieraudzīju, sapratu, ka tava āriene man kaut ko atgādina. Es neticu sakritībām. Un tu? Nospriedu, ka esmu tevi redzējis. Bukarestē. Cik man zināms, tu biji viņa ziņnesis. Kaut kādā veidā saistīts. Šķita, ka ir vērts ielaisties spēlē.

Belkneps klusēdams raudzījās uz viņu.

– Paklausies, – Džereds Rainharts mundri turpināja, – jautājums ir tikai viens. Vai tu esi draugs vai ienaidnieks?

– Piedodiet?

– Zinu, ka esmu nepieklājīgs. – Viņš māksloti saviebās, it kā šo trūkumu sev pārmestu. – Tas ir tas pats, kas pie pusdienu galda runāt par darbu vai viesībās iztaujāt cilvēkus, kā viņi pelna sev iztiku. Taču man ir lietišķa interese par šo jautājumu. Gribu zināt, vai tu nekalpo albāņu dienestā. Klīda baumas par albāņu cerībām, ka Lagners saviem Austrumu bloka sāncenšiem pataupījis ko īpašu, un tu zini, kādi ir šie albāņi, ja viņi jūtas piemuļķoti. Un bulgāri... ak, neliec man to visu stāstīt! – Runādams viņš izvilka mutautu un pamāja ar to uz Belknepa zodu. – Ne katru dienu iznāk sastapties ar tādiem stulbeņiem un neveiksminiekiem. Tāpēc man jājautā – vai tu esi labais burvis vai ļaunais? – Rainharts ar plašu vēzienu pasniedza Belknepam kabatlakatu. – Tev uz zoda ir asiņu traips, – viņš paskaidroja. – Mutautu paturi.

– Es nesaprotu, – Belkneps teica, un viņa balsī skanēja gan skepse, gan bijība. – Jūs riskējāt ar savu dzīvību, lai glābtu manējo... nezinādams, vai esmu sabiedrotais vai ienaidnieks?

Rainharts paraustīja plecus.

– Man ir laba nojauta. Un tev jābūt vai nu vienam, vai otram. Riskanti, es piekrītu, taču, ja nemet spēļu kauliņus, nav iespējams piedalīties spēlē. Pirms tu atbildi uz šo jautājumu, tev jāzina, ka es šeit neoficiāli pārstāvu ASV Valsts departamentu.

Belkneps mēģināja sakopot domas.

– Konsulāro operāciju nodaļa? Penteja komanda?

Rainharts pasmaidīja.

– Tu arī esi no tās pašas nodaļas? Vai mums vēlreiz jāsarokojas? Kā tu domā? Būtu vismaz ļāvuši mums valkāt kluba kaklasaiti. Es varētu izvēlēties tai rakstu.

– Maitas tādi! – Belkneps novilka, juzdamies piekrāpts. – Kāpēc neviens man to nepateica?

– Vienmēr ļauj aģentiem minēt – tāda ir filozofija. Ja apjautāsies operāciju puišiem C ielā divtūkstoš divsimt viens, viņi paskaidros, ka tāda ir kārtība un laiku pa laikam viņi to lieto, īpaši tad, ja iesaistīti vairāki operatīvie darbinieki. Savrupi, slepeni un savstarpēji nesaistīti. Viņi tev pateiks kaut ko gudru par operāciju atsevišķiem posmiem. Negatīvi ir tas, ka "aste" var tevi samulsināt, reizēm pat traucēt. Pozitīvi, ka esi spiests domāt netradicionāli, sagatavoties dažādiem pavērsieniem. Tieši to viņi tev pavēstīs. Taču esmu pārliecināts, ka tā bija parastā apvešana ap stūri. Tik parasta kā zaļa zāle. – Runādams Rainharts piegāja pie sarkankoka dzērienu stenda darbistabas vienā stūrī. Paņēmis kādu pudeli, viņš pasmaidīja. – Divdesmit gadus veca sļivovica no Suvoborskas. Nav slikti. Domāju, ka mēs varētu nobaudīt kādu malciņu. Esam to pelnījuši. – Viņš mazliet ielēja divās glāzēs un vienu pastiepa Belknepam. – Līdz dibenam!

18

Mirkli vilcinājies, Belkneps glāzi iztukšoja. Jebkurš cits operatīvais aģents nesenajā situācijā paliktu savā novērošanas postenī un iebruktu brīdī, kad Lagners un viņa miesassargi icročus butu nolaiduši. *Pēc tam*, kad tie izmantoti. Belknepam pēc nāves piešķirtu ordeni, kura lenti novietotu uz zārka, Lagners būtu nogalināts vai aizturēts. Otru operatīvo aģentu prēmētu un paaugstinātu. Nodaļā apdomīgumu vērtēja augstāk nekā drošsirdību. Tā negaidīja, lai aģents viens mestos telpā, kurā ir trīs vīri ar izvilktiem ieročiem. Tāda rīcība bija izaicinājums loģikai un visiem operatīvo darbību noteikumiem.

Kas bija šis cilvēks?

Rainharts pārmeklēja nogalinātā sarga žaketi, no kuras izņēma kompaktu pistoli *Colt* ar īsu stobru. Izņēmis aptveri, viņš tajā ielūkojās iekšā.

– Vai tavs?

Belkneps piekrītoši noņurdēja, un Rainharts pameta viņam ieroci.

– Tu, kā izrādās, esi cilvēks ar stila izjūtu. Deviņu milimetru lodes ar dobu galu, vara čaulas ar svina pildījumu. Ideāls līdzsvars. Un katrā ziņā nestandarta ražojums. Britiem ir teiciens, ka par cilvēku varot spriest pēc apaviem. Es teiktu, ka munīcijas izvēle pasaka visu, kas jāzina.

Es vēlētos zināt atbildi uz vienu jautājumu. Kas notiktu, ja es *nebūtu* draugs? – Belkneps jautāja, vēl aizvien netikdams skaidrībā, kas īsti pēdējās minūtēs noticis.

– Tad uzkopēju komandai no šejienes būtu jāizvāc četri līķi. – Rainharts uzlika roku Belknepam uz pleca un, kā mierinādams, to paspieda. – Taču kaut ko tu par mani uzzināsi. Es lepojos būt labs draugs labiem draugiem.

– Un bīstams ienaidnieks bīstamiem ienaidniekiem?

– Mēs viens otru saprotam, – pļāpīgais sarunu biedrs atteica.

– Vai dosimies prom no šīm viesībām strādnieka pilī? Namatēvu esam sastapuši, pauduši viņam pienācīgu cieņu, nobaudījuši dzērienu – manuprāt, nu varam aiziet, nevienu neaizvainodami. Pēdējam aiziet negribas. – Rainharts uzmeta skatienu līķiem ar ļenganajām sejām. – Ja pieiesi pie loga, ieraudzīsi celtnieku paceļamo platformu un sastatnes, kas abas domātas logu mazgāšanai šajā pēcpusdienā.

Viņš vedināja Belknepu caur izsisto loga vērtni uz platformas. Tā karājās trosēs, kas bija nostiprinātas augšēja dzīvokļa balkonā.

19

Tā kā daudzdzīvokļu namos pastāvīgi notika remontdarbi, viņi varēja būt samērā droši, ka nesaistīs neviena vērību šķērsielā septiņus stāvus zemāk.

Rainharts notrausa no dzeltenbrūnā kombinezona vēl vienu mirdzošu stikla gabaliņu.

– Tādas tās lietas, godātais...

– Belkneps, – Belkneps teica, nostādamies uz platformas.

– Tādas tās lietas, Belknep. Cik tev gadu? Divdesmit pieci, divdesmit seši?

– Divdesmit seši. Un sauciet mani par Todu.

Rainharts kaut ko darīja ar trosēm. Pēc brīža platforma sāka lēni laisties lejup, ik pa brīdim dīvaini noraustīdamās.

– Cik saprotu, kopā ar šo komandu tu esi tikai pāris gadu. Man nākamgad paliks trīsdesmit. Esmu tātad tur dažus gadus ilgāk. Ļauj man tev pateikt, ko tu drīz vien atklāsi. Tu atklāsi, ka vairākums tavu kolēģu ir viduvējības. Tā tas ir visos kolektīvos. Ja sastapsi kādu, kas patiešām ir apdāvināts, uzmanies no šā cilvēka un tajā pašā laikā sargi viņu. Izlūkošanā lielāko daļu panākumu kaldina neliels skaits cilvēku. Tie ir dārgakmeņi, kas jāsaudzē. Ja mūsu uzdevums tev nav vienaldzīgs, dari visu, lai tie nepazustu, nesabruktu un netiktu saberzti. Pildīt pienākumu nozīmē rūpēties par saviem draugiem. – Rainharta zaļganpelēkās acis kļuva domīgas. Brīdi klusējis, viņš piebilda: – Britu rakstnieka Edvarda Forstera spalvai pieder lieliska rindiņa. Varbūt esi lasījis. Doma ir tāda – ja viņam būtu jāizvēlas starp draugu un savas zemes nodevību, viņš cerot, ka viņam pietiktu drosmes nodot dzimteni.

– Esmu ko tādu dzirdējis. – Belknepa skatiens kā piekalts kavējās pie ielas, kas, par laimi, joprojām bija tukša. – Vai jūsu filozofija ir tāda? – Viņš juta uz vaiga uzkrītam lietus lāsi, lielu un smagu, un tad vēl vienu.

Rainharts papurināja galvu.

– Ne gluži. Vai gribi zināt, kāda ir mana filozofija? Esi piesardzīgs, izraudzīdamies draugus. – Viņš uzmeta Belknepam domīgu skatienu. – Lai nekad tādu izvēli nevajadzētu izdarīt.

Beidzot viņi nokāpa uz šaurās ielas.

– Paņem spaini, – Rainharts atgādināja. Viņa kombinezons un cepure bija laba maska šajā strādnieku pilsētā, un Belkneps ar spaini un špaktelēšanas piederumiem rokā visādā ziņā izskatījās viņam atbilstošs pavadonis.

Uz Belknepa pieres atkal nokrita lietus lāse.

– Tūlīt sāks gāzt, – viņš teica, to notrausdams.

– Drīz *viss* šeit gāzīsies, – noslēpumaini noteica izstīdzējušais vīrs. – Un ikviens sirds dziļumos to apzinās.

Rainharts labi pārzināja pilsētas topogrāfiju – viņš zināja, kuri veikali savieno divas ielas, kura aleja kurp aizved.

– Ko tu domā par Ričardu Lagneru pēc jūsu īsās tikšanās? Belknepa gara acu priekšā gluži kā spokaina, miglaina fotogrāfija nostājās naidpilnā nodevēja seja.

– Ļaunums, – Belkneps, sev par pārsteigumu, īsi izmeta. Tas bija vārds, ko viņš lietoja reti. Taču neviens cits par atbildi nederēja. Viņam no prāta neizgāja divi melnie caurumi pistoles stobra galā. Gluži kā Lagnera tumšās, saltās acis.

– Ļaunums... – Slaidais vīrs pamāja ar galvu. – Mūsdienās vecmodīgs, taču tik un tā saistošs jēdziens. Mēs nez kāpēc domājam, ka esam pārāk mūsdienīgi, lai spriestu par Ļaunumu. Mēs labprāt analizējam dažādus sabiedrības, psiholoģijas, vēstures jautājumus... bet par Ļaunumu runājam nelabprāt, vai ne? – Rainharts ieveda jaunāko vīrieti pazemes laukumā, kas savienoja skvēru ar autostrādi. – Mēs gribam izlikties, ka nerunājam par Ļaunumu, jo esam šo jēdzienu pārauguši. Jocīgi. Man ir aizdomas, ka tāda motivācija ir primitīva. Gluži tāpat kā seno cilšu fetišu pielūdzēji, mēs iedomājamies, ka nepatīkamais izgaisīs, ja nenosauksim to vārdā.

– Gluži kā Lagnera seja, – Belkneps noņurdēja.

– Seja, kuru varētu iemīlēt vienīgi neredzīgā un kurlmēmā Helēna Kellere. – Rainharts pavirpināja pirkstus, it kā lasītu Braila rakstu.

– Skatiens, ar kādu viņš tevi uzlūko...

– *Uzlūkoja*, – Rainharts izlaboja, uzsvērdams pagātnes laiku. – Es tikos ar to cilvēku. Viņš patiešām bija briesmīgs. Kā tu saki – ļauns. Taču ne vienmēr ļaunumam ir seja. Šīs valsts Drošības ministrija baro tādus cilvēkus kā Lagners. Arī tā ir Ļaunuma forma. Monumentāla un anonīma. – Rainharts ārēji saglabāja mieru, taču viņa balsī jautās emocijas. Šis cilvēks bija aukstasinīgs – iespējams, aukstasinīgākais, kādu Belkneps pazina, – taču viņš nebija ciniķis. Pēc brīža Belkneps saprata vēl ko. Rainharts uzturēja sarunu ne vien tādēļ, lai izteiktu savas domas, – ļaudams vārdiem plūst, viņš mēģināja nomierināt jauno slepeno aģentu, kura nervi tikko bija satricināti, un vērst viņa uzmanību uz ko citu. Viņa tērgāšana nebija nekas cits kā laipnība.

Pēc divdesmit minūtēm abi vīri – divi strādnieki – tuvojās vēstniecības ēkai, arhitekta Šinkela stila marmora būvei, kas no piesārņojuma izskatījās nokvēpusi. Lielas lietus lāses joprojām krita neregulāri, it kā negribīgi. No ielas seguma augšup cēlās pazīstama smarža. Belkneps pameta uz Rainhartu skaudīgu skatienu, jo tam galvā bija cepure. Trīs VDR policisti, ierāvušies siltās neilona vējjakās, no saviem posteņiem ielas otrā pusē uzmanīja vēstniecību. Sargādami no vēja un mitruma cigaretes, viņi smēķēja.

Kad abi amerikāņi piegāja pie vēstniecības sānu durvīm, Rainharts pavilka augšup sava kombinezona kabatas atloku un amerikāņu sargam atsedza mazu zilu plāksnīti ar vārdu un kodu. Ātrs galvas mājiens, un abi jau atradās iekšpus vēstniecības žoga. Prāvas lietus lāses izraibināja asfaltu melniem plankumiem. Smagie tērauda vārti grabēdami aizcirtās. Pirms mirkļa nāve Belknepam šķita neizbēgama, bet nu drošība bija garantēta.

– Es neatbildēju uz jūsu pirmo jautājumu, – viņš teica savam ceļabiedram.

– Par to, vai esi draugs vai ienaidnieks?

Belkneps piekrizdams pamāja.

– Man gribas domāt, ka esam draugi, – viņš sacīja, juzdams pēkšņu pateicības un sirsnības uzplūdu. – Kaut es varētu iemantot vairāk tādu draugu kā jūs!

Rainharts paraudzījās uz viņu, kā vērtēdams.

– Ar vienu varētu pietikt, – viņš smaidīdams atbildēja.

Vēlāk, pēc vairākiem gadiem, Belknepam būs iemesls pārdomāt, kā īsa tikšanās spēj pārvērst cilvēka dzīvi. Pavērsiena punkts to it kā pārdala – pirms un pēc. Tajā brīdī nebija iespējams izprast šā mirkļa nozīmi. Belknepa prātu bija pārņēmusi viena doma – *kāds man šodien izglāba dzīvību*. It kā šis satraucošais notikums ļautu viņa dzīvei atgriezties normālajās sliedēs, kādās tā ritēja pirms tam. Viņš nezināja – viņš nevarēja zināt –, ka viņa turpmākā dzīve vairs nebūs tāda kā iepriekš. Tā pārvērtīsies nemanāmi, bet dramatiski.

Kad abi vīri pagāja zem dzeltenpelēkas plastmasas nojumes, kas stiepās gar vēstniecības ēkas sāniem, pa to skaļi plīkšķināja lietus un ūdens tecēja lejup kā no spaiņa. Lietusgāze bija sākusies.

PIRMĀ DAĻA

PIRMĀ NODAĻA

Roma

Pēc nostāstiem, Roma ir celta uz septiņiem pakalniem. Jānikula kalns, augstākais no tiem, ir astotais. Mitoloģija vēsta, ka tur dzīvojis durvju – ieeju un izeju – un vārtu dievs Jānuss, dievs ar divām sejām. Todam Belknepam būs vajadzīgas tās abas. Iespaidīgā neoklasicisma stila villā, kura slējās *via Angelo Masina* un kuras okerdzelteno fasādi rotāja balti pilastri, viņš jau piekto reizi desmit minūtēs pārbaudīja pulksteni.

Tas ir tavs darbs, viņš klusībā centās sev iestāstīt. Taču viņš nebija plānojis, ka viss notiks tā. Neviens to nebija plānojis. Belkneps klusi pārvietojās pa trešā stāva gaiteni – par laimi, grīdas segums bija nevainojami nostiprinātas flīzes, nekādu čīkstošu dēļu. Kapitālremonta laikā pūstošās koka daļas bija nomainītas... cik tādu remontu šī būve pieredzējusi kopš celtniecības darbiem astoņpadsmitajā gadsimtā? Šai villai, kas uzbūvēta uz imperatora Trajāna laikā tapušā ūdensvada, bija slavena pagātne. Tūkstoš astoņsimt četrdesmit astotā gada risordžimento, atdzimšanas, dienās Garibaldi to izmantoja par sava štāba mītni, iespējams, paplašinādams pagrabtelpas. Mūsdienās villu atkal izmantoja militāriem, varbūt pat zemiskiem mērķiem. Tā piederēja Halilam Ansari, ieroču tirgonim no Jemenas. Šis vīrs nebija ar pliku roku ņemams. Lai arī kādā miglā bija tītas viņa darbības, nodaļas analītiķi noskaidroja, ka viņš ir svarīgs piegādātājs ne vien Dienvidāzijā, bet arī Āfrikā. Turklāt viņš bija ārkārtīgi piesardzīgs, prasmīgi slēpdams savas gaitas, uzturēšanās vietas, savu identitāti, tāpēc gluži vai nenotverams. Līdz šim.

Belknepa laika izvēle nevarēja būt labāka – vai sliktāka. Divos desmitos darba gadu viņš bija sācis baidīties no veiksmes, kas

25

atnāk gandrīz par vēlu. Tā bija noticis viņa karjeras sākumposmā Austrumberlīnē. Tā bija noticis pirms septiņiem gadiem Bogotā. Tā atkal notika šeit, Romā. Trīs lietas labas lietas, kā mēdza teikt viņa draugs Džereds Rainharts. Bija zināms, ka Ansari gatavojas veikt lielu darījumu, no kura ieguvējas būtu vairākas puses. Pēc visām pazīmēm, tas bija ārkārtīgi sarežģīts un ārkārtīgi plašs darījums – kaut ko tādu spēja režisēt vienīgi Halils Ansari. Saskaņā ar avotu ziņojumiem jautājumu bija paredzēts nokārtot šajā vakarā starpkontinentālā telekonferencē. Taču sakaru līniju aizsargāšana un sarežģītu šifru izmantošana liedza iespēju likt lietā parastos pārtveršanas un noklausīšanās paņēmienus. Belknepa iecere varēja visu mainīt. Ja viņam izdotos īstajā vietā ielikt "vabolīti", viņa nodaļa iegūtu nenovērtējamu informāciju par to, kā darbojas Ansari tīkls. Ja veiktos, noziedzīgo tīklu varētu atmaskot un nāves tirgonis, kura darījumos apgrozās daudzi miljardi dolāru, nonāktu tiesā.

Tā bija labā ziņa. Sliktā ziņa bija tāda, ka Belkneps identificēja Ansari tikai pirms dažām stundām. Saskaņot operāciju nebija laika. Nebija laika ne gādāt par piesegšanu, ne saņemt akceptu par ieiešanu šajā villā, kur notika atjaunošanas darbi. Citas izvēles viņam nebija kā darboties vienam. Neizmantot izdevību nedrīkstēja.

Belknepam pie kokvilnas krekla bija piesprausta personas apliecība ar viņa foto. Tajā bija lasāms, ka viņš ir Sems Nortons, arhitekts no britu firmas, kas atbildīga par šo renovācijas projektu. Apliecība nodrošināja viņam ieiešanu ēkā, bet neattaisnoja viņa atrašanos Ansari kabinetā. Ja kāds viņu tur pārsteigtu, viss būtu beidzies. Arī tad, ja kāds uzietu sargu, kuru viņš bija apdullinājis ar niecīgu miega zāļu dzeloni un ievilcis uzkopšanas piederumu telpā vestibila galā. Operācijai būtu beigas. Un beigas būtu viņam.

Belkneps apzinājās briesmas, taču uztvēra tās bezkaislīgi, gluži kā satiksmes noteikumus. Pārbaudīdams ieroču tirgoņa kabinetu, viņš jutās kā sastindzis, redzēdams sevi no malas, it kā būtu bezķermenisks vērotājs. Vajadzēja noslēpt kontaktmikrofona keramikas elementu – bet kur? Uz galda bija vāze ar orhideju. Vāze noderētu par dabisku pastiprinātāju. To, protams, pārbaudīs jemeniešu draudu novēršanas vienība, taču tas notiks ne agrāk kā nākamajā rītā. Taustiņsitienu fiksators – Belknepam bija jauns modelis – ierakstītu ziņojumus, kurus kāds rakstītu ar

Ansari galddatoru. Tajā brīdī Belknepa radioaustiņās atskanēja vārga sisināšana, atbilde uz radioimpulsu, ko izstaroja miniatūrs kustības detektors, kuru Belkneps bija noslēpis gaitenī. Vai kāds grasījās ienākt šajā telpā? Tas nebija labi. Nepavisam nebija labi. Tas neatbilstu veselajam saprātam. Halila Ansari atrašana viņam bija prasījusi gandrīz gadu. Vai Halils Ansari patiešām sameklējis viņu? *Sasodīts!* Ansari nebija jāatgriežas tik ātri. Belkneps pārlaida drudžainu skatienu kabinetam ar keramikas flīžu grīdu. Šeit nebija kur paslēpties, vienīgi sienas skapis ar līstīšu durvīm stūrī netālu no galda. Lai gan vieta ne tuvu nebija ideāla, Belkneps ieklupa skapī un sakņupa uz tā grīdas. Skapī bija nepatīkami karsts, jo tajā dūca datoru serveri. Belkneps skaitīja sekundes. Kustību detektoru gaitenī varēja iedarbināt arī tarakāns vai pele. Varbūt viltus trauksme?

Taču tā nebija viltus trauksme. Kāds nāca istabā iekšā. Belkneps cieši lūkojās pa spraugu starp līstītēm, līdz ieraudzīja atnācēju. Halils Ansari. Šim cilvēkam bija nosliece uz apaļīgumu. Pat īsi apgrieztā bārda bija ieapaļa. Viņa lūpas, ausis, zods, vaigi – pilnīgi viss bija mīksts, gluži kā polsterēts. Ansari bija tērpies baltā zīda kaftānā, kas brīvi krita ap drukno augumu. Belkneps vēroja, kā jemenietis pieiet pie sava rakstāmgalda. Viņa sejas izteiksme bija nevērīga, toties acis... acis nopētīja telpu ar samuraja zobena asumu. Vai Ansari viņu ieraudzīja? Belknepam par to nebija ne jausmas. Viņš cerēja, ka viņu sargā skapja tumsa. Viņš bija cerējis uz daudz ko. Vēl viena pārrēķināšanās, un Ansari viņu "izskaitļos" no skapja ārā.

Jemenietis apsēdās uz ādas krēsla pie rakstāmgalda, noklikšķināja pirkstu kauliņus un, pieliecies tuvāk tastatūrai, ātri kaut ko uzrakstīja – bez šaubām, paroli. Belkneps tupēja neērtā pozā aiz bīdāmajām skapja durvīm. Sāka tirpt kājas. Šajā pasaulē viņš dzīvoja četrdesmit piecus gadus, un jaunības lokanums pamazām zuda. Nedrīkstēja atļauties ne mazāko kustību, jo niecīgākā locītavu krakšķēšanas skaņa viņu nodotu. Ja vien viņš būtu ieradies dažas minūtes agrāk vai Ansari atnācis dažas minūtes vēlāk, Belkneps domāja. Viņš būtu ielicis īstajā vietā taustiņsitienu fiksatoru, kas elektroniski uztver tastatūras impulsus. Nu galvenais viņa uzdevums bija vienkāršs – palikt dzīvam, iziet sveikā no šīs kļūmīgās situācijas. Laiks ziņojumiem no notikuma vietas un nekrologam vēl nebija pienācis.

Ieroču tirgonis, krēslā pagrozījies, uzmanīgi ievadīja nākamos teikumus. Šķita, ka viņš nosūta elektroniskā pasta vēstules. Ansari pabungoja ar pirkstiem pa galdu un nospieda pogu ar palisandru apdarinātā kastē. Varbūt viņš nodrošina telekonferences iespējas ar interneta starpniecību, Belkneps prātoja. Iespējams, apspriede notiks šifrētā tekstā interneta tērzētavā. Tik daudz ko varētu uzzināt, ja vien... Bija par vēlu, lai klusībā gaustos, taču nožēlas iemesli, kas jaucās Belknepam prātā, bija vieni un tie paši. Viņš atcerējās nesenējo prieku brīdī, kad beidzot bija ticis uz pēdām savam medījumam. Tas bija Džereds Rainharts, kurš Belknepam piešķīra iesauku Dzinējsuns, un godpilnā palama viņam pielipa. Lai gan Belknepam patiešām piemita īpašs talants atrast cilvēkus, kuri vēlējās būt pazuduši, galvenā viņa panākumu atslēga – viņš nekad nespēja par to pārliecināt citus, taču zināja, ka tā ir, – bija viņa neatlaidība.

Tikai ar neatlaidību viņš beidzot bija sadzinis pēdas Halilam Ansari pēc tam, kad operatīvās grupas bija atgriezušās tukšām rokām. Vienaldzīgāki aģenti raka, viņu lāpstas blīkšķēja pret pamatiežiem, līdz viņi atmeta pūliņiem ar roku, uzskatīdami tos par bezjēdzīgiem. Belknepa darba stils bija citāds. Ikviens meklējums bija atšķirīgs, ikvienā darbībā savijās loģika un iegriba, jo cilvēka prāts pakļaujas gan loģikai, gan iegribai. Datori galvenajā pārvaldē glabāja plašas datu bāzes, pārbaudīja robežu uzraudzības dienestu, Interpola un citu tamlīdzīgu iestāžu dokumentāciju, taču tiem bija jānorāda, ko meklēt. Šajās ierīcēs bija iespējams ieprogrammēt cilvēku pazīšanas programmatūru, taču vispirms tām vajadzēja iestāstīt, kura no sejām jāpazīst. Turklāt dators nespēj iekļūt objekta domās. Medību sunim izdodas uzošņāt lapsu daļēji tāpēc, ka tas prot domāt kā lapsa.

Pie durvīm atskanēja klauvējiens, un kabinetā ienāca jauna sieviete – tumšiem matiem, olīvkrāsas ādu, drīzāk itāliete, nevis levantiete, sprieda Belkneps. Melnbaltā formas tērpa stingrība nenoslēpa jaunās sievietes skaistumu un daudzsološo juteklību, kas acīmredzot nesen viņā bija uzplaukusi. Viņa nesa sudraba paplāti ar tējkannu un mazu tasi. Nāves tirgonis acīmredzot pasūtījis piparmētru tēju, Belkneps, pazinis aromātu, nodomāja. Jemenieši reti ķeras pie darba, nenobaudījuši tasi piparmētru tējas jeb *shay*, kā viņi to sauc, un Halils, stāvēdams uz iespaidīgu darījumu noslēgšanas slieksņa, bija uzticīgs tradīcijai. Belkneps gandrīz vai pasmaidīja.

Tādas nianses nereti palīdzēja Belknepam tikt uz pēdām īpaši nenotveramiem tipiem. Pēdējais bija Gārsons Viljamss, blēdīgs Losalamosas laboratorijas zinātnieks, kurš pārdeva kodolnoslēpumus Ziemeļkorejai un tad nozuda. FIB viņu meklēja četrus gadus. Kad beidzot šo uzdevumu uzticēja Belknepam, viņš Viljamsu atrada divos mēnešos. Belkneps, pārlūkodams sarakstu ar zinātnieka mājas krājumiem, secināja, ka tam ir vājība uz *Marmite*, sāļo rauga pastu, ko iecienījuši daudzi briti un bijušie britu impērijas pavalstnieki. Viljamsam tas bija iegaršojies studiju laikā Oksfordas universitātē. Sarakstā bija minēts, ka fiziķa mājas pieliekamā glabājas veseli trīs trauki ar *Marmite*.

FIB aģenti ar lielu rūpību, ņemdami talkā rentgenstarus, pārbaudīja visus mājsaimniecības priekšmetus un konstatēja, ka mikrofišu tajos nav. Taču viņi domāja citādi nekā Belkneps. Fiziķis patvēries mazāk attīstītā pasaules daļā, Belkneps srieda, kur lietvedība ir pavirša. Tāda rīcība šķita loģiska, jo ziemeļkorejiešiem pietrūktu resursu, lai sagādātu viņam tik kvalitatīvus personas dokumentus, kas izturētu pārbaudi informācijas laikmeta Rietumos. Belkneps rūpīgi pārbaudīja vietas, kur šis vīrs devies atvaļinājumos, meklēdams likumsakarības un pūlēdamies noteikt, kam viņš dod priekšroku. Galu galā kādā zvejnieku pilsētiņā Arugama līča austrumu daļā, Šrilankā, Belknepa uzmanību saistīja kādas nomaļas viesnīcas pieprasījums, turklāt viņš atklāja, ka īpašo lūgumu izteicis nevis viesis, bet gan vietējais iedzīvotājs. Pierādījumi, ja tos par tādiem varēja dēvēt, bija smieklīgi, taču Belknepa nojausma tāpēc nemazinājās. Kad Belkneps beidzot fiziķi panāca, aģents bija viens. Viņš riskēja ar savu galvu, jo nevarēja prasīt, lai sūta šurp grupu, minēdams faktu, ka nezināms amerikānis īpaši pasūtījis *Marmite* no nelielas vietējās viesnīcas. Lai rīkotos oficiāli, trūka pamatojuma. Taču Belknepam arto pietika. Kad viņš beidzot nostājās Viljamsam pretī, zinātnieks šķita gandrīz vai pateicīgs, ka beidzot atrasts. Viņa par dārgu cenu pirktā tropiskā paradīze bija garlaicības valstība, kas darīja vājprātīgu ar savu vienveidību.

Jemenietis joprojām klikšķināja tastatūru. Pacēlis mobilo tālruni – neapšaubāmi tādu, kurā ir čips, kas dod iespēju automātiski šifrēt sarunu, – viņš kaut ko sacīja arābu valodā. Viņa balss bija nesteidzīga, bet tajā pašā laikā nepārprotami steidzīga. Tad iestājās klusums. Pēc brīža saruna atsākās, un Ansari pārgāja uz vācu valodu.

Viņš pacēla skatienu uz apteksni, kas, nolikusi tējas tasi, grasījās doties prom. Abi uzsmaidīja viens otram, un Belkneps redzēja, ka jaunajai sievietei ir nevainojami līdzeni balti zobi. Kad Ansari no jauna pievērsās darbam, viņas smaids pagaisa kā nebijis. Tad viņa nedzirdamiem soļiem izslīdēja no telpas.

Cik ilgi vēl? Ansari pacēla mazo tējas tasi pie lūpām un nobaudīja malku aromātiskās tējas. Viņš atkal runāja pa tālruni, šoreiz franču valodā. *Jā, jā, viss norit, kā plānots.* Atkārtota apliecinājuma vārdi, kas Belknepam neko neizteica. Viņi, protams, zināja, par ko runā, un viņiem nebija vajadzības to skaļi nosaukt pa burtiem. Tirgonis nolika tālruni malā un uzklabināja vēl vienu elektronisko vēstuli. Tad atkal iedzēra malku tējas, nolika tasi un... it kā viņu būtu pārsteigusi pēkšņa lēkme, nodrebēja. Pēc īsa mirkļa vīrs sabruka uz priekšu, galva nobūkšķēja uz tastatūras. Ansari nekustējās. Miris?

Tas nevarēja būt.

Tomēr tā bija.

Kabineta durvis no jauna atvērās, un iekšā ienāca tā pati meitene. Vai, ieraudzījusi satriecošo skatu, viņa sāks kliegt un cels trauksmi?

Jaunā sieviete nepauda ne mazāko pārsteigumu. Viņa kustējās veikli, mazliet zaglīgi. Piegājusi pie sabrukuša vīrieša, viņa pielika pirkstus tam pie kakla, pārbaudīdama pulsu un acīmredzami to nekonstatēdama. Pēc tam viņa uzvilka baltus kokvilnas cimdus un sagrozīja nedzīvo ķermeni tā, lai izskatītos, ka tas atzvēlies atpūšas. Noliekusies pie tastatūras, viņa uzrakstīja steidzīgu ziņojumu. Visbeidzot, uzlikusi uz paplātes tasi un tējkannu, viņa no kabineta izgāja. Aizvākdama Ansari nāves instrumentus.

Viens no varenākajiem ieroču tirgoņiem pasaulē Halils Ansari tikko viņa acu priekšā bija noslepkavots. Noindēts. Un to pastrādāja... jauna itāliešu apkalpotāja.

Belkneps viebdamies piecēlās, iztaisnodams notirpušās kājas. Domas prātā dūca gluži kā radio, kas noregulēts starp divām stacijām. Kā gan viņš varēja zināt, ka notikumi risināsies šādi?

No iekšējā telefona uz Ansari rakstāmgalda atskanēja kluss elektronisks signāls.

Kas notiks, ja Ansari neatbildēs?

Kad tevi jupis! Drīz patiešām sāksies jezga. Ja tā notiks, viņš būs sprukās.

Beirūta, Libāna

Šo pilsētu reiz dēvēja par Tuvo Austrumu Parīzi, tāpat kā Saigonu par Indoķīnas Parīzi un konfliktu plosīto Abidžanu – par Āfrikas Parīzi. Apzīmējums, kas vairāk nozīmēja lāstu nekā godu. Tos, kuri šeit vēl bija atlikuši, varēja uzskatīt par izdzīvotājiem. Ložu necaurlaidīgs *Daimler* limuzīns līdzeni iekļāvās vakara satiksmes plūsmā nemierīgās pilsētas centrā. Laternas meta neskaidru blāzmu uz putekļainajām ielām, kas izskatījās kā pārklātas ar blāvu glazūru. *Daimler* virzījās caur *Place d l'Etoile* – nosaukums liecināja par kādreizējo mēģinājumu atdarināt Parīzes centru, taču nu tas bija tikai satiksmes līdzekļu pārblīvēts apkārtceļš, – un tālāk slīdēja pa ielām, kur līdzās moderniem biroju korpusiem slējās atjaunotas celtnes no osmaņu un franču mandāta laika. Limuzīns apstājās necilas ēkas priekšā – tā bija pelēkbrūna septiņu stāvu konstrukcija, tāda pati kā pusducis citu šajā apkaimē. Pieredzējušai acij ārējie rāmji ap limuzīna logiem pauda, ka tas ir bruņots, taču tas nebija nekas sevišķs. Galu galā šeit bija Beirūta. Nekas neparasts nebija arī divi masīvi miesassargi, kas, ģērbušies vaļīgos, pelēkbrūnos poplīna uzvalkos, kādus izraudzījās tie, kuriem ikdiena prasīja, lai apģērba sastāvdaļa būtu gan revolvera maksts, gan kaklasaite, izklupa ārā no mašīnas, tiklīdz tā apstājās. Jā, šeit bija Beirūta.

Un kādu pasažieri viņi apsargāja? Lietpratīgs vērotājs uzreiz pateiktu, ka šis pasažieris – gara auguma vīrs ar koptu ārieni, tērpies pelēkā, dārgā maisveida uzvalkā, – nav libānietis. Viņa nacionālā piederība bija nepārprotama, it kā viņš vēcinātu zvaigžņoto karogu ar sarkanajām svītrām.

Kamēr šoferis pieturēja durvis, lai viņš izkāptu, amerikānis bažīgi paraudzījās visapkārt. Gadus piecdesmit vecs un taisnu muguru, viņš izstaroja planētas varenākās valsts iedzīvotāja pašpārliecību un privilēģiju jaukties citu darīšanās un tajā pašā laikā svešajā pilsētā jutās neomulīgi. Viņa portfelis ar asajiem stūriem vedināja uz jauniem secinājumiem vai vismaz izraisīja turpmākus jautājumus. Augumā mazākais miesassargs iegāja ēkā. Otrs, kura skatiens nepagurdams šaudījās visapkārt, kavējās pie kalsnā amerikāņa. Aizsardzība un nebrīve bieži izskatās vienādi.

Gaitenī pie amerikāņa vērsās kāds libānietis ar tādu kā saviebušos smaidu. Izskatījās, ka viņa melnie mati atglausti atpakaļ ar neattīrītu naftu.

31

– Vai misters Makibins? – viņš jautāja, pastiepdams roku.
– Ross Makibins? – Kad amerikānis pamāja ar galvu, libānietis čukstus turpināja: – Es esmu Muhameds.
– Kurš gan šajā valstī tāds nav? – amerikānis izmeta.
Viņa sarunas biedrs neizdibināmi pasmaidīja un vadīja viesi uz priekšu, garām bruņotiem sargiem. Tie bija spēcīgi, bārdaini vīri ar pistolēm makstīs pie gurna, vīri ar piesardzīgām acīm un vēja appūstām sejām, vīri, kuri zināja, cik vienkārši izpostāma ir civilizācija, jo bija redzējuši to notiekam, tāpēc pieņēmuši lēmumu pievērsties kam ilgmūžīgākam – komercijai.
Amerikāni ieveda garā telpā ar apmetuma ģipša klātām sienām. Lai gan šī telpa otrā stāvā bija iekārtota kā atpūtas telpa – ar polsterētiem krēsliem un zemu galdiņu ar kafijas un tējas kannām, tomēr šķietamā nepiespiestība nespēja nomaskēt, ka tā bija vieta darbam, nevis izklaidei. Sargi palika priekštelpā; iekšā bija nedaudzi vietējie biznesmeņi.
Pārējie vīru, kuru viņi dēvēja par Rosu Makibinu, sagaidīja ar nervoziem smaidiem. Visi ātri sarokojās. Bija jāpievēršas darījumiem, un viņi zināja, ka amerikāņiem trūkst pacietības, lai ievērotu arābu pieklājības un aplinku valodas tradīcijas.
– Esam ļoti pateicīgi, ka atradāt laiku, lai tiktos ar mums, – teica viens no kungiem, kas iepazīdamies bija bildis, ka ir divu Beirūtas kinoteātru un pārtikas veikalu tīkla īpašnieks.
– Jūsu klātbūtne mūs pagodina, – sacīja Tirdzniecības palātas darbinieks.
– Esmu tikai pārstāvis, emisārs, – amerikānis bezrūpīgi atbildēja. – Uzskatiet mani par starpnieku. Ir ļaudis, kam ir nauda, un ir ļaudis, kuriem nauda vajadzīga. Mans darbs ir savest abus kopā.
Viņa smaids nozuda, it kā būtu izslēgts.
– Nav bijis viegli tikt pie ārzemju ieguldījumiem, – atļāvās pažēloties cits vietējais. – Taču mēs dāvinātam zirgam zobos neskatāmies.
– Es neesmu dāvināts zirgs, – Makibins attrauca.
Priekštelpā augumā zemākais amerikāņa miesassargs pagājās tuvāk istabas durvīm, lai varētu gan redzēt, gan dzirdēt.
Pat nepieredzējušam vērotājam būtu skaidrs, ka telpā spēki nav samērīgi. Amerikānis bija vidutājs, kas pelnīja iztiku, pārkāpdams starptautiskās tiesības to cilvēku interesēs, kuriem bija jādarbojas slepeni. Viņš pārstāvēja ārzemju kapitālu vietējo

biznesmeņu grupai, kuras nepieciešamība pēc finansējuma bija daudz lielāka nekā sirdsapziņas pārmetumi, ko viņi varēja atļauties, zinādami par tā izcelsmi.

– Joruma kungs, – Makibins mundri vērsās pie kāda vīra, kurš sarunā vēl nebija iesaistījies, – jūs taču esat baņķieris, vai ne? Kādas, pēc jūsu domām, šeit ir manas iespējas?

– Domāju, ka ikviens te vēlēsies būt jūsu partneris, – uzrunātais atbildēja, ar savu tuklo seju un šaurajām nāsīm atgādinādams vardi.

– Ceru, ka jūs izvērtēsiet *Mansur Enterprises*, – sacīja kāds cits.

– Mums bijusi ļoti veiksmīga kapitāla apgrozība. – Viņš uz mirkli apklusa, manīdams apkārtējo sejās skepsi, bet tad turpināja:

– Patiešām. Auditori mūsu grāmatvedību ir ļoti rūpīgi pārbaudījuši.

Makibins vēsi paraudzījās uz vīru no *Mansur Enterprises*.

– Auditori? Tiem, ko pārstāvu es, labāk patīk neformāla grāmatvedība.

Ārpusē skaļi nokauca automašīnas bremzes. Neviens tam nepievērsa uzmanību.

Vīrs, kurš bija izteicies par auditoriem, pietvīka.

– Bet protams... Varu jums galvot, ka tajā pašā laikā esam ļoti elastīgi.

Ne no viena mutes neatskanēja frāze "nelikumīgi iegūtas naudas legalizēšana", pēc tā nebija vajadzības. Nebija vajadzības skaļi nosaukt šīs apspriedes nolūku. Ārzemnieki ar neizskaidrojamām skaidras naudas rezervēm meklēja darījumus vāji regulētos tirgos, kāds bija, teiksim, Libānā, lai šie darījumi noderētu par fasādēm, caur kurām izplūstu noziedzīgi iegūtā nauda, uzpeldēdama kā legāli ienākumi. Lielākā daļa šīs naudas gan bija jāatdod atpakaļ mazrunīgajiem ārzemju partneriem, taču mazliet varēja paturēt. Gaisā ap sarunas biedriem jautās gan alkatība, gan bažas.

– Es patiešām baidos, vai netērēju šeit velti laiku, – Makibins sacīja garlaikotā tonī. – Vai mūsu sadarbība izdosies, atkarīgs no uzticēšanās. Taču uzticēšanās bez atklātības nav iespējama.

Abiniekam līdzīgais baņķieris, gausi piemiegdams acis, pasmaidīja.

Saspringto klusumu pārtrauca soļu troksnis. Vai tur augšā pa platajām kāpnēm steidzās nosebojušies apspriedes dalībnieki? Vai... kādi citi?

Neizpratnei nebija lemts turpināties ilgi. Atskanēja spalgs automātu raidītas uguns troksnis. Sākumā tas atgādināja petaržu sprādzienus, taču turpinājās pārāk ilgi un bija pārāk ātrs. Kliedza cilvēki, un viņu balsīs bija dzirdamas šausmas. Nākamajā mirklī, gluži kā trakojoša fūrija, šausmas iebruka apspriedes telpā. Tie bija vīri arābu lakatos, un viņi šāva ar kalašņikova sistēmas automātiem uz libāniešu biznesmeņiem.

Pāris sekundēs asinspirts bija galā. Izskatījās, ka ar pasauli neapmierināts gleznotājs pret apmetuma ģipša klātajām sienām izšļakstījis visus savas tumšsarkanās krāsas krājumus, ja vien visapkārt izplestām rokām un kājām, gluži kā šajā krāsā samērcētas lelles, baisās pozās nebūtu saļimuši cilvēki.

Apspriede bija beigusies.

Roma

Tods Belkneps izmetās pa kabineta durvīm ārā un devās pa garo gaiteni uz priekšu. Viņam jāizturas droši. Iecerētais bēgšanas veids – pa sētaspuses durvīm un iekšējo pagalmu – vairs nebija iespējams, jo prasītu pārāk daudz laika, bet viņam tā vairs nebija. Atlika izvēlēties īsāko ceļu.

Nonācis gaiteņa galā, Belkneps apstājās, ieraudzīdams kāpņu laukumā pāris sargu. Nostājies aiz atvērtām viesu telpas durvīm, viņš vairākas sekundes pagaidīja, līdz sargi devās lejup. Belkneps klausījās viņu gausajos soļos un atslēgu šķindoņā. Beidzot aizvērdamās noklaudzēja kādas durvis.

Tad, likdams vieglus soļus, viņš lavījās pa kāpnēm lejup, domās uzburdams villas plānu, ko bija pētījis. Kāpņu laukumā Belkneps atrāva kādas šauras durvis, cerēdams nokļūt uz avārijas kāpnēm, kas ļautu izvairīties no atmaskošanas. Tajā pašā brīdī viņš izdzirdēja satrauktas balsis un skrejošu soļu troksni, ko radīja zābaku zoļu klaudzieni pret cietu grīdu. Kaut kas bija iztraucējis ierasto kārtību, un Belkneps zināja, kas. Kāds bija uzgājis noindēto Halilu Ansari, un tas nozīmēja, ka ēkā izziņota trauksme.

Tas nozīmēja, ka ar katru minūti, ko viņš pavadīja villas iekšpusē, izglābšanās izredzes saruka.

34

Varbūt jau ir par vēlu? Traukdamies lejup, viņš izdzirdēja dūcošu skaņu. Kāpņu laukumā, elektroniski aizvērdamies, ceļu aizšķērsoja režģis. Kāds acīmredzot aktivizēja trauksmes situācijas drošības līdzekļus, noslēgdams ārā izkļūšanas ejas un nelikdamies ne zinis par ugunsdrošības noteikumiem. Vai šajā kāpņu posmā viņš bija notverts lamatās? Belkneps brāzās atpakaļ un pakustināja apaļo rokturi durvīm, kas veda augšup, uz nākamo stāvu. Šaurās durvis padevās, un viņš iespraucās iekšā.

Un nokļuva tur ierīkotā slēpnī.

Kāds dzelžaini sagrāba Belknepa kreiso augšdelmu, pie mugurkaula sāpīgi piespiezdams ieroča stobru. Viņa atrašanās vietu acīmredzot bija atklājis siltuma un kustības sensors. Belkneps, pagriezis galvu, sastapa akmenscietu skatienu, kas piederēja jaunam, iepriekš neredzētam sargam. Viņam blakus, drošākā pozīcijā, bija vēl viens, vecāks vīrs.

Belkneps to nopētīja. Melnīgsnējs, tumšiem matiem, gludi skuvies, apmēram četrdesmit gadus vecs. Cilvēks dzīves posmā, kurā briedums un pieredze viens otru veiksmīgi papildina un fizisks slābanums vēl neliek sevi manīt. Jauns cilvēks ar iespaidīgiem muskuļiem, bet niecīgu pieredzi ir uzveicams gluži tāpat kā gudrs, bet fiziski paguris veterāns. Lai gan šā vīra seja, kurā nepakustējās ne vaibsts, neko nepauda, no viņa strāvoja pārliecība par sevi. Rūdīts, vēl nenolietojies tērauds. Pretinieks, kurš pareizi novērtē savus spēkus, tajā pašā laikā neļaudamies bailēm, ir grūti uzvarams.

Vīram bija spēcīga miesas būve, taču viņš izskatījās vingrs. Viņa seja bija stūraina, ar saplacinātu degunu – droši vien jaunībā lauzts – un biezām, smagnējām uzacīm, kas slīga pār plēsonīgām acīm, ar kādām reptilis nopēta savu laupījumu.

– Paklausieties, man nav ne mazākās jēgas, kas šeit notiek, – Belkneps iesāka, tēlodams apjukušu darba cilvēku. – Esmu arhitekts. Iegriezos, lai pārbaudītu, kā rit darbi. Tas ir mans pienākums... vai saprotat? Ņemiet un piezvaniet uz kantori, tur jums apliecinās to pašu.

Vīrs, kas turēja viņu pie muguras ieroci, nostājās viņam cieši līdzās. Tas bija apmēram divdesmit piecus gadus vecs puisis, šmaugs, brūniem matiem un iekritušiem vaigiem. Viņš saskatījās ar vecāko sargu. Ne viens, ne otrs nepagodināja Belknepu ar atbildi.

– Varbūt jūs nerunājat angliski, – Belkneps teica. – Tā gan būs problēma. *In italiano...*
– Tava problēma nav tā, ka es nesaprotu, – saspiezdams viņa roku ciešāk, ar vieglu akcentu sacīja vecākais vīrs. – Tava problēma ir tā, ka es saprotu.
Tunisietis, Belkneps nodomāja, spriezdams pēc akcenta.
– Tad jau...
– Tu vēlies runāt? – vīrs viņu pārtrauca. – Lieliski. Es vēlos klausīties. Taču ne šeit. Mūsu jaukajā *stanza per gli interrogatori.* Pratināšanas kamerā. Pagrabstāvā. Tieši uz turieni mēs tūlīt iesim.

Asinis Belknepa dzīslās gluži vai sastinga. Par to telpu viņš zināja visu – bija to uzgājis plānā, izpētījis tās uzbūvi un aprīkojumu jau pirms tam, kad noskaidroja, ka villas īpašnieks ir Ansari. Vienkāršiem vārdiem, tas bija rūpīgi iekārtots moku kambaris. *Totalmente insonorizzato,* bija minēts tā aprakstā. Tas nozīmēja "skaņas necaurlaidīgs". Skaņas izolācijas materiālus piegādāja kāda Nīderlandes firma. Kamera no iekšpuses bija apdarināta ar blīvu polimēru, kas gatavots no smiltīm un polivinilhlorīda, bet durvju aploda klāta ar biezu gumijotu materiālu. Cilvēks varēja kliegt, cik skaļi jaudāja, un neviens viņu nedzirdēja, pat ja stāvēja ārpusē dažu metru attālumā.
Iekārtas pagrabstāva kamerā kliegšanu garantēja.
Ļaundari allaž tiecas nošķirties no sava darba aināam un skaņām – Belkneps to ielāgoja pirms pāris gadu desmitiem Austrumberlīnē. Cietsirdības lietpratējiem privātums ir ārkārtīgi svarīgs, jo tas dod patvērumu barbarismam pašā sabiedrības vidū. Belkneps tikpat labi zināja vēl ko. Ja viņu ved uz *stanza per gli interrogatori,* izredžu viņam nav. Pagalam operācija, pagalam viņš pats. Iespēju izglābties nebija, tāpēc jebkāda pretestība, viņš domāja, vienalga, cik bīstama vai bezjēdzīga, ir labāka par pakļaušanos. Belknepam bija tikai viena priekšrocība – sagūstītāji neprata lasīt viņa domas. Lai gan doma, ka esi daudz neprātīgāks, nekā tavi sagūstītāji pieļauj, bija vājš mierinājums, Belkneps nolēma pretoties.
– Labi, – viņš padevīgi sacīja, joprojām tēlodams apjukumu.
– Jauki. Saprotu, ka šis ir paaugstinātas drošības objekts. Dariet, kas jums jādara. Es labprāt ar jums aprunāšos, kur vien vēlaties. Piedodiet... kā jūs sauc?

– Sauc mani par Jusefu, – vecākais atbildēja. Pat viņa nevērīgajā atbildē bija kaut kas nepielūdzams.

– Bet, Jusef, jūs pieļaujat kļūdu. Jums no manis nebūs nekāda labuma.

Belkneps atslābināja ķermeni, ļāva sagumt pleciem, tādējādi atņemdams savam ārējam veidolam vingruma pazīmes. Abi vīri, protams, neticēja nevienam viņa vārdam. Belkneps to zināja, taču negrasījās viņiem to izrādīt.

Izdevība radās, kad vīri, nolēmuši taupīt laiku, veda viņu lejā nevis pa betona kāpnēm sētaspusē, bet pa galvenajām kāpnēm – platu, izliektu šūnakmens konstrukciju, ko klāja persiešu tepiķis. Uzmetis skatienu ielas gaismai, kas vīdēja caur masīvo ārdurvju apsarmojušo stiklu, viņš ātri pieņēma lēmumu. Viens pakāpiens, otrs, trešais... un viņš izrāva roku no sarga tvēriena ar gļēvu aizskartas pašcieņas žestu. Sargs neapgrūtināja sevi ar kaut kādu reakciju, acīmredzot pielīdzinādams Belknepa sīko protestu sprosta putna spārnu plivināšanai.

Belkneps pagriezās pret sargiem, it kā grasīdamies atkal uzsākt sarunu, tajā pašā laikā nevērīgi sperdams soļus pa biezā tepiķa klātajām kāpnēm. Ceturtais pakāpiens, piektais, sestais... Radījis iespaidu, ka iet, neraizēdamies par pamatu zem kājām, Belkneps galu galā, cik vien pārliecinoši spēja, paklupa. Izlikdamies, ka sametušās kājas un tāpēc viņš zaudē līdzsvaru, Belkneps nogāzās uz kreisā pleca, nemanāmi pagrūdis apakšā labo roku, lai kritienā plecu nesatriektu.

– Sasodīts! – viņš izgrūda, noveldamies vēl pāris pakāpienu.

– Viņš tiks ārā! – vecākais vīrs, kurš sevi bija nodēvējis par Jusefu, iekliedzās. Sargiem pāris sekunžu laikā bija jāizlemj, kā lai rīkojas. Gūsteknim piemita vērtība – informācija, ko viņš varēja sniegt. Tāpēc viņa nogalināšana nelaikā varēja beigties ar nepatikšanām. Lai gūstekni neievainotu bīstami, bija jātēmē ar lielu rūpību, jo mērķis kustējās.

Belkneps patiešām *kustējās*. Pielēcis kājās, viņš pieveica atlikušos pakāpienus. Brīdī, kad aģents brāzās uz neoklasicisma stila durvju pusi, viņa kājas atgādināja nospriegtas atsperes. Taču magnētiski noslēgto durvju atvēršana, protams, nebija viņa mērķis.

Belkneps traucās uz durvīm, nenolaizdams skatienu no vienas to puses, no kuras oriģinālais ornamentēta stikla un svina panelis bija izņemts, bet divu pēdu platumā ielikts parasts stikls.

Romas varas iestādes aizliedza jebkādus saskatāmus villas fasādes pārveidojumus, un šis aizliegums attiecās arī uz durvju dizainu. Pēc projekta bija paredzēts, ka durvīs jāieliek iepriekšējai identiska ložu necaurlaidīga plāksne, kas būtu gatavota no metakrilāta sveķiem, taču atdarinājums prasīja mākslinieku un inženieru vairāku mēnešu kopdarbu. Belkneps, sargādams seju, sāniski gāzās iekšā durvju rūtī... Tā padevās, ar troksni saplīsdama un reizē ar Belknepu izgāzdamās ārā. Belkneps, pietrūcies kājās, metās prom pa akmens plāksnēm klāto celiņu villas priekšā. No vajātājiem viņu šķīra tikai sekundes. Belkneps dzirdēja viņu soļus... un tad viņu raidītos šāvienus. Kad šāviņu zibšņi tumsā dzalkstīja viņam visapkārt gluži kā krītošas zvaigznes, viņš meta dīvainus līkločus, tādējādi padarīdams sevi par grūtāk sasniedzamu mērķi. Belkneps dzirdēja lodes atlecam no skulptūrām, kas greznoja villas priekšpusi. Vairīdamies no pistoļu raidītās uguns, viņš klusībā lūdzās, lai viņu netrāpītu kāda lode rikošetā. Aizelsies tverdams gaisu, viņš brāzās pa kreisi, kur priekšā bija mūra siena, kas norobežoja īpašumu. Rāpdamies tai pāri, viņš juta, ka asie stieples dzeloņi gluži kā žilete pāršķeļ audumu, iedurdamies miesā. Pusi krekla pametis uz mūra, viņš ienira tuvējo konsulātu dārzos. Kad Belkneps izklumburoja uz *via Angela Masina*, viņš beidzot atskārta, ka kreisais celis sāpīgi pulsē, muskuļi dreb un locītavas no pārpūles smeldz. Taču visas šīs ķermeņa sāpes viņš juta kā caur miglu, jo adrenalīns tās nomāca. Belkneps par to bija pateicīgs.

Viņš bija pateicīgs, ka ir dzīvs.

Beirūta

Apspriežu telpā gaiss šķita biezs no smārda, kas plūda no sacaurumotajiem ķermeņiem, – saldenu asiņu smaku papildināja izkārnījumu smirdoņa. Tā bija lopkautuves smaka, trieciens ožai. Ģipša sienas, kopta āda un dārgi uzvalku audumi – viss mirka asinīs.

Augumā mazākais amerikāņa miesassargs krūškurvja augšdaļā juta dedzinošas sāpes – lode, kas trāpījusi plecā, iespējams, bija ieurbusies plaušā. Taču samaņa viņu nepameta. Caur puspavērtiem plakstiņiem viņš redzēja asiņainās izrēķināšanās ainu un arābu lakatos ietinušos uzbrucēju baismīgo plātīšanos. Vīrs, kurš sevi sauca par Rosu Makibinu, vienīgais nebija sašauts. Brīdī, kad viņš apstulbis stāvēja, šausmu un neticības sastindzināts, varmākas viņam uz galvas uzmeta dubļu krāsas audeklu. Pēc tam, barā traukdamies lejā pa kāpnēm, viņi grūda un vilka pārbiedēto amerikāni sev līdzi.

Miesassargs, kura poplīna žakete lēni krāsojās sarkana, izdzirdēja zemu, paklusu automašīnas motora rūkoņu. Aizgūtnēm vilkdams elpu, viņš pierāpoja pie loga un paslējies redzēja, ka amerikāni, kura plaukstas nu bija sasietas uz muguras kopā, rupji iegrūda furgonā, kas nākamajā mirklī aiztraucās dūmakainajā naktī.

No slepenas iekškabatas izvilcis nelielu mobilo tālruni, kas bija paredzēts lietošanai tikai ārkārtējās situācijās – viņa kontrolieris Konsulāro operāciju nodaļā bija to uzsvēris –, ievainotais vīrs arteriālo asiņu noplūdušiem pirkstiem nospieda vienpadsmit ciparu kombināciju.

– Harisona ķīmiskā tīrītava, – atsaucās šķietami garlaikota balss.

Miesassargs ievilka elpu sašautajās plaušās.

– Pollukss ir sagūstīts.

– Lūdzu, atkārtojiet, – balss teica. Amerikāņu izlūkdienestam vajadzēja, lai viņš ziņojumu atkārto, varbūt balss autentiskuma pierādīšanai, un miesassargs to atkārtoja. Precizēt laiku un vietu nebija vajadzības, jo tālrunī bija globālās pozicionēšanas sistēmas ietaise, kas nodrošināja ne vien elektronisku datuma un diennakts laika, bet arī ģeogrāfiskā izvietojuma atzīmi ar deviņu pēdu precizitāti horizontālā plaknē. Tāpēc izlūkdienestā zināja, kur Pollukss bija atradies.

Jautājums bija – kurp viņu aizveda?

Vašingtona, Kolumbijas apgabals

– Velns un elle! – operāciju direktors ieaurojās. Uz viņa kakla izspiedās dzīslas.

Ziņa, ko bija saņēmis Valsts departamenta Izlūkošanas un pētniecības birojs, minūtes laikā nokļuva līdz galvenajiem operāciju organizētājiem. Konsulāro operāciju nodaļa allaž lepojās ar savu elastību un operativitāti, ar ko atšķīrās no lielākām spiegošanas aģentūrām, kuras nereti rīkojās gausi. Un nodaļas priekšniecība bija skaidri paudusi, ka Polluksa darbība ir prioritāte, kas jāuzmana īpaši.

Stāvēdams uz kabineta sliekšņa, jaunākais operatīvais darbinieks, kura āda atgādināja kafiju ar pienu un mati bija melni, cirtaini, biezi un cieti, nodrebēja, it kā tieši viņš būtu nolamāts.

– Nolādēts! – operāciju direktors atkal ierēcās, bliezdams ar dūri pa rakstāmgaldu. Piecēlies kājās, viņš juta, ka deniņos pulsē vēna. Tas bija Gerets Drekers. Lai gan viņš raudzījās uz jaunāko kolēģi, kurš stāvēja durvīs, patiesībā viņš krietnu brīdi to neredzēja. Beidzot viņa skatiens koncentrējās uz melnīgsnējo darbinieku. – Kādi ir pamatrādītāji? – viņš jautāja gluži kā neatliekamās palīdzības ārsts, kurš pārbauda pulsa ātrumu un asinsspiedienu.

– Mēs tikai nupat saņēmām šo zvanu.

– Ko nozīmē "nupat"?

– Pirms pusotras minūtes. Piezvanīja mūsu iesācējs, kurš pats ir visai smagā stāvoklī. Mēs domājām, ka jūs gribēsiet to zināt, cik ātri vien iespējams.

Drekers piespieda pogu uz iekšējā telefona.

– Sameklē Gerisonu, – viņš sacīja neredzamam palīgam. Drekers bija kalsns, piecas pēdas un astoņas collas garš vīrs, un kāds kolēģis reiz pielīdzināja viņu burulaivai – lai gan pavājš pēc miesas būves, juzdams ceļavēju, viņš piepūtās. Tāds ceļavējš acīmredzot pūta šajā brīdī, jo Drekera krūtis izriezās, kakls pietūka, pat acis aiz taisnstūra brillēm bez ietvara izvalbījās, kļūdamas draudīgas. Viņš saknieba lūpas, kas piepeši piebrieda. Tā notiek ar slieku, ja tai piebiksta.

Jaunais darbinieks parāvās sāņus, kad Drekera kabinetā platiem soļiem ienāca kāds padrukns, sešdesmit gadus vecs vīrs. Caur žalūzijām telpā iespiedās agras pēcpusdienas saules gaisma, apspīdēdama valdības piešķirtās lētās mēbeles – ar kompozītmateriālu klātu rakstāmgaldu, pavirši lakotu kafijas galdiņu, nobružātus, ar emaljas krāsu nokrāsotus tērauda dokumentu skapjus, noplukušus ar zaļganu velvetu apvilktus krēslus, kas joprojām bija saglabājuši tamlīdzīgu nokrāsu. Neilona grīdsega, kuras faktūra un krāsas tonis no laika gala atgādināja netīrumus, pēc desmit gadu kalpošanas nebija mainījusies.

Druknais vīrs uzmeta skatienu jaunajam nodaļas darbiniekam.
– Gomss, vai ne?
– Gomess, – tas pārlaboja. – Ar divām zilbēm.
– Tādēļ, lai visus varētu izlabot, – vecākais vīrs gurdi noteica, it kā uzsvērdams, ka tāds uzvārds nav viņa gaumē.
Tas bija Vils Gerisons, atbildīgais par Beirūtas operāciju.
Gomesa melnīgsnējie vaigi viegli piesarka.
– Es ļaušu jums aprunāties.
Gerisons uzmeta skatienu Drekeram, kas piekrizdams pamāja ar galvu.
– Palieciet šeit. Mums būs jautājumi, – Gerisons teica.
Gomess piegāja abiem tuvāk, izskatīdamies pēc padotā, ko priekšnieks izsaucis "uz kafiju". Drekers nepacietīgi viņam pamāja, lai apsēžas vienā no zaļajiem – kādreiz zaļajiem, bet nu jau zaļganajiem, – krēsliem.
– Kā mēs rīkosimies? – Drekers apjautājās Gerisonam.
– Ja tev iesper pa olām, jāatbild ar dubultu spērienu. Tā mēs rīkosimies.
– Tātad mēs esam piešņākti, – Drekers, kura dusmu vētras bija norimušas, izskatījās tikpat nolietots un saburzīts kā viss pārējais viņa kabinetā, lai gan, ieņemdams šo amatu tikai četrus gadus, sava kabineta interjerā bija pats jaunākais.
– Pamatīgi piešņākti. – Vils Gerisons pret Drekeru izturējās pieklājīgi, taču bez cieņas un godbijības. Viņš bija vecākais starp pārējiem Konsulāro operāciju nodaļas atbildīgajiem vadītājiem, viņam bija liela pieredze un plaši sakari, un tas bieži bija neatsverams faktors. Gomess zināja, ka gadi labsirdīgāku šo cilvēku nepadara. Gerisonam jau sen bija stingra un barga vīra reputācija, turklāt viņš kļuva aizvien stingrāks un bargāks. Ja eksistētu bardzības mērīšanas skala, viņa skarbums krietni pārsniegtu tās augšējo atzīmi. Viņš ilgi atcerējās to, ko gribēja atcerēties, un viņam bija ātra daba. Kad Gerisons bija aizkaitināts, viņa izvirzītais žoklis pastiepās uz priekšu vēl vairāk, un to nepavisam vairs nevarēja dēvēt par "nelielu sapīkumu". Nereti viņš aizsvilās ne pa jokam.
Kad Gomess mācījās koledžā Ričmondā, viņš nopirka lietotu automašīnu ar salauztu radio. Frekvences skala bija iestrēgusi uz kādas smagā metāla stacijas un skaņas regulēšanas poga iesprūdusi. Mūziku varēja uzgriezt vienīgi skaļāku. Gerisons viņam atgādināja automašīnas radio.

Drekeru dienesta hierarhijas rituāli neinteresēja. Gomesa darbabiedri bija vienisprātis, ka nekas nevar būt ļaunāks par kolēģi – pielīdēju un nodevēju. Gerisons, iespējams, varēja nodot, taču nepielīda, toties Drekers mācēja pielīst, taču nekad nenodotu. Lai gan tik dažādi, viņi sastrādājās.

– Viņi novilka tam arī apavus, – Drekers teica. – Izmeta ceļa malā. Ardievu, *GPS* uztvērēj! Viņi nav nekādi stulbeņi.

– Ak Dievs! – Gerisons noburkšķēja un, uzmetis skatienu Gomesam, noprasīja: – Kas tie bija?

– Mēs nezinām. Mūsu cilvēks notikuma vietā teica, ka...

– Ko? – Gerisons pielēca kājās.

Gomess jutās kā aizdomās turētais nopratināšanā.

– Mūsu cilvēks teica, ka uzbrucēji iebrāzušies apspriedē, kas noorganizēta...

– Es zinu visu par to sasodīto apspriedi! – Gerisons viņu pārtrauca.

– To pastrādāja gangsteri un mahinatori. Sliktie zēni viņu iemeta furgonā un nozuda.

– Sliktie zēni, – Gerisons nomāktā balsī atkārtoja.

– Necik daudz mēs par viņiem nezinām, – Gomess turpināja.

– Viņi bijuši veikli un nežēlīgi. Apšāvuši visus, kas bijuši redzeslaukā. Galvassegas, automātiskie ieroči. – Gomess paraustīja plecus. – Arābu kaujinieki. Tāds ir mans viedoklis.

Gerisons palūkojās uz jauno cilvēku tā, kā tauriņu kolekcionārs ar garu adatu rokā noraugās uz kolekcijas eksemplāru.

– Ak tad tavs viedoklis, ko?

Drekers pagriezās pret iekšējo telefonu.

– Lai ierodas Oukšots! – viņš iekliedza aparātā pavēli.

– Es tikai saku... – Gomess noteica, valdīdams balsi, lai tā netrīcētu.

Gerisons sakrustoja rokas uz krūtīm.

– Mūsu puisis ir nolaupīts Beirūtā, un tu uzdrīksties teikt, ka iejaukti arābu kaujinieki, – viņš lēni un uzsvērti sacīja. – Varu derēt, ka tevi uzņēma goda biedrībā *Phi Beta Kappa*, kad mācījies koledžā.

– Es nestudēju grieķu valodu, – Gomess nomurmināja.

Gerisons nosvilpās.

– Sasodītais zaļknābi! Ja kādu nolaupīs Pekinā, tu paziņosi, ka to pastrādājis ķīnietis. Kaut kas taču ir jāsaprot! Ja es jautāju, kāds furgons, neatbildi man, ka "ar četriem riteņiem"!

– Tumši zaļš, noputejis. Pie logiem aizkari. Mūsu puisis domā, ka *Ford*.

Kabinetā ienāca gara auguma vīrs ar kalsnu seju un sirmu matu vainagu. Viņš bija tievs kā maikste, un tvīda žakete ar skujiņu rakstu vaļīgi karājās uz kārnā auguma.

– Tātad... kas bija atbildīgs par šo operāciju? – jautāja Maiks Oukšots, direktora vietnieks analīzes jautājumos. Viņš arī piemetās uz zaļgana krēsla, saliekdams garās rokas un kājas gluži kā šveiciešu armijas nazi.

– Jūs to zināt sasodīti labi, – Gerisons noņurdēja. – Es.

– Jā, jūs esat atbildīgais, – Oukšots, pamādams ar galvu, sacīja. – Bet kas to plānoja?

Druknais vīrs paraustīja plecus.

– Nu... es.

Galvenais analītiķis nenolaida no viņa skatienu.

– Es un Pollukss, – Gerisons piebilda, atkal paraustīdams plecus. – Galvenokārt Pollukss.

– No tevis viss jāvelk laukā gluži kā ar knaiblēm, Vil, – Oukšots noteica. – Pollukss operācijās allaž bijis nevainojams. Viņš nav no tiem, kas velti riskē. Ņem to vērā. – Viņš uzmeta īsu skatienu Drekeram. – Kāds bija tas plāns?

– Viņš četrus mēnešus darbojās slepeni, – Drekers atbildēja.

– Piecus mēnešus, – Gerisons viņu izlaboja. – Viņa segvārds bija Ross Makibins. Uzdevās par amerikāņu biznesmeni, kurš soļo pa dzīves ēnas pusi. Starpnieks, kas izlūko naudas legalizēšanas iespējas.

– Ja meklējat grunduļus, tā ir īsta ēsma.

– Pilnīgi pareizi, – Drekers teica. – Pollukss iefiltrējās lēni. Viņš nemakšķerēja zivis. Viņš meklēja otru makšķernieku.

– Man aina ir puslīdz skaidra, – Oukšots paziņoja. – Tas ir Žoržs Habašs jaunā versijā.

Galvenajam analītiķim nebija vajadzības par to izteikties plašāk. Pagājušā gadsimta septiņdesmito gadu sākumā palestīniešu nacionālistu vadītājs Žoržs Habašs, pazīstams kā Doktors, Libānā rīkoja pasaules teroristu organizāciju – arī basku separātistu kustības *ETA*, japāņu "Sarkanās armijas", Bādera un Meinhofas grupas un Irānas atbrīvošanas frontes – slepenu sanāksmi. Turpmākajos gados Habaša organizācija un Libāna kļuva par vietu, kurp bruņojuma meklējumos devās teroristi no visām malām. Čehu parauga *Skorpion* automāts, ar kādu nogalināja

43

Itālijas premjeru Aldo Moro, bija iegādāts Libānas ieroču tirgū. Kad pie arestētā itāliešu revolucionārās grupas *Autonomia* līdera uzgāja divas *Strela* raķetes, Palestīnas atbrīvošanas tautas fronte apgalvoja, ka šīs raķetes ir viņu īpašums, un pieprasīja tās atdot atpakaļ. Līdz ar Berlīnes mūra krišanu Libānas ieroču tirgus, retranslācijas sistēmas, ko ekstrēmistu organizācijas visā pasaulē izmantoja, lai pirktu un tirgotu nāvējošo operāciju darbarīkus, uz ilgu laiku tika aizmirsts. Taču ne uz visiem laikiem. Kā apstiprināja Džereds Rainharts un viņa komanda, saiknes atjaunojās un organisms atspirga – shēma dūca no jauna. Pasaule bija pārvērtusies – taču virzījusies atpakaļ. Skaļi reklamētā jaunā pasaules kārtība strauji novecoja. Izlūkdienestu analītiķi izteica atziņu, ka bruņots dumpis nebūt nav lēts, un Valsts departamenta Izlūkošanas un pētniecības birojs aprēķināja, ka "Sarkanās brigādes" savu piecsimt biedru uzturēšanai gadā tērē simt miljonu dolāru. Mūsdienu ekstrēmistiem ir ekstrēmas vajadzības – pārvietošanās ar lidmašīnu, īpašs bruņojums, jūras kara flotes kuģi munīcijas transportēšanai, ierēdņu uzpirkšana. Nekas vairs nav lēts. Daudziem par likumīgiem atzītiem biznesmeņiem akūti nepieciešama ātra skaidras naudas infūzija. Tāpat jāuztur neliels, taču nozīmīgs skaits organizāciju, kas uzticīgas nāves un posta sēšanai. Džereds Rainharts, Pollukss, bija izgudrojis stratēģiju, kā šajā vienādojumā iekļūt pircēju pusē.

– Spiegošana nav kārba ar pupiņām, – Drekers domīgi noteica.

Oukšots pamāja ar galvu.

– Kā jau teicu, Pollukss ir tikpat atjautīgs kā viņi. Jācer vienīgi, ka šoreiz viņš viltībā pārspēs pats sevi.

– Viņš bija piekļuvis tiem tuvu klāt un darbojās ar labiem panākumiem, – teica Gerisons. – Ja gribi iekļūt bankas kopībā, sāc taisīt aizņēmumus, un baņķieri tevi apstās gluži vienkārši tādēļ, lai uz tevi paskatītos. Pollukss zināja, ka viens no tiem tipiem apspriedē ir baņķieris, kurš valda pār daudziem naudasmaisiem. Sāncensis, nevis lūdzējs.

– Izklausās sarežģīti, – Oukšots novilka.

Gerisons saviebās.

– Ansari tīklā nevar iekļūt, izpildot pieteikuma veidlapu.

– Labi, ka pateici, – Oukšots atbildēja. – Gribu pārliecināties, ka esmu sapratis pareizi. Tajā pašā vakarā, kad Ansari savā

Jaunuma citadelē noformē trīssimt miljonu dolāru vērtu darījumu par vidēja lieluma bruņojumu, tajā pašā vakarā, kad viņš saliek punktus uz i, apstiprinādams digitālos parakstus un noglabādams skaidras naudas kaudzes vienā no saviem kodētajiem kontiem, Džereds Rainharts jeb Ross Makibins Beirūtā sēž kopā ar alkatīgiem veikalniekiem, kurus apšauj kalašņikoviem bruņoti bandīti, kas Makibinu nolaupa. Tajā pašā vakarā. Vai kāds teiks, ka tā ir sakritība?

– Mēs nezinām, kas aizgāja greizi, – Drekers teica, cieši atspiezdamies pret krēsla atzveltni, it kā baidītos zaudēt līdzsvaru.

– Mans instinkts čukst, ka viņš bagātā amerikāņu biznesmeņa lomu spēlēja pārāk labi. Viņa nolaupītāji, iespējams, domā, ka viņš ir vērtīgs ķīlnieks.

– Tāpēc ka ASV izlūkdienesta aģents? – Oukšots iztaisnoja muguru.

– Tāpēc ka bagāts amerikāņu biznesmenis, – Drekers pastāvēja uz savu. – Tas ir mans viedoklis. Mūsdienās cilvēku nolaupīšana Beirūtā nav nekas neparasts. Dažādiem grupējumiem vajadzīga nauda. Viņi to vairs nesaņem no Padomēm. Saūda Arābijas karaļnams no viņiem novēršas. Sīrieši kļūst par sīkstuļiem. Man šķiet, ka Makibinu uzskatīja par to, par ko viņš uzdevās.

Oukšots lēni pamāja ar galvu.

– Tas viss mūs ierauj pamatīgās nepatikšanās. Ja ņem vērā to, kas notiek Kapitolija pakalnā.

– Jēziņ, – Drekers noņurdēja. – Rīt man jāierodas sanāksmē sasodītajā senāta pārraudzības komisijā.

– Vai viņi zina par šo operāciju? – Gerisons apvaicājās.

– Jā, vispārējos vilcienos. Tā bija jānorāda budžeta pozīcijā, tāpēc nebija kur likties. Viņi droši vien uzdos jautājumus. Atbilžu man nav, tas ir skaidrs kā diena.

– Kā šī budžeta pozīcija izskatās? – Oukšots jautāja.

Sviedru lāses uz Drekera pieres saulē lāsmoja. Vēna deniņos joprojām pulsēja.

– Operācijai veltītais pusgads nozīmē krietnu robu izdevumu sadaļā. Turklāt iesaistītais personālsastāvs... Mūsu situāciju tur sīki iztirzās.

– Polluksa izredzes būs labākas, ja mēs kaut ko izdomāsim ātrāk, – nopietnā balsī sarunā iejaucās Gomess. – Tādas ir manas domas.

– Paklausies, sīkais, – Gerisons drūmi sacīja, nicīgi uz Gomesu noraudzīdamies, – ar tavām domām ir tāpat kā ar pakaļu. Tās ir visiem.

– Kērka komisija izdibinās, kas nogājis šķībi, – Drekers klusi teica. – Man klāsies plāni.

Lai gan telpā gaiši iespīdēja pusdienlaika saules stari, šķita, ka tajā ielavījušās ēnas.

– Varbūt es bāžu degunu, kur nevajag, taču jūtos satraukts, – Gomess nerimās. – Nolaupīts ir viens no mūsējiem. Turklāt vai pats labākais. Jēziņ, runa taču ir par Džeredu Rainhartu! Ko mēs grasāmies darīt, ko iesāksim?

Krietnu brīdi neviens nebilda ne vārda. Tad Drekers pagriezās pret vecākajiem kolēģiem un klusi apjautājās, kāds ir viņu viedoklis. To uzklausījis, viņš ar asinis stindzinošu skatienu pievērsās jaunākajam līdzstrādniekam.

– Mēs darīsim to, ko izdarīt ir visgrūtāk, – operāciju direktors paziņoja. – Mēs nedarīsim pilnīgi neko.

OTRĀ NODAĻA

Andrea Bānkrofta žigli iemalkoja no pudeles ūdeni. Viņa jutās bikli, it kā visi viņu pētītu. Pārlaizdama telpai skatienu, viņa redzēja, ka tā patiešām ir. Skaidrodama iespējamo darījumu ar *MagnoCom*, ko zinātāji uzskatīja par daudzsološu dalībnieku kabeļu un tālsakaru industrijā, viņa bija tikusi savā runā līdz pusei. Šis ziņojums bija atbildīgākais darbs, kāds bija uzticēts divdesmit deviņus gadus vecajai vērtspapīru analītiķei, un viņa šim pētījumam veltīja daudz laika. Galu galā tas nebija tikai informatīvs ziņojums, tā bija nopietna analīze, un šim darbam bija dots stingrs izpildes termiņš. Atbildīgajā dienā Andrea bija ģērbusies savā labākajā, pēc Enas Teiloras stila modelētā kostīmā ar zilmelnām rūtīm. Šis tērps bija gan pietiekami pašapzinīgs, gan atturīgs.

Pagaidām viss bija labi. Pīts Brūks, *Coventry Equity Group* priekšsēdētājs un viņas šefs, no savas vietas zāles aizmugurē viņai atzinīgi māja ar galvu. Cilvēkus interesēja, vai viņa ir labi sagatavojusies, nevis, kāds viņai šodien matu sakārtojums. Viņa sniedza rūpīgi pārdomātu ziņojumu, Andrea bija par to pārliecināta. Izmantodama diapozitīvus, viņa skaidroja naudas plūsmas situāciju, runāja par ieņēmumiem un izdevumiem, norakstītām summām un kapitāla izlietojumu, fiksētām un mainīgām izmaksām, kādas firma segusi pēdējos piecos gados.

Andrea Bānkrofta, pametusi aspirantūru, jau divarpus gadus strādāja *Coventry Equity* par jaunāko analītiķi, un, cik varēja spriest pēc Pīta Brūka sejas izteiksmes, viņu gaidīja paaugstinājums. Viņa vairs nebūs vis "jaunākā", bet gan "vecākā", un ļoti iespējams, ka viņas gada alga būs rakstāma ar sešiem cipariem. Tas bija daudz vairāk, nekā tuvākajā laikā saņems viņas zinātnisko grādu ieguvušie studiju biedri.

– Kā redzat, ieņēmumu un klientu bāzes izaugsme ir iespaidīga, – Andrea sacīja. Uz ekrāna projicētajā attēlā bija redzama augšup vērsta līkne.

Kā mēdza teikt Brūks, *Coventry Equity* bija saprecinātāji. Potenciālajiem ieguldītājiem bija nauda, un ne mazums ļaužu vēlējās šo naudu likt lietā. *Coventry Equity* meklēja par zemu novērtētas izdevības un sevišķi interesējās par *PIPE* iespējām – privātiem ieguldījumiem publiskā akciju kapitālā. Viņus saistīja arī situācijas, kurās tāds nodrošināts fonds kā viņējais varēja iegūt pamatakciju saišķi vai ar akciju kapitālu saistītus vērtspapīrus, kuru vērtība bija zemāka par nominālo. Šādi darījumi parasti bija saistīti ar bēdu sagrauztām firmām, kam bija vajadzīga steidzama skaidras naudas infūzija. Pie *Coventry* bija vērsusies *MagnoCom*, un *Coventry* investīciju administratoru šī perspektīva bija saviļņojusi. Ar *MagnoCom* viss, šķita, bija kārtībā – kā paskaidroja tās vadītājs, uzņēmumam skaidra nauda bija nepieciešama nevis, lai uzliktu ielāpu, bet gan lai izmantotu kāda izdevīga pirkuma iespēju.

– Augstāk, augstāk un augstāk, – Andrea teica. – Jūs to redzat savām acīm.

Investīciju administrators apaļvaidzis Herberts Bredlijs labpatikā māja ar galvu.

– Kā jau teicu, šī nebūs nekāda līgava pa pastu, – viņš sacīja, pamezdams skatienu uz kolēģiem visapkārt. – Tās būs laulības, kas noslēgtas septītajās debesīs.

Andrea noklikšķināja slēdzi, lai parādītu nākamo attēlu.

– Diemžēl es nespēju parādīt jums visu, kas būtu apskatīšanas vērts. Sāksim ar tā dēvēto vienreizējo izdevumu norakstīšanas sarakstu. – Tie bija skaitļi, kas izkliedēti ducī dažādu mapju, taču apkopoti veidoja nepārprotamu un satraucošu ainu. – Pēc rūpīgas tā izpētes redzams, ka šai firmai bijuši maskēti darījumi, kuros akcijas mainītas pret parādu.

– Bet kādēļ? Kādēļ viņiem tas vajadzīgs? – atskanēja balss no sanāksmju telpas pēdējām rindām. Jautātājs bija Pīts Brūks. Viņš ar kreiso roku kasīja pakausi, kā darīja vienmēr, kad bija norūpējies.

– Tas ir jautājums par viens, komats, četriem miljardiem dolāru, vai ne? – Andrea sacīja. Viņa bija cerējusi, ka nesastapsies ar tādu neatbilstību. – Ļaujiet jums ko parādīt. – Viņa projicēja attēlu, kas parādīja ieņēmumu ieplūdi, tad uzklāja virsū citu, kas rādīja tajā pašā laikposmā piesaistīto klientu skaitu. – Šiem skaitļiem jābūt pastāvīgā tandēmā. Taču tie tādi nav. Jā, abas līknes virzās augšup. Taču tās nevirzās augšup reizē. Kad ceturksnī viena līkne noslīd lejup, otra kāpj augšup. It kā būtu nesaistīti lielumi.

– Jēziņ! – Bruks iesaucās. Viņa sadrūmusī sejas izteiksme pauda, ka viņš sapratis. – Viņi taču blēdās, vai ne?

– Un kā vēl! Pakalpojumi jaunajiem klientiem tiek sniegti ar ārkārtīgi lielu atlaidi, un neviens nevēlas par tiem maksāt, ja tarifs būtu augstāks. Viņi izdarījuši, lūk, ko. Uzcēluši karoga mastā divus cildinošus rādītājus – klientu skaita pieaugumu un ieņēmumu pieaugumu. Palūkodamies kopainā, jūs ieraudzīsiet cēloni un sekas. Ieņēmumi nav nekas cits kā krāpšana ar akciju darījumiem, un klientu bāzes paplašināšana viņiem nes zaudējumus.

– Es nespēju tam noticēt, – Brūks teica, iepliķēdams sev pa pieri.

– Noticiet gan. Viņu parāds ir kā liels, izsalcis vilks, taču viņi to ieģērbuši kleitā un uzlikuši galvā cepurīti.

Pīts Brūks pagriezās pret Bredliju.

– Un tu viņiem teici: "Kādi tev lieli, skaisti zobi, vecomāt."

Bredlijs veltīja Andreai Bānkroftai skarbu skatienu.

– Vai esat pārliecināta par saviem vārdiem, mis Bānkrofta?

– Esmu gan, – viņa atbildēja. – Vai zināt, es papētīju šīs firmas vēsturi. Laiku pirms saplūšanas ar *DyneCom*. Jau toreiz šefam bija ieradums iztukšot labo kabatu, lai piepildītu kreiso. Vai atņemt Pīteram, lai samaksātu Polam. Nu ir jauna pudele, bet vīns tas pats vecais. *MagnoCom* biznesa plāns ir nekam nederīgs, bet finanšu eksperti, kurus viņi nolīguši, ir savā jomā spoži.

– Klausieties, ko teikšu, – Bredlijs nosvērtā balsī sacīja. – Šiem blēžiem gadījās neparasti gudrs pretinieks. Jūs izglābāt ne vien manu sasodīto pakaļu, bet visas mūsu firmas godu.

To teicis, viņš plati pasmaidīja un sāka aplaudēt. Bredlijs ātri apjēdza, ka padošanās īstajā brīdī uzvarētāja argumentu priekšā ir drosmes pierādījums.

– Tas viss būtu redzams astotajā K veidlapā, – Andrea noteica, vākdama kopā papīrus, lai dotos uz savu vietu.

– Jā, pēc tam, kad darījums parakstīts, – Brūks attrauca. – Dāmas un kungi, ko mēs šodien esam uzzinājuši? – Viņš paraudzījās visapkārt uz pārējiem.

– To, ka Andrea tavā labā strādā ar pienācīgu uzcītību, – kāds biržas mākleris jokodams atbildēja.

– Cik viegli izkūp nauda... – kāds žēli novilka.

49

– Prēmiju centīgajai Bānkroftai! – iesaucās kāds asprātis, pieredzējis analītiķis, kurš, papētījis *MagnoCom*, blēdību nebija pamanījis.

Kad sanāksmes dalībnieki sāka izklīst, Brūks piegāja pie Andreas.

– Pārliecinošs veikums, Andrea, – viņš sacīja. – Ļoti pārliecinošs. Jums piemīt īpašs talants. Jums atliek palūkoties uz dokumentu kaudzi, kas izskatās nevainojami, un jūs jau zināt, ka kaut kas tur nav kārtībā.

– Es to *nezināju...*

– Jūs to jutāt. Un strādājāt vaiga sviedros, lai to pierādītu. Lai sagatavotu šo ziņojumu, jums bija jārok ilgi un dziļi, un es varu derēt, ka jūsu lāpsta ne reizi vien atsitās pret cietu iezi. Taču jūs turpinājāt darbu, jo zinājāt, ka kaut ko uziesiet. – Viņa balsī skanēja cildinājums un atzinība.

– Tā bija gan, – Andrea atzina, viegli trīsēdama.

– Jūs esat īsta meistare, Andrea. Vienmēr esmu to teicis.

Kad viņš aizgriezās, lai sāktu sarunu ar vērtspapīru menedžeri, pie Andreas pienāca sekretāre.

– Mis Bānkrofta, jums zvana pa telefonu, – viņa nokrekšķinājusies teica.

Andrea viegliem soļiem devās pie sava rakstāmgalda, gluži vai lidodama no atvieglojuma un lepnuma. Viņa bija izglābusi firmas godu, kā teica Herberts Bredlijs. Un Pīta Brūka pateicība bija neviltota, tāpat kā viņa atzinība un uzslava, – par to Andreai nebija ne mazāko šaubu.

– Andrea Bānkrofta, – viņa sacīja klausulē.

– Mani sauc Horass Linvils, – zvanītājs teica. Tas pats bija rakstīts sekretāres atstātajā zīmītē. – Esmu Bānkrofta fonda advokāts.

Andrea pēkšņi jutās nogurusi.

– Un kā es varu jums palīdzēt, Linvila kungs? – viņa jautāja bez mazākās sirsnības balsī.

– Hmm... – Advokāts ieturēja pauzi. – Runa varētu būt par to, kā mēs varētu palīdzēt jums.

– Šaubos, vai mani tas interesē, – Andrea atbildēja gandrīz īgni.

– Nezinu, vai esat lietas kursā... Necik sen nomira jūsu brālēns Ralfs Bānkrofts.

– Es to nezināju. – Andreas balss pieklusa. – Man patiešām žēl. – Ralfs Bānkrofts? Šis vārds šķita dzirdēts.

50

– Atstāts mantojums, – advokāts paskaidroja. – Savā ziņā to var dēvēt par mantojumu, jā. Jūs esat tā saņēmēja.

– Vai viņš man atstājis naudu? – Sarunas biedra neskaidrie formulējumi Andreu aizkaitināja.

Linvils brīdi cieta klusu.

– Ģimenes pārvaldīšanā nodotas mantas jautājums ir visnotaļ sarežģīts, un esmu pārliecināts, ka jūs to saprotat. – Viņš atkal mirkli klusēja, bet tad papildināja iepriekš teikto, it kā baidīdamies, ka viņu sapratīs nepareizi. – Ralfs Bānkrofts bija viens no fonda kuratoriem, un viņa nāve atstājusi šo vietu brīvu. Statūti nosaka priekšrocības un dalībnieku procentuālo attiecību – cik aizgādņiem jānāk no Bānkroftu ģimenes.

– Es nudien sevi nepieskaitu pie Bānkroftiem.

– Jūs taču esat diplomēta vēsturniece, vai ne? Pirms pieņemat lēmumu, gribu jūs informēt par apstākļiem. Taču baidos, ka mums ir ļoti maz laika. Tāpēc es vēlētos jūs apciemot un visas šīs nianses izklāstīt jums personiski. Piedodiet, ka daru to zināmu pēdējā brīdī, taču, kā redzat, šī nav ikdienišķa situācija. Es varu ierasties jūsu mājās pusseptiņos.

– Lai notiek, – Andrea teica dobjā balsī. – Es jūs gaidīšu.

Izrādījās, ka Horass Linvils ir neliela auguma vīrs ar bumbierim līdzīgu galvu un asiem vaibstiem. Šoferis, kas viņu atveda uz Andreas Bānkroftas vienkāršo māju Konektikutas štata Kārlailas pilseta, palika gaidām ārpusē. Linvilam līdzi bija metāla portfelis ar šifra atslēgu. Andrea viņu ieveda dzīvojamā istabā, kur uzaicināja apsēsties atzveltnes krēslā. Linvils pirms tam to nopētīja, it kā pārbaudīdams, vai uz tā nav kaķa spalvu.

Viņa klātbūtnē Andrea nez kāpēc sakautrējās par savu māju, ko viņa uz gadu īrēja samērā dārgās pilsētas ne pārāk dārgā rajonā. Kārlaila atradās vienu vai divas vilciena pieturas par tālu ziemeļos no Manhetenas, lai kļūtu par tās guļamrajonu, taču daļa iedzīvotāju no turienes regulāri braukāja uz darbu Ņujorkā un atpakaļ. Savu Kārlailas adresi Andrea allaž uztvēra ar lepnumu. Viņai ienāca prātā, kāds viņas miteklis izskatītos Bānkrofta fonda ļaudīm. Katrā ziņā... pārāk mazs.

– Kā jau teicu, Linvila kungs, es neuzskatu sevi par piederīgu Bānkroftiem. – Viņa apsēdās uz dīvāna kafijas galdiņa otrā pusē.

– Šoreiz jūsu uzskatam nav lielas nozīmes. Pēc fonda statūtiem, jūs *esat* piederīga Bānkroftiem. Un līdz ar Ralfa Bānkrofta aiziešanu mūžībā – tāpat kā līdz ar jebkura cita padomes locekļa

aiziešanu – jums jāuzņemas atbildība. Mantojums, ja jums tā patīk labāk. Fondā tā pieņemts.
– Lai nu paliek vēsture. Es strādāju finanšu laukā, tāpēc man patīk skaidrība un precizitāte. Kāds ir šis mantojums?
Advokāts piemiedza acis.
– Divpadsmit miljoni dolāru. Vai es runāju pietiekami skaidri?
Šie vārdi pagaisa kā dūmu gredzeni vējā, neaizķerdamies Andreas prātā. *Ko* viņš teica?
– Es īsti nesapratu.
– Ja saņemšu jūsu atļauju, rīt līdz darbadienas beigām jūsu bankas kontā ieskaitīšu divpadsmit miljonus dolāru. – Viņš uz mirkli apklusa. – Vai tagad saprotat?
Viņš izņēma no portfeļa dokumentus un izlika tos uz galda.
Andrea Bānkrofta jutās tik apjukusi, ka viņai metās nelabi.
– Kas man jādara? – viņa izstomīja.
– Kalpojiet par kuratori vienā no pasaules visvairāk apjūsmotajām žēlsirdības un filantropijas organizācijām. Bānkrofta fondā. – Horass Linvils atkal apklusa. Pēc brīža viņš turpināja: – Nevajag to uztvert par milzu apgrūtinājumu. Daudzi to uzskatītu par lielu godu un privilēģiju.
– Esmu kā ar ūdeni aplieta, – Andrea beidzot izgrūda. – Nezinu, ko lai saka.
– Ceru, ka nerīkošos nepiedienīgi, jums to pateikdams priekšā, – advokāts teica. – Sakiet "jā".

Vašingtona, Kolumbijas apgabals

Vils Gerisons izbrauca ar pirkstiem caur saviem cietajiem sirmajiem matiem. Kad viņš bija mierīgs, viņa baseta acis un stūrainā seja šķita pat laipna. Taču Belkneps viņu pazina labi. Šo vīru atcerējās ikviens, kas bija ar to ticies.
– Kas, velns parāvis, Romā atgadījās, Kastor?
– Jūs saņēmāt manu ziņojumu, – Belkneps atbildēja.
– Nemuļķo mani, – vecākais vīrs brīdināja. Viņš piecēlās un aizvēra žalūziju, aizsegdams sava kabineta stikla sienu. Šī telpa atgādināja kuģa kapteiņa kajīti – šeit nebija neviena brīvi novietota priekšmeta, viss izskatījās tāds kā nostiprināts un pie-

skrūvēts. Kabinetam pāri varēja velties paisuma vilnis, un tas neko nepārbīdītu. – Dievs vien zina, cik resursu mēs iztērējām šim trim Ansari operācijām. Norādījumi bija skaidri. Mēs iekļūstam iekšā, atstājam tur ierīci, uzmanām signālus. – Gerisons savādā smaidā atsedza tējas nobrūninātus zobus. – Taču tev tas šķita par maz, vai ne? Vajadzēja gūt tūlītēju gandarījumu, jā?

– Es nezinu, par ko jūs, sasodīts, runājat! – Belkneps atcirta, neviļus saviebdamies. Ieelpodams viņš juta sāpes – rāpdamies pāri mūra sienai un veldamies otrā pusē zemē, viņš bija salauzis ribu. Kreisā potīte bija sastiepta un sāpēja, tiklīdz kāju lika pie zemes. Taču iet pie ārsta nebija laika. Pāris stundu pēc aizbēgšanas no Ansari vīriem viņš jau bija Romas lidostā, kur iekāpa pirmajā komerciālajā lidmašīnā, kas devās uz Dalesa lidostu. Nodrošināt transportu no ASV karabāzes Livorno vai Vičencā būtu prasījis vēl vairāk laika. Pirms traukšanās uz Konsulāro operāciju nodaļas mītni C ielā Belkneps tik tikko paspēja iztīrīt zobus un pieglaust matus.

– Jāteic, ka esi kļuvis bezkaunīgs. – Gerisons atgriezās atpakaļ pie krēsla un apsēdās. – Citādi neierastos šeit ar tādu neapmierināta cilvēka sejas izteiksmi.

– Es neesmu ieradies, lai dzertu tēju ar cepumiem. Vai to ir tik grūti saprast? – Belkneps īgni attrauca. – Sāksim beidzot runāt lietišķi!

Lai gan sadarbība ar Gerisonu viņam bija pietiekami veiksmīga, abu raksturi nesaskanēja.

Gerisons atzvēlās krēslā, un tas iečīkstējās.

– Disciplinēti karavīri tevi noteikti kaitina līdz nelabumam. Tu esi Gulivers, un mazie cilvēciņi tevi mēģina sasiet ar zobu tīrāmo diegu, vai ne?

– Pie velna, Vil...

– Pret tādiem kā tu iestādei vajadzētu izturēties ar sevišķu bardzību, – novecojošais izlūkdienesta darbinieks turpināja. – Tu iedomājies, ka tas ir vienkārši – kalpot taisnai lietai. Viens, divi, un gatavs! Gluži kā izdzert krūzi kafijas.

Belkneps paliecās uz priekšu. Viņš saoda *Barbasol* skūšanās krēmu, ko lietoja Gerisons, un asu mentola aromātu.

– Es atkūlos uz šejieni, jo cerēju, ka saņemšu dažas atbildes. Tas, kas vakar notika, neiekļaujas nevienā sasodītā scenārijā, par kuru es zinātu. Esmu spiests domāt, ka no manis kaut ko slēpj. Varbūt jūs zināt ko tādu, ko es neesmu tiesīgs zināt.

– Tu esi labais, – Gerisons teica. – Mēs tevi varētu nedaudz padrebināt un tad redzētu, cik labs esi. – *Padrebināt:* pakļaut melu detektora jeb poligrāfa pārbaudei.

– Kas, pie velna, notiek, Gerison? – Belkneps juta, ka viņa drosme noplok.

Gerisons tēloja norūpējušos, taču viņa acīs vīdēja smīns.

– Tev jāatceras, kas tu īstenībā esi, – viņš teica. – Mēs, pārējie, to, protams, atceramies. Laiki mainās. Vai domā, ka es to nezinu? Mūsdienās pats Džeimss Bonds nonāktu ieslodzījumā pie anonīmajiem alkoholiķiem vai būtu spiests iestāties kādā programmā, lai atbrīvotos no seksuālās atkarības. Es šo to atceros, jo esmu šeit ilgāk nekā tu. Spiegu spēles agrāk atgādināja Mežonīgos Rietumus, toties tagad tās var pielīdzināt Maigajiem Rietumiem. Reiz tā bija džungļu kaķu izprieca, bet tagad sasodīto izrādi diriģē Runcis Zābakos. Vai man ir taisnība?

– Vai jūs beidzot pateiksiet, par ko īsti runājat? – Belknepam jau tirpas skrēja pār muguru.

– Es saku tikai to, ka varu redzēt, no kurienes tu nāc. Pēc tā, kas noticis, daudzi būtu zaudējuši visu. Tie, kuriem nav tāda pagātne kā tev.

– Mana pagātne ir tāda, kāda tā ir. Pagātne, un cauri.

– Mēdz teikt, ka amerikāņu dzīvē nav otrā cēliena. Nav otrā cēliena, un nav arī starpbrīža. – Gerisons pacēla biezu mapi pāris pēdu augstumā virs rakstāmgalda un tad ļāva tai nokrist. Atskanēja plīkšķošs troksnis. – Vai man jānosauc nodaļa un pants? Tas, kas tevi vada, ir garastāvoklis. Tādās reizēs kļūst aktuāls jautājums par tieksmju savaldīšanu.

– Tie bija tikai pāris gadījumu.

– Jā gan, bet Džons Vilkss Būts nošāva tikai vienu cilvēku. – Gerisons atkal pasmaidīja, nodemonstrēdams brūnganos zobus. – Vai atceries bulgāru izdzimteni, vārdā Drakuličs? Viņš vēl aizvien nespēj sēdēt taisni.

– Drakuličs savā furgonā nosmacēja astoņas meitenes, kam nebija vēl pat divpadsmit gadu, un izdarīja to tāpēc, ka viņu ģimenēm nebija naudas, ko viņš pieprasīja, lai tās nelegāli izvestu uz Rietumiem. Es redzēju meiteņu līķus. Es redzēju asiņainus skrāpējumus uz furgona sienām... meitenēm galu galā pietrūka gaisa. Par to, ka Drakuličs vispār vēl sēž, viņam jāpateicas manai sasodītajai savaldībai.

– Tu visu *sabojāji*. Bija paredzēts, ka tu savāksi informāciju par nelegālo izvešanu, nevis tēlosi atriebes eņģeli. Vai atceries kolumbiešu kungu, Huanu Kalderoni? Mēs atceramies.

– Piecus mūsu informatorus viņš spīdzināja līdz nāvei, Gerison. Izkausēja tiem sejas ar acetilēna lodlampu. Pastrādāja to savām rokām.

– Mēs varējām viņu piespiest. Viņš būtu darījumam piekritis. Viņš būtu sniedzis noderīgas ziņas.

– Tici man, Gerison, – Belkneps aši un vēsi pasmaidīja, – viņam nekādu ziņu nebija.

– Taču ne jau tev bija jāpieņem lēmums.

Aģents neizteiksmīgi paraustīja plecus.

– Jūs patiesībā nezināt, kas notika ar Kalderoni. Jums ir tikai pieņēmums.

– Mēs varējām to noskaidrot, varējām veikt izmeklēšanu. Es biju tas, kurš uzstāja, ka nav vērts rakņāties... pa mēslu kaudzi.

Belkneps atkal paraustīja plecus.

– Es pieņēmu savu lēmumu. Jūs pieņēmāt savējo. Kas tur vairs ko spriedelēt?

– Es spriedelēju tāpēc, ka tev tas kļūst par ieradumu. Esmu palīdzējis tev izkulties no ķibeles vairākas reizes. Mēs visi esam tev palīdzējuši. Esam ļāvuši tev vaļu, jo redzam tavu apdāvinātību, ko protam novērtēt. Kā vienmēr teicis tavs draugs Džereds, tu esi dzinējsuns. Taču nu es domāju, ka mēs pieļāvām kļūdu, palaizdami tevi ārā no suņu būdas. Tava rīcība Romā tev acīmredzot šķita taisnīga, taču tā bija aplama. Ļoti aplama.

Belkneps raudzījās kolēģa grumbainajā sejā. Halogēnās rakstāmgalda spuldzes gaismā Gerisona vaigi izskatījās mīksti kā vate.

– Sāc beidzot runāt skaidru valodu, Vil. Ko, velns parāvis, tu centies pateikt?

– Nogalinādams Halilu Ansari, tu pārkāpi robežu pēdējo reizi, – Gerisons nodārdināja. Belknepam viņa balss atgādināja attālus pērkona grāvienus.

Kamēr Andrea lasīja dokumentus, Horass Linvils viņu cieši vēroja. Ik reizi, kad Andrea no papīra lapas pacēla acis, tās sastapa viņa skatienu. Rindkopām, kurās bija aprakstīti noteikumi, sekoja sīks saistību izklāsts. Taču galvenais – fonda statūti noteica, ka padomes sastāvā īpaša proporcija jāveido ģimenes locekļiem, tāpēc Andreai bija jāieņem šī negaidīti atbrīvojusies vieta. Mantošana bija atkarīga no viņas piekrišanas. Papildu honorārs – summa, kas augtu ar katru darbības gadu, – pienāktos par viņas pūlēm ģimenes fonda pārraudzīšanā.

– Fondam ir ārkārtīgi iespaidīga reputācija, – Linvils pēc brīža teica. – Jūs būsiet līdzatbildīga par to, lai tāda reputācija saglabātos arī turpmāk. Ja uzskatāt, ka esat tam sagatavojusies.

– Kā gan cilvēks lai sagatavojas kam tādam?

– Tas, ka jūs esat viena no Bānkroftiem, ir labs sākums. – Linvils palūkojās uz viņu pār brillēm un tikko manāmi pasmaidīja.

– Viena no Bānkroftiem, – viņa atbalsoja.

Linvils izvilka pildspalvu. Viņš nebija atnācis, lai nodarbotos ar izskaidrošanu, viņš bija ieradies pēc paraksta. Uz trim kopijām. *Sakiet "jā".*

Kad parakstītais dokuments bija rūpīgi ielikts portfelī un Linvils bija prom, Andrea jutās kā apreibusi, tomēr domas bija skaidras. Viņa staigāja pa istabu šurpu turpu, nerazdama mieru. Lai gan bija iegūta neiedomājama balva, viņa jutās aplaupīta. Šajā neloģiskumā bija sava loģika. Viņas dzīve – dzīve, kādu viņa pazina un bija centusies veidot, – pārvērtīsies līdz nepazīšanai. Tas bija zaudējums.

Andrea vēlreiz pārlaida skatienu dzīvojamai istabai. *Ikea* ražojuma dīvānu viņa bija izskaistinājusi, pārklādama tai skaistu berberu raksta segu. Tā izskatījās grezni, kaut gan viņa to tikpat kā par velti bija nopirkusi sīkumtirgū. Kafijas galdiņš no *Pier 1* izskatījās maksājam divreiz vairāk, nekā bija maksājis. Pītās mēbeles – nu, vai tad tādas nav vērojamas lepnos Nantaketas namos?

Nav svarīgi, kāds viņas miteklis izskatījās Horasam Linvilam. Kāds tas šķita viņai? Andrea bija sev iestāstījusi, ka izvēlēsies nobružātu eleganci. Taču, ja paraudzījās uz šiem priekšmetiem bez sentimentalitātes, varbūt tie patiešām izskatījās gluži vienkārši nolietoti. *Divpadsmit miljoni dolāru.* No rīta viņas krājkontā bija trīs tūkstoši dolāru. No profesionāla viedokļa – kā fonda veikta operācija, kā piedāvāta darījuma novērtējums, kā konvertējamu vērtspapīru vērtība – divpadsmit miljonu nebija daudz. Taču reāla skaidras naudas kaudze viņas reālajā bankas kontā? Andrea pat nespēja skaļi izteikt šo summu. Sarunā ar eskvairu Horasu Linvilu to mēģinādama, viņa aprāvās un izlikās, ka uznācis klepus. *Divpadsmit miljoni dolāru.* Doma par šo naudas summu neatstāja viņu gluži kā lipīga melodija, ko reizēm neizdodas izmest no prāta.

Pirms dažām stundām viņai sagādāja gandarījumu fakts, ka viņa pelna astoņdesmit tūkstošus dolāru gadā – un viņa cerēja, ka drīz viņas gada alga bus sešu ciparu skaitlis. Bet tagad? Šie daudzie miljoni? Andreas Bānkroftas mazajā pasaulē tas šķita neiespējams. Viņai prātā ieklīda muļķīga doma, ka visā Skotijā dzīvo apmēram pieci miljoni cilvēku un viņa katram tās iedzīvotājam varētu pasniegt pāris kastu ar rozīnēm.

Andrea atcerējās, kā bija sastingusi, kad Linvils ielika viņai rokā pildspalvu. Viņa ilgi vilcinājās, pirms parakstīja šos dokumentus. Kāpēc to izdarīt bija tik grūti?

Viņa joprojām staigāja, juzdamās gan apjukusi, gan iepriecīnāta, gan savādi satraukta. Kāpēc viņai tik grūti bija pateikt "jā"? Atmiņā atgriezās Linvila vārdi: *viena no Bānkroftiem...*

Visu mūžu viņa bija centusies viena no Bānkroftiem nebūt. Nebija gan tā, ka šī atsacīšanās būtu prasījusi lielu piepūli. Kad Andreas māte pēc septiņu gadu laulības sarāva saites ar Reinoldu Bānkroftu, izrādījās, ka viņa kļuvusi ne vien par vientuļo māti, bet arī par nepiederīgu personu. Vai tad viņa nebija par to brīdināta? Uz pirmslaulības vienošanos savulaik uzstāja ģimenes advokāti un to panāca. Tas nozīmēja, ka viņa, šķiršanās prasītāja, pēc tam paliks tukšā. Šī vienošanās bija principa jautājums, un, iespējams, viņas mātes drūmā pieredze kalpoja par brīdinājumu citiem. Lai gan mātes un meitas labklājība klanu neinteresēja, šķirtene nožēlu nejuta.

Laulība ar Reinoldu Bānkroftu bija nelaimīga un sniedza vienīgi sarūgtinājumu. Lora Perija bija mazpilsētas meitene ar lielpilsētas meitenes ārieni, taču izskats laimi nenodrošināja. Jaunais švīts, kurš aizgūtnēm viņu bija aplidojis, pēc kāzām saskāba, juzdamies neizprotami iemānīts lamatās, pat piemuļķots, it kā viņas grūtniecība būtu slazds. Viņš kļuva īgns, vēss un emocionāli vardarbīgs. Meitiņa viņam nebija nekas vairāk par trokšņainu neērtību. Viņš daudz dzēra, un Lora arī sāka dzert – sākumā vēlēdamās viņam izpatikt, bet vēlāk tāpēc, ka nespēja sevi aizstāvēt. *Daži augļi nobriest par vīnu, mazā,* tēvs mēdza teikt Andreai, *bet daži gluži vienkārši nokalst.*

Drīz vien Andrea nevēlējās par tēvu ne domāt, ne runāt. Atmiņas par viņu, gluži kā ietīdamās miglā, kļuva aizvien neskaidrākas. Reinolds, ģimenes patriarha brālis, iespējams, bija klana sliktā sēkla, taču, kad šī dzimta, viņu izstūmusi, sakļāva rindas, Lora juta riebumu pret visiem Bānkroftiem.

Būt vai nebūt Bānkroftai allaž bija jautājums par uzticību mātei. Šad tad vidusskolā netālu no Hārtfordas un daudz biežāk koledžā viens otrs, uzzinājis Andreas uzvārdu, sarauca uzacis un apjautājās, vai viņa ir "no tiem Bānkroftiem". Andrea vienmēr to noliedza. "No citiem," viņa parasti atbildēja. "No pavisam citiem." Katrā ziņā tas izklausījās pēc patiesības. Galu galā mātei, kas izvēlējās no klana aiziet, bagātība bija liegta. "Lāsts," māte sacīja, domādama par manu piedzimšanu Bānkroftu ģimenē. Jā, domādama par naudu. Aiziedama no Reinolda, viņa aizgāja no reiz tik ļoti ilgotā dzīvesveida, no greznības un ietekmīgās ģimenes labvēlības. Ko māte domātu par viņas lēmumu, Andreai ienāca prātā. Ko viņa domātu par šiem parakstiem uz trim eksemplāriem? Par šo "jā"?

Andrea papurināja galvu. Viņas lēmums nebija salīdzināms ar mātes lēmumu. Māte glābās no neveiksmīgas laulības, glāba savu dvēseli, sevi, lai nepazustu pavisam. Varbūt liktenis kaut kādā ziņā ir taisnīgs pret māti, viņas meitai atdodot to, kas viņai atņemts. Iespējams, tas palīdzēs mātei atgūt sevi.

Lai gan Reinolds Bānkrofts bija nelietis, Bānkrofta fonds neapšaubāmi darīja ļoti, ļoti labu darbu. Ģimenes galva, stratēģis un fonda vadītājs Pols Bānkrofts gan vairījās no rampas gaismas, bet fakti runāja skaidru valodu. Pols Bānkrofts bija ne vien dāsns filantrops, viņš bija viens no pēckara Amerikas gaišākajiem prātiem – savulaik akadēmiķis, lielisks morāles teorētiķis, cilvēks, kurš savus principus ieviesa dzīvē. Piederēt pie klana, kam piederēja Pols Bānkrofts, vien bija pietiekams iemesls būt lepnam. Ja tādējādi viņa varēja būt viena no Bānkroftiem, nudien bija vērts pēc tā tiekties.

Andreas noskaņojums ik pa brīdim gan uzšāvās mākoņos, gan noplaka līdz ar zemi. Viņa uztvēra savu atspulgu spogulī, un mirkli viņai šķita, ka pretī raugās mātes bālā, saviebtā seja, kāda tā bijusi brīdī pirms automobiļu sadursmes. It kā Andrea būtu pēdējo reizi uzmetusi viņai skatienu.

Varbūt viņai nevajadzēja šeit nīkt vienatnē. Andreai joprojām sirdī iedūrās smeldzes īlens ik reizi, kad viņa iedomājās Brentu

Fārliju, ar kuru nesen bija izšķīrusies. Viņai bija jāsvin, nevis jākavējas sāpīgās atmiņās, viņai bija iemesls sarīkot pusdienas. Andrea nereti ar draugiem sprieda, ka vislabākie ir spontānie saieti – kāpēc gan vēlreiz negūt tam apstiprinājumu? Viņa piezvanīja pāris cilvēkiem, izgāja ārā, ātri iepirkās un atgriezusies uzklāja galdu četrām personām. Drīz vien ēnas būs kliedētas. Pats par sevi saprotams, ka viņai nebija viegli aprast ar jauno ziņu. Taču – kāds gan būtu vēl labāks iegansts svinībām?

Tods Belkneps pietrūkās kājās.

– Vai tu ņirgājies par mani?

– Ak, izbeidz! – Gerisons stiepti sacīja. – Cik ērti, ka mērķis nomirst, pirms izdevies paslēpt kontaktmikrofonu! Nevienas liecības, neviena ieraksta, kas patiesībā notika.

– Kāda velna pēc man viņš būtu jānogalina? – Belkneps aizsvilās. Kāpēc šis cilvēks viņu tik bezkaunīgi apvaino? – Es biju šā nelieša kabinetā, lai pieslēgtu šo sasodīto telpu tīklam! Tu taču nemaz neiedziļinies!

– Nē, tas biji *tu*, kurš neiedziļinājās. Tevi aklu padarīja atriebība.

– Ak tā? Un kāpēc tu tā domā?

– Mūsu tikumi parasti ir līdzsvarā ar mūsu netikumiem. Mēs mīlam un esam uzticīgi, tomēr kādā mirklī stiprāks ir akls, iznīcinošs niknums. – Gerisona saltās pelēkās acis pētīja Belknepu gluži kā reflektors, kas virzās caur viņa iekšām. – Nezinu, kā tev nāca ausīs un kas to ziņu nopludināja, taču tu uzzināji, kas noticis ar Džeredu. Un iedomājies, ka tas ir Ansari darbs. Un tu viņu nobeidzi.

Belkneps jutās tā, it kā viņam būtu iecirsts pliķis.

– Kas... kas noticis ar Džeredu?

– Tu gribi teikt, ka nezini? – Gerisona balsī ieskanējās nicinājums. – Tavs draudziņš Beirūtā tikko nolaupīts. Tāpēc tu piebeidzi Ansari, uzskatīdams viņu par vainīgu. Tu reaģēji, pakļaudamies dusmām, un izgāzi operāciju. Ilgi nedomādams, vienā rāvienā.

– Džereds ir...?

Belknepam pretim raudzījās spožas pelēkas acis.

– Neizliecies, ka to nezināji. Jūs allaž bijāt kā saāķēti ar kādu neredzamu āķi, lai arī kurā pasaules malā katrs atrastos.

Pollukss un Kastors... ne velti puiši jūs tā dēvēja. Senās Romas varoņi dvīņi.

Belkneps nespēja pateikt ne vārda, juzdamies kā paralizēts, iekalts ledū. Aizmirsis, ka jāelpo.

– Cik atceros, nemirstīgs gan bija Pollukss, – druknais vīrs turpināja. – Paturi to prātā. – Viņš atlieca galvu atpakaļ. – Un tev derētu ielāgot vēl ko. Mēs nezinām, vai Džereda nolaupīšana saistīta ar Ansari. Vainīga varētu būt viena no desmitiem dumpinieku organizāciju, kas darbojas Bekaas ieplakas reģionā. Jebkura no tām varēja viņu maldīgi uzskatīt par cilvēku, kuru viņš tēloja. Taču niknums godu nedara, vai ne? Tu rīkojies impulsīvi un panāci to, ka operatīvie puiši tūkstošiem stundu velti riskējuši ar dzīvību.

Belkneps pūlējās savaldīties.

– Džereds bija ticis tuvu klāt teroristu finansētājiem. Viņš strādāja ar pircēju pusi.

– Un tu ar pārdevēju pusi. Iekams neizgāzi operāciju. – Izlūkdienesta veterāna mīkstajos vaigos vīdēja smīns.

– Vai tu esi ne vien kurls, bet arī stulbs? – Belkneps noprasīja. – Džereds pietuvojās viņiem, kad viņi izdarīja laupīšanu. Tas kaut ko nozīmē. Vai tu tici sakritībām? Neesmu pazinis nevienu spiegu, kas tām tic. – Brīdi klusējis, viņš atmeta ar roku un turpināja: – Aizmirsti mani. Mums jārunā par Džeredu. Par to, kā viņu atbrīvot. Pēc tam varēsi veikt savas izmeklēšanas un izvērtēšanas, ko vien vēlies. Atliec to visu uz nedēļu.

– Lai tu pa to laiku izjauktu vēl ko? Tas neies cauri. Šī organizācija vairs nevar tevi atļauties. Tai jāstrādā, nevis pastāvīgi jānodarbojas ar tavām drāmām. Mums apnicis...

Belkneps aiz pretīguma saviebās.

– Ieklausies, Dieva dēļ, kādas muļķības tu gvelz...

– Nē, tu ieklausies. Kā jau teicu, laiki ir pavisam citi. Sasodītā Kērka komisija bez mitas mūs baksta. Vieglprātīga attieksme vairs nedrīkst palikt nesodīta. Es pat baidos aprēķināt zaudējumus, ko tu mums nodarīji ar savu pārsteidzīgo Romas atriebību. Taču piedāvāju vienošanos. Tu nekavējoties tiec atcelts no amata. Mēs sāksim izmeklēšanu pēc visiem likumiem un noteikumiem. Iesaku atsaucīgi sadarboties ar iekšējiem izmeklētājiem. Ja uzvedīsies labi, mēs pārtrauksim ar tevi darba attiecības. Ja sagādāsi mums nepatikšanas, es parūpēšos, lai saņem pēc nopelniem. Tas nozīmē apsūdzību, sodu, pat cietumu. Visam jānotiek kā pēc grāmatas.

– Pēc kādas grāmatas? Vai Kafkas "Procesa"?

– Tu esi pagalam. Improvizācija, instinkts, tava leģendārā oža...
visas tās blēņas, ar ko tu veidoji karjeru. Pasaule pārvēršas, un tu
neapjēdz, ka tev jāmainās ar to kopā. Ar savu kaitniecību tu esi
panācis, ka mēs nevaram uzticēties tavai spriešanas spējai. Un
tas nozīmē, ka mēs nevaram uzticēties *tev*.

– Tev jāļauj man darīt to, ko es daru. Dieva dēļ, tad pārcel ma-
ni! Es šeit esmu vajadzīgs!

– Neesi tik iedomīgs, veco zēn.

– Uz turieni jānosūta pēc iespējas vairāk mūsējo. Tas reģions
burtiski jāpārpludina ar mūsu cilvēkiem! Jo vairāk okšķeru, jo āt-
rāk uzokšķerēsim. – Belkneps aprāvies brīdi kaut ko apsvēra.

– Tu minēji Bekaas ieplaku? Kā tu domā – vai tā bija kāda no
Farāda pusmilitārajām grupām?

– Iespējams, – Gerisons nīgri atteica. – Pilnīgi iespējams.

Belknepam pār muguru pārskrēja drebuļi. Farāda al Hasani
grupējuma cietsirdība bija labi zināma. Belkneps atcerējās viņu
pēdējā nolaupītā amerikāņa, kāda starptautiska viesnīcu tīkla
amatvīra, fotogrāfijas. Attēli bija kodināti skābē.

– Vai atceries, kas notika ar Valdo Elisonu? – Belkneps čukstē-
ja šausmpilnā balsī. – Tu redzēji tās pašas fotogrāfijas, ko es. Ķer-
menis bija dedzināts ar lodāmuru. Viņi piespieda tam norīt pau-
tus... tos atrada kuņģī... ar frēzi bija nogriezts deguns... Viņi netērē
laiku, Vil. Darbojas lēni un nepārtraukti. Tā tas bija ar Valdo Eli-
sonu, un tāpat viņi izrīkosies ar Džeredu Rainhartu. Nedrīkst zau-
dēt laiku. Vai tu nesaproti? Vai tu nesaproti, kas viņu sagaida?

Gerisons nobālēja, taču viņa lēmums bija nelokāms.

– Protams, saprotu. – Pēc brīža viņš vēsi piebilda: – Man tikai
žēl, ka nolaupīts viņš, nevis tu.

– Paklausies, tā nu ir tava problēma.

– Zinu. Es to zinu. – Gerisons lēni papurināja galvu. – Saliec
savus krāmus kastē, vai arī es kastē iebāzīšu tevi. Taisies, ka tiec
prom no šejienes.

– *Attopies*, Vil! Mums jāapspriežas, kā mēs izpestīsim Džeredu.
Varbūt jau šodien pienāks prasība par izpirkšanas naudu.

– Piedod, bet mēs ar tādām spēlītēm nenodarbosimies, –
priekšnieks neskanīgi teica. – Lēmums ir negrozāms.

Belknepa skatiens satumsa.

– Tu taču... nerunā nopietni, vai ne?

Gerisons piepeši saliecās uz priekšu, izvirzīdams zodu.

– Paklausies, tu nejēga! Džereds gandrīz gadu izstrādāja Rosa Makibina identitāti, ieguldīdams milzu darbu un savu talantu. Tūkstošiem cilvēkstundu prasīja operācijas nodrošināšana. Tavai zināšanai, Rosa Makibina darba devēju stilā nebūtu nekas tāds, ko tu ierosini. Narkotisko vielu tirgotāji nemaksā izpirkšanas maksu. Viņi nemobilizē simtiem operatīvo darbinieku, lai ķemmētu Bekaas ieplaku noklīduša emisāra meklējumos. Ja ko tādu darīsim, mēs skaidri paziņosim, ka Ross Makibins ir ASV aģents. Tas apdraudētu ne vien Džeredu Rainhartu, bet atklātu visus līdzekļus, ko lietojām, lai radītu šo identitāti. Ne jau viegli man un Drekeram bija pieņemt šo lēmumu... Ja Rosa Makibina īstā identitāte nāk gaismā, riskam tiek pakļauti neskaitāmi operatīvie darbinieki. Šai operācijai bija piešķirti vairāk nekā trīs miljoni dolāru. Kāds gudrs vīrs teicis, ka nepietiek ar to, ka tu kaut ko dari, ir jāuzņemas atbildība. Pirms meties cīņā, novērtē situāciju. Tu nekad neesi to izpratis. Tu iedomājies, ka mēs pa galvu pa kaklu skriesim izpildīt tās blēņas, kas tev pirmās ienāk prātā.

Belkneps centās apslāpēt niknumu, kas viņā brieda.

– Tātad tavs rīcības plāns ir... neko nedarīt?

Gerisons nicīgi raudzījās uz viņu.

– Varbūt tu esi pārāk ilgi bijis prom, dienesta komandējumā. Es pateikšu tev vienu. Kopš septiņdesmito gadu sākuma esmu piedalījies vecās komisijas sēdēs, ko varēja pielīdzināt baznīcas kalpotāju apspriedēm. Runā, ka salīdzinājumā ar Kērka izmeklēšanu vecās komisijas pratināšana atgādinot glaimus. Izlūkošanas aprindās patlaban visi staigā uz pirkstgaliem.

– Nespēju ticēt, ka tu šādā brīdī spriedelē par Vašingtonas drazām.

– Aktīvie aģenti, kas strādā filiālēs, to nesaprot. Kabinets ir cīņas lauks. Kapitolija pakalns ir vēl viens cīņas lauks, kur tiek izcīnītas kaujas, zaudēts un uzvarēts. Ja tiek pārsvītrots budžeta pieprasījums, tas nozīmē, ka pārvilkta svītra kādai operācijai. Tas, ko mēs gaidām vismazāk, ir ziņas par operācijās pieļautām kļūdām, kas var rosināt izmeklēšanu. Līdz ar to tu neesi mums vajadzīgs.

Belkneps klausījās racionālajā izklāstā, un viņa pretīgums auga. Operatīvās cilvēkstundas, budžeta asignējumi – tas nozīmēja "apdomību", ko pieprasīja par neveiksmīgo operāciju atbildīgais darbinieks. Viņa raizes par drošību un vajadzību izvairīties no riska nebija nekas vairāk kā dūmu aizsegs. Gerisons bija priekšnieks jau tik ilgi, ka, iespējams, vairs nespēja saskatīt atšķirību starp dzīvību un piešķirto budžetu.

– Man ir kauns, ka mēs piederam pie vienas profesijas, – Belkneps stingi sacīja.

– Sasodīts, nav nekā tāda, ko mēs varētu iesākt, lai situāciju nepadarītu vēl ļaunāku! – Gerisons iekliedzās dusmās zibošām acīm. – Vai tu spēj paraudzīties uz to visu plašāk, nevis tikai no savas šaurās, egoistiskās pozīcijas? Vai tu domā, ka Drekeram patīk doma par bezdarbību? Vai tu domā, ka *es* gribu sēdēt šeit un urbināt degunu? Neviens no puišiem to nevēlas! Tas nav viegls lēmums nevienam no mums. Un tomēr šajā jautājumā komanda ir vienprātīga. – Viņš ļāva skatienam apstāties telpas vidū. – Es neceru, ka tu saskatīsi kopainu, taču mēs nedrīkstam rīkoties. Nevaram to atļauties.

Dusmas pletās Todā Belknepā gluži kā postošs ciklons, kas veļas pār līdzenumu. *Ja tu tik zemiski izrīkosies ar Polluksu, tev būs jāstājas pretī Kastoram.*

Ar pēkšņu rokas kustību Belkneps notrauca lampu un telefonu no Gerisona rakstāmgalda.

– Vai tu pats tici saviem sasodītajiem aizbildinājumiem? Džereds ir pelnījis labāku attieksmi! Un viņš to sagaidīs.

– Saruna ir beigusies, – Gerisons klusi noteica.

Kā allaž, dusmas Belknepam deva spēku, un spēks viņam būs vajadzīgs. Džereds Rainharts bija krietnākais cilvēks, kādu viņš jelkad pazina, cilvēks, kurš ne vienu reizi vien glābis viņam dzīvību. Bija pienācis laiks to atlīdzināt. Belknepu šausmināja doma, ka Džeredu šajā brīdī spīdzina, ka viņa izglābšanās izredzes ar katru dienu, ar katru stundu sarūk. Viņš izbrāzās no federālās ēkas, juzdams, ka muskuļi no dusmām saspringuši. Visa viņa būtība, viņa dvēsele un galu galā ķermenis protestēja pret vadības pieņemto lēmumu. Viņā kūsāja emocijas – niknums, apņēmība un vēl kaut kas briesmīgs, gluži vai asinskāre. *Saruna beigusies*, Gerisons paziņoja. *Saruna beigusies*, paziņoja arī Drekers. Abi viņa priekšnieki kļūdījās.

Tikai tagad viss sākās.

TREŠĀ NODAĻA

Roma

Eksistēja noteikumi, kas jāievēro, un Jusefs Ali, joprojām juzdamies atbildīgs par *via Angelo Masina* villas drošību, tos ievēroja, otrā stāva šaurajā sakaru telpā regulāri ziņodams. Neskaitāmus vairāk vai mazāk steidzamus ziņojumus saņēma viņš arī, un daudzi no tiem bija dažādas idiomas. Galvenais bija skaidrs – nelaiķa saimniekam pašam bija saimnieki, un tie bija līdz šim neredzēti ļaudis. Nu villa piederēja viņiem. Bija jāizlabo kļūda drošības sistēmā, jāaizstāj tās vājie posmi. Tie, kas pieļāvuši kļūdu – un tas bija noticis –, jāsoda.

Šo uzdevumu izpildīt vajadzēja Jusefam Ali. Šie ļaudis saistīja ar viņu lielas cerības, un viņam būs jādara viss, lai tiem neliktu vilties. Viņš apsolīja, ka cerības attaisnos. Viņš nebija no tiem, kuri baidās risķēt, taču viņš nebija arī no tādiem, kas riskē muļķīgi.

Jusefs Ali bija uzaudzis Tunisijas ciemā, kas atradās tikai simt jūdžu no Sicīlijas krasta. No rīta zvejnieku laivas no Tunisijas apbrauca Bona zemesragu, lai dotos uz Agridžento vai Trapāni – atkarībā no straumes. Piekrastes ciemos netālu no Tunisas Itālijas lira bija tikpat ikdienišķa kā dinārs. Kopš agras bērnības, kaulēdamies par tēva nozvejotā loma cenu ar Sicīlijas zivju uzpircējiem, Jusefs runāja gan itāliešu, gan arābu valodā. Viņam bija piecpadsmit gadu, kad viņš uzzināja, ka ir ienesīgāki importa un eksporta veidi. Itālijā bija šaujamieroču rūpnīca, viena no lielākajām pistoļu, šauteņu un munīcijas eksportētājām pasaulē, bet Tunisijā bija naudaskāri un izveicīgi vidutāji, kas pārveda bruņojumu uz reģioniem, kur to nepacietīgi pieprasīja, – vienu gadu uz Sjerraleoni, citu gadu uz Kongo vai

64

Mauritāniju. Kontrabandas ceļā piegādātai precei nevajadzēja dokumentus ar norādītu galapatērētāju, un tā nesaskārās ar citiem nevarīgiem mēģinājumiem ierobčžot ieroču tirdzniecību. Nekādi noteikumi vairs nespēja apstādināt ieroču plūsmu, tāpat kā uz kartes uzzīmētas līnijas nevar apturēt okeāna straumes. Tas bija piegādes un pieprasījuma jautājums. Ziemeļāfrikas tirgotāji gadsimtiem izmantoja izdevīgās Tunisijas ostas neatkarīgi no tā, vai pārvadājamā vērtīgā prece bija sāls, zīds vai šaujampulveris. Jusefs Ali pats savā ziņā bija eksportēts dārgums. Pirmo reizi viņš savās aprindās izcēlās, atvairīdams pusduci laupītāju, kuri mēģināja nozagt pistoļu *Beretta* kravu, ko viņš palīdzēja nogādāt uz iekšzemes noliktavu Bežas tuvumā. Jusefs darbojās kopā ar vēl trim jauniem puišiem, kam šī krava bija uzticēta, un viņš ātri aptvēra, ka vismaz divi no viņa biedriem šajā uzbrukumā ir līdzdalīgi, sagādādami laupītājiem informāciju, bez šaubām, par samaksu, un tikai tēlo pretošanos, kad tie uzradās ar gaisā paceltiem šaujamieročiem. Savukārt Jusefs, izlikdamies, ka negribīgi paklausa, pieveda laupītājus pie autopiekabes, kur atvēra kādu kasti, it kā lai parādītu preci, pēc kuras banditi bija ieradušies, un pēkšņi pavērsa pret viņiem automātisko pistoli. Laupītāji cits pēc cita novēlās zemē gluži kā mazie brūnie putniņi, čipstes un čakstes, uz kurām Jusefs trenēdamies bija šāvis garās pēcpusdienās putekļainā lauku apvidū.

Kad tas bija galā, Jusefs pacēla pistoli pret līdzdalībniekiem, kuru izbiedētajās sejās bija lasāma nodevība, un nošāva tos arī. Kravu toreiz viņš nogādāja galā bez turpmākiem starpgadījumiem. Jusefs Ali bija licis par sevi runāt. Kad viņš pārkāpa otrā gadu desmita slieksni, viņam bija jauni darba devēji. Tāpat kā daudzi pasaules ieroču tirgotāji, viņi iekļāvās lielākā, labi organizētā tīklā. Pievienošanās tīklam nozīmēja uzplaukumu, bet pretošanās tam solīja nāvi. Būdami pragmatiķi līdz matu galiem, šie tirgoņi secināja, ka izvēlēties nav grūti.

Lielie vīri demonstrēja savas privilēģijas, piesaistīdami personas, kuru īpašie talanti bija tiem vajadzīgi. Juzefs Ali nāca no cilšu kopienas, kur tāda feodāla padevība bija ikdienišķa. Viņš ar pateicību pieņēma apmācību, ko viņam sniedza, un izturējās nopietni un nosvērti, kad viņam uzticēja lielāku atbildību. Turklāt viņa darba devēja prasības pēc disciplīnas pavadīja nežēlība. Saņēmis uzdevumu Ansari villā, Jusefs redzēja, kādi sodi piemeklē citus, kuri, pienākumu pildīdami, bija paklupuši. Reizēm viņš palīdzēja šos sodus izpildīt.

Un viņš darīja to atkal. Jaunajam sargam, kas bija sazāļots un iebāzts uzkopšanas piederumu telpā, Jusefs lika sīki izstāstīt – atkal un atkal –, kā viņš pievārēts, lai gan viņa modrības trūkums nebija nekas vairāk kā muļķīga kļūda. Taču sargs, lai gan pazemots, noliedza, ka būtu izdarījis kļūdu, tāpēc viņam bija jākļūst par biedu citiem.

Jusefs vēroja, kā jaunais puisis pratināšanas telpā kūļā kājas tikai dažas pēdas no zemes. Ap viņa kaklu apmestā trose bija droši piestiprināta pie griestu sijas un rokas cieši sasietas kopā. *Labāk tu nekā es*, tunisietis sarkastiski domāja. Jauno sargu Jusefs žņaudza lēni, upura seja kļuva tumši sarkana, no mutes plūda vārgas skaņas un siekalas. Jusefs ar riebumu ievēroja tumšu slapjumu puiša cirkšņos. Lai gan viņa sprands bija lauzts, nāve tik drīz nepienāks. Līdz tam bija atlikušas vēl vismaz divas stundas pie samaņas. Laiks, lai apcerētu labos un ļaunos darbus. Lai pārdomātu neizpildīto pienākumu.

Jusefs zināja, ka citi no rīta atnāks pēc līķa. Un viņi redzēs. Viņi redzēs, ka Jusefs kļūdas nepiedod. Viņi redzēs, ka Jusefs savās prasībās ir stingrs. Šis gadījums viņus par to pārliecinās. Vājie posmi jāaizstāj ar citiem.

Jusefs Ali gādās, lai tas notiktu.

Andrea sev ielēja glāzi vīna un devās uz otro stāvu, lai pārģērbtos. Viņa vēlējās justies normāli. Taču "normāli", kā izrādījās, bija kas netverams. Viņa jutās... kā Alise, kura savā Brīnumzemē norijusi zāļu devu un izaugusi milzum liela. Miteklis pēkšņi šķita kā leļļu namiņš, istabas gluži vai sakļāvās ap viņu. Gaitenī pie guļamistabas viņa paklupa pret vīriešu sporta kurpi. *Sasodītais Brents Fārlijs*, Andrea nodomāja. *Ļoti labi, ka esmu tikusi no tevis vaļā.* Šī doma, protams, gandarītu vairāk, ja aizgājusi būtu viņa, taču tā šīs attiecības vis nebija pārtraukušās.

Brents bija pāris gadu vecāks par viņu, vēl viens finanšu puisis no Griničas, pārapdrošināšanas firmas viceprezidents tirdzniecības attīstības jautājumos. Viņš bija daiļrunīgs un godkārīgs vīrietis ar zemu balsi. Brents labi ģērbās, spēlēja skvošu tā, it kā no spēles iznākuma būtu atkarīga viņa dzīvība, vairākas reizes dienā pārbaudīja savus vērtspapīru sarakstus un romantiskas tikšanās laikā pārlūkoja elektronisko pastu savā klēpjdatorā. Aptuveni pirms nedēļas par to viņiem izcēlās strīds. "Domāju, ka man būtu lielakas izredzes piesaistīt tavu uzmanību, ja es būtu elektroniskais teksts tavā datorā," viņa restorānā sūkstījās. Viss, ko viņa vēlējās, bija atvainošanās, taču to viņa neizdzirdēja. Toties vārdu pārmaiņa kļuva aizvien asāka. Brents norādīja uz viņas "seklumu" un nosauca viņu par "viduvējību". Pēc tam šis vīrietis rūpīgi savāca savas mantas, kas bija izkaisītas pa viņas māju, ielika tās savā melnajā sporta *Audi* un aizbrauca. Nebija ne durvju aizciršanas, ne strauju kustību, ne kaucošu bremžu skaņu uz piebraucamā ceļa. Brents pat nebija īsti sadusmots, un tas sāpēja visvairāk. Jā, viņš bija noraidošs un nicīgs, taču nebija patiešām dusmīgs. Šķita, ka viņa nav dusmu vērta. Acīmredzot pārāk "sekla".

Andrea atvēra sienas skapi. Vai Brents kaut ko tur atstājis? Viņa neieraudzīja nevienu Brenta apģērba gabalu. Viņas domīgais skatiens kavējās pie savām drēbēm. Uz polsterētiem pakaramiem glīti bija sakārti viņas darba kostīmi, vakarkleitas, brīvdienu apģērbi, zili, persiku krāsas un smilškrāsas toņi.

Andrea ar savu garderobi, kas nebija plaša, toties rūpīgi izmeklēta, bija apmierināta. Viņa bija nocenoto preču veikalu, teiksim, *Filenes Basement*, lietpratēja, kura ar atlaidēm tirgotas dārgas drānas ieraudzīja tikpat acīgi, kā zivju gārnis pamana zivi. Cena bieži bija jānokaulē, kā viņa deva padomu arī draudzenēm – "ja vien tu neesi snobs, kam svarīgs modes nama zīmols". Jo daudzi ne īpaši dārgie zīmoli, kā *Evan Picone* un *Bandolino*, arī ražoja patiešām glītu apģērbu, kas gandrīz neatšķīrās no tērpiem, kurus tie kopēja. *Uzmini, cik es par to samaksāju!* – tas bija neizsmeļams draudzeņu temats brīžos, kad viņas nežēlojās par darbu vai vīriešiem, un Andrea allaž draudzenes pārsteidza. Krēmkrāsas zīda blūze par trīsdesmit zaļajiem? Sūzana Maldauere bija ievaidējusies – viņa gandrīz tādu pašu redzējusi *Talbot* par simt desmit! Andrea domīgi aptaustīja audumus, līdzīgi kā viņa mēdza šķirstīt savu vidusskolas gadagrāmatu, gan uzjautrinādamās, gan brīnīdamās, kāda reiz bijusi – dedzīga, vientiesīga un vasarraibumaina.

Pirmā ieradās Sūzana Maldauere, ar kuru Andrea draudzējās kopš vienpadsmit gadu vecuma un kura pazina viņu visilgāk. Lai gan uzaicinājums atskanēja pēdējā brīdī, Sūzanai nekas liels atceļams nebija – tikai vakars mikroviļņu krāsns un kompaktdisku atskaņotāja sabiedrībā. Melisa Preta, slaida un lokana blondīne ar lielpilsētas meitenes manierēm un gaistošām cerībām uz aktrises karjeru, atnāca ar dažu minūšu nosebošanos kopā ar savu pēdējo astoņu mēnešu draugu Džeremiju Lemjuelsonu, druknu neliela auguma puisi, kurš strādāja par būvinženieri Hārtfordā, kuram piederēja divas antīkas *Stratocaster* ģitāras un kurš sava vaļasprieka – gleznniecības – pēc uzskatīja sevi par mākslinieku.

Kā jau Andrea brīdināja, maltīte nekāda lepnā nebija – katls ar makaronu skaidiņām, veikalā iegādāta asā mērce, pāris veidu salāti, ko viņa bija nopirkusi pie gatavo ēdienu letes Kārlailas tirgū, – un liela *Vouvray* pudele.

– Kam par godu šis saiets īsti ir? – gribēja zināt Sūzana, kad bija nogaršojusi makaronus un paudusi obligāto sajūsmu. – Tu teici, ka tev esot iemesls svinībām. – Viņa pagriezās pret Melisu. – Un es viņai atbildēju: "Ļauj par to spriest man."

– Vai Brents tev uzdāvinājis saderināšanās gredzenu? – Melisa minēja, uzmezdama Sūzanai skatienu – es taču tev teicu! – kas vēstīja pāragru prieku par uzvaru.

– Brents? *Ak nē!* – Andrea, piemiegtām acīm smaidīdama, novaidējās. Kad Andrea mācījās aspirantūrā, viņa kopā ar Melisu īrēja dzīvokli, un jau tad Melisa, gluži kā māsa, dzīvoja līdzi Andreas panākumiem un neveiksmēm romantiskās attiecībās.

– Paaugstinājums darbā? – Sūzana mēģināja trāpīt desmitniekā.

– Paklausies, vai neesi kaut ko aizmirsusi cepeškrāsnī? – norūpējusies apvaicājās Melisa.

– Ak jā! Tur ir ķiploku maizītes! – Andrea iesaucās, pielēkdama kājās. – Smaržo labi, vai ne? – Viņa aizsteidzās uz virtuvi un atgriezusies uzlika uz galda ķiploku maizītes, kas bija mazliet kraukšķīgākas, nekā tām jābūt.

– Es zinu. Tu esi laimējusi loterijā, – ar pārliecinošu pieņēmumu nāca klajā Džeremijs, kas, aizbāzis aiz vaiga ķiploku maizi, izskatījās pēc vāveres.

– Silts, – Andrea novērtēja.

– Klāj vaļā! – Sūzana, pasniegusies pāri galdam, paspieda Andreas roku. – Neliec mums mocīties neziņā!

– Es mirstu nost aiz ziņkāres, – Melisa piebalsoja. – Viens, divi... trīs!

– Nu, īstenībā ir tā... – Andrea pēc kārtas paraudzījās trijās gaidošajās sejās, un piepeši domās izmēģinātie teikumi viņai šķita samāksloti un plātīgi. – Ziniet... Bānkrofta fonds nolēmis... saistīties ar mani. Viņi vēlas, lai es būtu viņu padomē. Par kuratori.

– Tas ir lieliski! – Sūzana spalgi iespiedzās.

– Vai tev par to kaut ko maksās? – Džeremijs vaicāja, braucīdams tulznu uz labā rādītājpirksta.

– Īstenībā... jā, – Andrea atbildēja. *Divpadsmit miljonus dolāru.*

– Ak tā?

– Viņu samaksa ir dāsna. Honorārs tikai par sēdēšanu padomē... – Andrea saminstinājās, domās aprādama sevi par izlocīšanos. – Ak, pie velna, nu tad klausieties! Viņi man maksās...

Vārdi nenāca pār lūpām. *Viņa nespēja tos izteikt.* Kad tie būs izteikti, nekas starp viņām vairs nebūs pa vecam. Andrea nebija to visu kā nākas apsvērusi. Taču neteikt arī nedrīkstēja. Galu galā draudzenes to uzzinās tik un tā, un tas būtu vēl sliktāk. Jau kuro reizi viņa juta, ka šis skaitlis viņu gluži vai smacē, tāpēc to izrunāt bija neticami grūti.

– Vai zināt ko? Es gluži vienkārši jums pateikšu, ka tā ir *traka* nauda, labi?

– Traka nauda, – Sūzana sapīkusi atkārtoja. – Cik tas ir? Pilna maizes kaste?

– Izklausās, ka šajā situācijā tev jāsaka: "Es varu jums to pateikt, taču tad man jūs jānogalina," – Melisa drūmi novilka. Savulaik viņa bija tēlojusi nelielu lomu kādā ziepju operā. Iespējams, tajā viņai tā bija jāsaka.

– Man matemātika nekad nav bijusi stiprā puse, – Džeremijs nepacietīgā tonī pavēstija. – Vai "traka nauda" ir lielāks vai mazāks daudzums par "kaudzi naudas"?

– Tev, protams, ir tiesības uz *privātumu*, – Sūzana teica balsī, no kuras varētu sarūgt piens. – Mums tas jārespektē.

– Divpadsmit... – Andrea klusi sacīja, – miljoni.

Pārējie raudzījās uz viņu kā sastinguši. Klusumu pārtrauca Džeremija klepus. Aizrijies ar makaroniem, kas aizmirsti bija ieskrējuši nepareizajā rīklē, viņš steidza uzdzert *Vouvray*.

– Tu joko... – viņš beidzot izdvesa.

– Protams, viņa joko, – Melisa stingri noteica, bet tad sašaubījusies piebilda: – Vai arī fantazē? – Pagriezusies pret Sūzanu, viņa turpināja: – Vai zini, kā bija, kad es apmeklēju aktiermākslas studiju? Andrea nereti man palīdzēja improvizācijas vingrinājumos, un man vienmēr šķita, ka viņa improvizē labāk nekā es.

Andrea papurināja galvu.

– Man pašai nav viegli tam noticēt, – viņa sacīja.

– Un tā kāpurs pārvēršas par tauriņu, – Sūzana noteica, un viņai uz vaigiem parādījās sārti plankumi.

– Divpadsmit miljoni dolāru, – Melisa gluži vai nodziedāja, skaidri izrunādama patskaņus, kā viņa mēdza darīt, kad mācījās lomu. – Apsveicu! Diez vai kādreiz pienāks brīdis, kad es varētu par tevi priecāties vairāk! Tas ir kaut kas ne-ti-cams!

– Par to mums jāiedzer! – piepildīdams glāzes, iesaucās Džeremijs.

Gaviļpilni izsaucieni un jautrība turpinājās krietnu brīdi, taču, kad pienāca kafijas laiks, draugu sirsnībai – vai Andreai tikai tā šķita? – bija piejaukusies tāda kā skaudība. Viņi aizrautīgi sprieda, kā Andreas naudu tērētu, atcerēdamies dažādus scenārijus no TV raidījuma "Bagāto un slaveno dzīvesveids", un tie visi bija ērmīgi un banāli. Džeremijs stāstīja par kādu bagātu vīru, ko reiz pazinis – pusaudža gados esot uzkopis viņa pagalmu. Bagātnieks bijis "tāds pats kā ikviens kaimiņš, nekad nedižojās", un Džeremija vārdos jautās kluss pārmetums, it kā Andrea grasītos dižoties, neņemdama piemēru no šā fabrikas bosa, kas ražoja *Pepsi* pudeles Doilstaunā, Pensilvānijas štatā.

Beidzot, kad desmit reižu bija minēts Donalda Trampa vārds un tikpat reižu apspriestas astoņdesmit pēdu garas jahtas, Andrea neizturēja.

– Vai mēs varam runāt par ko citu? – viņa pavaicāja.

Sūzana palūkojās uz Andreu. Kuru gan tu gribi apmuļķot, pauda viņas skatiens.

– Par ko gan vēl mēs varētu runāt? – Sūzana atjautāja.

– Par visu ko, – Andrea atbildēja. – Pastāsti, kā klājas *tev*.

– Nedomā uzmesties man par aizbildni, mīļā, – Sūzana attrauca, izskatīdamās aizvainota.

Lūk, tā turpmāk viņas izturēsies.

– Vai kāds vēlas zāļu tēju? – Andrea skanīgi apvaicājās. Viņa juta, ka tūdaļ sāks sāpēt galva.

Sūzana, acis nemirkšķinādama, cieši viņā lūkojās.

– Tu allaž teici, ka neesi no tiem Bānkroftiem. Vai atceries? – Viņas tonis nepavisam nebija ļauns. – Tā patiešām bija. Tagad tu esi viena no viņiem.

Aptumšotā istabā, ko vāji apgaismoja tikai zilgana blāzma no plakana monitora, veikli pirksti maigi noglaudīja tastatūras taustiņus. Uz šķidro kristālu ekrāna mainījās informācija. Vārdi, skaitļi. Informācijas pieprasījumi. Rīcības pieprasījumi. Maksājumu garantijas. Maksājumu anulēšana. Piešķirta un atsaukta atlīdzība, sistemātiski izmantotas sankcijas un stimuli. Nosūtītā informācija un saņemtā informācija. Šis dators bija savienots ar neskaitāmiem citiem datoriem visā pasaulē un saņēma un ražoja bitu impulsus, vieninieku, nuļļu un loģisko elementu kaskādes slēgtā vai atvērtā pozīcijā, katru tik iluzoru kā atomi, no kuriem būvētas varenas celtnes. Instrukcijas aizplūda digitālā versijā, modificētas. Informācija tika apkopota, pārbaudīta un vērtēta. Pa pasauli ceļoja prāvas summas, ko digitāli pārvietoja no vienas finanšu institūcijas uz citu, tad vēl citu, līdz beigu beigās tās nonāca kodētos kontos, kas iedibināti citos kodētos kontos. Uzradās aizvien jaunas instrukcijas, ar sarežģītas multipleksas sistēmas starpniecību tika vervēti aizvien jauni aģenti.

Ekrāna atspīdums tikko manāmi apgaismoja tā cilvēka seju, kurš darbojās ar datoru. Saziņas partneriem pat paviršs acu kontakts bija liegts. Virzītājs prāts bija kaut kas tikpat gaistošs kā rīta migla, tikpat tāls kā rietoša saule. Šā cilvēka domās atausa rinda no veca spiričuela. *Visa pasaule ir viņa rokās.*

Taustiņu piesitieni apkārtējos trokšņos gandrīz nebija saklausāmi. Tās bija kompetences un rīcības skaņas, un datoru sistēmas resursi pirmo spēja pārvērst otrajā. Tās bija spēka skaņas. Tastatūras kreisajā apakšējā stūrī bija gan komandas, gan vadības taustiņš. Ne viens vien bija zaudējis, mērodamies spēkiem ar cilvēku, kurš sēdēja pie datora. Klusā klikšķināšana patiešām bija varas skaņa.

Beidzot šifrētā pārraide bija galā. Tā beidzās ar teikumu: "Laiks ir ļoti svarīgs."

Laiks, vienīgais lielums, kam nevar pavēlēt, ir jāgodā un jārespektē.

Veikli pirksti klusi klikšķināja taustiņus, uzrakstīdami pārraides beigu signālu.

ĢENĒZE.

Simtiem cilvēku uz šīs planētas tas bija buramvārds. Daudziem tas nozīmēja iespēju un stimulēja viņu mantrausību. Citiem tas nozīmēja pavisam ko atšķirīgu, kas stindzināja dzīslās asinis un vajāja nakts murgos. *Ģenēze.* Izcelšanās. Kā izcelšanās?

CETURTĀ NODAĻA

Lidmašīnā, kas devās uz Romu, Belkneps gulēja – viņš priecājās par savu spēju aizmigt un gulēt, kad vien rodas izdevība, – taču miegs bija nemierpilns un trausls un nesniedza ne mazāko atspirdzinājumu. Tieši otrādi – kad viņš pamodās, neskaidrajā prātā jaucās murgainas atmiņas. Belkneps savā mūžā bija daudz ko zaudējis, un viņš negrasījās ļaut, lai liktenis vēlreiz izrīkojas pēc sava ierastā šablona, atņemdams tos, kas viņam nozīmē visvairāk. Tas bija gluži kā lāsts, par kādiem vēsta grieķu traģēdijas. Reiz Belknepam šķita, ka viss būs citādi. Viņš dibināja ģimeni un grasījās kļūt par ģimenes cilvēku, taču liktenis lēma citādi. Domās uznira un pagaisa atmiņu ainas, lai atgrieztos no jauna, uzplēstu vecās brūces un viņu sāpinātu.

Kāzas bija samērā klusas. Viņi uzaicināja pāris draugu un dažus Ivetas darbabiedrus no Valsts departamenta Izlūkošanas un pētniecības biroja, kur Iveta strādāja par tulkotāju, kā arī nedaudzus viņa kolēģus. Viņa vecāki jau sen bija miruši, un tuvu ģimenes piederīgo viņam nebija. Vedējs, protams, bija Džereds, un viņa draudzīgā klātbūtne bija sava veida svētība. Medusmēneša pirmo dienu viņi pavadīja kādā kūrortā netālu no Puntagordas, Belizā. Tā diena bija neaizmirstama. Viņi vēroja palmās sēdošos papagaiļus un tukānus, smējās par delfīniem un lamantīniem, kuri draiskojās dzidri zilajos ūdeņos, un pārbijās no bļaura kliedziena – tas atgādināja bangaina okeāna rēkoņu –, pirms saprata, kas radījis briesmīgo troksni. Priekšpusdienā viņi ar kuģi devās uz nelielu rifu, kura balto putu līnija bija saskatāma no pusjūdzes attālās piekrastes. Tur viņi brauca nirt, atklādami vēl vienu burvīgu nodarbi. Zemūdens valstība vizēja ne vien koraļļu krāsās, tur zaigoja arī milzum daudz dažādu zivju. Iveta zināja, kā tās sauc, pat vairākās valodās – acīmredzot tas bija tēva nopelns. Viņas tēvs bija diplomāts, kurš bija strādājis visās lielākajās Eiropas galvaspilsētās. Stāstīšana par violetajiem vāzes sūkļiem, pasakainajām sunīšzivīm, vāverzivīm, papagaiļzivīm, visām šīm brīnumainajām radībām, kam bija doti brīnumaini vārdi, viņai sagādāja prieku. Kad viņš tuvojās kādai zivij, kas izskatījās pēc japāņu vēdekļa, Iveta pieskārās viņam pie rokas un abi iznira no ūdens. "Tā, mīļais, ir lauvzivs," Iveta mirdzošām acīm sacīja, "un prātīgāk to ir apbrīnot no attāluma." Viņa paskaidroja, ka tās dzeloņos ir inde. "Tā atgādina zemūdens puķi, vai ne? Taču, kā teicis Bodlērs, *là où il y a la beauté, on trouve la mort*. Kur mīt skaistums, mīt arī nāve."

Beliza nebija nekāda paradīze, un viņi zināja, ka visapkārt valda trūkums un vardarbība, tepat līdzās. Taču šeit bija skaistums, un šis skaistums ietvēra patiesību. Tā bija patiesība par viņiem, par viņu spēju sajūsmināties par dabas diženumu. Pie rifa Belkneps piedzīvoja ko tādu, ko gribēja sevī saglabāt. Viņš baidījās, ka, tāpat kā šīs krāsaini mirdzošās zivis bez ūdens savu krāšņumu zaudē, kļūdamas blāvi pelēcīgas, šīs laimes un skaistuma izjūtas pagaisīs ikdienā, kurā viņš nespēs tās atjaunot.

Tas vakars mēness apspīdētajā pludmalē atmiņā bija saglabājies saraustīts. Kā drumslas no satriektas dārgas vāzes. Viņš nespēja to atcerēties, aiz sāpēm nesaviebdamies. Viņi draiskojās pa liedaga smiltīm, viens otru tvarstīdami. Vai viņš jebkad agrāk bija juties tik bezrūpīgs? Nekad agrāk un, protams, nekad vēlāk. Vairs nekad. Viņš atcerējās, kā Iveta skrēja viņam pretim privātajā pludmalē. Viņa bija kaila, un viņas mati – zeltaini pat mēness sudrabainajā gaismā – viļņojās viņai pār pleciem, un smejošā seja izstaroja svētlaimi. Viņš nebija ievērojis nelielu, piekrastē noenkurotu zvejas šoneri, no kura kādā brīdī iztraucās sīki gaismas impulsi. Vai viņš redzēja šos uzliesmojumus stobra galā vai iztēlojās tos vēlāk, kad mēģināja izprast, ko īsti bija redzējis? Lodi, kas ieurbās Ivetai kaklā, viņas maigajā, mīļajā kaklā, lodi, kas ieurbās viņas ķermenī? Tās abas bija lielkalibra lodes, nāvējošas... Belkneps atcerējās, kā Iveta krita uz viņa pusi, it kā gribēdama viņu apskaut, atcerējās, ka viņa pārsteigtajām smadzenēm bija vajadzīgas vairākas garas sekundes, lai atskārstu, kas noticis. Viņš izdzirdēja kādu izmisīgi kliedzam – tāpat kā to pērtiķi, kas bija abus pārbiedējis, tāpat kā bangas, kad tās plīst pret klintīm... – līdz apjēdza, ka kliedz pats.

Kur mīt skaistums, mīt arī nāve.

No bērēm šeit, Vašingtonā, viņš atminējās galvenokārt to, ka lija. Mācītājs runāja, un Belkneps redzēja to kustinām lūpas, bet

74

skaņa līdz viņam nenonāca, it kā būtu noregulēta uz klusāko. Melnā talārā tērpies svešs vīrs ar profesionāli skumju sejas izteiksmi skaitīja lūgšanas, domādams, ka sniedz mierinājumu... kāds šim cilvēkam sakars ar Ivetu? Belknepu uz brīdi pārņēma sajūta, ka šis rituāls nenotiek īstenībā. Atkal un atkal viņš iegremdējās savu domu dziļumos, cenzdamies atsaukt atpakaļ to dzirkstošo patiesību, ko tajā dienā pie koraļļu rifa bija piedzīvojis. Viņam tas neizdevās. Nekas no tā vairs nebija palicis. Belkneps atcerējās atmiņas par atmiņām, taču tas svarīgais, pats svarīgākais, bija izgaisis vai arī... paslēpies aiz cietas čaulas, padarīdams sevi neaizsniedzamu uz visiem laikiem.

Nebija Belizas, nebija pludmales, nebija Ivetas, nebija skaistuma, nebija mūžīgas patiesības – bija tikai kapsēta, trīsdesmit pavirši nopļautu zaļu akru, no kuriem pavērās skats uz Anakostijas upi. Ja toreiz nebūtu Džereda Rainharta nesatricināmās klātbūtnes, viņš būtu sabrucis.

Rainharts bija klints. Kaut kas stabils viņa dzīvē. Viņš sēroja par Ivetu Belknepam cieši līdzās, taču vēl vairāk viņš skuma par savu draugu. Taču Belkneps necieta, ka viņu žēlo, un Rainharts to manīja, tāpēc savu līdzcietību slēpa aiz dzēlīguma.

"Es taču teicu, Kastor, ka tu esi nelaimes putns," Rainharts vienā brīdī teica, aplikdams roku draugam ap pleciem un cieši to apskaudams, lai gan tas nesaderējās ar viņa vārdiem.

Par spīti tukšumam, kas pletās krūtīs, Belkneps izmocīja smaidu. Abu skatieni sastapās.

"Zini, es vienmēr būšu tev blakus," Rainharts vienkārši turpināja. Tas bija kā uzticības zvērests, ko viens karavīrs dod otram.

"Es zinu," Belkneps neskanīgi atbildēja. Vārdi ķērās kaklā. "Es zinu." Viņš patiešām zināja.

Viņu un Rainhartu saistīja nesaraujama uzticība un cieņa. Kaut kas dziļi patiess bija šajā saiknē, un šī patiesība deva Belknepam spēku. Tie, kas dara ļaunu Polluksam, nav pasargāti no Kastora. Viņi pakļauj savu drošību riskam.

Viņi pakļauj riskam savas tiesības *dzīvot*.

Spīdīgi melnais, garais limuzīns *Mercedes-Benz 560 SEL*, kas piebrauca pie Andreas mājas, šajā pieticīgajā ielā ar nelielajiem namiņiem un šaurajiem pagalmiem bija absurdi neiederīgs. Tā kā šajā pēcpusdienā fonda mītnē bija paredzēta valdes sēde, Horass

Linvils bija apsolījis, ka atsūtīs pēc viņas automobili. Viņai neklātos apmaldīties.

Kad ceļā bija aizritējušas divas stundas, šoferis stūrēja lepno braucamo no viena šaura ceļa uz citu, virzīdamies pa tādām kā govju takām, kas tikai nesen noklātas ar segumu. Zīmes bija tikai retumis. Ja Andreai vajadzētu atcerēties visus pagriezienus, viņa to nespētu, tāpat kā nespētu atbraukt pa šo ceļu viena.

Katona, četrdesmit jūdžu uz ziemeļiem no Manhetenas, bija vieta, kur veiksmīgi apvienojusies lauku vienkāršība un turība. Šis ciems, daļa no Bedfordas ciemata, bija gluži kā Viktorijas laika dekorācija, taču īstā darbība risinājās tās mežainajā nomalē. Tieši tur paprāva teritorija piederēja Rokfelleru ģimenei, kā arī starptautiskajam finansistam Džordžam Sorosam un daudziem miljardieriem, kuru vārdi sabiedrībai nebija pazīstami. Cilvēkiem, kuri dzīvoja neiedomājami bagātu dzīvi, nez kāpēc vajadzēja iztēloties, ka viņi dzīvo Katonā. Ciems bija nosaukts indiāņu virsaiša vārdā, no kura tas deviņpadsmitajā gadsimtā bija nopirkts, un turpmākajos gados šajā vietā tirgošanās gars nebija rimis – īpašumu pirkšana un pārdošana šeit plauka un zēla.

Grumbainais ceļš *Mercedes* bija īsts pārbaudījums.

– Piedodiet, šeit ir nedaudz akmeņains, – kā mierinādams noteica šoferis. Apvidus, kam viņi brauca cauri, bija apaudzis retiem kokiem. Tā bija pamesta lauksaimniecības zeme, ko pēdējos gadu desmitos atpakaļ pamazām atguva mežs. Beidzot Andreas skatienam pavērās glīts ķieģeļu nams no Džordžijas sarkanajiem ķieģeļiem, kas ēkas stūros un dzegās bija nostiprināti ar Portlendas kaļķakmeni. Ēkai bija trīs stāvi, mansards un zilganpelēks jumts – tā nebija ārišķīga, bet iespaidīga gan.

– Tā ir lieliska, – Andrea klusi sacīja.

– Šī te? – Šoferis taktiski noklepojās. – Tā ir sarga māja. Fonda nams atrodas kādu pusjūdzi tālāk. – Kad viņu automašīna tuvojās, daļa no melnā kaļamās dzelzs žoga, ko augšpusē rotāja asi dzelzs pīķi, atvērās, un viņi pa liepu aleju devās tālāk.

– Ak Dievs... – Andrea pēc pāris minūtēm izdvesa. Viņa no tāluma šo veidojumu no lubiņām un akmens, veidojumu, kas atgādināja kaut ko senu, bet neparastu, bija noturējusi par pakalnu. Celtnei nepiemita angļu lauku māju grandiozums – tai nebija ne gotiskā stila mūru, ne ornamentiem izrotātu logu, ne piebūvju, ne pagalma. Tās formas bija vienkāršas – konusi, kolonnas, taisnstūri –, un tā bija būvēta no koka un vietējā karjerā iegūta smilšakmens. Zemes toņu palete, ko veidoja rūsgansarkana, sēpijas un tumšbrūna nokrāsa, ļāva ēkai saplūst ar apkārtni. Kad automobilis tai tuvojās, Andrea pārsteigta un ieinteresēta rupīgi to nopētīja – plašos ovālos lieveņus, zāģa zobu rakstā lubiņām klātās sienas, viegli asimetriskās formas un ikvienas pārdomātās nianses eleganci. Lai gan māja bija ļoti liela, tā neizstaroja dižmanību. Apbrīnojama tā bija ar savu dabiskumu, nevis veikliem arhitektu izgudrojumiem.

Andreai aizrāvās elpa.

– Tā ir skaistule, – šoferis izteica viņas domas skaļi. – Ja vien doktors Bānkrofts to vairāk izmantotu. Ja vien varētu, viņš to jau būtu pārdevis un pārcēlies uz mitekli ar gultasvietu un brokastīm. Taču to neļaujot statūti.

– Labi, ka neļauj.

– Manuprāt, šī māja tagad daļēji pieder jums. – Automobilis apstājās ar granti nobērtā stāvvietā ēkas sānā. Andrea, uzgājusi pa zemo lieveni augšup, devās iekšā gaismas pielietajā vestibilā, juzdama, ka viņas kājas nez kāpēc dreb. Nāsīs iesitās tikko jaušama veca koka un mēbeļu lakas smarža. Ar platu smaidu sejā un biezu mapi rokā viņu sagaidīja iecietinātā blūzē un svārkos tērpusies sieviete. Viņai bija biezi vara krāsas mati un uzrauts deguns.

– Dienas gaita, – sieviete sacīja, pasniegdama Andreai mapi. – Mēs *priecājamies*, ka jūs būsiet padomē.

– Brīnišķīga vieta. – Andrea pavēzēja roku sev apkārt.

Kad sieviete enerģiski pamāja ar galvu, viņas mati tik tikko sakustējās. Acīmredzot tos klāja dāsna lakas kārta.

– Ēka celta tūkstoš deviņsimt piecpadsmitajā gadā pēc arhitekta Ričardsona projekta. Kā mums teica, šo projektu sava mūža laikā viņš neesot paspējis īstenot. Trīsdesmit gadus pēc viņa nāves pasaule karoja, un šī valsts gatavojās iesaistīties karā. Drūms laiks. Bet ne Bānkroftiem.

Tā bija taisnība, Andrea nodomāja. Vai viņa nebija dzirdējusi nostāstu par kādu Bānkroftu, kas Pirmā pasaules kara laikā kļuvis bagāts, pārdodams munīciju? Andrea nebija īpaši interesējusies par tēva ģimeni, bet galvenos faktus viņa zināja.

Kuratoru zāle, pa kuras plašajiem logiem pavērās skats uz krāsām pārpilnu terases dārzu, atradās otrajā stāvā. Andreu pavadīja uz viņas vietu pie gara galda, kas atgādināja karaļa Džordža laika banketu galdu. Tur jau sēdēja vairāki fonda kuratori un darbinieki. Vienā telpas stūrī bija uzklāts izmeklēts tējas un kafijas galds. Vīrieši un sievietes pie apspriežu galda klusi sarunājās un jokoja, bet Andrea, demonstratīvi šķirstīdama biezo mapi, no viņu sarunām necik daudz nesaprata. Viņa nebija dzirdējusi ne tādus klubus, ko šie cilvēki minēja, ne tādus zīmolus – vai tās bija jahtu vai cigāru ražotāju kompānijas? – ne tādas slēgtas mācību iestādes. Beidzot pa durvīm telpas pretējā malā ienāca divi uzvalkos ģērbušies vīrieši, kurus pavadīja jaunāks palīgs. Sarunu čala pieklusa.

– Tie ir fonda programmu vadītāji, – paskaidroja vīrs, kurš sēdēja Andreai labajā pusē. – Tas nozīmē, ka pienācis rādīšanas un stāstīšanas laiks. – Andrea palūkojās uz savu galdabiedru, apaļīgu vīru, kura sirmie mati bija dāsni ieziesti ar gelu, tā ka varēja manīt ķemmes pēdas. Vīrieša iedegusī seja nesaderēja ar bālajām, gludajām rokām bez matiņiem.

– Es esmu Andrea, – viņa sacīja.

– Saimons Bānkrofts, – viņš atteica dobjā, dūcošā balsī. Viņa neizteiksmīgās acis bija pelēkas un saltas kā metāls. Andreai šķita, ka viņa piere un uzacis ir savādi nekustīgas.

– Tu esi Reinolda meitene, vai ne?

– Viņš bija mans tēvs, – Andrea atbildēja. Viņa vēlējās šim vīram pateikt, ka tas maldās, ka viņa nav vis Reinolda meitene, bet gan Loras meitene.

Izstumtās atvase.

Piepeši viņa juta naidu pret šo Saimonu Bānkroftu, it kā viņā būtu pamodusies kāda sena asinsbalss, bet tad, tikpat pēkšņi kā radies, naids pārgāja, un viņa atskārta, kas īsti viņu uztrauc. Nevis bažas, ka viņa atrastos nevietā, bet gan *piederības* sajūta. Piederīga, nepiederīga – kāda viņa tagad ir?

Un ja nu tas jāizlemj viņai pašai?

Palaid dzinējsuni no ķēdes vaļā, Tods Belkneps domāja. *Palaid elles dzinējsuni no ķēdes vaļā.*

Visus kanalizācijas lūku vākus Romā greznoja iniciāļi *SPQR. Senatus Populusque Romanus,* Senāts un Romas tauta. Tas reiz bija politiski nozīmīgs solis, Belkneps sprieda, bet nu, tāpat kā daudzus politiski nozīmīgus soļus, to klāja aizmirstības putekļi. Tas bija tikai logo. Ar nelielu lauzni viņš pacēla lūkas vāku un notrausās pa kāpnēm lejup, līdz nostājās uz ļodzīgas dēļu platformas apmēram divdesmit pēdu augstā un piecas pēdas platā,

78

smirdošā telpā. Viegli uzsitis pa kabatas lukturi, viņš noregulēja vidēji spožu gaismu un pārlaida apkārtnei staru kūli. Pa betona alas sāniem, kurus, gluži ka drapējums, klāja melni, oranži, sarkani, dzelteni un zili kabeļi, skraidīja iztraucēti ūdens kukaiņi. Šeit bija gan pusgadsimtu veci tieva cigāra resnuma telefona kabeļi, gan kabeļi no pagājušā gadsimta septiņdesmitajiem un astoņdesmitajiem gadiem, gan modernu šķiedru optiskais kabelis, kuru tikko uzstādījis kāds municipālais uzņēmums, varbūt *Enel*. Belkneps pieņēma, ka *Enel* ļaudīm, kas brauca ar *Enel* autobusiņu un valkāja *Enel* formas tērpu, kabeļu izolācijas krāsas kaut ko nozīmē. Viņam tās neko neizteica.

No griestiem pilēja ūdens lodītes. Belkneps, ieskatījies mazā luminiscentā kompasā, secināja, ka villa atrodas nepilnu jūdzi uz priekšu un veikt šo attālumu nebūs nekas sarežģīts. Galvenais inženierkomunikāciju tunelis stiepās paralēli ielai.

Nespēju būt vienaldzīgs pret labu cilvēku, viņš prātoja. *Vai pret sliktu.*

Vila Gerisona draudus un pārmetumus Belkneps bija norijis gluži kā nebaudāmus ēdamos gliemežus. Vai dažreiz pagātnē viņš nebija pāršāvis pār strīpu? Protams, bija. Belkneps zināja, ka nespēj krustojumā sagaidīt, kad iedegsies zaļā gaisma gājējiem. Viņam nepadevās darbs ar dokumentiem. Visuma loks ir garš, bija teicis kāds pareģis, taču tas tiecas pretim taisnīgumam, un Belkneps cerēja, ka tā ir. Taču, ja tas prasīja pārāk daudz laika, Belkneps labprāt darīja visu, lai šo taisnīgumu īstenotu.

Viņš nemēdza sevi vērot, taču viņam nebija par sevi arī ilūziju. Bez šaubām, viņš bija viegli aizkaitināms karstgalvis, pat brutāls, taču lielākoties spēja savaldīties. Ļoti reti gadījās, ka niknums guva virsroku pār saprātu, un tādos brīžos viņš apjēdza, ko nozīmē būt velna apsēstam. Belknepa dzinējspēks bija uzticība, un nekas neizraisīja viņā lielāku nicinājumu kā nodevība – šis temats nebija pat domāšanas vērts. Belknepa uzskats šajā ziņā bija nesatricināmi vienkāršs, daļa no viņa esības.

Tunelis meta līkumu, un dēļu platformā, pa kuru Belkneps soļoja, piepeši pavērās trīs pēdu plata sprauga. Laikā to ievērojis, viņš pārlēca tai pāri. Darbarīki – lauznis un abordāžas kāsis – nepatīkami sitās pret augšstilbu. Lai gan abordāžas ietaise bija kompakta un tās apvalks darināts no viegla polimēra, tā tomēr bija apjomīga, un trijžuburu āķis nemitīgi spraucās laukā no līpslēdzēja siksnām.

79

Lai arī ko mēģināja iestāstīt Gerisons, Belkneps instinktīvi nojauta, ka Ansari slepkavība saistīta ar Džereda Rainharta nolaupīšanu. Taču ar instinktu vien bija par maz, vajadzēja ko vairāk. Belkneps, likdams lietā uzstājību, no draugiem Konsulāro operāciju nodaļā – īstiem draugiem, kas negrasījās no viņa norobežoties Gerisona histērisko izteikumu pēc, – bija uzzinājis par pāris aizdomīgiem izlūkošanas ziņojumiem, kas saņemti no tā dēvētajiem "nenosakāmajiem kanāliem" – ļoti slepeniem. Kā teica viņa draugs analītiķis, "bilde vēl aizvien ir tumša". Taču dažas pazīmes liecināja, ka Rainharta nolaupītājus vai nu savervējusi, vai pieaicinājusi kāda cita, daudz grūtāk atklājama organizācija. Vienus marionešu dancinātājus izkalpināja citi marionešu dancinātāji. Halila Ansari slepkavība atbilda šim modelim – slepeno tīklu pārņēma cits, daudz varenāks.

Belkneps tuvojās villai. Viņš zināja, ka, ejot pa tuneli, iekšā villā netiks, jo kabelis ievadīts mājā pa dažu collu diametra polivinilhlorīda caurulēm. Atkārtoti salīdzinājis arhitektonisko plānu ar ģeoloģisko karti, Belknepa saprata, ka iekļūt villā ir iespējams. Cauruļvadu un akveduktu sistēma kopš Senās Romas laikiem nebija īpaši mainījusies. Tā bija divsimt sešdesmit jūdžu gara, un tikai trīsdesmit jūdžu no tās stiepās virs zemes. Savulaik *Curator Aquarum*, ūdeņu virsuzraugs, tā būvē nodarbināja vergu leģionu, raudzīdamies, lai ūdensceļi būtu ierīkoti ar tādu aprēķinu, ka tos būtu iespējams tīrīt un remontēt. Par labu tika atzīts senais piekļuves ceļš, atveres virszemē, ko izbūvēja ar regulārām atstarpēm, lai ātri varētu likvidēt aizdambējumus. Sazarotajā apakšzemē zem Romas ielām mūsdienu inženierkomunikāciju tuneļi pastāvīgi šķērso seno – arī Trajāna valdīšanas laikā būvēto – ūdensvadu notekas un šahtas. Belkneps vēlreiz pārbaudīja kompasu un pedometram līdzīgo ierīci, kas mērīja horizontālo nobīdi. Ar šiem diviem instrumentiem viņš varēs noteikt savu atrašanās vietu. Nonācis pie iekārtiem metāla vārtiem, Belkneps devās blakus tunelī, kur stiepās gāzes un ūdens pārvadi. Gaiss bija tikpat sasmacis kā stāvošais, mālainais ūdens, ko klāja bieza, gadsimtiem veidojusies pelējuma kārta. Inženierkomunikāciju tunelis, pa kuru viņš bija nācis, pirms nogriezās šajā alai līdzīgajā ejā, aizvijās paralēli virszemes ielai. Ala tikko jaušami veda lejup, ar katru soli ievilinādama viņu aizvien dziļāk un dziļāk. Ar sēru piesātinātais gaiss kļuva blīvāks.

Šis tunelis pēc tik daudziem gadsimtiem ar saviem drūpošajiem griestiem un gruvešiem klāto grīdu patiešām atgādināja alu, dabisku ģeoloģisku veidojumu, nevis cilvēka roku būvētu eju. Tā ik pa brīdim gan sašaurinājās, gan paplašinājās, un Belkneps, lai šajā apakšzemes labirintā sasniegtu savu galamērķi, meta cilpas un līkločus. Dažās ejās, viņš sprieda, dzīva būtne nebija spērusi soli gadsimtiem.

Belknepam prātā ienāca nepatīkama doma. Ja viņš nejauši nozaudētu kabatas lukturi vai kompasu, viņš apmaldītos un paliktu šeit uz visiem laikiem, līdz kādreiz nākotnē, pēc daudziem gadiem, cits neprātīgais uzietu izbalojušu skeletu.

Mati zem aizsargcepures mirka sviedros, un viņš apstājies apsēja ap pieri katūna mutautu, lai tie neplūstu acīs. Beidzot aprēķini rādīja, ka viņš atrodas tieši zem villas – piecdesmit pēdu, prēriju akas dziļumā.

Arhitektoniskajā plānā norādītais celtnes pamatu drenas režģis bija uzvedinājis viņu uz domu par iespēju to izmantot. Šķita, ka tā nav neparasta iezīme villām, kas celtas virs seniem ūdensceļiem. Tas patiešām bija vienkāršākais ceļš, kā izvairīties no pamatu applūšanas spēcīgu lietusgāžu laikā. Taisni lejup bija izrakta šahta – līdz vairs neizmantotajam romiešu tunelim.

Belkneps pagrūda luktura slēdzi spilgtākajā režīmā. Brīdi vēries akmeņainajā tuneļa grīdā, viņš ieraudzīja ķērpjiem klātu zemes paugurinu un virs tā, krietni virs tā, bija režģis, ko viņš, atgāzis galvu, saskatīja caur mazu digitālo binokli. Belkneps atlieca pneimatiskās abordāžas ierīces žuburus, notēmēja un nospieda palaišanas pogu. Ar klusu, paukšķošu troksni izšāvās āķis ar divām polipropilēna auklām. Atskanēja klikšķis, kas nozīmēja, ka āķis aizķēries. Belkneps saņēma auklas rokās un spēcīgi parāva. Ar otru rāvienu polipropilēna auklas atvērās kā savdabīgas kāpnes. Tās izskatījās neizturīgas, taču ārējais iespaids bija mānīgs. Pītais mikrošķiedru vijums izturētu daudz lielāku smagumu nekā viņa ķermeņa svars.

Belkneps sāka lēni kāpt augšā pa šķērseniskajām auklām, kas starp abiem galvenajiem šķiedru pinumiem bija izvietotas ar divu pēdu atstatumu. Pievārējis trešo daļu kāpiena, viņš iedomājās, kas notiktu, ja viņam paslīdētu kāja. Kritiens, protams, beigtos bēdīgi. Protams, viss būtu vējā arī tad, ja kāds atrastos pagrabtelpās un ieraudzītu abordāžas kāsi. Taču tādas neveiksmes iespēja bija visai niecīga. Apsargs gan izdarīja formālu apskati – galu galā ne par ko jau nedrīkstēja būt drošs –, taču veica to reizi vai divas naktī.

Beidzot sasniedzis tērauda režģi, viņš konstatēja, ka tas ir ļoti smags – svēra, iespējams, pat divsimt mārciņu un acīmredzot tieši tāpēc šajā vietā atradās. Rāpdamies pa šādām kāpnēm, viņš nevarēja paņemt sev līdzi ceļamierīci, lai to izkustinātu. Belknepam sirds sažņaudzās. Noiets tik tāls ceļš... un nu viņš atradās dažu *collu* attālumā...

Viņš izmisis palūkojās visapkārt, un viņa skatiens apstājās pie režģa malas, kur tas bija nostiprināts ar tērauda skavu. Ar savu mazo lauzni viņš pāris vietās mēģināja skavu atliekt, taču viņa poza bija tik neērta – elkoņi augstāk par pleciem –, ka to pastumt nebija iespējams. Masīvais režģis nekustējās.

Belknepu sagrāba tik neizturama vilšanās, ka sirds vai pamira. Viņš nedrīkstēja, gluži vienkārši nedrīkstēja ļauties izmisumam. Viņš iedomājās Džeredu Rainhartu, kuru kaut kur augšā, villā, spīdzina Ansari tīkla algotņi un kurš bezspēcīgs pakļauts viņu iegribām. Džereds reiz teica, ka draugs jāizraugās uzmanīgi, un, kad tas izraudzīts, nekad viņu nedrīkst pamest. Džereds savu vārdu turēja. Un Belkneps?

Belkneps pazina daudzus, kas bija zaudējuši dzīvību gan mājās, gan uzdevuma izpildes laikā. Maks Merins jeb Kalns, kas bija izdzīvojis desmitiem riskantās operācijās, nomira mājās pēc aneirismas plīsuma sīkā smadzeņu asinsvadā. Mikijs Damets, kura ķermenis bija pārcietis četrus ložu ievainojumus, zaudēja dzīvību kādā lauku krustojumā, kur mikroautobusa šoferis neievēroja apstāšanās zīmi. Elisu Zahāvi nošāva uzdevuma izpildes laikā, taču operācija bija izplānota tik draņķīgi, ka tai nebija nekāda attaisnojuma, pat ja viss būtu beidzies labi. Tie bija krietni izlūki, kuriem liktenis lēma bezjēdzīgu, nicināmu nāvi. Belkneps dziļi ievilka elpu. Atdot dzīvību, lai glābtu Džeredu Rainhartu, bija cildena rīcība. Laikmetā, kad varonība ir apdraudēts atribūts, viņš spēja iedomāties daudzus sliktākas nāves variantus nekā šī un pavisam maz – labākas.

Belkneps gluži kā apmāts spiedās pret režģi. Katrā viņa ķermeņa šūnā nez no kurienes ieplūda spēks.

Režģis sakustējās.

No jauna, un augšup. Masīvais metāla disks negribīgi paslīdēja sānus. Belkneps izbāza pa spraugu vienu roku, pēc tam otru un pagrūda to vēl mazliet un tad vēl... Smagais metāls uz līdzenā betona lielu troksni neradīja.

Četrdesmit minūtes pēc aprīkojuma furgona novietošanas autostāvvietā viņš bija nokļuvis vietā, no kuras tik izmisīgi bēga, vietā, kas bija ierīkota pēc izsmalcinātām nelaiķa Halila Ansari instrukcijām. Nu bija laiks tam, ko Belkneps vienmēr uzskatīja par grūtāko darba daļu. Gaidīšana.

Katona, Ņujorka

Kad programmu vadītāji izvērsa savus ziņojumus, Andrea sākumā domāja tikai par to, lai izskatītos nosvērta un pašapzinīga. Taču drīz abu vīru uzstāšanās saistīja viņas uzmanību. Lai gan runu plūdums bija gluži vai iemidzinošs, Andrea nevarēja neapbrīnot informāciju, ko uzzināja. Līdz šim brīdim viņai nebija ne jausmas, ka fonda darbība ir tik *daudzpusīga*. Tīra ūdens un vakcinācijas projekti trešās pasaules valstīs, lasīt un rakstīt prasmes programmas īstenošana Apalačos, programma poliomielīta izskaušanai Āfrikā un Āzijā, programma ar mikroelementiem bagātināta uztura nodrošināšanai pasaules mazāk attīstītajos reģionos. Pēc tam uzstājās arī citi fonda darbinieki, stāstīdami par projektiem un izskaidrodami ar tiem saistītos lietišķos jautājumus – izmaksas, perspektīvas, iespējas, efektivitāte. Tas viss izskanēja vienmuļā valodā, ikdienišķi, neizteiksmīgās balsīs, lai gan runa bija par projektiem, kas pārveidos dzīvi tūkstošiem cilvēku. Kāds runātājs stāstīja par ūdensvada būvi nabadzīgā reģionā, pieļaudams domu par apūdeņošanu un pienācīgu lauksaimniecību vietā, kur iztikas līdzekļi bija minimāli. Pie sienas uzstādītā monitorā bija redzami vairāki attēli, kuros tuksnesis bija pārtapis ziedošā laukā.

Tāpat kā Rokfellera fondam, Bānkrofta organizācijai bija nodaļas visā pasaulē, taču Bānkrofts pieprasīja, lai izmaksas tiktu stingri kontrolētas. Atkal un atkal ziņotāji izteica domas par labdarības lietišķo ētiku, uzburdami skaidru bezpeļņas labdarības organizācijas vīziju. Fonds ieguldīja naudu "vērtībā", kā šeit izskanēja, un šī "vērtība" bija izglābtas dzīvības un novērstas ciešanas.

Droši vien šīs runas nevienu nepārsteidz, Andrea sprieda, jo visi zina, kāds cilvēks vada šo organizāciju.

Pols Bānkrofts. Tas bija vārds, kas izraisīja satraukumu un bijību. Doktors Bānkrofts allaž bija savaldīgs un nemanāms – svinības smokingos un gozēšanās avīžu smalko aprindu lappusēs, kur trekniem burtiem minēts viņa vārds, nebija viņa gaumē. Taču savus daudzpusīgos talantus viņš nevarēja noslēpt. Andrea atcerējās ekonomikas pamatu semināru iesācējiem, kur viņai bija jāapgūst Bānkrofta teorēma. Tikai vēlāk viņa uzzināja, ka tās izgudrotājs ir viņas tēva brālis. Doktoram Bānkroftam vēl nebija trīsdesmit gadu, kad viņš deva svarīgu ieguldījumu spēļu teorijā un tās izmantošanā ētikā. Taču fonds bija viņa spožā prāta lielais lolojums. Neskaitāmas veiksmīgas investīcijas un spekulācijas ģimenes prāvo bagātību bija pārvērtušas milzu fondā, kas aptvēra visu zemeslodi.

Pulksten trijos ziņojumu sniedza kāds darbinieks, vārdā Rendals Heivuds. Tas bija vīrs ar sārtu, vēja aprautu seju, kas liecināja par daudziem tropu saulē pavadītiem gadiem, un lodveida galvu ar īsi apgrieztiem tumšiem matiem. Viņa darbalauks bija tropu medicīna, un viņš bija atbildīgs par programmu, kas novirzīja līdzekļus malārijas pētniecībai un ārstēšanai. Deviņdesmit miljoni dolāru, sākuma summa, bija piešķirti pētnieku grupai no Hauela medicīnas institūta, vēl deviņdesmit miljonu kādai grupai no Džona Hopkinsa universitātes. Heivuds runāja par "molekulārajiem mērķiem", par vakcīnu protokoliem, par slimības ierosinātājiem, par vakcīnu nepietiekamību. Par miljons dzīvību, ko ik gadu paņem *Plasmodium falciparum*, visagresīvākais malārijas parazīts.

Miljons dzīvību. Statistika? Abstrakcija? Vai gluži vienkārši traģēdija.

Heivuds runāja dobjā balsī, kurā jautās kaut kas nomācošs. Negaisa mākonis rītausmā, Andrea domāja.

– Panākumi? – Heivuds sacīja. – Man jāteic, ka lielus atklājumus pagaidām pie apvāršņa neredzam. Mēs nevēlamies dot pāragrus solījumus. Šī joma nozīmē lielas cerības un sabrukušas cerības. Tā nu tas ir. – Viņa skatiens klejoja ap garo galdu, gaidīdams jautājumus.

Andrea ar dzirdamu troksni nolika uz apakštases tējas krūzīti, nodomādama, ka pašķindināt porcelānu ir pieklājīgāk, nekā nokrekšķināties.

– Piedodiet, viss, ko šeit dzirdu, man ir kas jauns... iepriekš izskanēja, ka fonds meklē jomas, kas tirgū netiek pienācīgi apkalpotas, – viņa teica un daudznozīmīgi apklusa.

– Un vakcīnas tam ir labs piemērs, – Heivuds sacīja, pamādams ar galvu. – Vakcinācijas vispārējā vērtība ir lielāka nekā vērtība, ko tā sniedz vienam indivīdam. Ja es esmu vakcinēts, tas palīdz arī jums, jo es nevaru pielipināt slimības ierosinātāju citiem un sabiedrībai nav jāmaksā par manu slimošanu, stundu kavēšanu skolā, ārstēšanu slimnīcā un tā tālāk. Ikviens veselības nozares ekonomists man piekritīs, ka vakcinācijas vērtība sabiedrībai ir divdesmit reižu lielāka nekā tā, cik indivīds par to samaksā. Tāpēc valdības vienmēr vakcinācijā investē. Tas galu galā ir sabiedrības labā, tāpat kā publiskā sanitārija un tīrs ūdens. Nabadzīgākajās pasaules valstīs, kur trūkst resursu, šī slimība zeļ. Ugandā, Botsvānā un Zambijā ikgadējais veselības aprūpes budžets ir apmēram piecpadsmit dolāru uz cilvēku. Pie mums tas ir gandrīz pieci tūkstoši dolāru.

Andrea cieši vērās uz Heivudu. Viņa veselīgajā, iedegušajā sejā izcēlās bālās acis. Heivuds bija spēcīgas miesas būves vīrs ar lielām rokām un ļoti īsi apgrieztiem nagiem. Ar tādiem cilvēkiem viņai bijusi saskarsme, Andrea nodomāja. Veselīgs... ar nervozu kuņģi. Bokseris ar stikla žokli.

– Ko mēs varam darīt? – Andrea vaicāja.

– Mums jānoskaita nauda. Farmaceitiskās firmas dara daudz medikamentu pilnveidošanā, ja vien tām ir reāls tirgus. Taču tās neredz stimulu tērēt milzu summas ārstniecības līdzekļiem, kas domāti cilvēkiem, kuri nevar atļauties par tiem maksāt.

– Un Bānkrofta fonds dodas talkā.

– Un Bānkrofta fonds dodas talkā, – Heivuds atkārtoja, pacietīgi mādams ar galvu. Skaidri redzams, ka jauniņa. – Mēs cenšamies viņus stimulēt.

Viņš sāka pārbīdīt papīrus, taču Andrea vēl nebija pateikusi savu sakāmo.

– Piedodiet, – viņa sacīja. – Esmu nodarbojusies tikai ar tirdzniecības finanšu jautājumiem, tāpēc varbūt mans skatījums ir vienpusējs. Taču... kādēļ gan nevarētu dot iespēju ikvienai pētniecības grupai, nevis iepriekš izraudzīties uzvarētāju?

– Kā, lūdzu? – Heivuds pamasēja virsdeguni.

Pie galda viens otrs iesmējās, vairāku sejās bija manāms smīns. Andrea juta, ka nosarkst. Viņa nožēloja, ka sākusi diskusiju. *Bet man ir taisnība*, Andrea domāja. *Vai tad es kļūdos?*

– Ieviest kaut ko jaunu allaž ir grūti. Ir simtiem laboratoriju un pētniecisko grupu – universitātēs, bezpeļņas pētniecības institūtos, biotehnoloģiskās firmās –, kas var sasniegt ko reālu, ja vien mēģina to darīt. Manuprāt, vajadzētu izmantot viņu radošās spējas, un to varētu panākt, radot *visiem* izdevīgus noteikumus konkurencei. Jūs minējāt, ka farmaceitiskie uzņēmumi un biotehnoloģiskās firmas lieliski darbojas medikamentu izstrādē. Kāpēc gan arī tās nevarētu rosināt, lai dod savu artavu šā cēlā mērķa labā? Apsoliet viņiem, ka iegādāsieties miljonu devu iedarbīgas vakcīnas par pieņemamu cenu. Tas mudinās sarosīties arī citus potenciālos investorus, un ieguldītās summas palielināsies.

Programmas vadītāja sārtā seja bija piesārtusi vēl tumšāka. Bija manāms, ka viņš valda aizkaitinājumu.

– Mēs mudinām visus attiecīgos uzņēmumus iesaistīties, cik ir viņu spēkos, un mūsu pieprasījums ir tiem zināms.

– Taču par partneriem jūs izvēlaties tos, kurus uzskatāt par drošākajiem kandidātiem uz uzvaru.

– Protams.

– Jūs nodarbojaties ar derību slēgšanu.

Programmas vadītājs klusēja.

Galda otrā pusē sakustējās kāds cienīga izskata vīrs ar viļņainiem sirmiem matiem.

– Ko tad īsti piedāvājat *jūs*? – viņš sacīja, cieši lūkodamies uz Andreu. – Vai totalizatora devīzi medicīnisko pētījumu laukā? "Jūs varat uzvarēt!" Kaut ko tamlīdzīgu? – Viņa balss plūda rāmi, gandrīz vai maigi. Izaicinoši bija vārdi, nevis tonis.

Andrea pietvīka. Sirmā vīra iebildumu viņa neuzskatīja par pamatotu. Atcerējusies vēstures grāmatās lasīto, viņa tam uzmeta saspringtu skatienu.

– Vai tad mans ierosinājums ir kas jauns? Astoņpadsmitajā gadsimtā britu valdība apsolīja balvu tam, kurš izdomās, kā jūrā noteikt garuma grādu. Ja šo tematu papētītu, jūs pārliecinātos, ka risinājums tika atrasts un spožā prāta īpašnieks saņēma naudas balvu. – Andrea drebošu roku pacēla tasi un iedzēra malku tējas, cerēdama, ka neviens neievēro viņas nervozitāti.

Sirmais vīrs veltīja viņai ilgu, vērtējošu skatienu. Viņa vaibsti bija asi un simetriski, bet brūnās acis tiem it kā piešķīra siltumu.

Viņa ģērbšanās stils bija raksturīgs profesoriem – kokogles krāsas tvīda žakete un pogājama adīta veste ar sīku rūtiņu rakstu. Varbūt viņš ir šīs programmas konsultants?

Piepeši samulsusi, Andrea pievērsa skatienu savai tasei. *Kāda velna pēc*, viņa domāja, *tev vajadzēja iegūt ienaidniekus jau pirmajā dienā!*

Taču, par spīti visam, Andreu nepameta patīkams satraukums. Viņa sēdēja starp cilvēkiem, kuri ne vien runāja par pasaules pārveidošanu, kā to, nebeidzami tērgādami, dara miljoniem pirmkursnieku savās kopmītnēs, – bet gan patiešām to pārveidoja. Šie cilvēki bija gudri. Ļoti gudri. Ja saruna ar Polu Bānkroftu būtu jau aiz muguras, iespējams, viņa tā nejūsmotu.

Programmas vadītājs savāca savus papīrus.

– Jūsu ieteikumus mēs katrā ziņā apsvērsim, – viņš lietišķi sacīja. Tas nebija ne noraidījums, ne piekrišana.

– Ai, ai, ai... – noteica viņai kreisajā pusē sēdošais vīrs ar nosauļoto seju. Saimons Bānkrofts, Andrea atcerējās. Viņš aši uzsmaidīja viņai – vai tas bija veiksmes vēlējums? Andrea to nesaprata.

Tika izziņots pusstundas pārtraukums. Kuratori izklīda, pulcēdamies nelielās grupās. Vieni devās uz telpas stūri, kur pasniedza kafiju un smalkmaizītes, citi staigāja pa zāli, bet vairāki izgāja ārā, kur iekārtojās krēslos ar saulessargiem, pievērsdamies saviem *BlackBerry* un bezvadu plaukstdatoriem. Andrea bezmērķīgi klīda, piepeši juzdamās vientuļa, gluži kā uz citu skolu pārcelta skolniece. *Negribētos kafejnīcā piesēsties pie nepareizā pulciņa*, viņa dzēlīgi prātoja. No domām viņu iztraucēja rāms baritons.

– Mis Bānkrofta? – Andrea strauji pagriezās uz balss pusi. Tas bija profesors tvīda žaketē ar vesti. Viņa skatienā bija kaut kas nesaduļķots, vaļsirdīgs. Vīrietim bija ap septiņdesmit, taču viņa mierīgajā sejā tikpat kā nebija grumbu un gaita liecināja par vitalitāti. – Vai drīkstu lūgt jūs uz pastaigu?

Lēni iedami pa akmens plāksnēm klātu celiņu, viņi nonāca aiz mājas, kur, pārgājuši pāri nelielam koka tiltiņam, kam apakšā urdzēja strauts, ienira ligustra dzīvžoga labirintā, aiz kura sākās dārzi.

– Šī man ir pavisam jauna pasaule, – Andrea teica. – Jūtos kā uz Mēness.

– Ak, ēdiens šeit ir lielisks, bet to nevar teikt par gaisotni, – profesors pajokoja.

Andrea iesmējās.

– Cik ilgi jūs esat saistīts ar Bānkrofta fondu?

– Ilgi, – vīrietis atbildēja, viegli pārkāpdams pāri kādam kritušam zaram. Andrea ievēroja, ka viņam kājās ir velveta bikses un izturīgi sporta apavi. Ģērbies kā jau profesors, taču eleganti.

– Jums droši vien patīk tajā darboties.

– Pasargā no nepatikšanām.

Lai gan viņas sarunu biedrs šķita vārdos skops un nesteidzās ierunāties par nevienprātību zālē skartajā jautājumā, Andrea nenoturējās.

– Tātad... vai es izklausījos pēc muļķes? – viņa jautāja, kad jau krietnu brīdi abi gāja klusēdami.

– Es teiktu, ka jūs par muļķi pataisījāt Rendalu Heivudu.

– Man gan šķita...

– Kas jums šķita? Jums bija taisnība, mis Bānkrofta. Mudināt, nevis atgrūst – tas būtu iedarbīgākais fonda resursu izlietošanas paņēmiens, ja runa ir par pētījumiem medicīnā. Jūsu iebilde bija veltīta naudai. Vai ne?

Andrea pasmaidīja.

– Būtu labi, ja jūs to pateiktu galvenajam. – Kad sirmais vīrs uz viņu jautājoši palūkojās, viņa turpināja: – Nujā, doktoram Bānkroftam, jūs taču droši vien tiekaties ar viņu... – To teikdama, Andrea juta, ka runā muļķības. – Atvainojiet, es piemirsu... kā jūs sauc?

– Pols.

– Pols Bānkrofts? – Atskārta sažņaudza pakrūti.

– Diemžēl... jā. Zinu, ka jūtaties apjukusi. Varbūt pat vīlusies. Piedodiet, mis Bānkrofta. – Viņa lūpu kaktiņos iezagās smaids.

– Andrea, – viņa izlaboja. – Nē, es jūtos kā nejēga.

– Ja jūs, Andrea, esat nejēga, man jāteic, ka mums vajadzīgs vairāk tādu nejēgu. Jūsu iebildes bija pamatotas, un tajās jautās svaiga doma. Jūs atšķiraties no tiem cienīgajiem atgremotājiem, kuri sēdēja jums apkārt. Uzdrošinos teikt, ka uz daudziem tas atstāja iespaidu. Jūs nepadevāties pat man.

– Domās jau paspēju jūs nodēvēt par nelabā aizstāvi.

Pols Bānkrofts sarauca uzacis.

– Nelabajam aizstāvji nav vajadzīgi. Vismaz ne šajā pasaulē, mis Bānkrofta.

***

Vecākais sardzes vīrs Jusefs Ali izstaigāja *via Angelo Masina* villas tumšos gaiteņus, ar sava kabatas luktura spēcīgo staru kūli pārbaudīdams katru stūri. Nedrīkstēja pieļaut ne mazāko paviršību. Jo īpaši pēc saimnieka nāves, kad viss ir tik nedrošs, tik neskaidrs. Jusefs zināja, ka jaunais saimnieks ir ne mazāk prasīgs. Ikvienas telpas drošība bija atkarīga no modrības, ar kādu to pārmeklē.

Nelielā apakšstāva istabā, kas atradās sētaspusē, tunisietis raudzījās ekrānā, pārbaudīdams, ko ziņo apkārt villai izvietotie elektroniskie sensori. Lai gan bažām nebija pamata, jo sensori vēstīja, ka ārā viss ir "normāli", Jusefs Ali zināja, ka novērošanu, ko veic cilvēks, elektroniskās ierīces tikai papildina, nevis aizstāj. Viņa vakara apgaita vēl nebija beigusies.

Kaut ko aizdomīgu viņš beidzot ievēroja pagrabstāvā. Durvis uz *stanza per gli interrogatori* bija pusvirus. No turienes caur melno tumsu plūda gaismas stars.

Kaut kam tādam nebija jābūt. Ar pistoli rokā Jusefs Ali viegliem soļiem piegāja pie smagajām durvīm un, tās bez skaņas atvēris, devās iekšā.

Gaisma acumirklī nodzisa. Kāds ar spēcīgu belzienu izsita Jusefam no rokas ieroci, bet sitiens pa kājām nogāza viņu zemē. Cik iebrucēju šeit ir, Jusefam pazibēja prātā. Pēkšņajā tumsā apstulbis, viņš mēģināja pielēkt kājās, un tajā brīdī juta, ka plaukstu locītavām uzlikti roku dzelži. Sekoja vēl viens spēcīgs sitiens pa muguru, un sargs, klusi iekunkstējies, uz grīdas savilkās čokurā.

Tad pratināšanas kameras durvis aizvērās.

– Tagad es patiešām esmu apmulsusi, – Andrea Bānkrofta sacīja.

Viņas sarunu biedrs viegli paraustīja plecus.

– Bija interesanti vērot, vai spēsiet aizstāvēties, kad jums ir taisnība. – Pēcpusdienas saulē vīra sirmie mati sudrabaini vizēja.

– Nespēju tam noticēt... joprojām nespēju noticēt, ka esmu šeit un pastaigājos pa taciņu kopā ar Polu Bānkroftu. Ar Bajesa tīkla izgudrotāju. Ar Bānkrofta teorēmas izgudrotāju. Ak, es atcerējos savu mācību laiku... Piedodiet... esmu patiešām apjukusi. Gluži kā pusaudze, kas satikusies ar Elvisu. – Andrea juta, ka nosarkst.

– Šķiet, ka Elviss pametis mūs vienus šajā pasaulē. – Pols Bānkrofts skanīgi iesmējās. Viņi nogriezās uz citas takas.

Viņu priekšā bija pļava – airenes un pelašķi, un savvaļas puķes bez vārda visā savā daudzējādībā, bet bez dzelkšņiem, dadžiem, vērmelēm... pļava bez kaitīgām nezālēm. Gluži tāpat kā daudz kas cits šajā Katonas īpašumā, tā izskatījās dabiska, sazaļojusi bez īpašas cilvēka gādības, lai gan bija nenogurstošas uzmanības un pūliņu auglis. Uzlabotas dabas stūris.

– Kad jūs manus sasniegumus tā nosaucat, es jūtos kā cilvēks, kurš sešdesmito gadu sākumā sacerējis pāris lipīgu popdziesmu, – Pols Bānkrofts pēc brīža teica. – Ar gadiem esmu sapratis, ka īstais izaicinājums ir grozīt sabiedrības domāšanu... Panākt, lai prāts kalpo sirdij, un gādāt, lai tamlīdzīgas teorijas iesakņojas.

– Jūs esat izdarījis daudz, pierādīdams utilitārisma dzīvotspēju. Kāds bija šā ētikas virziena pamatjēdziens? Dari tā, lai no tavas rīcības iespējami vairāk cilvēku gūtu iespējami lielāku labumu?

Pols Bānkrofts atkal iesmējās.

– Tā angļu filozofs Džeremijs Bentems mācīja astoņpadsmitajā gadsimtā. Manuprāt, šo domu savos sacerējumos pauduši arī zinātnieks Džozefs Prīstlijs un morāles filozofs Frānsiss Hačesons. Nevajag aizmirst, ka mūsdienu ekonomika ir vērsta uz lietderības, tātad laimes, palielināšanu. Jaunā utilitārisma aksiomas droši vien pielāgotas Kembridžas ekonomistu Māršala un Pigū teorijām par labklājību.

Andrea pūlējās atsaukt atmiņā zināšanas, ko savulaik bija apguvusi, gatavodamās eksāmeniem, un kas tikpat ātri bija aizmirstas.

– Atceros, jūs kļuvāt par pilsētas slavenību, kad atklājās, ka esat Bānkrofta teorēmas autors. Šo teorēmu mums uzdeva pēdējā kursā. Semestra darbs semināram, kaut kas tamlīdzīgs.

– Ak jā... – sirmais vīrs sirsnīgi novilka. Viņa seja viegli spīdēja no sviedriem. – Kādreiz biju pietiekami gudrs jauns puisis, lai to izdomātu, taču ne tik gudrs, lai apjēgtu, ka tā izgudrota jau tūkstoš reižu pirms tam. Agrāk problēmas bija vienkāršākas. Tām bija risinājumi.

– Un tagad?

– Tagad šķiet, ka problēmas noved pie jaunām problēmām. Gluži kā krievu matrjoškas. Man ir septiņdesmit gadu, un šajā vecumā man ir grūti vērtēt šo tehnisko atjautību ar tādu pašu atzinību, kā to vērtē pārējie.

– Manuprāt, jūs gluži vienkārši esat pret sevi netaisns. Vai tad jūs nesaņēmāt Nozares medaļu? – Nozares medaļa bija prestižākā balva matemātikā, šīs nozares Nobela premijas ekvivalents. – Par kādu darbu skaitļu teorijā, ja pareizi atceros. Toreiz, kad mācījāties ANO universitātes Padziļināto pētījumu institūtā.

– Nu jūs patiešām liekat man justies vecam, – ar smaidu teica Pols Bānkrofts. – Jā, man šī medaļa ir vienā kurpju kastē. Uz medaļas ir romiešu dzejnieka Manīlija citāts: "Pacelies augstāk pār savu saprātu un padari sevi par Visuma pavēlnieku." Iespaidīgi.

– Un vienkārši, – Andrea piebilda. Garajā pļavas zālē nočabēja vējš, un Andrea sabijusies nodrebēja. Viņi gāja uz akmens mūra pusi. Izskatījās, ka tas celts sen. Tādas pazemas mūra sienas krustām šķērsām sadala ganības Kotsvoldā, Anglijā. – Tagad jums ir iespēja īstenot šo "lielāku labumu vairāk cilvēkiem", – viņa turpināja. – Jūsu rīcībā ir fonds, tāpēc tas ir vieglāk.

– Vai jūs patiešām tā domājat? – Andreas sarunu biedrs tikko jaušami pasmaidīja.

Andrea brīdi klusēdama apsvēra atbildi.

– Nē, tas nav viegli. Visas šīs mērķprogrammas, ieguldījumi, izmaksas... Turklāt atbildība par sekām.

– Jums piemīt domāšanas kvalitāte, Andrea. Svarīgākā īpašība, lai justos neatkarīgs. Spēja patstāvīgi domāt sarežģījumu pārpilnā vidē. Jā, jūs spriežat pareizi. Sekas. Necerēts, negaidīts, aplams rezultāts. Tas filantropijā ir visu godkārīgo mēģinājumu slazds. Mūsu lielākā kauja. Patiešām.

Andrea pamāja ar galvu.

– Neviens nevēlas būt pediatrs, kurš izglābis mazā Ādolfa Hitlera dzīvību.

– Jā, tā ir, – Pols Bānkrofts atbildēja. – Reizēm centieni uzlabot trūkumcietēju dzīvi rada vēl lielāku trūkumu. Ievezdami kādā reģionā bezmaksas graudus, var gadīties, ka labdari atņem iespēju vietējiem fermeriem. Nākamajā gadā Rietumu palīdzības aģentūras tuvumā vairs nav un nav arī vietējo fermeru, kas bija spiesti ēst ievestos graudus. Aizvadītajos gados esam pieredzējuši, ka tādas situācijas pastāvīgi atkārtojas. – Bānkrofts runādams vērīgi lūkojās uz viņu.

– Un slimības? Vai tajā ziņā palīdzība attaisnojas?

– Ja par ārstēšanu dēvē infekcijas slimības simptomu novēršanu, lielas jēgas no tās nav. Tieši otrādi – slimības izplatība palielinās.

– Tātad jūs negribat būt ārsts, kurš ar vēdertīfu slimajai Mērijai iedod aspirīnu, lai viņa varētu atgriezties darbā virtuvē, – Andrea teica.

– Patiešām, Andrea, jūs esat tam *dzimusi*! – Ap Bānkrofta acīm savilkās smaida rieviņas.

Andrea atkal juta, ka nosarkst. Kam dzimusi? Lai liktu lietā savu prātu šajā fondā?

– Ak, turpiniet... – viņa aši noteica.

– Gribēju teikt, ka jūs ātri aptverat šīs lietas. Nujā, no nepatīkamām sekām neesam pasargāti. Tās var uzrasties visvisādos negaidītos veidos. Tāpēc Bānkrofta fonda darbiniekiem vienmēr jādomā pieci soļi uz priekšu. Jo katrai akcijai ir rezultāts un šim rezultātam ir sekas. Un tām ir tālākas sekas. – Andrea juta šā cilvēka intelekta spēku, kas bija vērsts uz problēmas risināšanu. Viņš bija apņēmības pilns neļaut grūtībām sevi uzveikt.

– Pieļauju, ka reizēm jums rokas tomēr nolaižas. Jūs sākat domāt par visu šo ķēdes reakciju un nesaprotat, vai vispār vērts ko darīt.

– Jā, nesaprotu, – Pols Bānkrofts uztvēra viņas domu. – Nereti prātā ir tikai viens. Ka no kādas āķīgas, sarežģītas situācijas neizkulšos.

– Taču arī bezdarbībai ir sekas, – Andrea sacīja. – Un nekā nedarīšanai ir ķēdes reakcija.

– Un tas nozīmē, ka nekad nedrīkst atļauties to prieku – neizlemt.

Šī saruna nebija sacīkstes, drīzāk līgana deja – uz priekšu un atpakaļ, uz priekšu un atpakaļ. Andrea jutās iepriecināta. Viņa sarunājās ar šo izcilā prāta īpašnieku par svarīgu mūsdienu jautājumu, saglabādama neatkarību savos uzskatos. Varbūt viņa sev glaimo, Andreai ienāca prātā. Varbūt tā bija kaķēna deja ar lauvu?

Viņi gāja pa nelielu nogāzi, pauguru, kas bija gluži kā noklāts pulkstenītēm un gundegām, un klusēja. Andreai šķita, ka viņā skan svinīga fūga. Vai viņa līdz šim sastapusi tik neparastu personību? Pola Bānkrofta rīcībā bija visas pasaules nauda, bet nauda viņam nerūpēja. Viņam nedeva mieru doma par to, ko nauda spēj paveikt, ja vien mērķis izraudzīts ar pienācīgu rūpību. Koledžā un aspirantūrā Andrea saskārās ar pasniedzējiem, kas, dzīdamies pēc gaistošas slavas, izmisīgi centās nopublicēt savus rakstus pareizajā žurnālā, lai viņus aicinātu uz pareizajām konferencēm. Ar Polu Bānkroftu bija citādi. Nezūdošu darbu viņš publicēja jau tad, kad bija pārāk jauns, lai viņam pārdotu alkoholu. Aptuveni divdesmit piecu gadu vecumā viņš saņēma noīkojumu uz Padziļināto pētījumu institūtu, kādreizējo Einšteina, Gēdela un fon Neimaņa darbavietu un slavenāko valsts pētniecības centru, bet pēc dažiem gadiem to pameta, lai veltītu visu savu enerģiju fondam un tā paplašināšanai. Šim cilvēkam bija lietišķs prāts un plaša sirds – rets un sajūsmas vērts apvienojums.

Andrea juta, ka Bānkrofta klātbūtnē viņas agrākā godkāre ir tāda kā sarukusi.

– Tātad, lai darītu labu, pirmām kārtām jāizvairās nodarīt ļaunu, – viņa beidzot domīgi sacīja. Viņi gāja pa nogāzi lejup. Izdzirdējusi spārnu švīkstus, Andrea pacēla skatienu un redzēja, ka pavisam tuvu viņiem priekšā gaisā paceļas meža pīļu pāris. Izrādījās, ka aiz paugura aizslēpies pusakru liels dīķis ar tīru, dzidru ūdeni. Gar krastiem auga ūdensrozes. Pīles acīmredzot bija nolēmušas negaidīto viesu ciemošanos pārlaist kokos. – Cik jaukas! – Andrea iesaucās.

– Es jums piekrītu. Taču diemžēl ir cilvēki, kuri nespēj uz putniem noraudzīties, nejuzdami rokās niezi, un acumirklī ķeras pie šaujamā. – Piegājis pie dīķa un pacēlis plakanu oli, Pols Bānkrofts ar puicisku veiklību svieda to pār ūdens virsmu. Divas reizes palēcies, akmens iekrita zālē dīķa pretējā krastā.

– Pastāstīšu jums kādu gadījumu. – Viņš pagriezās pret Andreu. – Vai esat dzirdējusi par Inverbrasu?

– Inverbrasu? Ja spriež pēc nosaukuma, tas varētu būt ezers Skotijā.

– Tā ir, lai gan jūs to neatradīsiet nevienā kartē. Taču tas bija arī kādas ļaužu grupas nosaukums – sākumā tajā bija tikai vīrieši –, kas tālajā tūkstoš deviņsimt divdesmit devītajā gadā, ieradušies no dažādiem zemeslodes nostūriem, sastapās šā ezera krastā. Satikšanās notika pēc kāda skota, godkārīga cilvēka, iniciatīvas. Viņam bija lielas iespējas, un tie, kurus viņš uzaicināja, bija tādi paši kā viņš. Grupa bija neliela, tikai seši cilvēki. Visi kā viens ietekmīgi, bagāti ļaudis, ideālisti, kas apņēmības pilni pārvērst pasauli, lai tā kļūtu labāka.

– Ak!

– Vai jums tāds mērķis šķiet pārāk pieticīgs? – Pols Bānkrofts ar smaidu jautāja. – Taču, jā, tāpēc viņi izveidoja "Inverbrasu". Kopš tā laika šie ļaudis reizi pa reizei nosūtīja lielas naudas summas uz katastrofu rajoniem, vēlēdamies atvieglot ļaužu ciešanas.

– Tas viss notika ļoti sen. Pasaule toreiz bija citāda, – Andrea noteica. No biezokņa gravas otrā pusē atskanēja skaļš vāveres spiedziens.

– Taču tā notiek. "Inverbrasa" dibinātāja godkāre pārdzīvoja viņu pašu. Turpmākajos gados grupā notika pārmaiņas, vieni aizgāja un atnāca citi, bet bija kaut kas tāds, kas palika nemainīgs. Lai arī kas bija grupas vadītājs, tam vienmēr segvārds bija Ģenēze. Tāds pats, kāds grupas dibinātājam.

– Diezgan savāds stāsts, – Andrea novērtēja.

Paņēmusi oli, viņa to aizmeta pār ūdens virsmu, mēģinādama panākt, lai tas palecas, taču viņai neizdevās. Olis nogrima.

– Drīzāk pamācoša pasaka, – Bānkrofts atbildēja. – Viņi nebija bez grēka. Nepavisam. Viens no viņu ekonomikas regulēšanas eksperimentiem galu galā noveda pie nacistiskās Vācijas izveidošanās.

Andrea strauji pagrieza galvu un ieskatījās viņam sejā.

– Patiešām? – viņa klusi teica.

– Tas nomelnoja visu labo, ko viņi bija izdarījuši pirms tam. Šie ļaudis bija piemirsuši, ka sekas galu galā vienmēr ir kaut kam cēlonis.

Pa vēja izdzenāto mākoņu spraugām uzspīdēja blāva saule. Pamazām, it kā kļūdama drošāka, tā lēja savu spozmi aizvien dāsnāk. Andrea klusēja.

– Jums ir tāda sejas izteiksme...

– Gluži vienkārši esmu pārsteigta, – Andrea atzinās. Tā bija. Viņu, profesionālu vēsturnieci, satrieca ne vien šis stāsts par "Inverbrasu", bet arī mierīgais tonis, kādā doktors Bānkrofts to izstāstīja. – Neliela sazvērnieku grupa grozīja visas cilvēces vēsturi... – Viņa apklusa, teikumu nepabeigusi.

– Jā. Pagātne glabā notikumus, Andrea, par kuriem vēstures grāmatās nav ne vārda.

– Piedodiet, – viņa nomurmināja. – Inverbrass. No neliela Skotijas ezeriņa līdz trešajam reiham. Katru dienu tādus stāstus vis nedzirdēsi.

– Jūs esat cilvēks, kurš ātri izprot jaunu informāciju, – uzticības pilnā balsī sacīja sirmais zinātnieks. – Jūs uztvērāt tieši to, ko es gribēju ar šo stāstu pateikt, – ne vienmēr darīt labu ir vienkārši. – Pols Bānkrofts pāri daudziem sulīgas zemes akriem vērās tālumā uz pagaro, zemo akmens mūri.

– Cik noprotu, šis gadījums jums arī liek justies neērti.

– Tas it kā met ēnu... – Pols Bānkrofts paskatījās uz viņu kaut kā īpaši. – Taču galvenais ir – vienmēr domāt par nākotni, par to, kas būs. Man gribētos ticēt, ka Bānkrofta fonds izprot vēstures cēloņsakarības. Esam iemācījušies, ka tiešs sitiens nereti ir mazāk iedarbīgs par karambolu. – Viņš aizsvieda pār dīķi vēl vienu oli, kas ūdens virsmai pieskārās trīs reizes. – Viss atkarīgs no plaukstas locītavas, – Andreai pamirkšķinājis, viņš paskaidroja. Šim cilvēkam reizē bija gan septiņdesmit, gan septiņi gadi. Viņš bija uzkrāvis sev uz pleciem smagu nastu, un tajā pašā laikā viņa jautās kas vieglāks par gaisu. – Vai atceraties Voltēra lozungu? *Ecrasez l'infame!* Saminiet nekrietno! Tā ir mana devīze arī. Taču uz jautājumu "kā?" atrast atbildi ir visgrūtāk. Kā jau teicu, darīt labu ne vienmēr ir viegli.

Andrea nopūtās. Virs galvas savilkās mākoņi, solīdami drīzu lietusgāzi.

– Tas viss ir pārāk sarežģīti, lai saprastu jau pirmajā reizē, – viņa beidzot noteica.

– Tieši tāpēc es vēlos, lai šovakar jūs vakariņotu pie manis. – Viņš pamāja uz māju, kas atradās pāris simtu jardu aiz akmens mūra un ko daļēji aizsedza koku lapotne. Tātad Pols Bānkrofts dzīvoja uz blakus zemes gabala, no kura līdz fonda ēkai bija jāiet nieka divdesmit minūtes.

– Izskatās, ka jūs dzīvojat virs savas darbnīcas. – Andrea bezrūpīgi iesmējās. – Pareizāk, tai blakus.

– Man nav jātērē laiks braucienam uz darbu, – viņš paskaidroja. – Ja steidzos, es varu pa šo taku jāt ar zirgu. Vai tas ir jāvārds?

– Bez domāšanas "jā". Paldies. Ļoti labprāt.

– Man šķiet, ka mans dēls būs priecīgs, ar jums iepazīdamies. Viņu sauc Brendons, un viņam ir trīspadsmit gadu. Visi apgalvo, ka tas esot nevaldāms vecums, taču viņš turas labi. Es brīdināšu Nualu, ka jūs būsiet. Viņa... nu, viņa mūs pieskata. Starp citu, varat viņu dēvēt par guvernanti. Kā karalienes Viktorijas laikā.

– Jūs drīzāk esat no apgaismības laikmeta.

Viņš skanīgi iesmējās.

Sasmīdinājusi šo vareno cilvēku, Andrea atkal jutās labi. It kā šūpotos neizskaidrojama laimes viļņa galā. Viņa bija nepazīstamā vietā, saņēmusi kalnu jaunas informācijas, taču nez kāpēc vēl nekad nebija jutusies tik brīvi.

Jūs esat tam dzimusi, Pols Bānkrofts bija teicis, bet, atcerēdamās māti, Andrea uz brīdi juta nepatīkamu vēsumu. Ja nu viņam ir taisnība?

Saslēdzis roku dzelžos vecākā sardzes vīra plaukstu locītavas un potītes, Tods Belkneps ar vairākiem naža vēzieniem pārgrieza viņa apģērbu, atbrīvodams no drēbēm, tad piekēdēja roku dzelžus pie smaga čuguna krēsla un tikai pēc tam iededza gaismu. Lai tiktu galā ar tādu pretinieku, bija jārīkojas ātri, turklāt klusi, bet, lai šo pārsvaru saglabātu ilgāku laiku, bija vajadzīgas tērauda važas.

Sagūstītā cilvēka olīvkrāsas seja dienasgaismas lampu spilgtajā gaismā izskatījās neveselīgi dzeltena. Belkneps paspēra soli viņam tuvāk un vēroja, kā viņa acis vispirms ieplešas un tad samiedzas – vecākais sargs viņu acīmredzot pazina un saprata, kas notiek. Vīrs, kas dēvēja sevi par Jusefu, izskatījās gan satriekts, gan izbijies. Nelūgtais viesis, ko viņš bija grasījies spīdzināt, pašu bija ievilinājis moku kambarī.

Belkneps nopētīja instrumentus, kas bija sakarināti gar kazemāta sienām. Par vairākiem šiem dīvainajiem priekšmetiem viņam nebija skaidrs, kam tie domāti, jo viņa iztēle nebija tik ļoti sabojāta, lai to aptvertu. Citus viņš atcerējās no kādreiz apmeklētā Milānas Moku muzeja, kur bija eksponēti baismīgi viduslaiku moku rīki.

– Tavs saimnieks bijis īsts kolekcionārs, – Belkneps secināja. Pie krēsla piekēdētais tunisietis sašķobīja stūraino seju nicīgā grimasē. Belknepam bija jāliek sargam saprast, ka jokot viņš negrasās. Kailais gūsteknis, viņš cerēja, drīz vien jutīsies neaizsargāts un vārīgs. – Redzu, ka jums ir pat "dzelzs jaunava", – aģents turpināja. – Iespaidīga ierīce. – Viņš piegāja pie kastes, kas izskatījās pēc šķirsta. Iekšpusē pretim slējās naglas. Kad upuri iegrūda tur iekšā, naglas tam dūrās miesā un slēgtā kaste slāpēja viņa kliedzienus. – Inkvizīcija tātad joprojām dzīvo. Ne jau senatnes apjūsmošana tavu saimnieku mudināja pievērsties viduslaikiem, vai ne? Inkvizīcija eksistēja gadsimtiem ilgi. Inkvizitori pilnveidoja savas metodes, mācījās no pieredzes, apguva māku spēlēt uz cilvēka ķermeņa šķiedrām kā uz elles vijoles. Neiedomājama pieredze. Mums nav cerību ar viņiem sacensties. Nešaubos, ka daļa no šīs mākslas ir zudusi... bet ne visa.

Pie krēsla pieķēdētais vīrietis viņam uzspļāva.

– Neko es tev neteikšu, – viņš izgrūda angliski ar vieglu akcentu.

– Tu taču nemaz nezini, ko es tev jautāšu, – Belkneps atbildēja. – Es vēlos tev piedāvāt izvēli. Izvēli. Vai saproti? Vai tas ir kas slikts?

Sargs klusēdams nikni raudzījās viņā.

Belkneps atvēra sarkankoka skapja atvilktni, izņēma *turcas*, ierīci nagu raušanai, un nolika to uz lielas, ar ādu apvilktas paplātes gūstekņa acu priekšā. Pirmajai ierīcei līdzās viņš novietoja tērauda skrūvspīles – roku un kāju pirkstu saspiešanai un laušanai – un metāla āķi, kādu inkvizīcijas laikos lietoja īpaši izplatītā spīdzināšanas paņēmienā, nagu raušanā tik lēni, cik vien iespējams.

– Izvēlies! – Belkneps mudināja, izlicis gūsteknim priekšā spīdīgo instrumentu komplektu.

Tunisietim pār pieri noritēja sviedru lāse.

– Tad būs jāizraugās man. Domāju, ka sāksim ar ko mazāku, – Belkneps, vēlreiz ielūkojies atvilktnē, sacīja klusā, maigā balsī, it kā gribētu savu gūstekni nomierināt, lai tas nebaidās. – Jā, es zinu, ar ko sāksim. Ko tu teiktu par "bumbieri"? – viņš apjautājās, ar skatienu kavēdamies pie ovāla metāla veidojuma ar rokturi galā.

Belkneps pavicināja šo priekšmetu Jusefam gar degunu. Sargs klusēja. *La pera*, "bumbieris", bija viens no baismīgākajiem viduslaiku moku rīkiem, ko iebāza upura taisnajā zarnā vai makstī. Kad spīdzinātājs pagrieza rokturi, "bumbieris" atvērās, pa caurumiņiem izlaizdams adatas.

– Vai gribi bumbiera gabaliņu? Manuprāt, šis bumbieris pats tev labprāt iekostu. – Belkneps nospieda sviru masīvā krēsla atzveltnī, un sēdvietā atvērās lūka. – Kā redzi, pilns serviss. Neesmu nekāds diletants. Dzīvē daudz kas jāapgūst, lai tiktu galā ar tādiem kā tu. Rīt, kad tevi atradīs...

– Nē! – sargs iekliedzās. No viņa miklā ķermeņa plūda sīva sviedru smaka. Baiļu smaka. Gūstekni šausmināja vardarbīgā ielaušanās viņa ķermenī, bet vēl baismīgāka viņam šķita doma par neizturamo pazemojumu no rīta, kad viņu asiņainu, sāpēs vaidošu un apkaunotu atradīs citi.

97

– Neuztraucies tik ļoti, – Belkneps nepielūdzami turpināja. – Kā jau tu zini, brīnišķīgākais šajā kamerā ir tas, ka tu vari kliegt, cik skaļi un ilgi vien gribi, bet neviens tevi nedzirdēs. Kā jau teicu, tevi uzies rīt no rīta...

– Es pateikšu visu, ko tu gribi! – sargs drebošā balsī izkliedza.

– Es pateikšu visu...

– Mājkalpotāja! Tā meitene! – Belkneps uzbļāva. – Kas viņa ir? Kur viņa ir šobrīd?

Sargs neizpratnē mirkšķināja acis.

– Viņas šeit nav... viņa ir nozudusi. Mēs domājām... mēs domājām, ka *tu* viņu esi nogalinājis.

Belkneps sarauca uzacis.

– Kad viņu pieņēma šeit darbā? Kas viņa tāda ir?

– Pirms kādiem astoņiem mēnešiem. Viņu stingri pārbaudīja. Es pats sekoju tam līdzi. Astoņpadsmit gadus veca. Lučija Zingareti. Dzīvo kopā ar vecākiem Trasteverē. Sena ģimene. Pieticīga. Bet cienījama. Ļoti reliģiska.

– Tātad ģimene, kurā ieaudzina bezierunu paklausību, – Belkneps noteica. – Kur viņi dzīvo?

– Pirmajā stāvā kādā dzīvojamā namā, kas atrodas *via Clarice Marescotti*. Kad runa bija par cilvēkiem, kurus vajadzēja ielaist savā mājā, Halils Ansari bija ļoti prasīgs. Tādam jābūt.

– Vai viņa nozuda tajā naktī, kad nogalināja Ansari?

Jusefs Ali piekrītoši pamāja.

– Pēc tam mēs viņu neesam redzējuši.

– Un tu? Cik ilgi strādāji pie Ansari?

– Deviņus gadus.

– Droši vien daudz ko par viņu uzzināji.

– Gan daudz, gan maz. Zināju tikai to, kas man bija jāzina darbam. Ne vairāk.

– Šeit bija kāds amerikānis, ko nolaupīja Beirūtā. Tajā pašā dienā, kad nogalināja Ansari. – Belkneps vēroja tunisieša sejas izteiksmi. – Vai nolaupīšanu organizēja Ansari?

– Nezinu. – Atbilde izskanēja bezkaislīgi. Kā Belknepam šķita, nesamāksloti, bez uzspēles. – Mums par to neko neteica.

Belkneps uzmanīgi vērās tunisietim sejā, līdz beidzot noticēja, ka tas saka patiesību. Tātad necik daudz viņš te neuzzinās, taču nebija uz to arī pārāk cerējis. Nākamās divdesmit minūtes Belkneps izprašņāja gūstekni, iegūdams aptuvenu priekšstatu par pārmaiņām Ansari villā. Jusefam Ali bija paziņots, ka viņa saimnieka bizness pārgājis citās rokās un viņa darba pienākumi paliek tādi paši kā iepriekš. Vainīgais, nepietiekami modrais sargs, bija noskaidrots un sodīts. Apsardzei jābūt vērīgai līdz turpmāku norādījumu saņemšanai. Par notikumiem Beirūtā un Bekaas ieplakā gūsteknis neko nezināja. Ansari tur izvērsās, to jau zināja visi, bet sīkāk Jusefam Ali neviens neko neziņoja, un neviens, kas velejas saglabāt pie Halila Ansari darbu, liekus jautājumus neuzdeva.

Taču Jusefs Ali bija atbildīgs par drošību *via Angelo Masina* villā. Mājkalpotāja bija vienīgais Belknepa pavediens. Tunisietis bez vilcināšanās nosauca precīzu pazudušās mājkalpotājas vecāku adresi.

Kamerā kļuva smacīgi, šķita, ka tā saraujas aizvien mazāka. Beidzot Belkneps paskatījās pulkstenī. Viņš nebija uzzinājis visu, ko uzzināt vajadzēja, bet bija ieguvis vismaz tik daudz, cik iespējams. Attapies, ka visu pratināšanas laiku rokā sažņaudzis "bumbieri", viņš nolika to atpakaļ un devās uz skaņu necaurlaidīgā kazemāta durvīm.

– Tevi atradīs rīt, – viņš teica.

– Pagaidi! – aizsmakušā balsī sargs iesaucās. – Es pateicu visu, ko zināju. Tu nedrīksti mani šeit atstāt!

– Tevi drīz atradīs.

– Atbrīvo mani!

– Es nevaru riskēt. Man jātiek no šejienes prom. Tu taču to saproti.

Jusefs Ali iepleta acis pavisam apaļas.

– Tev mani jāatbrīvo!

– Es to nedarīšu.

Gūsteknis klusēja. Viņa skatienā gausi iezagās izmisums un nolemtība.

– Tad izdari man pakalpojumu. – Roku dzelžos saslēgtais sargs pamāja uz pistoles pusi. Tā joprojām mētājās uz grīdas tur, kur bija nokritusi. – Nošauj mani.

– Jā... Lai gan es teicu, ka protu sniegt pilnu servisu, tas būtu *par daudz*.

– Tev jāsaprot! Es biju Halila Ansari uzticams kalps, labs un paklausīgs kareivis. – Tunisietis nodūra acis. – Ja mani šeit atradīs, – viņš turpināja nomāktā balsī, – es kritīšu kaunā... Mani sodīs par brīdinājumu citiem.

– Tu gribi teikt, nomocīs līdz nāvei. Tā, kā līdz nāvei esi no-mocījis citus.

Džered, kur tu patlaban esi? Ko viņi ar tevi dara? Šī doma Belkne-pam izraisīja krūtīs gluži vai fiziskas sāpes. Vajadzēja pasteig-ties.

Jusefs Ali vairs nediedelēja žēlastību. Viņš saprata, kāda nāve viņu gaida. Kaunpilna un mokoša, kādai ne reizi vien bija lēmis citus. Lēna, šausmīga nāve, kas iznīcina pēdējo pašcieņas kripa-tu, pašcieņas, ko viņš vērtēja dzīvē visaugstāk.

– Es neesmu to pelnījis! – neizturējis viņš iekliedzās. – Esmu pelnījis labāku nāvi!

Belkneps pagrieza durvju slēgmehānisma ratu un atvilka vai-rākas bultas. Durvis atslīdēja vaļā, un telpā ielauzās vēss, svaigs gaiss.

– Lūdzu... – tunisietis čukstēja. – Nošauj mani. Esi tik laipns...

– Es negribu būt laipns pret tevi, – Belkneps atbildēja. – Tāpēc to nedarīšu.

PIEKTĀ NODAĻA

Andrea pa taciņu garām krūmājiem devās uz Pola Bānkrofta māju. Prātā šaudījās domas. Gaiss smaržoja pēc lavandas un savvaļas timiāna, kas auga gar grāvi, kurš nemanāmi norobežoja vienu īpašumu no otra. Izskatījās, ka Bānkrofta māja celta tajā pašā laikā, kad fonda mītne, un tādā pašā harmoniskā stilā. Tāpat kā fonda ēka, mājas rūsgansarkanā smilšakmens fasāde saplūda ar apkārtni. Kad skatienam pavērās viss nams kopumā, uz Andreu tas atstāja neizdzēšamu iespaidu.

Durvīs Andreu sagaidīja gadus piecdesmit veca sieviete apteksnes apģērbā. Viņas rudajos matos vīdēja sirmi pavedieni un platie vaigi bija nosēti vasaras raibumiem.

– Mis Bānkrofta? – viņa sacīja ar tikko jaušamu akcentu kā īriete, kas lielāko daļu mūža nodzīvojusi Amerikā. Acīmredzot Nuala. – Saimnieks tūdaļ nonāks lejā. – Viņa kā vērtēdama raudzījās uz Andreu, un viņas skatienā pavīdēja atzinība. – Ko lai es jums piedāvāju? Kaut ko atspirdzinošu?

– Paldies, neko, – Andrea kautrīgi atbildēja.

– Nesakiet vis. Ko jūs teiktu par vieglu heresu? Saimniekam patīk sausais... ceru, ka jūs arī neiebildīsiet. Varu jums droši teikt, ka tas nav nekāds lipīgs dzeramais.

– Tad jau būs jāpagaršo, – Andrea piekrita.

Viņa bija iedomājusies, ka miljardieru kalpotāji ir stīvi un ceremoniāli, bet šī īriete bez mitas tērgāja, turklāt bija mazliet neveikla, un tas savā ziņā kaut ko vēstīja par saimnieku. Pols Bānkrofts acīmredzot nebija ceremoniju piekritējs. Viņš neprasīja no kalpotājiem, lai tie staigātu uz pirkstgaliem un baidītos pateikt vai izdarīt kaut ko kļūmīgu.

– Jau nesu! – īriete sauca. – Starp citu, es esmu Nuala.

Andrea pasmaidīja un paspieda sievietei roku, juzdama, ka tā viņu uzņem ar prieku.

Grozīdama rokā sausā heresa glāzi, Andrea aplūkoja gravīras un gleznas, kas bija piestiprinātas pie sienas ar tumšu koku apšūtajā gaitenī un viesistabā. Daudzi atainotie tēli un mākslinieki viņai bija pazīstami, citi ne, taču tie visi saistīja viņas interesi. Andreas īpašu uzmanību izpelnījās melnbalts zīmējums, kurā bija redzama krastā izcelta liela zivs, tik liela, ka zvejnieki tai blakus ar kāpnēm un nažiem rokā izskatījās pēc punduriem. Pa atvērto milzu muti ārā tai šļācās sīkās zivis, kuru mutēs bija vēl sīkākas. Viens zvejnieks ar varenu nazi bija pāršķēlis zivs vēderu, no kura arī laukā bira zivteles.

– Iespaidīgi, vai ne? – atskanēja Pola Bānkrofta balss. Andrea, iegrimusi zīmējuma pētīšanā, nebija dzirdējusi viņa soļus.

– Kas ir autors? – viņa pagriezdamās jautāja.

– Tas ir Pītera Brēgela Vecākā tintes zīmējums, tūkstoš piecsimt piecdesmit sestais gads. Mākslinieks tam devis nosaukumu "Lielas zivis apēd mazas zivis". Viens no Brēgela daudzajiem darbiem, kuros atainoti nīderlandiešu sakāmvārdi. Vēlāk no tā izveidoja arī gravīru. Šis zīmējums reiz karājās Albertīnā, grafikas darbu krātuvē Vīnē. Tāpat kā jūs, tas mani saista.

– Un notver uz āķa.

Pols Bānkrofts sirsnīgi iesmējās.

– Ceru, ka neiebildīsiet pret agrām vakariņām, – viņš teica. – Mans zēns vēl ir tādā vecumā, kad jāievēro dienas režīms.

Andrea juta, ka namatēvs, lai gan nepacietīgi vēlas iepazīstināt viņu ar savu dēlu, vienlaikus ir nobažījies. Viņa atcerējās savu paziņu, kuras bērnam bija Dauna slimība. Māte mīlēja maigo, saulaino un smaidīgo puišeli, pat lepojās ar viņu, bet vienlaikus, sev to neatzīdama, par viņu kaunējās. Tas izraisīja jaunu kaunu, jo viņa kaunējās, ka par dēlu kaunas.

– Viņu sauc Brendons, vai ne?

– Jā, Brendons. Tēva acuraugs. Viņš... ir īpašs, ja tā var teikt. Mazliet neparasts. Manuprāt, labā nozīmē. Droši vien patlaban augšā sēž pie datora, kontaktēdamies ar kādu nepiemērotu personu, – Pols Bānkrofts sacīja, novilkdams žaketi, un, palicis sīki rūtotajā adītajā vestē, Andreai atkal atgādināja profesoru. Viņš paņēma glāzi ar heresu un to pacēla gaisā. – Laipni lūdzu! – Abi apsēdās mīkstos ādas krēslos pie neiekurta kamīna. Riekstkoka paneļi, padiluši persiešu paklāji, vienkāršas cietkoksnes grīdas, kam laikazobs piešķīris piesātinātu nokrāsu, – viss bija rāms, nenovecojošs, greznība, kas tīkamāka par glancētu spožumu. – Andrea Bānkrofta, – doktors Bānkrofts no jauna lēni ierunājās, it kā tīksminādamies par katru zilbi. – Esmu par jums ievācis šādas tādas ziņas. Esat beigusi aspirantūru ekonomikas vēstures specialitātē. Vai taisnība?

– Divi gadi Jeilas universitātē. Pareizāk, divi ar pusi. Taču disertāciju neaizstāvēju. – Heress bija bālā salmu krāsā. Andrea to iemalkoja, izbaudīdama vīna garšu un smaržu. Dzērienam bija viegla īrisa piegarša un brīnišķīgs riekstu un meloņu aromāts.

– Tā kā es pazīstu jūsu neatkarīgo domāšanu, tad par to nebrīnos. Universitātē tādu īpašību nenovērtē. Neatkarība citos rada diskomfortu, īpaši zinātnes spīdekļos, kas īsti netic saviem spēkiem.

– Es varētu jums tagad pavēstīt, ka tiecos lauzt jaunus ceļus reālajā dzīvē, taču pazemojošā patiesība ir tāda, ka aspirantūru pametu, jo vēlējos nopelnīt vairāk naudas. – Andrea aprāvās, klusībā nošausminādamās par savu vaļsirdību. *Turpini tādā pašā garā, Andrea, un neaizmirsti pastāstīt par izpārdošanu, uz kuru tu tricies pagājušajās brīvdienās, ceļam vienā virzienā veltīdama divas stundas.*

– Ikviena indivīda izvēli nosaka naudas līdzekļi, kādi ir viņa rīcībā, – nevērīgi atbildēja viņas radinieks. – Jūs ne vien raugāties pasaulē skaidrām acīm, bet esat arī patiesa. Šīs divas īpašības vienā cilvēkā nemaz nav tik bieži sastopamas. – Viņš novērsa skatienu. – Pieņemu, ka rīkošos nodevīgi, ja izteikšu niknu neapmierinātību ar savu nelaiķa krustdēlu Reinoldu, taču jau astoņpadsmitā gadsimta beigās utilitārists Viljams Godvins rakstīja: "Kāda burvestība slēpjas vietniekvārdā "savs"! Kā tas spēj grozīt lēmumus!" Diemžēl es tikai nesen uzzināju, kādos apstākļos Reinolds ar jūsu māti izšķīrās. Taču... – Pols Bānkrofts pašūpoja galvu. – Tas ir citas sarunas temats.

– Paldies, – pēkšņi samulsusi, Andrea nomurmināja, vēlēdamās runāt par ko citu. Viņa nespēja nedomāt par savu drēbju skapi, kas bija pilns ar lētiem dārgo modeļu atdarinājumiem, par savām cerībām, par to, ar kādu lepnumu mēneša beigās viņa pārbaudīja savas kredītkartes bilanci. Vai viņa būtu pametusi aspirantūras miera ostu, ja pastāvīgi nebūtu jāraizējas par naudu? Andreas zinātniskie vadītāji bija pārliecināti, ka viņa dosies pa iestaigātu taku, pieņems tādus pašus lēmumus, kādus viņi, un piekritīs tādiem pašiem kompromisiem, kādiem bija piekrituši viņi. Tajā pašā laikā viņas studiju aizņēmums izauga par milzu summu, rēķini, ko nekad neizdevās samaksāt laikā, viņu žņaudza vai nost, un kredītkartes parāds auga ik mēnesi. Sirds dziļumos

Andrea skuma pēc dzīves, kurā viņai nevajadzētu pētīt cenas ēdienkartes labajā ailē, – pēc dzīves, kas viņu vilināja, taču plūda garām.

Andrea atcerējās, cik taupīgi studiju gados bija dzīvojusi, allaž dodama priekšroku "praktiskām vērtībām", – un kā vārdā tas viss? Viņas finanšu drošības analītiķes mēnešalga krietni pārsniedza summu, uz kādu viņa varētu cerēt universitātes katedras jaunākās zinātniskās līdzstrādnieces amatā, taču galu galā viņas alga nepavisam nebija liela. Nepagurdama dzīdamās pēc visvisādām atlaidēm un nocenotām precēm, viņa it kā samazināja arī savu vērtību.

Atmiņās iegrimusi, Andrea pēkšņi atskārta, ka Pols Bānkrofts joprojām ar viņu sarunājas.

– Es zinu, – viņš teica, – ko nozīmē zaudēt tuvu cilvēku. Sievas nāve bija briesmīgs trieciens gan man, gan manam dēlam. Tas bija ļoti grūts laiks.

– Es jūs saprotu, – Andrea neveikli nomurmināja.

– Pirmām kārtām Alise bija divdesmit gadus jaunāka par mani. Viņai bija jābūt tai, kas pārdzīvo mani un manās bērēs tērpjas melnās drānās. Taču nez kāpēc šajā cietsirdīgajā loterijā viņa bija izvilkusi īsāko salmiņu. Tādos brīžos saproti, cik trausla ir cilvēka dzīvība. Neiedomājami sīksta un tajā pašā laikā neiedomājami trausla.

– "Nāk nakts, kad neviens nevar strādāt."* Vai tā?

– Un agrāk, nekā mēs iedomājamies, – Pols Bānkrofts klusi apstiprināja. – Tas nekad nebeigsies, vai ne? – Viņš iedzēra vēl vienu gaišā heresa malku. – Piedodiet, ka novirzīju sarunu uz tik skumju tematu. Šajā nedēļā aprit pieci gadi, kopš Alises vairs nav. Taču viņa atstāja pašu dārgāko, kas manā dzīvē ir.

Atskanēja žigli soļi – kāds brāzās lejup no augšstāva, lēkdams pa diviem pakāpieniem uzreiz.

– Kā piemin... – Pols Bānkrofts pagriezās pret puišeli, kas iestājās viesistabas arkveida durvju ejā. – Brendon, nāc iepazīsties ar Andreu Bānkroftu.

Brendonam bija gaišu, sprogainu matu ērkulis, debeszilas acis un gataviem āboliem līdzīgi vaigi. No tēva viņš bija mantojis nevainojamus sejas vaibstus. Simpātisks, pat glīts, Andrea nodomāja.

---

* Jāņa ev. 9:4. (*Tulk. piez.*)

Kad zēns pievērsās Andreai, viņa sejā atplauka smaids.

– Brendons, – viņš teica, pastiepdams roku. – Priecājos iepazīties.

Lai gan viņa balss vēl neskanēja kā pieaugušam vīrietim, tā jau bija samērā zema un nekādā ziņā bērnišķīga. Jauneklis bez bārdas, kā teiktu senie gudrie, kaut gan virs augšlūpas jau vīdēja tikko manāma ēna. Vēl ne vīrietis, taču bērns arī vairs ne.

Brendona rokasspiediens bija spēcīgs un sauss. Viņš mazliet kautrējās, taču nebija neveikls. Nenovērsdams skatienu no Andreas, zēns atzvēlās blakus krēslā. Viņā nebija jaušama nepatika vai īgnums, ar kādu pusaudži nereti izturas pret pieaugušajiem. Šķita, ka viņu pārņēmusi ziņkāre.

Andrea arī jutās ieinteresēta. Brendons bija ģērbies zilrūtotā kreklā un pelēkās biksēs ar daudziem rāvējslēdzējiem un kabatām – ierastā viņa vecuma zēnu ietērpā.

– Tavs tēvs izteicās, ka tu internetā sazinoties ar nepiemērotiem cilvēkiem, – Andrea smaidīdama sacīja.

– Solomons Agronskis mani pamatīgi noslānīja, – Brendons jautri pastāstīja. – Mēs darbojāmies ar OAG, un es izgāzos. Agronskis mani tā nozilināja, ka man uz sēžamvietas vairs nav nevienas veselas vietas.

– Vai tā ir kāda spēle?

– Kaut tā būtu spēle! – Brendons smējās. – OAG ir orientētie acikliskie grafi. Garlaicīgi, vai ne?

– Un tas Solomons Agronskis... – Andrea nesaprata.

– Mani noslānīja, – Brendons pabeidza.

Pols Bānkrofts smaidīdams sakrustoja kājas.

– Solomons Agronskis ir viens no mūsu valsts galvenajiem matemātiskās loģikas speciālistiem. Vada Matemātiskās loģikas un skaitļošanas tehnikas centru Stenfordas universitātē. Viņam ar Brendonu izveidojusies dzīva sarakste, ja to var tā saukt.

Andrea centās slēpt pārsteigumu. No Dauna slimības šeit nebija ne vēsts.

Zēns paostīja glāzi ar heresu un sarauca degunu.

– Čuras! – viņš paziņoja. – Vai vēlaties *Sprite*? Varu atnest vairākas skārdenes.

– Nē, paldies. – Andrea iesmējās.

– Kā jums tīk. – Brendons noknikšķināja pirkstus. – Es zinu, ko darīsim. Pamētāsim grozā bumbu.

Pols Bānkrofts un Andrea saskatījās.

– Baidos, viņš nospriedis, ka esat atnākusi šurp, lai ar viņu paspēlētos.

– Nu, patiešām, – Brendons nelikās mierā. – Vai tad jūs negribat padižoties ar saviem metieniem?

Pols sarauca pieri.

– Brendon, – viņš stingrā balsī sacīja, – mis Andrea pie mums ciemojas pirmo reizi, turklāt viņa nav tā ģērbusies, lai dotos sporta laukumā. Vai tu to nesaproti?

– Ja man būtu sporta apavi... – Andrea novilka.

Zēns uzreiz iedegās.

– Izmērs?

– Septītais ar pusi.

– Tātad vīriešu septītais. Izmērs ir pēdas garums plus collas trešdaļa. Vai jūs to zinājāt?

– Brendona prāts ir piebāzts ar tamlīdzīgiem krāmiem, – Pols paskaidroja, uzmezdams dēlam mīlestības pilnu skatienu.

– Starp krāmiem gadās arī kas noderīgs, – Brendons atgādināja. – Ideja! – viņš pēkšņi iesaucās, pielēkdams kājās. – Nualai ir astotais izmērs! – Zēns nozuda gaitenī, no kurienes pēc brīža atskanēja viņa balss: – Nuala, vai jūs aizdosiet uz brīdi Andreai savas teniskurpes? Lūdzu!

Pols Bānkrofts smaidīdams paraudzījās uz Andreu.

– Attapības viņam netrūkst. Vai jūs man piekrītat?

– Jūsu dēls... ir izcils zēns, – Andrea atbildēja, teikdama to, ko domā.

– Brendons ir oficiāli atzīts par starptautisko šaha čempionu. Es šo titulu ieguvu tikai divdesmit divu gadu vecumā. Mani uzskatīja saviem gadiem par pārāk attīstītu. Ko lai saku par viņu?

– Starptautiskais čempions? Lielākā daļa viņa vienaudžu sacenšas videospēļu ātruma trasēs.

– Brendons ar to arī aizraujas. Viņa iemīļotā spēle ir "ātruma sacīkstes pilsētas ielās". Nedrīkst aizmirst, ka viņš vēl ir bērns. Viņam pietiks gudrības un gribasspēka, lai daudz ko sasniegtu dažādās jomās, taču... starp citu, jūs pati redzēsiet. Savā ziņā Brendons ir parasts bērns. Viņš dievina videospēles, un viņam nepatīk kārtot savu istabu. Parasts trīspadsmit gadus vecs amerikānis. Paldies Dievam.

– Vai jums jau ir nācies viņam izskaidrot, no kurienes rodas bērni?

– Nē, taču viņš man uzdeva ļoti specifiskus jautājumus par embrija molekulāro bāzi. – Pola Bānkrofta sejā atplauka plats smaids. – Daba ar viņu labvēlīgi parotaļajusies.

– Tā bijusi dāsna rotaļa.

– Jums taisnība. Šūpulī ielikta arī labsirdība.

Viesistabā ievirpuļoja Brendons, vienā rokā vicinādams auduma teniskurpes un zaļas īsbikses otrā.

Viņa tēvs pavērsa acis pret griestiem.

– Jūs taču saprotat, Andrea, ka varat atteikties, – viņš atgādināja.

Andrea devās uz vannas istabu pārģērbties.

– Esmu sagatavojusies novērtēt tavus trikus, – viņa sacīja Brendonam, iznākdama gaitenī. – Vai esi sagatavojies tos man parādīt?

– Protams. Vai nebaidāties, ka jūs pārspēšu?

– Nerausti kaķi aiz astes, sīkais! – Andrea jokodama atcirta.

– Ceru, ka būsi man pienācīgs pretinieks. Taču atceries – mēs spēlēsim īsu brīdi.

Betona laukums atradās starp augstu ligustra dzīvžogu un mājas sienu.

– Varbūt nodemonstrēsiet vecās skolas paņēmienus?

Brendons meta bumbu grozā no trīspunktu līnijas. Bumba apskrēja ap stīpu, taču grozā neiekrita. Strauji mezdamās spēlē, Andrea, kas basketbolu bija spēlējusi universitātē, bumbu veikli noķēra un iemeta grozā.

– Ha! Šķiet, ka neesmu aizmirsusi, kā to dara! – Andrea iesaucās.

Brendons pārtvēra bumbu. Andrea redzēja, ka viņam trūkst spēles pieredzes, toties viņš bija veikls un ātrs. Šķita, ka Brendons uzmanīgi seko viņas kustībām un cenšas tās atdarināt, īpaši viņas metienus grozā. Drīz vien tie viņam padevās labāk un bumba grozā krita biežāk.

Pēc tam kad abi sasārtuši atgriezās mājā – Andrea uzstāja uz īsu spēli –, viņa, vannas istabā pārģērbusies un pārvilkusi apavus, atgriezās istabā ar ādas mēbelēm.

Vakariņas bija vienkāršas, bet gardas – skābeņu zupa, grilēts cālis, rīsi ar asu mērci un zaļumu salāti. Pols Bānkrofts, kā jau bija darījis iepriekš, ievirzīja sarunu par Andreu.

– Jūs esat ar daudziem talantiem apveltīta sieviete, – pamirkšķinājis ar aci, viņš sacīja. – Kā mēdz teikt par tādiem cilvēkiem?

"Pārvalda daudzas jomas." Jā, par jums to var droši teikt. Jūs pārvaldāt arī diskusijas māku un sportā pārvaldāt bumbu.

– Basketbolā visa gudrība ir tā, ka bumbu nedrīkst izlaist no acīm, – Andrea teica. – Tai visu laiku jābūt acu priekšā.

Pols Bānkrofts pielieca galvu sāņus.

– Šķiet, angļu rakstnieks Oldess Hakslijs teicis, ka veselais saprāts ir spēja redzēt to, kas atrodas acu priekšā. Diez vai tas atbilst patiesībai. Mēnessērdzīgie redz to, kas, viņuprāt, atrodas acu priekšā. Manuprāt, veselais saprāts ir spēja saskatīt, kas ir cita cilvēka acu priekšā. Un tas mums abiem ir *kopīgs*. Šī māksla patiešām dota retajam. – Viņš kļuva nopietns. – Ja atceramies cilvēces vēsturi, pārsteidz tas, ka gadsimtiem zēlis un plaucis ļaunums – tāds, ko beidzot atzīstam par nepieļaujamu. Verdzība. Sieviešu nelīdztiesība. Bargi sodi par darbībām, kas veiktas pēc savstarpējas vienošanās un nerada upurus. Vārdu sakot, nekā priecīga. Pirms divsimt gadiem angļu filozofs Džeremijs Bentems lika pamatus utilitārismam. Viņš bija viens no nedaudziem savas paaudzes pārstāvjiem, kurš domāja mūsdienīgi un iedibināja jaunu, citādu morāli. Viņa ētikas virziena pamatā ir atskārta, ka cilvēka ciešanas jāsamazina, cik vien iespējams, turklāt svarīgs ir ikviens indivīds.

– Tā tētis saprot labdarību, – iestarpināja Brendons.

– Labdarību un žēlastību, – Bānkrofts dēlu izlaboja. – Žēlastības dāvanu izdalīšanu.

– Jā, – zēns noteica un, mirkli vilcinājies, turpināja: – Bet kā ar domu izturēties pret cilvēkiem kā pret *mērķi*, nevis *līdzekli*?

Pols Bānkrofts uztvēra Andreas skatienu.

– Brendons ir salasījies Kantu. Vācu misticisms. Sagroza cilvēkam smadzenes, kad es jums saku. Ļaunāks par datorspēlēm. Mēs vienojāmies, ka mūsu viedokļi var būt atšķirīgi.

– Pusaudžu dumpīguma problēmas? – Andrea pasmaidīja.

Pacēlis skatienu no šķīvja, Brendons uzsmaidīja viņai pretim.

– Kur jūs rāvāt, ka tās ir "problēmas"?

Ārā atskanēja tāls pūces kliedziens. Pols Bānkrofts palūkojās pa logu krēslā, kur bija manāmi augstu koku silueti.

– Kā teica Hēgelis, Minervas pūce lidinās tikai krēslā.

– Laikam uz vakarpusi paliek gudrāka, – Brendons piebilda. – Es nespēju apjēgt, – viņš turpināja, – kāpēc pūce iemantojusi gudra putna slavu. Īstenībā tā māk tikai efektīvi slepkavot. Tajā nodarbē pūce ir nevainojama. Lido bez trokšņa. Asa dzirde, uztver skaņas gluži kā radiolokators. Vai esat kādreiz redzējusi, kā pūce lido? – viņš vaicāja Andreai. – Tā vēzē savus lielos spārnus, un tev šķiet, ka atslēgta skaņa. Pūcei spalvu malas ir bārkstainas, tāpēc spārnu vēzieni gaisa plūsmā nerada švīkstoņu.

– Un tas nozīmē, ka upuris attopas, kad jau ir par vēlu, – Andrea rezumēja.

– Jā. Turklāt šā plēsīgā putna nagi ir ārkārtīgi spēcīgi, tā ka no upura pāri paliek tikai atmiņas.

Andrea iedzēra malku atspirdzinošā rīslinga, ko Nuala bija salējusi glāzēs.

– Jā, patiešām, citas gudrības nav. Tikai tā viena, nogalināšanas gudrība.

– Efektivitāte. Tā uznirst arī spriedelējumos par galamērķi un līdzekļiem, – Pols Bānkrofts sacīja. – Var teikt, ka tajos ir sava gudrība.

– Vai jūs piekrītat šim viedoklim?

– Nē, taču efektivitātes apsvērumi allaž jāņem vērā. Diemžēl, ja runa nonāk līdz tiem, bieži tos uztver par bezjūtīgumu – pat ja mērķis ir kalpošana labajam. Jūs jau ieminējāties par pretrunīgām sekām. Tas patiešām ir ļoti neskaidrs jautājums. Ja ikviena darbība jāvērtē pēc tās sekām, piepeši saproti, ka šis temats ir daudz plašāks nekā jautājums par labajiem darbiem, kas noveduši pie slikta iznākuma. Tāpat varam aizdomāties par pretējo – ļaunajiem darbiem, kam sekas galu galā ir labas.

– Droši vien jums ir taisnība. – Andrea izskatījās domīga. – Taču pasaulē notiek neskaitāmas baisas darbības... Es nespēju iedomāties, kādu labumu cilvēcei atnesa, teiksim... Mārtina Lutera Kinga noslepkavošana.

Pols Bānkrofts sarauca uzacis.

– Vai tas ir aicinājums uz strīdu?

– Nē, gluži vienkārši piemērs.

Pols Bānkrofts pacēla pie lūpām vīna glāzi.

– Vai zināt, ar doktoru Kingu es pāris reižu tikos. Mūsu fonds palīdzēja viņam vairāku programmu finansēšanā. Viņš patiešām bija cildens. Jā, izcils. Taču viņam bija daži rakstura trūkumi. Nenozīmīgi, sīki, taču viņa ienaidnieki tos uzpūta daudzreiz lielākus. FIB vienmēr bija gatavs viņu nomelnot, nopludinādams par doktora Kingu kādu netaktisku ziņu, kas celtu viņam neslavu. Kinga pēdējos mūža gados to cilvēku skaits, kuri gribēja klausīties viņa sprediķus, pastāvīgi saruka. Tā bija nemitīga lejupslīde.

Nāve doktoru Kingu padarīja par neapstrīdamu simbolu. Ja viņa dzīve nebūtu aprāvusies, diez vai tas notiktu. Kinga slepkavībai bija stimulējošs efekts. Tā rosināja pilsoņtiesību kustības juridisku atzīšanu. Izšķirīgos likumus, kas aizliedza diskrimināciju, izraugoties mājokli, pieņēma pēc šā traģiskā notikuma. Amerikāņi bija satricināti līdz dvēseles dziļumiem, un galu galā mūsu valsts kopumā kļuva labsirdīgāka. Ja jūs teiksiet, ka šā cilvēka nāve bija traģēdija, es jums piekritīšu. Taču šī nāve deva pasaulei vairāk nekā daudzas dzīves. – Pola Bānkrofta runas veids bija neticami pārliecinošs. – Vai tā nebija vērta pozitīvo seku dēļ?

Andrea nolika dakšiņu.

– Var būt, ka bija. Ja raugāmies no salta aprēķina viedokļa...

– Kāpēc gan salta? Nekad neesmu sapratis, kāpēc seku izvērtēšanu uzskata par saltu aprēķinu. Uzdevums darīt labu cilvēcei izklausās abstrakts, taču tas nozīmē darīt labu atsevišķiem cilvēkiem – vīriešiem, sievietēm un bērniem, un katrs tāds stāsts saviļņo dvēseli un riež acīs asaras. – Bānkrofta balss iedrebējās, apliecinādama viņa pārliecību un apņēmību, nevis vājumu un šaubas. – Atcerieties, ka uz šīs mazās planētas dzīvo septiņi miljardi cilvēku. No tiem diviem, komats, astoņiem miljardiem vēl nav divdesmit četri gadi. Mums jādomā par viņiem, jāuzlabo viņu pasaule. – Zinātnieks palūkojās uz dēlu, kurš tajā brīdī iztukšoja šķīvi, demonstrēdams lielisku ēstgribu, kāda piemīt jaunam, augošam organismam. – Un nekas nav svarīgāks par šo morālo atbildību.

Andrea nespēja no Bānkrofta novērst skatienu. Viņa teiktajam piemita neapstrīdama loģika, un viņa skatiens bija tikpat skaidrs, cik argumenti. Bānkrofta pārliecības spēkā un spožajā prātā bija kas pārdabisks. Droši vien Merlina tēls, burvis no leģendām par karali Arturu, tapis sarunas iespaidā ar šādu cilvēku, Andrea nodomāja.

– Kad jāsauc skaitļi, tēti pārspēt nevar neviens, – Brendons noteica, izklausīdamies tēva dedzīgo vārdu samulsināts.

– Saprāts man vēsta, ka pravieša nāve nes cilvēcei labumu. Var, teiksim, iznīcināt smilšu blusas Maurīcijā, bet šā soļa sekas var būt neprognozējamas. Katrā ziņā robeža starp to, vai nogalināt vai ļaut nomirt dabiskā nāvē, ir māņticība. Vai jūs domājat citādi? – Pols Bānkrofts jautāja. – Tam, kurš mirst, ir vienalga, vai viņa nāvi izraisa mūsu darbība vai bezdarbība. Iedomājieties tramvaju, kas, zaudējis vadību, traucas pa sliedēm uz priekšu. Ja neviens

110

to neapturēs, bojā ies pieci cilvēki. Ja kāds pārcels pārmiju, bojā ies tikai viens. Nu, kā jūs rīkotos?

– Pārceltu pārmiju, – Andrea bez šaubīšanās atbildēja.

– Un ar to izglābsiet piecas dzīvības. Taču apzināti virzīsiet tramvaju virsū cilvēkam, zinādama, ka viņu nogalināsiet. Pastrādāsiet slepkavību. Ja neko nedarīsiet, par šo piecu cilvēku nāvi jūs atbildīga nebūsiet. Jūsu rokas būs tīras. – Bānkrofts pacēla skatienu uz mājkalpotāju. – Nuala, jūs atkal esat sevi pārspējusi, – viņš uzslavēja piesārtušo īrieti, kas atnesa rīsa piedevas.

– Jūsu vārdos jaušams narcisms, – Andrea lēni sacīja. – Tīras rokas, toties bezjēdzīgi zaudētas dzīvības... tā ir slikta aritmētika. Es sapratu.

– Mūsu jūtām jāsaskan ar mūsu domām. Tā teikt, dedzībai jābūt saprāta robežās. Nereti cildena rīcība apkārtējos izraisa šausmas.

– Es jūtos tā, it kā atkal piedalītos seminārā universitātes auditorijā.

– Vai patiešām šie jautājumi jums šķiet akadēmiski? Kaila teorija? Tad izdarīsim tā, lai tie jums kļūst reāli. – Pols Bānkrofts mirkli tēloja, ka ir burvis, kam kabatas pilnas ar brīnumiem. – Ko jūs teiktu, ja rokās turētu divdesmit miljonus dolāru un tie būtu jāizlieto cilvēces labā?

– Atkal "ko darīsi, ja..."? – Andrea pavīpsnāja.

– Ne gluži. Patlaban es vairs nespriežu hipotētiski. Man gribētos, Andrea, lai līdz nākamajai Uzraudzības padomes sēdei jūs izvēlētos konkrētu programmu, kam varētu ziedot divdesmit miljonus dolāru. Aplēsiet, kas mums jādara un kā, un mēs to darīsim. Finansēšana notiks tieši no mana personiskā fonda. Jūsu ieceri neviens neapspriedīs, neviens jums neiebildīs. Kā teiksiet, tā darīsim.

– Jūs jokojat...

Brendons pašķielēja uz Andreu.

– Tētis ar tādām lietām nejoko, – viņš sacīja. – Ticiet man, viņš patlaban runā pilnīgi nopietni.

– Divdesmit miljoni dolāru, – Pols Bānkrofts atkārtoja.

– Manā ziņā? – Andrea neticīgi novilka.

– Jūsu ziņā, – Pols Bānkrofts apstiprināja. Viņa seja ar stingrajiem vaibstiem bija svarīga. – Jums ir iespēja rīkoties gudri, – viņš turpināja. – Ik dienu, ik stundu kaut kur pasaulē tramvajs paliek bez vadības. Taču izvēle jāizdara ne jau starp diviem sliežu

111

ceļiem. No katra sazarojuma ved tūkstoš atzarojumu, desmit tūkstoši atzarojumu, un nav skaidri zināms, kas tramvaju gaida katrā no šiem ceļiem. Mums jāliek lietā savas zināšanas un pieredze un jāizvēlas optimālākais variants. Un jācer uz labāko.

– Man ir tik daudz nezināma šajā jomā...

– Nezināma? Vai daļēji nezināma? Nepilnīgas zināšanas – tas nav gluži tas pats, kas pilnīga nezināšana. Atliek viena iespēja – pieņemt izsvērtus lēmumus. Jo vairāk, tie *ir* jāpieņem. – Pols Bānkrofts nenovērsdamies raudzījās uz Andreu. – Izdariet gudru izvēli. Jūs atklāsiet, ka rīkoties pareizi ne vienmēr ir vienkārši.

Andreai Bānkroftai reiba galva, acu priekšā viss izplūda, un ne jau tāpēc, ka bija dzerts vīns. Viņai iešāvās prātā doma, ka daudziem cilvēkiem izdevību paveikt kaut ko tik nozīmīgu dzīve nemaz nepiedāvā. Tā bija iespēja ar pirkstu noknikšķināšanu pārvērst dzīvi tūkstošiem ļaužu. Tas bija kas līdzīgs dievišķai varai.

No dziļajām pārdomām viņu izrāva Brendona balss.

– Paklau, Andrea, – viņš sacīja, – ko tu teiktu, ja pēc vakariņām mēs vēl mazliet pamētātu bumbu?

Roma

Trastevere ir sens, gleznains rajons Tibras rietumu pusē, un tās iedzīvotāji sevi uzskata par vienīgajiem īstajiem romiešiem. Viduslaiku ieliņas nav skāruši grandiozi pārveidojumi, kādiem deviņpadsmitajā gadsimtā bija pakļauts pilsētas centrs. Netīrība un senatnes zīmogs – vai tāda ir šīs vietas pievilcības formula? Šeit ir laika aizmirsti stūri – vai, gluži otrādi, laiks tos atceras, ar jaunās naudas paisuma vilni atstādams šeit vienīgi savas drazas un nogulsnes. Tādā vietā atradās māja, kuras pirmajā stāvā nekad neiekļuva saules gaisma un kur kopā ar vecākiem dzīvoja jaunā itāliete. Zingareti ģimene bija sena – tādā nozīmē, ka zināja visus savus senčus vairāku gadsimtu garumā. Šie senči visos laikos bija kalpotāji un padotie. Tāda bija tradīcija, un tāds bija ciltskoks – bez diženuma.

Todā Belknepā, kas atnāca uz četrpadsmito namu *via Clarice Marescotti*, tik tikko varēja pazīt cilvēku, kurš pirms dažām stundām no pazemes iekļuva Ansari villas pratināšanas kamerā. Viņš bija nomazgājies un gludi noskuvies, nevainojami ģērbies un mazliet pat iesmaržojies – tieši tādus viņš iedomājās situētos Itālijas ierēdņus. Vieglais amerikāņu akcents, Belkneps sprieda, palīdzēs, nevis kaitēs, jo itālieši pret saviem tautiešiem nereti izturas ar aizdomām, un tam ir savi iemesli.

Saruna nepavisam neritēja gludi.

– *Ma non capisco!* Es neko nesaprotu! – ietiepīgi atkārtoja meitenes māte, no galvas līdz kājām melnās drānās ģērbusies veca ragana. Viņa izskatījās daudz vecāka par sava gadagājuma sievietēm, taču bija apveltīta ar daudz lielāku spēku. Uz viņu varēja attiecināt britu izteicienu – "sieviete, kas spēj visu".

– *Non problema,* – viņai piebalsoja tēvs, resnītis ar tulznainām rokām un aplūzušiem nagiem. *Nekas nav noticis.*

Taču tā vis nebija, un vecene visu saprata – katrā ziņā saprata daudz vairāk, nekā izrādīja. Viņi sēdēja pustumšā viesistabā, kur oda pēc pāri pārskrējušas zupas un pelējuma. Aukstā grīda, ko savulaik droši vien klāja flīzes, bija netīri pelēka, it kā apziesta ar cementa kārtu un gaidītu flīzes, kas tā arī neuzradās. Blāvi dega vājas spuldzes, kam abažūri laika ritumā bija nodriskājušies. Mājā nebija vienādu krēslu, tie visi cits no cita atšķīrās. Zingareti ģimene bija lepna, taču mājoklī tas neizpaudās. Lučijas vecāki zināja, ka viņu meita ir skaista, bet šo skaistumu viņi uzskatīja par meitas vājo vietu – galu galā tas agri vai vēlu izvērtīsies par lielām bēdām gan Lučijai pašai, gan viņiem. Bēdas, protams, bija negodīgu vīriešu tukšie solījumi, ar kuriem tie panāca savu, plēsonīga izturēšanās un agra grūtniecība. Lučija vecākiem apgalvoja, ka arābi – savu saimnieku viņa citādi nesauca kā vien par *l'Arabo* – ir ļoti reliģiozi ļaudis, kas uzticīgi savam pravietim.

Bet kur viņa ir?

Kad Tods Belkneps uzdeva šo galveno jautājumu, meitenes vecāki tēloja, ka ir aprobežoti, neko nezina un nesaprot. Viņi sargāja meitu – vai tāpēc, ka zināja, ko viņa izdarījusi? Vai tam bija cits iemesls? Belkneps saprata, ka no abiem jēga būs tikai tad, ja viņš spēs tos pārliecināt, ka meitai draud briesmas un savam bērnam tie var palīdzēt ar vaļsirdību, nevis izvairīšanos.

Šis uzdevums nebija viegls. Lai iegūtu informāciju, Belkneps bija spiests radīt iespaidu, ka viņam ir kaut kas zināms, kaut gan patiesībā tā nebija. Jūsu meitai draud briesmas, atkal un atkal viņš atkārtoja Lučijas vecākiem. *La vostra figlia è in pericolo.* Viņam neticēja. Belkneps nosprieda, ka tēvs un māte uztur saikni ar meitu un viņa vecākiem apgalvo, ka viņai nekas nedraud. Ja viņa patiešām pēkšņi būtu nozudusi, tie nespētu slēpt uztraukumu. Taču vecāki mala vienu un to pašu – ka nezinot, kur meita ir, ka Lučija kaut ko bildusi par došanos prom, teikusi, ka viņai kaut kur jāaizbrauc, kurp, to viņa neesot precizējusi, taču droši vien saimnieka uzdevumā. Nē, viņi nezina, kad Lučija atgriezīsies. Vienas vienīgas miglainas frāzes.

Meli. To, ka tas viss ir izdomāts, nodeva vieglums, ar kādu vecāki šīs pasaciņas stāstīja. Diletanti domā, ka meļi sevi nodod ar satraukumu un nervozitāti, taču Belkneps no pieredzes zināja, ka nereti viņi – gluži otrādi – sevi nodod ar savu mieru. Tieši tā izturējās sinjors un sinjora Zingareti. Mierīgi.

Krietnu brīdi klusējis, Belkneps sāka visu no gala.

– Lučija uztur ar jums sakarus, – viņš teica. – Mums tas ir zināms. Viņa jums apgalvo, ka ar viņu viss ir labi. Taču īstenībā viņa nezina patiesību. *Lučija nenojauš, ka viņai draud nāves briesmas.* – Belkneps izteiksmīgi novilka ar plaukstas malu sev gar kaklu. – Viņai ir ļoti viltīgi ienaidnieki, un tie ir visur.

Bažīgie Zingareti laulātā pāra skatieni liecināja, ka viņi joprojām amerikāņu vidutājā saskata vienīgi ienaidnieku. Belknepa vārdi iemeta viņu prātos sīku šaubu dzirksti, gailošu satraukumu, kā līdz tam tur nebija, taču iegūt viņu uzticību Belknepam neizdevās. Un tomēr izlikšanās sienā, aiz kuras Lučijas vecāki bija aizslēpušies, iesprāga tikko manāma plaisa.

– Viņa jums sacīja, lai jūs neuztraucaties, – Belkneps atkal iesāka, pūlēdamies izskatīties dziļi norūpējies, lai atbilstu viņu noskaņojumam, – tāpēc ka pati nezina, ka uztraukumam ir iemesli.

– Bet jūs zināt... – muti noraidoši sašķobīdama, noteica melnās drēbēs ģērbusies ragana. Viņas spožajās acis dega aizdomas.

Belknepa stāstījums nebija gluži patiesība, taču nebija arī no tās tālu. Viņš teica, ka strādājot kādas amerikāņu iestādes uzdevumā un tā piedaloties starptautiska noziedzīga grupējuma darbības izmeklēšanā. Izmeklēšanas gaitā noskaidrojušies fakti par l'*Arabo* aktivitātēm. Ļaudis, kas pie arāba strādā, esot pakļauti briesmām, jo viņa sāncensis no Tuvajiem Austrumiem paziņojis, ka viņu gaida vendeta. Kad dzīvesbiedri izdzirdēja šo vārdu, abu acis šausmās iezibējās, un vecene čukstus to atkārtoja sev zem deguna. Šis jēdziens bija viņiem zināms, un viņi pret to izturējās ar pienācīgu respektu.

– Vakardien redzēju kādas jaunas sievietes līķi... – Belkneps aprāvās. Laulāto acis bija plati ieplestas. Paklusējis viņš turpināja:

114

– Tas bija briesmīgi. Tādas ainas paliek atmiņā uz mūžu. Kad iedomājos, kā tie nelieši izrīkojās ar jauno sievieti, tādu pašu kā jūsu meita, man drebuļi skrien pār kauliem. – Viņš piecēlās kājās. – Esmu izdarījis visu, kas manos spēkos, un mana sirdsapziņa ir tīra. Likšu jūs beidzot mierā. Jūs mani vairs neredzēsiet, tāpat kā – es par to baidos – savu meitu.

Sinjora Zingareti uzlika plēsīga putna nagiem līdzīgo roku vīram uz pleca.

– Pagaidiet, – viņa teica. Vīrs uz viņu paskatījās, taču bija acīmredzams, ka šajā mājā komandē viņa. Vecene vēlreiz vērīgi nopētīja Belknepu, mēģinādama izlemt, vai viņam var uzticēties. Beidzot viņa pieņēma lēmumu. – Jūs kļūdāties, – viņa sacīja, – Lučija ir pilnīgā drošībā. Mēs pastāvīgi ar viņu sazināmies. Mēs sarunājāmies ar viņu pa telefonu vakar vakarā.

– Kur viņa ir? – Belkneps jautāja.

– To mēs nezinām. To viņa mums nesaka. – Vertikālās rievas virs viņas augšlūpas izskatījās pēc lineāla iedaļām.

– Kāpēc?

– Lučija apgalvo, – atbildēja tuklais vīrs, – ka viņa atrodoties ļoti labā vietā. Kur, tas ir noslēpums. To viņa nedrīkst teikt. Tāpēc ka... tādi ir darba līguma noteikumi. *Termini di occupazione.*

Viņš neizlēmīgi pasmaidīja – neizlēmīgi tāpēc, ka nesaprata, vai viņa vārdi kliedējuši amerikāņa bažas vai pastiprinājuši.

– Lučija ir prātīga meitene, – māte piebalsoja. Viņas seja no bailēm bija sakrritusies. Mute atgādināja tumšu svītru. – Prot sevi aizstāvēt. – Bija redzams, ka vecā sieviete cenšas sevi uzmundrināt.

– Jūs tātad runājāt ar viņu vakar vakarā, – Belkneps teica.

– Un ar viņu viss bija kārtībā. – Druknais vīrs sakrustoja uz krūtīm apaļīgās rokas, bet to drebēšanu nespēja savaldīt.

– Lučija neļaus darīt sev pāri. – Vecā sieviete vārdos pūlējās ielikt pārliecību, taču dzirdama bija tikai cerība.

Izgājis uz bruģētās ielas, Belkneps piezvanīja vecam paziņam karabinierim Džanni Matuči. Itālijā – un itāliešu tiesību aizsardzības iestādes nav izņēmums – jautājumus pārsvarā lemj nevis oficiāli, bet ar draugu palīdzību. Belkneps ātri izklāstīja savu lūgumu. Iespējams, Lučija patiešām par savu atrašanās vietu klusē gluži kā ūdeni mutē ieņēmusi, taču telefona sarunu ieraksti varēja būt daiļrunīgāki.

Matuči balss bija skanīgs un sulīgs tenors.

– *Più lento!* Lēnāk! – viņš mani pārtrauca. – Nodiktē pa burtiem uzvārdu un adresi. Es salīdzināšu meitenes uzvārdu ar uzziņām pilsētas datu bankā un saņemšu *INPS* kodu. – Tas bija itāliešu ekvivalents sociālās apdrošināšanas kartes numuram. – Pēc tam ar to došos uz municipālā telefonu tīkla arhīvu.

– Džanni, apsoli, ka tas neprasīs daudz laika.

– Jūs, amerikāņi, vienmēr steidzaties. Es darīšu visu, kas manos spēkos. Labi, draugs?

– Parasti ar to pietiek, – Belkneps noteica.

– Pagaidām ieej kādā kafejnīcā un izdzer tasi kafijas, – Itālijas policijas inspektors viņu pamācīja. – Es tev piezvanīšu.

Belkneps nebija nogājis ne pāris kvartālu, kad mobilais tālrunis iezvanījās. Tas bija Matuči.

– Ātri gan tu strādā! – Belkneps bija patīkami pārsteigts.

– Tikko saņēmām ziņojumu. Runa ir par to adresi, par kuru tu stāstīji, – Matuči satraukts teica. – Kaimiņš dzirdējis šāvienus. Mēs uz turieni nosūtījām divas patruļmašīnas. Kas gan tur notiek?

Belkneps jutās kā ar aukstu ūdeni apliets.

– Ak Dievs... – viņš izdvesa. – Es pārbaudīšu pats!

– Nedari to! – Matuči uzsauca, mēģinādams viņu apturēt, taču Belkneps, izslēdzis tālruni, jau skrēja atpakaļ uz pirmā stāva dzīvokli, no kura pirms dažām minūtēm bija aizgājis. Apmeties ap stūri, viņš izdzirdēja automobiļa riepu švīkstoņu, un krūtīs kā negudra sāka dauzīties sirds. Ārdurvis nebija aizslēgtas, un Belkneps iegāja istabā, kuras sienas bija ložu sacaurumotas un nošķiestas asinīm. Viņš bija izsekots – cita izskaidrojuma šiem notikumiem nevarēja būt. Ar laulāto pāri viņš runāja par aizstāvību, taču īstenībā sev līdzi atveda nāvi.

Slīdēdamas pa asfaltu, nočirkstēja riepas. Skaņa liecināja, ka mašīna piebraukusi pie mājas. Tas bija tumšzils braucamais ar baltu jumtu, uz kura ar trafaretu bija uzkrāsots numurs saskatīšanai no helikoptera. Griezās trīs signālugunis. Uz sāniem baltiem burtiem uzrakstītais vārds *CARABINIERI* bija pasvītrots ar sarkanu bultu. Tā patiešām bija policijas mašīna, un ārā izlēkušie divi policisti pavēlēja Belknepam nekustēties.

Ar acs kaktiņu Belkneps redzēja piebraucam vēl vienu policijas automašīnu. Viņš drudžaini sāka māt uz šķērsielas pusi, rādīdams, ka slepkavas patvērušies tur.

Un metās bēgt.

Viens no policistiem, protams, brāzās viņam pakaļ, bet otrs palika apsargāt nozieguma vietu. Belkneps cerēja, ka viņš paspējis izraisīt apjukumu un vajātājs nesāks uz viņu šaut – galu galā policistam varbūt ienāca prātā, ka svešais arī dzenas pa pēdām *criminali*. Mezdams cilpas kā zaķis, Belkneps joņoja starp dzelzs atkritumu konteineriem, starp stāvvietā novietotām automašīnām, cenzdamies paslēpties no karabiniera skatiena. Lai viņš nevarētu notēmēt.

Lai viņš nevarētu izšaut.

Belkneps, sasprindzinājis muskuļus, skrēja, ar ādas apavu gumijas zolēm tik tikko skardams zemi un saraustītiem malkiem rīdams gaisu. Pēc mirkļa viņš ieklupa baltā furgonā, kura kravas kasti bez logiem rotāja Itālijas pasta emblēma. Tas bija viens no daudzajiem automobiļiem, kas piederēja Konsulāro operāciju nodaļai. Lai gan Belkneps nesaņēma atļauju to izmantot, viņš bez grūtībām bija dabūjis to savā rīcībā. Tādas mašīnas nepiesaista uzmanību. Belkneps cerēja, ka tā būs arī šajā reizē.

Nepaspējis iedarbināt motoru un izkustēties no vietas, viņš atpakaļskata spogulī ieraudzīja policijas automašīnu – tas bija pilnpiedziņas džips ar lielu un slēgtu kravas kasti ieslodzīto pārvadāšanai. Tajā pašā mirklī iezvanījās mobilais tālrunis.

Matuči balsī jautās vēl lielāks satraukums nekā iepriekš.

– Tev man jāpaskaidro, kas notiek! – policijas inspektors gluži vai kliedza. – Man ziņoja, ka laulātais pāris, divi veci cilvēki, zvērīgi nogalināti, dzīvoklis ir ložu sacaurumots. Lodēm esot robota čaula un tukšs gals, tādas lieto amerikāņu speciālie dienesti. Vai tu mani dzirdi? Robota vara čaula! Tavas iecienītās! Tas ir slikti, *ļoti* slikti.

Belkneps strauji sagrieza stūri pa labi, pēdējā mirklī iebraukdams sānielā. Pa sliedēm puskvartāla garumā dārdināja zaļš, sakabināts tramvajs ar četrām sekcijām, ko savienoja gumijas "harmonikas". Tramvajs uz kādu laiku aizsedza pasta furgonu.

– Džanni, tu taču netici, ka...

– Tūlīt tur ieradīsies tehniķis un noņems pirkstu nospiedumus. Ja dzīvoklī uzies tavējos, aizstāvēt es tevi nevarēšu. – Viņš brīdi klusēja. – Viss, es vairs nevaru tevi aizstāvēt. – Un Matuči beidza sarunu.

Belknepam aiz muguras satiksmes plūsmā bija iekārtojusies cita policijas automašīna. Acīmredzot manījuši, ka viņš iekāpj pasta furgonā. Mainīt braucamo bija par vēlu. Nemazinādams spiedienu uz gāzes pedāļa, Belkneps lavierēja blīvajā mašīnu plūsmā, patraucās garām Svētā Kalisto laukumam un, izbraucis uz ātrgaitas šosejas, brāzās uz upes pusi. Policijas automobilis, kas viņam sekoja, ieslēdza sirēnu un bākugunis. Kad Belkneps šķērsoja *via Indumo*, viņam sāka sekot vēl viena policijas mašīna, *Citroën* sedans ar spilgtu uzrakstu zilbaltiem burtiem *POLIZIA*. Šaubu vairs nebija – lai viņu notvertu, vajātāji mobilizēja spēkus.

Kaut kas bija aizgājis greizi.

Iespiedis akseleratoru grīdā, Belkneps apbrauca vairākus satiksmes līdzekļus – taksometru, vieglās automašīnas, kravas automobiļus – un, skaļi taurēdams, pārjoņoja pāri krustojumam, kaut gan dega sarkanā gaisma. Izvairījies, par laimi, no automašīnām, kas gadījās ceļā, Belkneps pēc šā manevra no karabinieru džipa attālinājās. Ēkas ielas abās pusēs zibēja garām, saplūzdamas netīri pelēkos siluetos. Piekalis skatienu ielai sev priekšā, Belkneps uzmanīja mainīgos atstatumus starp automašīnām, lai izdevīgā brīdī izmantotu robu, kas pēkšņi varēja izveidoties ātrajā straumē un bija brīvs tikai mirkli. Joņošana pa dzīvajām ielām nebija salīdzināma ar braukšanu pēc satiksmes noteikumiem, un Belkneps, traukdamies pa *Ponte Sublicio* pāri tumšzaļajiem Tibras ūdeņiem Impērijas laukuma virzienā, lūdza Dievu, lai agrākās iemaņas viņu nepieviltu. Simtiem dažādu virzienu galapunktā gaida briesmas, un tikai daži ceļi ved pretim uzvarai. Policijas *Citroën* priekšā pavērās brīva josla, un sedans izraudamies tika priekšā Belknepam.

Spīles pamazām sāka sakļauties.

Ja uzradīsies trešā policijas mašīna, Belkneps sprieda, un tas bija visnotaļ iespējams, izredzes aizbēgt kļūs pavisam mazas. Brīdi viņš apsvēra iespēju izlēkt no automašīnas uz ātrgaitas maģistrāles, kas līkumoja gar Tibras krāšņo, ķieģelīšiem un betona klāto, kokiem apstādīto krastmalu, taču to atmeta, atzīdams par pārāk riskantu.

Strauji pagriezdams stūri pa labi, uz *Lungotevere Aventino*, šoseju, kas ved pa Testačo krastmalu, Belkneps juta, ka viņa inerces mesto ķermeni notur drošības josta.

Viņš acumirklī izdarīja vēl vienu pagriezienu uz *via Rubattino*, kuras abās pusēs atradās rosīgas kafejnīcas, un tad, skaļi ievilcis elpu, pagriezās atpakaļ uz *via Vespucci*, braukdams pretēji satiksmes plūsmai. Tikai dažus simtus jardu, Belkneps domās lūdzās, tad viņš varēs nogriezties uz ātrgaitas Tibras krastmalu... ja vien *via Vespucci* izdosies izvairīties no sadursmes.

Tajā pašā mirklī atskanēja spalgas signāltauru skaņas, ko raidīja desmitiem automašīnu. Spēkrati drudžaini rāvās malā, atbrīvodami ceļu baltajam pasta furgonam, kas traucās tiem pretī kā jucis.

Belkneps nosvīda. Sviedrainās delnas lipa pie stūres. Manevrējot pretējā joslā, viņam vajadzēja uzminēt autovadītāju domu gājienu, uzminēt, kā tie rīkosies. Kļūda varēja maksāt dzīvības.

Visa viņa pasaule bija saspiedusies šajā nelielajā ceļa gabalā, šajā dinamiskajā automašīnu rindā, kurā ikviens pretimbraucošais transportlīdzeklis bija potenciāls nāves nesējs, tāpat kā viņš pats. Brīdī, kad Belkneps galvu reibinošā ātrumā traucās augšā pa slīpo rampu uz ātrgaitas maģistrāles, pasta furgona zemā šasija skāra asfalta segumu un atskanēja griezīgs skrāpēšanas troksnis, uz visām pusēm pašķīda dzirksteles. Aizkļuvis līdz nākamajam tiltam, *Ponte Palatino*, viņš drīz vien, riteņiem svilstot un bremzēm kaucot, uzbrauca uz *Porta di Ripagrande*.

Varu uzelpot, Belkneps nodomāja, ticis uz taisnas ielas ar augstām, neizteiksmīgām ēkām. Taču prieks bija pāragrs. Palūkojies atpakaļskata spogulī, viņš ieraudzīja pusduci policijas patruļmašīnu. No kurienes tās uzradušās? Tad Belkneps atcerējās lielu policijas iecirkni, kas atradās netālu no *Piazzale Portuense*. Iekāries drošības jostā, viņš zibenīgi nogriezās uz *Clivio Portuense*, vienu no šā rajona platākajām ielām, kur bija atļauts liels ātrums.

Patruļmašīnas aizjoņoja garām, nepaspēdamas samazināt ātrumu, lai nogrieztos. Belkneps bija prom – vismaz uz kādu laiku. Nesamazinādams ātrumu un šķērsodams vairākas ielas, viņš uzbrauca uz *via Parboni* un pagriezās pa kreisi.

Un kas viņam bija priekšā? Belkneps nesadzirdēja savus lamuvārdus, jo tie pagaisa sirēnu gaudoņā, motoru troksnī un riepu švīkstoņā.

Kā tas varēja būt! Priekšā, tuvākajā krustojumā, iela bija aizsprostota. Kā policija to spēja izdarīt tik ātri? Piemiedzis acis, Belkneps novērtēja divas karabinieru mašīnas un pārnesamu koka barjeru, kas bija nolikta uz braucamās daļas. Varbūt jāmēģina to taranēt...

Varbūt, ja viņam aizmugurē gluži ne no kurienes aurodama neuzrastos *polizia munizipale* automašīna – *Lancia* sedans ar trīs

litru turbodzinēju, patruļmašīna, kas paredzēta trakulīgu auto-
vadītāju aizturēšanai ātrgaitas autostrādēs.

Belkneps riskēja. Arvien palielinādams ātrumu, viņš traucās
uz priekšu, vērodams, kā četri plecīgi karabinieri ar saulesbrillēm,
rokas uz krūtīm sakrustojuši, stāv uz ielas pirms barjeras un, vi-
ņa pasta furgonam tuvojoties, metas no ceļa nost. Belkneps zibe-
nīgi iegrūda pārnesumkārbas sviru neitrālā stāvoklī un, parāvis
rokas bremzi, sagrieza stūri pa kreisi. Furgons slīdēja perpendi-
kulāri brauktuvei. Tajā brīdī nokauca spēcīgās *Lancia* bremzes, un
sekundi vēlāk atskanēja dārdoņa. Patruļmašīna, vairīdamās no
sadursmes, bija ietriekusies ugunsdzēsības hidrantā.

Belkneps, atlaidis rokas bremzi, iespieda gāzes pedāli grīdā,
griezdams stūri atpakaļ. Furgons nodrebēja. Ar skaļu šķindoņu
no riteņiem, neizturējuši spiedienu, nolidoja dekoratīvie diski.
Pārlieku lielais spiediens uz transmisiju acīmredzot izraisīja mo-
toreļļas nonākšanu cilindros, un atpakaļskata spogulī Belkneps
ieraudzīja no izplūdes caurules izšaujamies biezu melnu dūmu
mākoni. Taču viņam izdevās apgriezties, nezaudējot ne sekundi,
un nākamajā mirklī viņš traucās pa tukšo ielu pretējā virzienā.
Nogriezies uz *via Bezzi*, Belkneps izbrauca uz ātrgaitas *viale de
Trastevere* un patraucās garām Informācijas ministrijas ēkai. Ne-
viens viņam nesekoja.

Pēc desmit minūtēm Belkneps sēdēja kafejnīcā un, kā viņam
bija ieteicis Džanni Matuči, pasūtīja tasi kafijas. Viņš jutās ārkār-
tīgi noguris, bet centās to slēpt, tēlodams garlaikotu, dīkdienīgu
tūristu. Nobaudījis dažus malkus, viņš piezvanīja savam pazi-
ņam karabinierim.

– Tagad mēs varētu aprunāties, – Belkneps klusi teica ikdie-
nišķā balsī. Bēgļi nereti sevi nodod, izturēdamies drudžaini un
tādējādi pievērsdami sev uzmanību.

– Jēziņ! Vai tu maz saproti, kādā putrā esi mani ievilcis? – Ma-
tuči balss no satraukuma aizrāvās. – Tev jāizstāsta man viss, ko
tu zini!

– Vispirms tu, – Belkneps attrauca.

SESTĀ NODAĻA

– Es runāju pilnīgi nopietni, – telefona klausulē sacīja Henks Sidžviks, un Andrea Bānkrofta ar nepatiku juta, ka tā patiešām ir. – Kad es tev saku, tas puisis mācēs to naudu izlietot.

Andrea iztēlojās Henku sēžam pie sava rakstāmgalda. Šim cilvēkam bija tipiska amerikāņa āriene – zilas acis, gaiši mati, vidējā svara kategorijas cīkstoņa ķermenis. Grumbiņas iedegušajā pierē nodeva viņa vecumu – Henkam bija ap četrdesmit. Viņš vienmēr izskatījās svaigs un sakopts un smaržoja pēc tikko mazgātas veļas. Henks bija Andreas draugs un kolēģis *Coventry Equity Group*, bet iepazinušies viņi bija vairākus gadus iepriekš, kad Henks aplidoja viņas koledžas draudzeni.

– Tavi paziņas ir interesanti cilvēki, – Andrea piesardzīgi teica.

Viņai patika Henka sabiedrība, un sākumā, kad Henks piezvanīja, viņa nopriecājās. Savukārt Henku apbūra viņas stāstījums par fonda padomes pirmo sēdi, kurā viņa piedalījās. Taču nu Andreai ienāca prātā, vai vajadzēja tik vaļsirdīgai būt. Vai tad viņa nebija apņēmusies izturēties pret fonda lietām "ar sevišķu uzmanību un konfidencialitāti"? Turklāt viņu pārsteidza Henka pirmie vārdi pēc tam, kad viņa bija pastāstījusi par atbildīgo pārbaudes darbu, ko viņai Pols Bānkrofts uzticējis. Henks pēkšņi atcerējās, ka viņa sievai ir paziņa, kāds neatkarīgais kinodokumentālists.

– Es zinu cilvēku, kurš godam izlietos šos divdesmit miljonus dolāru, – Henks sacīja, un tie bija viņa pirmie vārdi.

Cik varēja spriest pēc Henka teiktā, šis kinovīrs gribēja uzņemt dokumentālu lenti par Īstvilidžas iluzionistiem, kas veica dīvainus izmēģinājumus ar saviem ķermeņiem. Andrea neviļus paraudzījās uz durvīm, un šī acu kustība pauda viņas nepacietību. Viņa runāja par cilvēku dzīvību glābšanu, bet Henkam prātā bija šāda banāla doma...

– Nujā, tātad zini, ka par to ir vērts padomāt, – Henks teica māksloti nevērīgā tonī, norādīdams, ka temats izsmelts.

– Protams, – Andrea atbildēja.

Vai patiešām viņš nesaprot? Taču Andrea nolēma, ka savu aizkaitinājumu apslāpēs. Viņa nevēlējās izskatīties pēc augstprātīga snoba. Viņai bija svarīgi, lai visi viņā redzētu līdzšinējo Andreu, kurai pēkšņā bagātība nav sagrozījusi galvu.

Bet tā taču nav, viņai ienāca prātā. *Patiesībā es esmu mainījusies. Varbūt patiešām nav vērts izlikties, jo viss taču ir citādi?*

Tikko Andrea nolika telefona klausuli, aparāts iezvanījās atkal.

– Vai mis Bānkrofta? – zvanītājs jautāja piesmakušā kaislīga smēķētāja balsī.

– Jā, tā esmu es, – Andrea atbildēja, pēkšņi juzdama savādu nemieru.

– Jums zvana no Bānkrofta fonda drošības dienesta. Gribu pārliecināties, ka esat izpratusi informācijas neizpaušanas līgumu, ko parakstījāt.

– Protams. – Andreai prātā iešāvās muļķīga doma: *viņi visu zina.* It kā būtu dzirdējuši viņas pārlieku vaļsirdīgo telefona sarunu un nu vēlētos viņu saukt pie atbildības.

– Ir vēl citi drošības un etiķetes aspekti. Ja neiebilstat, mēs tuvākajā laikā kādu pie jums nosūtīsim ar dokumentiem.

– Protams, – atbildēja satriektā Andrea. Nolikusi klausuli, viņa aptvēra sevi rokām, it kā viņai saltu.

Apvaldījusi nemieru, viņa piespieda sevi domāt par ko citu. *Laipni lūgta savā jaunajā dzīvē*, viņa klusībā sev teica, apcerīgā noskaņojumā klīzdama pa savu nelielo māju.

Viņa nedzīvos tikai sev. Tas bija galvenais. Viņa kļūs par daļu no neticama projekta – kaut kā patiešām vērienīga, patiešām svarīga. Kā sacīja burvis Merlins: "Kā teiksiet, tā darīsim."

Kāds projekts tos divdesmit miljonus būtu pelnījis visvairāk? Vajadzību bija tik daudz! Ūdens, higiēnas noteikumu ieviešana, AIDS un malārijas apkarošana, pietiekams uzturs. No šo jautājumu risināšanas bija atkarīga miljoniem cilvēku dzīvība. Globālās sasilšanas problēma. Apdraudētās sugas. Izaicinājumu bija daudz, taču visas šīs jomas Andreai bija svešas, neiepazītas vai iepazītas daļēji. Kam novirzīt fonda līdzekļus, lai tie sniegtu maksimālu labumu, kā izmantot katru dolāru, lai atdeve būtu vislielākā? Uzdevums nebija vienkāršs, nepavisam nebija vienkāršs. Kā teica Pols Bānkrofts, šis darbs prasa matemātiski precīzu analīzi, spēju paredzēt vairākus soļus uz priekšu. Vienas problēmas risināšanai divdesmit miljonu ir liela summa, toties citai – pārāk maza, Andrea sprieda. Viņas prātā virmoja desmitiem iespēju, desmitiem dažādu rīcības plānu. Andrea apjauta, ka Pola Bānkrofta darbība un sasniegumi viņā izraisa arvien lielāku apbrīnu.

Andreas pārdomas iztraucēja klauvējiens pie durvīm. Kad viņa tās atvēra, uz sliekšņa stāvēja nepazīstams vīrietis, kuram zem dārgā, labi pašūtā uzvalka bija jaušams trenēts, muskuļains ķermenis. Gluži kā ārā sviedējs krogā, Andrea neviļus par viesi nodomāja.

– Esmu no Bānkrofta fonda, – vīrietis paziņoja. Pēc nesenās telefona sarunas ar drošības dienesta pārstāvi Andreu tas neizbrīnīja. – Atvedu jums dažus dokumentus, – viņš turpināja.

Viņam rokā bija portfelis. Andrea bija gaidījusi, ka ieradīsies parasts kurjers vai *United Parcel Service* piegādātājs.

– Protams. Lūdzu, nāciet iekšā.

– Jums vēlreiz jāizlasa dažādi dokumenti. Domāju, ka jums jau zvanīja. – Celiņš viņa tēraudpelēkajos matos bija gluži kā novilkts ar lineālu. Stūrainās sejas vaibsti bija neizteiksmīgi. Andrea nespēja noteikt viņa vecumu pat ar desmit gadu precizitāti.

– Jā, man zvanīja, – viņa apstiprināja.

Vīrietis ienāca iekšā. Viņš kustējās vijīgi un klusi gluži kā džungļu kaķis. Atvēris portfeli, viņš pastiepa Andreai vairākas mapes.

– Vai jums ir jautājumi par fonda tehniskajiem noteikumiem? Vai jūs iepazīstināja ar etiķeti?

– Jā, man visu paskaidroja sīki un rūpīgi.

– Ļoti patīkami, – vīrietis teica. – Vai jums ir smalcinātājs?

– Ar ko smalcina dārzeņus?

Viņš nepasmaidīja.

– Ja vēlaties, mēs varam jums sagādāt kvalitatīvu smalcinātāju, kādus izmanto Aizsardzības ministrijā. Ja ne, mēs lūdzam šos dokumentus, arī visas kserokopijas, nogādāt atpakaļ fonda birojā.

– Labi.

– Tāda ir kārtība. Tā kā fondā strādājat nesen, man jums jāatgādina, ka esat uzņēmusies neizpaušanas saistības.

– Paklausieties, es esmu strādājusi finanšu laukā un zinu, ko nozīmē konfidencialitāte.

Vīrietis pētīgi ielūkojās viņai sejā.

– Tad jau jūs arī zināt, ka nedrīkstat apspriest jebkādus fonda darbības jautājumus ar nepiederīgām personām.

– Jā, zinu, – Andrea nervozi atbildēja.

– Tas viegli piemirstas, – viņš teica, pamirkšķinādams Andreai, bet nepavisam neizskatīdamies draudzīgs. – Svarīgi, lai jūs to pastāvīgi atcerētos. – Vīrietis devās uz durvīm.

– Paldies. Paturēšu jūsu vārdus prātā. – Andreu no jauna pārņēma sajūta, ka viņa izspiegota. Ja nu fonds patiešām sācis viņu novērot? Ja nu tas zināja par neseno sarunu? Vai viņas mājā paslēpta noklausīšanās ierīce?

Blēņas. Absurdas, uzbudināta prāta iedomas, viņa centās sev iestāstīt. Taču... vai tad šā vīrieša skatienā nebija kas dīvains? Tikko manāms smaids, tikko jaušama familiaritāte? Vai viņu patiešām piemeklējusi paranoja?

Pirms iziešanas uz lieveņa Andrea grasījās pajautāt viesim, vai viņi agrāk tikušies, bet viņš to apsteidza.

– Jūs esat ļoti līdzīga savai mātei, – vīrietis sacīja.

No šiem vārdiem Andreai kļuva vēl vēsāk. Viņa atturīgi pateicās viesim.

– Piedodiet... es aizmirsu, kā jūs sauc, – Andrea pēc tam sacīja.

– Jūs nevarējāt aizmirst, jo es to neteicu, – viņš sausi atbildēja.

Tad viņš pagrieza Andreai muguru un devās uz limuzīnu, kas viņu gaidīja. Atkal iezvanījās telefons.

Tā bija Sindija Levaļska no nekustamā īpašuma aģentūras *Cooper Brandt Group*. Andrea pirms brīža viņai zvanīja, bet bija paspējusi jau to aizmirst.

– Tātad, cik saprotu, jūs meklējat mājokli Manhetenā, – sieviete mundri un lietišķi sacīja.

– Jā, tā ir, – Andrea apstiprināja. Viņa vienmēr bija sapņojusi par dzīvi Ņujorkā un beidzot, velns parāvis, varēja to atļauties. Viņas uzkrājuma kontā divpadsmit miljoni dolāru pelnīja divus procentus gadā. Andrea negrasījās plātīties, taču negrasījās arī nevienu apmuļķot. Viņa nedomāja kļūt par mocekli, turpinādama "pietiekgu" dzīvi, – tā būtu vissliktākā izlikšanās. Viņai bija līdzekļi, lai pārceltos uz lielo pilsētu. Lai sameklētu sev ko jauku. Kaut ko patiešām jauku.

Sindija Levaļska ierakstīja sava datora klientu datu bāzē Andreas vēlēšanās – mitekļa kvadratūru, apkaimi, vēlamo cenu – un tad pārjautāja, kā rakstāms Andreas uzvārds.

– Vai jūs esat no *tiem* Bānkroftiem? – viņa pavaicāja.
– Jums ir mans telefona numurs, – Andrea atbildēja.

Vestenda, Londona

Pasaulei viņš bija Lūkass. Edinburgā dzimusī rokzvaigzne no sava skatuves vārda nešķīrās kopš tām dienām, kad sāka dziedāt grupā G7. Pirmo no četriem platīna albumiem, ko Lūkass bija ierakstījis kopš karjeras sākšanas, viņš nodēvēja savā vārdā, tā teikt, "sev par godu". Kāds uzzīmēja diagrammu, cik bieži jaundzimušajiem dod vārdu Lūkass, un līkne tajā parādīja, ka šie notikumi pārsvarā sakrīt ar kārtējā hita laišanu klajā. Dedzīgākie pielūdzēji zināja, ka viņa īstais vārds ir Hjū Bērnijs, bet šos zinātājus varēja saskaitīt uz vienas rokas pirkstiem. Lūkass bija viņa patiesā identitāte. Viņš pat sev bija Lūkass.

Skaņu ierakstu studija, kas bija noslēpusies kādreizējās meiteņu skolas ēkā Gosfīldstrītā, varēja lepoties ar modernu aparatūru, ne tuvu nelīdzinādamās tai, ar kādu viņš strādāja līdz savas karjeras straujajam lēcienam. Tomēr šis tas šajā norisē palika nemainīgs. Tā, piemēram, radioaustiņas sāka spiest galvu pēc minūtēm divdesmit, tāpat kā tas notika vienmēr. Lūkass tās nometa, pēc tam uzlika no jauna. Viņa producents Džeks Rolss vēlreiz nospēlēja basa partiju.

– Pārāk smagnēji, vecīt, – Lūkass novērtēja. – Joprojām pārāk smagnēji.

– Tu taču negribi, lai šo dziesmu aizpūš vējš, – Rolss rāmi iebilda. – Šī dziesma ir kā piknika galdauts, kas vējainā dienā izklāts brīvā dabā. Tas jāpiespiež pie zemes ar kaut ko smagu. Teiksim, ar kērlingam domātu akmeni.

– Jā, bet tu piedāvā milzu laukakmeni. Pārāk smagu. Vai saproti?

Šeit ritēja melnais darbs, kurā nekā žilbinoša nebija. Gaiss studijā ātri kļuva karsts – "sadudzis", kā mēdza teikt Rolss. Mehāniskās ventilācijas šeit nebija, tāpēc ka tā radīja troksni. Rolsam priekšā bija rinda sintezatoru. Mūsdienās robeža starp producentiem un mūziķiem izplūst aizvien vairāk, un bijušais taustiņinstrumentu spēlētājs Rolss bija gan viens, gan otrs. Lūkass tiecās iegūt labāko skanējumu, kādu vien iespējams iegūt no elektroniskās mūzikas. Kad Lūkass ar Rolsu kopā mācījās Ipsvičas mākslas koledžā, viņi eksperimentēja, par mūzikas instrumentu izmantodami parasto magnetofonu. Izrādījās, ka tīras lentes švīkstēšana arī var kļūt par spēcīgu skaņas efektu. Lūkass vēlējās panākt ko līdzīgu.

– Ko tu teiktu, ja mēs pamēģinātu abas versijas? – Rolss jautāja samiernieciskā tonī, kas patiesībā nozīmēja viņa apņēmību par katru cenu panākt savu.

– Ko tu teiktu, ja mēs nedaudz noklusinātu basu? – Lūkass iesmējās, demonstrēdams savu slaveno žilbinošo smaidu. *Šoreiz neuzķeršos, Džek.*

Kopš pēdējā albuma laišanas klajā bija pagājuši divi gadi, un Lūkass vēlējās izstrādāt ikvienu sīkāko niansi. Viņš bija parādā saviem klausītājiem. Saviem pielūdzējiem. Faniem. Lūkass ciest nevarēja vārdu "fani", taču no tā jau nekas nemainījās. Kā gan īsti lai dēvē cilvēkus, kuri pērk ne vien viņa albumus, bet arī singlus? Tos, kuri savā starpā apmainās ar tā saucamajām darba lentēm? Tos, kuri pazīst Lūkasa mūziku labāk nekā viņš pats?

Skaņas necaurlaidīgā stikla otrā pusē asistente ar mīmiku un zīmēm kaut ko rādīja. *Telefons!*

Lūkass ar žestu lika viņai vākties pie velna. Viņš taču visus bija brīdinājis, ka uz telefona zvaniem neatbildēs. Viņš strādā. Jau pēc divām nedēļām bija paredzēta koncertturneja pa Āfriku, tā ka laika darbam ierakstu studijā tikpat kā vairs nebija. Atlikušajās reizēs bija jāizdara maksimāli iespējamais.

Asistente negāja prom, bet gan, turēdama telefonu rokā, zīmīgi uz to rādīja.

– Uz šo zvanu jums jāatbild, – viņa sacīja, bez skaņas plātīdama muti.

Noņēmis austiņas, Lūkass piecēlās un iegāja pagaidu kabinetā, ko bija sev iekārtojis gaiteņa galā.

– Viņi piekrīt! – klausulē triumfējoši kliedza viņa aģents Ari Sānderss.

– Par ko tu runā?

– Astoņdesmit procentu no ieņēmumiem! *Madison Square Garden* zālē! – viņš vienā elpas vilcienā nobēra. – Tu brīnies, kā gan Ari Sāndersam izdevies nokārtot ko tādu? Atzīsties, tā ir. Taču aizmirsti! Burvju mākslinieks nekad neatklāj savus noslēpumus!

– Ari, es esmu lēns skots. Tāpēc tev viss jāizskaidro lēni un saprotami. Līdz šim man nav ne jausmas, par ko tu runā.

– Labi, labi, es nespēju tev atteikt. Esam uzzinājuši, ka sakarā ar apdrošināšanas problēmām *Garden* spiesta atcelt hiphopa galā koncertu. Vai vari tam noticēt? Piepeši viņu programmā parādās milzīgs, draudīgs caurums. Piektdienas vakars, bet koncertzālē neiedegas ugunis – vai vari tam noticēt? Un, lūk, tieši tajā brīdī tavs uzticamais bruņinieks liek platu soli uz priekšu un saka arēnas rīkotājdirektoram, ka ir viens puisis, uz kura koncertu atlikušajās četrās dienās visas biļetes izpirks, un tas ir *mans* puisis. Vai ne? Radio palaidīsim sludinājumu, ka gaidāms pārsteigums. Lūkasa negaidītais koncerts! Tas cilvēks aiz prieka gandrīz pieslapināja bikses. Viņš to vēlas! Tā taču ir pirmās lappuses ziņa, vai ne?

– Pirmām kārtām tā ir ziņa *man*, – Lūkass brīdinošā tonī sacīja.

– Ak, taču man bija jārīkojas tieši tā! Es teicu, ka Lūkasam jau sen, ļoti sen Amerikas Savienotajās Valstīs nav bijis koncerta. Ja jūs gribat, lai viņš pārtrauc savu sasodīto iespītēšanos, jums ar viņu jāapietas pa labam. Astoņdesmit procentu no ieņēmumiem. Tā es teicu. Viņš sāka gaudot, ka *Garden* nevienam nekad neesot maksājusi vairāk par piecdesmit procentiem un tā tālāk, un tā tālāk. Tad es teicu: "Brīnišķīgi. Saruna beigusies." Bet viņš: "Pagaidiet brītiņu." Es domās skaitīju: viens, divi, trīs... Un viņš pacēla ķepiņas gaisā. Vai vari tam noticēt? Viņš pacēla ķepiņas gaisā! Ņujorka... gatavojies sagaidīt Lūkasu!

– Paklausies, Ari, – Lūkass iesāka, juzdams, ka viņam krūtīs ielīst satraukums. – Es nezinu, gluži vienkārši es...

Ari Sānderss ar viņam raksturīgo enerģiju atgaiņāja visus iebildumus.

– Tu taču esi svētais! Sasodīts skotu svētais! Visi tie labdarības koncerti, ko tu esi sniedzis pēdējos gados... Es gribu teikt, ka no domas vien par tiem man asaras riešas acīs. Tu esi palīdzējis tik daudzām atraitnēm un bāreņiem! Es jūtu bijību. Jūtu *pazemību*! Un tava bērniem veltītā koncertturneja! Tas iedvesmo! Kā rakstīja žurnāls *Time*, tu labāk nekā jebkurš cits mācēji piesaistīt pasaules uzmanību sliktajam, kas ir mūsu dzīvē. Rokzvaigzne – sabiedrības sirdsapziņa! Kas gan to varēja iedomāties? Bet vai zini ko, Lūkas?

– Jā?

– Viss. *Pietiek!* Jā gan, atraitnes un bāreņi – tie ir jāmīl. Taču dzīves burvība ir līdzsvarā. Tev jāpauž mīlestība arī pret savu pielūdzēju pulkiem. Tev jāpauž mīlestība pret savu aģentu Ari Sāndersu, kurš skrien, uz deguna krizdams, lai tavs vārds ik dienu būtu lasāms laikrakstu slejās.

– Un pēkšņi ar divdesmit procentiem tev vairs nepietiek?

– Piekrīti, – Ari teica. – Šodien esmu radījis vēsturi. Es radīju šo vēsturi *tevis* dēļ. Astoņdesmit procentu no ieņēmumiem – kaut kas tāds nespīd pat pāvestam. – Aģents ievilka elpu. – Starp citu, cik *Grammy* balvu ir saņēmis *viņš*?

– Nu labi, es padomāšu, – Lūkass klusi apsolīja. – Taču man tie labdarības koncerti ir saplānoti...

– Lai Uagadugu kādu dienu iztiek bez tevis. Grozi savus plānus! No tāda piedāvājuma nedrīkst atteikties.

– Es... es tev piezvanīšu.

– Ak Dievs, Lūkas, tu runā kā cilvēks, kuram pie deniņiem pielikta pistole!

Beidzis telefona sarunu, Lūkass atklāja, ka no sviedriem ir gluži slapjš.

Nepagāja ne minūte, un viņa mobilais tālrunis nospēlēja Džimija Hendriksa melodijas fragmentu.

– Lūkass. Es klausos.

Tā bija tā pati labi pazīstamā balss – elektroniski apstrādāta, nedabiska, bez cilvēciskuma, bez izjūtām.

– Nedomājiet mainīt grafiku, – balss teica.

Lūkasam iešāvās prātā doma, ka tā skanētu ķirzakas balss, ja vien ķirzaka iemācītos runāt. Viņš norija kaklā iestrēgušu kamolu. Šķita, ka tur iesprūdis akmens.

– Paklausieties, es darīju visu, ko jūs man likāt...

– Videoieraksts joprojām ir mūsu rīcībā, – balss viņu pārtrauca.

Videoieraksts. Nolādētais videoieraksts! Meitene gluži vai zvērēja, ka viņai jau esot septiņpadsmit. Kā gan viņš varēja zināt, ka viņa piedomājusi klāt trīs gadus, šos trīs nelaimīgos gadus, kas muļķīgo sakaru pārvērta nepilngadīgās izvarošanā! Krimināli sodāmā noziegumā. Kas nozīmēja viņa pūliņu, karjeras, reputācijas un laulības beigas. Mūziķu vidū bija daudzi, kas tādu atmaskojumu pārdzīvotu viegli, kas apzināti kultivēja sliktā puiša tēlu. Taču Lūkass tāds nebija. Gluži otrādi, dažs labs viņam pārmeta pārspīlētu moralizēšanu un tikumību. Tie tad arī metīsies viņam

128

virsū, lai sapluinītu. Un ja nu pret viņu ierosinās krimināllietu? Viņš iztēlojās avīžu virsrakstus. LAIKS MAKSĀT PAR GRĒKIEM. ROKZVAIGZNE LŪKASS APCIETINĀTS! BĒRNU AIZSTĀVIM IZVIRZĪTA APSŪDZĪBA NEPILNGADĪGAS MEITENES IZVAROŠANĀ. Varbūt kāds to varētu pārdzīvot. Lūkass ne.

– Labi, – Lūkass sacīja. – Es sapratu.

Vispretīgākais bija tas, ka pēc Ara zvana viņam piezvanīja tik ātri. Acīmredzot viņa telefona sarunas noklausījās, un tas turpinājās jau kādus trīs gadus. Varēja tikai minēt, cik liela viņa dzīves daļa ir šo neredzamo manipulatoru redzeslokā. Šķita, ka viņu informētībai nav robežu, lai arī kas šie "viņi" būtu.

– Nedomājiet mainīt grafiku, – balss atkārtoja. – Uzvedieties rātni.

– It kā man būtu izvēle, – Lūkass drebošā balsī nomurmināja.

– It kā man būtu cita izvēle, kaut jūs...

Dubaija, Apvienotie Arābu Emirāti

Ainava, kas Belknepam pavērās skatienam, bija gluži kā no Žila Verna romāna. Virs Arābijas pussalas tuksneša smiltāja kā starpzvaigžņu kuģi debesīs tiecas stikla un betona augstceltnes. Senie Austrumu tirgi bija patvērušies iespaidīgo tirdzniecības centru ēnā, un koka laivas, *dhou*, piestātnēs stāvēja līdzās mūsdienu kravas kuģiem un kruīza laineriem, bet ļaužu pārpilno ielu malās līdzās paklājiem, ādas izstrādājumiem un greznumlietiņām tika piedāvāti videodisku atskaņotāji un mūzikas centri. Dubaija – tā bija vieta, kur ir viss, tikai ne pasta adrese. Šeiha Zāida ielā atradās ēka, un kādā oficiālā plānā varbūt šim namam bija numurs. Taču pastu šeit piegādāja saskaņā ar pastkastīšu, nevis māju numuriem. Dubaijas starptautiskajā lidostā, kuras platība pārsniedz pilsētas lietišķo iestāžu centra teritoriju, Belkneps iesēdās dzeltenbrūnā taksometrā – pēc trokšņainā, daiļrunīgā šofera prasības samaksādams par trim pārējām vietām arī.

Taksometra vadītājam, pakistānietim, ap galvu pēc vietējā stila bija baltsarkani rūtots arābu lakats, kas atgādināja vecmodīga itāliešu restorāna galdautu. Viņš bez apstājas tērgāja par visvisādām izpārdošanām, bet savu galveno priekšlikumu bija spiests atkārtot trīs reizes, iekams Belkneps to saprata.

– Jūs taču gribat aizbraukt uz akvaparku *Wild Wadi*, vai ne? – Acīmredzot tūristu izklaide, Belkneps sprieda. Visas iespējamās ūdens atrakcijas divpadsmit akru platībā, un šoferis visticamāk saņem komisijas naudu par katru atvesto klientu.

Belknepam, kuru domnas krāsns karstums un žilbinošā saule virs galvas bija apdullinājusi, šķita, ka viņš nonācis uz dzīvošanai nelietojamas planētas, kur spiests pārvietoties no viena ar skābekli pildīta kupola uz citu. Katrā ziņā lielākā daļa Dubaijas milzu celtņu radīja pilnīgi mākslīgu vidi – tā bija tērauda, freona un stikla oāze. Tā bija brīvības zeme, kas vienlaikus tika rūpīgi apsargāta, īpaši, ja viesa nodoms nebija iepirkšanās vai atpūtas baudīšana greznā kūrortā. Atkarībā no vizītes mērķa viņu šeit gaidīja vai nu tūkstoš viesmīlīgu naktsmāju, vai tūkstoš slēgtu durvju. Džanni Matuči Romā bija nosaucis adresi, kas atbilst telefona numuram, no kura vecākiem bija zvanījusi itāliešu meitene. Nokļuvis Dubaijā, Belkneps apjēdza, ka šī adrese viņu aizvedusi nevis uz dzīvojamo māju vai viesnīcu, bet uz privātu pasta nodaļu, kas nodarbojās ar korespondences sadali vairākām piekrastes piecazvaigžņu viesnīcām.

Ja blakus nevīdētu Persijas līča liegā zilgme, Belkneps domāja, varētu rasties iespaids, ka cilvēks nokļuvis Lasvegasā – šeit valdīja tāda pati bezgaumīgas pārpilnības izrādīšana, salkans popmodernisms un arhitektūra, kas simbolizē cilvēka neierobežoto alkatību. Toties tepat netālu tuksnesī, kas apjoza Dubaiju, starp izkaltušām upju gultnēm karsta izveidotās ieplakās mitinājās Korānam uzticīgi ļaudis, kuri sapņoja par globālas islāma valsts, *ummah*, nodibināšanu un amerikāņu imperiālisma, kā viņiem labpatika to dēvēt, izgrūšanu no sedliem. Dubaijas mērķis bija izdabāšana ārzemniekiem, taču izkaltušā tuksneša iemītnieki kvēli ilgojās šos ārzemniekus pazemot. Ārējais miers bija tikpat īslaicīgs kā varavīksne.

– Nekādu akvaparku, – Belkneps noņurdēja, apdzēsdams mirdzumu šofera sejā. – Nekādu Dubaijas restorānu. Nekādu Dubaijas tuksneša klases golfa laukumu. Nē.

– Bet, sāhib...

– Un nesauc mani par sāhibu. Neesmu nekāds pulkvedis no Kiplinga grāmatas.

Taksometra vadītājs negribīgi izsēdināja viņu pie nelielas pasta nodaļas, kas nodarbojās ar korespondences šķirošanu.

Izkāpjot no mašīnas, Belknepam gluži kā sitiens pretī cirtās spiedīgā tveice. Viņš ieliecās atpakaļ taksometrā.

– Gaidi mani, – Belkneps sacīja, pasniegdams šoferim vēl vienu žūksni zilsārtu dirhēmu, šīs valsts valūtu.

– Es ņemu dolārus, – ar cerību bilda taksometra vadītājs.

– Par to es nešaubos. Vai tad ne tāpēc eksistē Dubaija?

Šofera sejā iezagās viltīgs smīns. Belkneps atcerējās arābu parunu: "Nekad necenties saprast, ko domā kamielis par savu jātnieku."

– Es gaidu, – pakistānietis teica.

Pasta nodaļa atradās dzelzsbetona kastei līdzīgā ēkā ar zemiem griestiem un balsinātām sienām. Fasādes pusē tai bija aizrestota vitrīna, citu logu nebija. Šī iestāde bija paredzēta ārzemju viesu apkalpošanai, nevis izrādīšanai. Te pienāca korespondence, kas bija adresēta uz dažādām pastkastītēm, – no šejienes to pa šaurām ieliņām izvadāja uz spožajiem izklaides un atpūtas centriem, kas rindojās gar piekrastes šoseju.

Belkneps nolēma tēlot oficiālu amatpersonu, tāpēc bija uzvilcis gaišzilu linu uzvalku un sniegbaltu kreklu. Iegājis iestādē, viņš uzreiz saprata, ka nepiederīgas personas šeit neiegriežas. Aiz letes neviena nebija. Plata, ar laminātu izklāta josla – tādas ir fabrikās, kur neizmanto smagu aparatūru, – veda uz plašu zāli, kurā darbinieki šķiroja pasta sūtījumus, likdami tos stiepļu grozos. Pirmajā acu uzmetienā šķita, ka tie visi ir filipīnieši. Belkneps nespēja uzreiz noteikt, kurš no viņiem ir galvenais. Izrādījās, ka tas ir drukns vīrs, vietējais, kurš ar neaizdegtu cigāru cīsiņiem līdzīgajos pirkstos sēdēja stūrī uz augsta ķebļa ar mapi rokā. Dienasgaismas lampu spilgtajā gaismā resnā vīra ar bezkrāsainu laku pārklātie nagi spīdēja. Katrā strupajā pirkstā bija pa gredzenam.

Belkneps, kā jau uzvalkā tērptai amatpersonai piedienas, lietišķi "runāja" pa tālruni, it kā turpinādams iesāktu sarunu.

– Pilnīgi pareizi, inspektora kungs, – piespiedis tālruni pie auss un pieliecis galvu, viņš sacīja. – Esam jums ļoti pateicīgi par sadarbību, un, lūdzu, nododiet mūsu cieņas apliecinājumus gubernatora palīgam. Nedomāju, ka radīsies sarežģījumi. Visu labu.

Pēc tam ar pavēlniecisku mājienu viņš paaicināja sev klāt drukno, gredzenoto arābu. Belkneps nolēma informāciju iegūt, nevis uzdodoties par savējo, bet, gluži otrādi, uzsverot, ka ir ārzemnieks. Viņš būs augstprātīgs amerikānis, valdības ierēdnis, kurš no visiem gaida bezierunu paklausību, – viņa eksteritoriālās privilēģijas nodrošina simtiem miglainu līgumu un divpusēju vienošanos.

Pārvaldnieks sīkiem soļiem pietipināja pie Belknepa. Viņa sejā vīdēja savāda izteiksme – gan padevība, gan īgnums.

– Esmu īpašais aģents Belkneps, – amerikānis uzsvērti sacīja, pasniegdams Virdžīnijas štatā izdotu autovadītāja apliecību ar tādu svarīgumu, it kā tās būtu pilsētas atslēgas.

Arābs izlikās, ka apliecību uzmanīgi pēta.

– Skaidrs, – viņš atbildēja tikpat svarīgi.

– Kā redzat, esmu no Narkotisko vielu apkarošanas biroja, – Belkneps turpināja. – Veicam kopīgu operāciju.

– Jā, jā, protams.

Belkneps redzēja, ka pārvaldnieks nespēj izlemt, vai saukt savu priekšniecību vai nesaukt.

– Pastkastīte numur viens viens četri viens septiņi, – steidzīga cilvēka balsī Belkneps teica. – Kur tā atrodas?

Viņa sejas izteiksme joprojām bija barga, un viņš neteica ne "lūdzu", ne atvainojās, ne ieminējās par pakalpojumu. Viņa kategoriskais tonis nepieļāva iespēju mosties jebkādām aizdomām. Belkneps neglaimoja, nebija piesardzīgs, kāds būtu cilvēks, kurš pūlētos iegūt informāciju, uz ko tam nav tiesību. Arābam pat īsti neienāca prātā doma par to, vai viņam amerikāņa prasību vajadzētu izpildīt, jo tā izskanēja tā, it kā būtu pati par sevi saprotama. Belkneps pieprasīja to, ko viņam pienācās zināt tā resora uzdevumā, kam viņš strādāja. Pārvaldnieka trauksmei un šaubām nebija pamata – viņš gluži vienkārši nevarēja pieņemt kļūdainu lēmumu, jo izlemt viņam neviens neko nepiedāvāja.

– Ā–ā, – pārvaldnieks novilka, jo bija gaidījis daudz sarežģītāku jautājumu. – Tas ir *Palace Hotel*. Kādus divus kilometrus no šejienes, ja brauc pa Al Halīdža apbraucamo ceļu.

Viņš nenoteikti pasvieda gaisā roku, un Belkneps apjēdza, ka viņš rāda, cik iespaidīga ir šī viesnīca – līdzīga valim, no stikla un betona, ar galveno torni kā ūdens stabs.

– To es vēlējos noskaidrot, – Belkneps sacīja.

Druknais vīrs atviegloti nopūtās. *Un tas ir viss?*

Atgriezies pie taksometra, Belkneps redzēja, ka pārvaldnieks stāv durvīs, pavadīdams viņu ar skatienu. Acīmredzot viņu mulsināja dzeltenbrūnais taksometrs – neapšaubāmi bija gaidījis ko

132

iespaidīgāku. Taču apspriesties viņš ne ar vienu nesāks. Ja kļūda
patiešām pieļauta, lai tas paliek viņa noslēpums.
– Nu, vai tagad braukt uz akvaparku? – šoferis apvaicājās.
– Tagad braukt uz *Palace Hotel*, – Belkneps atbildēja.
– Ļoti labi, – taksometra vadītājs nopriecājās. – Jūs redzēs, cik
liels valis. – Viņš pasmaidīja, atsegdams no košļājamās tabakas
nobrūnējušus zobus ar lielām spraugām.

Šoferis, nolēmis ceļu saīsināt, devās caur zivju tirgu, kur zaļ-
ganos virsvalkos ģērbušies viesstrādnieki ar metronoma sitienu
vienmuļību ķidāja zivis, un izbrauca uz Šeiha Zaīda ielas, gar ku-
ras malām slējās varenas mirdzošas ēkas, cita par citu milzīgāka.
Palace Hotel, kas bija uzbūvēta viena no pēdējām, bija arī viena no
ērmīgākajām. Grandiozā "aste" bija iebraucamie vārti, un, kad
taksometrs apstājās cieņpilnā attālumā no durvīm, Belkneps
iegāja vestibilā tāda cilvēka gaitā, kurš pilda svarīgu uzdevumu.

Un ko nu? Viesnīcā bija vismaz septiņsimt numuru. Lai gan
jaunās itālietes telefona sarunas starptautiskā sakaru līnija pie-
ņēma caur centrālo komutatoru, zvani, ko viesi izdarīja no saviem
apartamentiem, tika šeit reģistrēti. Taču viesnīcas administrato-
riem bija daudz lielāka izpratne par saviem pienākumiem nekā
Dieva aizmirstas pasta nodaļas pārvaldniekam. Šie cilvēki ik
dienas bija saskarsmē ar viesiem, lielu nozīmi piešķīra viesnīcas
reputācijai un skaidri zināja, ko varas iestāžu pārstāvji viņiem *var*
jautāt un ko *nevar*.

Vestibilā Belkneps palūkojās visapkārt, ātri novērtēdams situ-
āciju. Plašās halles vidū atradās liels zilgans akvārijs. Tajā pel-
dēja nevis eksotiskas jūras radības, bet gan, laiski un vijīgi kustē-
damās ar sintezatoru atskaņotas *New Age* melodijas ritmā,
puskaila meitene jūras nāras tērpā ar sejas masku. Laiku pa lai-
kam meitene ieelpoja gaisu pa caurulīti, kas bija tādā pašā krāsā
kā ūdenszāles. Ja vestibilā ieskatītos kāds islāma fundamentālists,
šī aina apstiprinātu viņa ļaunākos priekšstatus par Rietumu pa-
grimumu. Taču kaut kas tamlīdzīgs diez vai bija iespējams – mūs-
dienu pasaulē attālumus mēra nevis jūdzēs un kilometros, bet so-
ciālu atšķirību mērvienībās. Šis greznais anklāvs piederēja pie tās
pašas pasaules, kurai pieskaitāmi luksusa kūrorti Antibā,
Isthemptonā, Pozitāno un Mistikas salā. Tie bija īstie kaimiņi.
Palace Hotel nebija nekāda sakara ar ģeopolitisko teritoriju, ko
sauca par Tuvajiem Austrumiem, tikai tāda, ka viesnīca šeit atra-
dās. Šo celtni bija projektējuši Londonas, Parīzes un Ņujorkas

arhitekti, tās restorānu vadīja pasaulslavens spāņu šefpavārs, un reģistratori, apkalpotāji un durvju sargi bija angļi, kas, protams, mācēja Eiropas galvenās valodas.

Belkneps vestibila stūrī apsēdās uz zilbalta turku dīvāna, izvilka no kabatas mobilo tālruni un piezvanīja. Saruna acumirklī bija nodrošināta. Belkneps atcerējās tos laikus, kad starptautiskās sarunas sagandēja nenosakāmi trokšņi un statiskās elektrības sprakšķi, it kā ikvienam tiktu dota iespēja paklausīties, kādas skaņas rada zemūdens straumes, apskalodamas okeānos kabeļus, kas savieno kontinentus. Mūsdienās signāls no vienas pārtikušas pasaules daļas uz otru bija kristāldzidrs – pat dzidrāks nekā vietējās sarunās, teiksim, no viena Lagosas rajona zvanot uz otru. Belkneps uzreiz pazina balsi, kas atskanēja klausulē. Tas bija Mets Gomess, kurš arī acumirklī saprata, kas zvana.

– Pie mums runā, – teica jaunākais operatīvais darbinieks, – ka jūs ar Mežonīgo Billu Gerisonu esot tā klieguši viens uz otru, ka siekalas vien šķīdušas. Gluži vai lietus lijis.

– Ikviena dzīvē laiku pa laikam jālīst lietum, – Belkneps atbildēja. – Manuprāt, par kaut ko tādu dzied Pets Būns.

– Pets Būns? Kā tad ar *Ink Spots*, vecīt?

– Mazais, man vajadzīgs pakalpojums. – Belkneps kļuva nopietns. Viņš no jauna pārlaida vestibilam skatienu. Platajā ūdenstvertnē nāra meta savus slinkos apļus, droši vien prātā rēķinādama izpeļņu par nostrādātajām stundām. Viņas svētlaimīgais smaids aiz maskas pamazām sāka izskatīties samocīts.

– Lai nodrošinātos, visas tālruņa sarunas, iespējams, noklausās, – Gomess nevērīgā tonī brīdināja.

– Vai tu spēj iedomāties, cik tūkstošu jūdžu magnētisko lenšu ar digitālajiem ierakstiem jau sakrāti? Ieraksts notiek automātiski, tas ir vienkārši. Galvenais – noklausīties ierakstīto, bet ar to rodas problēmas, jo trūkst cilvēku. Es riskēšu, cerēdams, ka tu nevienu īpaši neinteresē.

– Kurš no mums riskē? Man atliek vienīgi tevi iedomāties, lai izpelnītos jaunas lietusgāzes.

– Man no tevis vajadzīgs tikai viens. Piesedz mani.

– Vai vari apsolīt, ka tas iekļausies oficiāli atļautajā operācijā un nebūs pārkāpums? – Belkneps iztēlojās, ka Gomess viņam pamirkšķina.

– Tu man izņēmi vārdus no mutes, – Belkneps teica. Tad viņš izklāstīja Gomesam, ko no tā vēlas.

Visās starptautiskajiem viesnīcu tīkliem piederīgajās viesnīcās bija cilvēks, kurš sadarbojās ar amerikāņu izlūkdienestiem, tos koordinēdams, kad bija vajadzīgs kāds īpašs pakalpojums. Ta ir viesnīcu biznesa neatņemama sastāvdaļa – pajumtes nodrošināšana ne vien desmitiem tūkstošu ceļotāju, bet arī noziedzniekiem, pat teroristiem, kuri mēdz iejukt šajā burzmā. Apmaiņā pret konfidenciālu informāciju Centrālā izlūkošanas pārvalde nereti viesnīcām sniedz ziņas par potenciāli bīstamiem klientiem un iespējamu risku.

Gomess pats nevienam uz *Palace Hotel* nezvanīs, viņš piezvanīs kādam uz viesnīcas pārvaldītājkompāniju Čikāgā. No turienes kāds piezvanīs viesnīcas pārvaldniekam Dubaijā. Pēc piecām minūtēm Belknepa tālrunis sāka klusi vibrēt. Tas bija Gomess, kas pavēstīja, kā sauc pārvaldnieka vietnieku, kuram tikko dots rīkojums sniegt palīdzību īpašajam aģentam Belknepam.

Šis cilvēks patiešām palīdzēja. Viņu sauca Ibrāhīms Hāfezs, un viņš bija trīsdesmit gadus vecs neliela auguma labi izglītots vīrietis. Droši vien viņa tēvs ieņēma atbildīgu amatu Dubaijas viesnīcu biznesā. Pret Belknepu viņš izturējās ne bijīgi, ne naidīgi. Viņi tikās nelielā, viesu skatieniem apslēptā kabinetā. Tā bija ļoti mājīga telpa ar rakstāmgaldu, uz kura gulēja kārtīgas aploksņu kaudzītes un bija novietotas divas fotogrāfijas – acīmredzot Hāfeza sievas un mazās meitiņas ģīmetnes. Viņa sieva bija slaida auguma sieviete ar spulgām melnām acīm, un viņa pārdroši smaidīja objektīvā, kaut gan skatienā jautās mulsums. Iespējams, tas bija atgādinājums pārvaldnieka vietniekam, kas šajā izlikšanās valstībā ir īsts.

Piesēdies pie datora, Hāfezs ievadīja Romas telefona numuru, uz kuru bija zvanīts no viesnīcas. Pēc mirkļa uz ekrāna parādījās meklējumu rezultāti. Uz norādīto numuru bija zvanīts apmēram desmit reižu.

– Vai jūs varat pateikt, no kura numura zvanīts? – Meitene bija pārliecinājusi vecākus, ka atrodoties "jaukā vietā", kas, protams, pilnīgi atbilda patiesībai. Ja viņa dzīvoja *Palace Hotel*, pret viņu izturējās karaliski.

– No kāda numura? – Pārvaldnieka vietnieks nogrozīja galvu.
– Katru reizi zvanīts no cita numura. – Hāfezs ar pildspalvas uzgali bakstīja skaitļu ailē.

Kā tas iespējams?
– Tātad vienlaikus īrēti vairāki numuri?

Pārvaldnieka vietnieks palūkojās uz Belknepu tā, it kā tas būtu visai aprobežots, un tikko manāmi papurināja galvu. Ar kursoru uzklikšķinājis vairākiem istabu numuriem, viņš atvēra datnes, kurās bija minēts numura īrnieka vārds un uzturēšanās ilgums viesnīcā. Uzvārdi bija atšķirīgi, tie visi bija vīrieši.

– Vai jūs gribat sacīt...

– Bet ko tad *jūs* domājāt?

Šis pieklājīgais jautājums izteica visu. Lučija Zingareti bija prostitūta – tā dēvētā eskorta meitene. Spriežot pēc tā, cik bieži viņa mēdza būt *Palace Hotel*, viņas pakalpojumi bija pieprasīti. Ja laiku pa laikam viņa no apartamentiem, kuros ciemojās – droši vien vannas istabas izmantošanas laikā –, kādam piezvanīja, viņas klienti acīmredzot traci par šo papildu summu rēķinā necēla.

– Vai varat nosaukt to meiteņu vārdus, kuras strādā jūsu viesnīcā?

Hāfezs pavērās viņā ar neizpratnes pilnu skatienu.

– Jūs laikam jokojat. *Palace Hotel* tādu nodarbi neatbalsta. Kā gan man varētu būt šādas ziņas?

– Jūs gribat teikt, ka pieverat uz to acis.

– Ne uz ko es nepieveru acis. Bagātie amerikāņi un eiropieši uz šejieni brauc izklaidēties. Mēs cenšamies apmierināt visas viņu vēlmes. Droši vien jūs ievērojāt, ka mūsu vestibilā ir baseins, kurā visu dienu peld *sharmuta*.

Sharmuta arābu valodā nozīmē "palaistuve" vai "mauka", un Hāfezs šo vārdu izgrūda ar neslēptu pretīgumu. Viņa amats prasīja, lai klients no viņa viesnīcas dotos prom apmierināts, taču viņš pat nemēģināja izlikties, ka tāds darbs viņam patiktu.

Ieraudzījis, ka Belkneps uzmet skatienu viņa sievas fotogrāfijai, Hāfezs acumirklī pagrieza ģīmetni ar attēlu pret galda virsmu. Viņa sievas neaizsegtā seja nebija domāta svešām acīm. Belkneps pēkšņi saprata, kas izraisījis mulsumu šīs sievietes sejā. Viņa nedrīkstēja rādīt cilvēkiem seju bez plīvura. Fotogrāfija ar neaizklātu seju un neapsegtiem matiem bija apgrēcība, gluži kā kailfoto. Apgrēcība gan viņai, gan vīram.

– Mēs pēc jums mazgājam netīro gultas veļu, sakopjam tualetes, aizvācam jūsu sieviešu higiēniskās paketes ar mēnešreižu izdalījumiem – jā, mēs to visu darām un turklāt vēl smaidām. Taču neprasiet, lai mēs par to priecātos. Atļaujiet mums saglabāt vismaz kripatu pašcieņas.

– Paldies par izsmeļošo lekciju. Taču man vajadzīgi uzvārdi.

136

– Man to nav.

– Tad pasakiet, kam tie ir. Jūs esat profesionālis, Ibrāhīm. Šeit nekas nav tāds, ko jūsu vērīgās acis neredz.

Hāfezs nopūtās.

– To varbūt zinās viens izsūtāmais zēns. – Viņš uzgrieza iekšējā telefona piecciparu numuru. – Konrad, ienāciet manā kabinetā!

Viņš atkal necentās slēpt savu nepatiku. Konrads, bez šaubām, bija viens no darbiniekiem eiropiešiem, ko uzspieduši saimnieki no okeāna viņa puses. Hāfezam viņš nebija nekas vairāk kā netīrie palagi un izlietotas higiēniskās paketes.

– Jau eju, – skaļrunī atskanēja balss ar īru akcentu.

Konrads bija gados jauns puisis ar cirtainiem rudiem matiem un ašu smaidu. Viņš atgādināja žokeju.

– Sveiks, Bram! – viņš uzsauca Hāfezam, jokodams piemezdams pirkstus pie formas tērpa cepures naga.

Ibrāhīms Hāfezs neuzskatīja, ka būtu vērts pievērst uzmanību tādam ākstam.

– Atbildiet šim džentlmenim uz visiem viņa jautājumiem, – Hāfezs stingri sacīja izsūtāmajam. – Atstāšu jūs vienus.

Īsi pamājis ar galvu, viņš izgāja no kabineta.

Konrada smaids gaisa un atplauka pārsteidzoši ātri atkarībā no Belknepa jautājumiem. Viņa sejā gluži kā kaleidoskopā mainījās visas iespējamās izteiksmes – no neizpratnes līdz rūpēm, no sazvērnieciskas uz baudkāru. Belknepam neviena no tām nepatika.

– Tātad, mans draugs, kuru no "zaķiem" jūs meklējat? – Konrads beidzot pajautāja.

– Itālieti, – Belkneps atbildēja. – Jaunu. Melnīgsnēju.

– Jā, jā... – Konrads novilka. – Tu esi izvēlīgs. Tāds, kurš zina, ko vēlas. Es tādus cienu. – Taču viņu acīmredzami mulsināja Hāfeza līdzdalība šajos meklējumos.

– Vai tu pazīsti kādu meiteni, kas atbilst šim raksturojumam?

– Nu... – Konrada skatienā bija jaušams aprēķins. – Patiesībā man ir tieši tas, ko doktors izrakstījis.

– Kad es varu viņu redzēt?

Konrads slepus ieskatījās pulkstenī.

– Drīz.

– Pēc stundas?

– Es varu to nokārtot. Par nelielu komisijas naudu. Starp citu, ja grasāties izklaidēties, varbūt jums būs vajadzīga "degviela". Varu piedāvāt *ecstasy*, kokaīnu, zālīti – visu, ko vēlaties.

– Vai meitene patlaban ir šeit, viesnīcā?

– Kāpēc jūs to jautājat? – Konrads tēloja neizpratni.

Atbilde tātad bija pozitīva.

– Kurā numurā?

– Ja vēlaties izpriecāties trijatā...

Piegājis klāt īru puisim, Belkneps sagrāba viņu aiz apkakles un pacēla dažu collu augstumā.

– Nosauc to sasodīto numuru! – piebāzis seju Konradam klāt, viņš uzkliedza. – Vai arī es nodošu tevi ēģiptiešu rokās nopratināšanai. Vai skaidrs?

– Jēziņ! – Konrads nomurmināja, sākdams aptvert, ka iekūlies nepatikšanās.

– Vai grasies kavēt starptautisku izmeklēšanu? Tad iesaku tev sameklēt labu advokātu. Ja mūsu draugi ēģiptieši gribēs tevi pārmācīt ar kailiem elektrodiem, piekrīti. Jo alternatīva būs vēl ļaunāka.

– Tūkstoš četrsimt piecdesmitais numurs, ser. Četrpadsmitais stāvs, no galvenā lifta uzreiz pa kreisi. Lūdzu, nejauciet mani tajā iekšā.

– Vai tu viņiem zvanīsi un brīdināsi?

– Pēc tā, ko jūs teicāt par elektrodiem? Diez vai, draugs. – Puisis mēģināja pasmaidīt, taču viņam izdevās savilkt vienīgi sāju grimasi. – Tie bija maģiski vārdi. Ar spēcīgu iedarbību.

Belkneps pastiepa roku.

– Mūķīzeri!

Izsūtāmais zēns negribīgi pasniedza viņam savu atslēgas karti, acumirklī sastingdams profesionālā apkalpotāja stājā, it kā cerēdams uz dzeramnaudu.

– Atceries elektrodus, – iedams puisim garām, Belkneps ar lūpu kustībām atgādināja.

Pēc nepilnām četrām minūtēm viņš stāvēja pie 1450. numura, kas atradās viesnīcas galvenā torņa divu trešdaļu augstumā. Belkneps ieklausījās, taču iekšpusē nebija dzirdama ne skaņa. *Palace Hotel* bija celta pēc jaunākajiem tehnikas atzinumiem, no labākajiem būvniecības materiāliem. Iebāzis atslēgas karti spraugā, Belkneps pagaidīja, līdz sāk mirkšķināt zaļā uguntiņa, un tad pagrieza rokturi. Aiz šīm durvīm viņš atradīs Lučiju

138

Zingareti, savu vienīgo pavedienu. *Turies, Džered*, Belkneps domās teica draugam. *Es tuvojos.*

Andrea Bānkrofta bija nolēmusi savākt savas lietas *Coventry Equity Group* birojā, taču, sēžot pie sava rakstāmgalda, viņai ienāca prātā cita doma. Viņa varētu vēlreiz izmantot biroja resursus. Darbabiedri šķiras no Andreas ar noželu, tāpēc diez vai iebildīs, ja pēdējo dienu viņa pavadīs pēc saviem ieskatiem.

Viņai no prāta neizgāja bezvārda viesa mīklainie vārdi: *Jūs esat ļoti līdzīga savai mātei.* Ko tas viss nozīmē? Vai patiešām viņu sāk mocīt nepamatotas aizdomas? Varbūt tā ir novēlota reakcija uz mātes nāvi, uz pēkšņumu, ar kādu uzradās Bānkroftu mantojums? Nē, Andrea domāja, viņa taču nav nekāda histēriķe. Viņa nepavisam nav tāda. Bet Andrea nespēja sev atbildēt, kāda tad īsti ir.

Tu esi profesionāle. Dari to, ko esi apguvusi. Galu galā Bānkrofta fonds ir organizācija, bezpeļņas korporācija, un viņai ir pieredze korporāciju uzraudzīšanā, gan publisku, gan diskrētu firmu darbības pārbaudīšanā, viņa māk ieraudzīt to, kas noslēpts aiz reklāmas brošūru un presei domāto paziņojumu gludajiem formulējumiem. Tikpat cieši viņai jāielūkojas arī Bānkrofta fondā.

Iekārtojusies pie datora termināļa, kas atradās uz viņas rakstāmgalda, Andrea ielūkojās noslēpumainās datu bāzēs. Amerikas Savienotajās Valstīs reģistrētas bezpeļņas organizācijas – arī tik konfidenciālas organizācijas, kāds bija Bānkrofta fonds, – darbību nosaka statūti un dažādi noteikumi. Saskaņā ar federālo likumu statūti, dibināšanas nolikums un citas ziņas par atbildīgajiem vadītājiem ir atklāta informācija, kas pieejama visiem.

Divas stundas cītīgi pētījusi digitalizētos dokumentus, Andrea vispārējos vilcienos Bānkrofta fonda shēmu izprata – vismaz formāli fonds sastāvēja no daudzām neatkarīgām nodaļām, starp kurām bija Bānkrofta Nekustamo īpašumu pārvalde, Bānkrofta Labdarības trests, Bānkrofta Ģimenes trests un tā tālāk, un tā joprojām. Finanšu straumes plūda pa tiem kā pa sarežģītu cauruļu un ventiļu sistēmu.

Andreai apkārt savās darba vietās strādāja kolēģi – *bijušie kolēģi*, viņa izlaboja sevi. Viņai ienāca prātā, ka tie atgādina robotus, sēdēdami pie rakstāmgaldiem, klabinādami tastatūras, runādami pa telefoniem un veikdami simtiem citu uzdevumu ar trim vai četrām pamatkustībām, kas dienas garumā neskaitāmas reizes atkārtojās. Andrea pabrīnījās par sevi – nekad agrāk viņa tā nebija domājusi.

Ar ko gan es atšķiros no viņiem? Es nodarbojos ar to pašu. Taču atšķirība bija. Andrea zināja, ka tas, ar ko nodarbosies viņa, patiešām ir ļoti svarīgs.

Ielauzdamies Andreas pārdomās, iemurrājās telefons.

– Sveika, meitenīt! – Brenta Fārlija plūstošais baritons bija glaimīgs. – Tas esmu es.

Viņas balss toties bija vēsa – gluži kā vējš Arktikas tundrā.

– Kā varu palīdzēt?

– Vai tev šis vakars ir brīvs? – Brents moži jautāja. – Paklausies, es jūtos ļoti nepatīkami pēc tā visa... pēc mūsu šķiršanās. Mums jāaprunājas. Labi?

– Un par ko gan mums jāaprunājas? – Saglabāt balsī mūžīgā sasaluma toni, kā izrādījās, bija apbrīnojami viegli.

– Andrea, neesi tāda! Vai zini, esmu sagādājis pāris biļešu uz...

– Es gribētu zināt, – Andrea viņu pārtrauca, – kāpēc tu man nolēmi piezvanīt? Kāpēc tieši tagad?

Brents sāka stostīties.

– Ko nozīmē "kāpēc"? Tāpat vien, – viņš meloja.

Andreai bija skaidrs – viņš uzzinājis jaunumus.

– Es... kā jau teicu, – Brents turpināja tikpat stomīgi, – es domāju, ka mums vajadzētu aprunāties. Varbūt sākt visu no jauna... Lai arī kā būtu, mums patiešām jāaprunājas.

Vai tāpēc, ka "seklajai viduvējībai" pēkšņi ir tik daudz naudas, cik tu nenopelnīsi visā mūžā?

– Man ar tevi vairs nav par ko runāt, – Andrea rāmi atbildēja. – Turklāt mēs tikko parunājāmies. Paliec sveiks, Brent. Un, lūdzu, nezvani man vairs.

Viņa nolika klausuli, juzdama tādu kā atriebes uzbudinājumu un tajā pašā laikā, lai cik savādi, arī nogurumu.

Andrea piegāja pie kafijas automāta un pamāja ar roku Volteram Sačam, firmas moderno tehnoloģiju ģēnijam, kurš dedzīgi strīdējās ar savu palīgu par kukurūzas pārslu tāfelīšu kvalitāti. Sačs bija spoža prāta īpašnieks, taču par slinku, lai savas spējas izmantotu pilnīgi. Savādi, bet viņš bija absolūti vienaldzīgs pret to, kā pelna iztiku, un jutās ar dzīvi apmierināts. Savu darbu viņš padarīja labi, taču tas prasīja tikai nelielu daļu viņa spēju.

– Sveiks, Volt! – Andrea uzsauca. – Vai tu strādā vaiga sviedros vai svīsti, izlikdamies, ka strādā?

Viņš pagrieza savu stūraino galvu uz Andreas pusi un sāka mirkšķināt acis, it kā kaut kas būtu pielipis pie kontaktlēcas.

– Šo sistēmu darbam es varu sekot miegā vai ar kreiso roku, vai, ja labi padomā, ar kreiso roku miegā. "Vai" šoreiz ietver, nevis izslēdz. Ar pilnu atbildību apgalvoju, ka ar aizmigušā Voltera Sača kreisās rokas noraustīšanos pietiktu, lai šīs sistēmas justos uzraudzītas. Piedod, Andrea, man šodien ir nosliece uz Būla algebru. Manuprāt, es tāds kļūstu kukurūzas pārslu tāfelīšu ietekmē. Vai tu zini, ka šīs tāfelītes ražo tikai tāpēc, ka nav kur likt kukurūzas sīrupu? Vai tu zini, cik produktu uzradušies pārtikas lielveikalu plauktos šā kukurūzas sīrupa pārpilnības dēļ? – Viņš atkal sāka lēni, bet nepārtraukti mirkšķināt acis. Andreai tas atgādināja stikla tīrītāju vēzienus pa automašīnas priekšējo stiklu krītoša sniega laikā.

– Tā, piemēram, kečups...

– Vēl jau saredzēsimies, Volt, – Andrea izmeta, atgriezdamās savā vietā ar krūzi kafijas rokā.

Pēc lejupielādes viņa atkal pētīja jaunus dokumentus un jaunas digitalizētu arhīvu datu kopas. Tikšana skaidrībā par fonda iekšējo struktūru, kas atgādināja bišu šūnas, bija izaicinājums viņas prātam. Andrea centās saskatīt kopējo ainu, vienlaikus pievērsdama vērību niansēm. Lasīdama pēdējo gadu desmitu dokumentus, viņa izbrīnījusies atklāja, ka fonda pamatstruktūrās kādu laiku strādājusi viņas māte Lora Perija Bānkrofta.

Tas bija kas neticams! Kā Bānkrofta fondā varēja strādāt viņas māte, ja viņa juta riebumu pret visu, kas bija saistīts ar vīra ģimeni? Tajā pašā dokumentā Andrea izlasīja vēl ko dīvainu. Māte bija aizgājusi no darba fondā dienu pirms bojāejas autoavārijā.

Dubaija, Apvienotie Arābu Emirāti

Krēslainās istabas stūrī ar zilu samtu apšūtā atzveltnes krēslā bija atgāzies vīrietis, un viņam uz ceļgaliem sēdēja jauna, kaila meitene. Izdzirdējis durvju vēršanās troksni, vīrietis – gadus sešdesmit vecs, ar gludi skūtu, saulē nosārtušu galvu un baltu apmatojumu uz krūtīm – nogrūda no sevis meiteni, kas nokrita uz grīdas. Vīrietis neveikli pietrūkās kājās.

– Radušies neparedzēti apstākļi, un šī sieviete... – Belkneps iesāka.

– Pie velna, kas šeit notiek? – vīrietis nošņāca ar zviedru akcentu. Viņš acīmredzot domāja, ka ir apmuļķots un meitene ar nelūgto viesi darbojas kopā. Pie šāda secinājuma nonāktu ikviens bagāts vīrs, kurš seksu pērk par naudu un kuram nav ilūziju par cilvēku nelietības mērogiem. – Tūlīt vācieties prom no mana...

– Varbūt pamēģināsiet izsviest mani ārā? – Belkneps viņu pārtrauca.

Vīrs aši novērtēja pretinieku. Viņš galu galā bija biznesmenis, kas radis kļūmīgās situācijās pieņemt pareizu lēmumu. Paķēris savu naudasmaku un drēbju gabalus, viņš metās no numura ārā.

– Nevienu eiro no manis tu vairs nedabūsi! Vai dzirdi? – pagriezies pret meiteni, viņš uzbļāva.

Prostitūta, uzmetusi uz pleciem zīda rītakleitu, stāvēja, sakrustojusi rokas uz krūtīm.

– Vai Lučija Zingareti? – Belkneps noprasīja.

Meitenes sejai pāri pārslīdēja šoka izteiksme. Viņa saprata, ka liegties nav jēgas.

– Kas jūs tāds esat? – viņa jautāja ar skaidri dzirdamu itāliešu izrunu.

Belkneps izlikās viņas jautājumu nedzirdam.

– Taviem vecākiem par to nebija ne mazākās nojausmas, vai ne?

– Kā jūs pazīstat manus vecākus?

– Es vakardien ar viņiem runāju. Viņi ļoti uztraucās par tevi.

– Jūs ar viņiem runājāt, – aizkapa balsī meitene atkārtoja.

– Tu arī runāji ar viņiem. Meloji viņiem. Ne jau tādu viņi iedomājās savu meitu.

– Ko gan jūs par viņiem zināt! Ko gan jūs zināt par mani!

– Viņi ir labi ļaudis. Taču lētticīgi. Un tu viņu lētticību izmantoji.

– Kā tu uzdrošinies mani tiesāt! – jaunā itāliete iekliedzās.
– Visu, ko es daru, es daru viņu dēļ!

– Vai viņu dēļ noslepkavoji Halilu Ansari?

Meitene nobālēja. Drebēdama viņa apsēdās ar zilo samtu apšūtajā krēslā.

– Man apsolīja lielu naudu, – viņa klusi teica. – Mani vecāki visu mūžu strādāja kā nolādēti, lai izdzīvotu, nevarēdami neko atļauties. Viņi teica, ka vecāki dzīvos greznībā līdz mūža galam, ja vien izdarīšu to, ko man liek.

– Viņi?

– Viņi, – meitene izaicinoši atkārtoja.

– Bez šaubām, tu domāji arī par sevi. Uz kurieni viņi tevi solīja aizvest?

– Ne jau uz šejieni, – viņa nočukstēja un turpināja mazliet skaļāk: – Viņi man teica ko citu. Vai tad tā ir cilvēka cienīga dzīve? Gluži kā dzīvnieki...

Šķita, ka Zingareti ir apjukusi, jo "viņi" nav pildījuši savu solījumu. Belknepam neizpratni izraisīja doma, ka tie meiteni atstājuši dzīvu. Kāpēc viņi ir tik pārliecināti, ka Zingareti klusēs?

– Vai tas bija tev kas negaidīts... viss šis? – Belkneps saudzīgākā tonī apjautājās, pavēzēdams ar roku pār istabu.

Viņa drūmi pamāja ar galvu.

– Viņi atveda mani uz Dubaiju, teikdami, ka tas esot manis pašas labā. Lai es nomierinātos un kādu laiku būtu tālāk no notikuma vietas. Ka tā jārīkojas manas drošības dēļ. Pēc tam, kad ierados šeit, man teica, ka jāstrādā. Jāpelna nauda, lai samaksātu par uzturēšanos. Citādi mani izmetīšot uz ielas vai nogalināšot. Man nebija naudas. Dokumentu arī nebija.

– Tu biji gūstekne.

– Jau otrajā dienā mani no viesnīcas aizveda uz... *magazzino*... uz priekamāju. Dubaijas nomalē. Teica, ka man jānodarbojas... ar to. Klienti nedrīkstot sūdzēties. Citādi... – Viņa aprāvās. Seksa verdzības upuris centās tikt galā ar pazemojumu, kas viņam uzspiests. – Viņi apsolīja, ka pēc gada es drīkstēšu doties uz visām četrām debespusēm. Teica: "Lučija, pēc gada tu būsi nopelnījusi sev biļeti. Būsi nodrošināta līdz mūža beigām. Tu un tavi vecāki."

– Tu un tavi vecāki, – Belkneps atkārtoja. – Nodrošināti līdz mūža beigām. Un tu viņiem noticēji?

– Kādēļ lai es neticētu? – itāliete iekliedzās. – Kam vēl es varēju ticēt?

– Likdami noindēt Ansari, neviens taču tevi nebrīdināja, ka tu kļūsi par augstas klases mauku, vai ne?

Zingareti klusuciešana nozīmēja piekrišanu.

– Vienu reizi jau viņi tevi piekrāpa, – Belkneps turpināja. – Vai patiešām tu domā, ka par pārējo viņi tev nemelo?

Lučija Zingareti klusēja, taču viņas sejā atainojās pretrunīgas izjūtas. Belkneps nojauta, kas noticis. Meitene bija nokļuvusi tādas organizācijas nagos, kuras sarežģītajā struktūrā katrai apakšvienībai ir savas intereses. Dubaijā šīs sievietes skaistums nozīmēja, ka viņa var kļūt par nenovērtējamu ieguvumu tiem, kas nodrošina seksuālus pakalpojumus bagātiem viesiem. Galu galā viņa bija tikai kalpone, un arābi droši vien nešaubījās, ka tāda meitene tik un tā ir *sharmuta*. Turklāt nebija iespējams protestēt, jo viņas saimnieki zināja, kādu noziegumu viņa pastrādājusi. Lučija bija cerējusi, ka slepkavības pasūtītājus padarīs par saviem parādniekiem, taču nu attapās pilnīgā viņu varā.

– Tu aizstāvi cilvēkus, kuri piespiež tevi degradēties.

– Ne jau tu esi tas, kurš spēj spriest, kas ir degradācija. – Lučija Zingareti sabozusies piecēlās kājās. – Ne tu.

– Pasaki man, kas viņi ir, – Belkneps rāmi teica.

– Nejaucies tajā visā iekšā.

– Pasaki man, kas ir šie cilvēki, – viņš atkārtoja neatlaidīgāk.

– Un kāda jēga? Lai, izkārpījusies no viņu tvēriena, nonāktu tavējā? Domāju, ka labāk riskēšu un noticēšu viņiem vēl vienu reizi. Pazemīgi pateicos.

– Nolādēts, Lučija...

– Kas man jādara, lai tu ietu no šejienes prom? – meitene gurdā balsī jautāja. – Es varu tev piedāvāt...

Paraustījusi plecus, Zingareti nometa rītakleitu uz grīdas, un nu stāvēja Belknepa priekšā kaila. Viņas slaidais medus krāsas ķermenis ar mazajām, stingrajām krūtīm izstaroja siltumu.

– Tu nespēj man neko piedāvāt, – Belkneps nicīgi atbildēja.

– Ar ķermeni var samaksāt par daudz ko. Taču ne tajā valūtā, kādu pieņemu es.

– Lūdzu... – viņa murrāja, sperdama soli viņam pretim un glāstīdama savu krūti.

Zingareti kustības bija jutekļīgas, taču tās diktēja vienīgi pašsaglabāšanās instinkts. Viņas acis blēdīgi samiedzās šaurās spraudziņās... un piepeši plati atvērās.

Itālietes pierē izplauka sarkans punkts – sekundes simtdaļu pēc tam, kad Belkneps sev aiz muguras dzirdēja klusu paukšķi. Viņš zibenīgi nokrita uz grīdas un aizvēlās aiz lielās, pārklātās gultas.

Kāds bija izšāvis no pistoles ar klusinātāju. Kāds nogalināja Lučiju Zingareti, lai tā vairs neko nespētu pateikt.

Krizdams viņš bija pametis skatienu uz durvīm, un nu atsauca atmiņā iebrucēju siluetus. Viņi bija... divi... vīrieši ar garstobra šaujamiem rokā. Abiem bija īsi tumši mati. Viens bija ģērbies melnā neilona vējjakā, ar drūmām āmurhaizivs acīm – acīmredzot rūdīts veterāns un veikls šāvējs. Ne visi profesionāļi spēj raidīt precīzu pistoles šāvienu galvā no telpas otras malas. Nospodrinātajā bronzas stāvlampas pamatnē Belkneps ieraudzīja abu slepkavu spoguļattēlu. Ienākuši numurā, viņi spēra soļus, vērsdami pistoles te uz vienu, te otru pusi. Viņi ir piesardzīgi, pārlieku piesardzīgi, Belkneps domāja. Viņš būtu rīkojies citādi. Vismaz vienam būtu jāizmanto pēkšņums un strauji jāšķērso telpa.

Pēc slepkavu kustībām Belkneps saprata, ka tie medī viņu. Izskatījās, ka tie neliksies mierā, iekams nebūs izšķaidījuši viņam smadzenes.

Izlocīdamies kā čūska, viņš palīda zem gultas. Brīdī, kad viens no bruņotajiem vīriem apstājās no viņa rokas stiepiena attālumā, viņš asi un zibenīgi iebelza tam pa kājām.

Vīrs smagi nogāzās uz grīdas. Belkneps, pagrābis viņa ieroci, acumirklī izšāva. Tuvcīņa slēgtā telpā ir līdzīga šaha ātrspēlei. Tas, kurš vilcinās, lai apdomātos, zaudē. Noteicošais ir reakcijas ātrums. Belknepam sejā iešļācās asinis. Kur ir otrs slepkava? Ieņēmis drošu pozīciju, vēro?

Belkneps aptvēra nogalināto aiz vidukļa un strauji parāva augšup ļengano ķermeni. Kā jau viņš gaidīja, pēkšņā kustība izsauca uguni. Ar biežu šāvienu kārtu iztukšojis ieroča aptveri, otrs iebrucējs uzrādīja savu atrašanās vietu. Belkneps pārslēdza jauniegūto pistoli atsevišķu šāvienu režīmā un raidīja atbildes šāvienu. Šaušanas precizitāte šoreiz bija svarīgāka par uguns intensitāti. Labāk šaut retāk, nevis tikt pārsteigtam ar tukšu aptveri.

Vīrietis iekliedzās. Tas nozīmēja, ka lode sasniegusi mērķi, bet dzīvībai svarīgi orgāni diez vai bija skarti.

Nākamajā mirklī šķindēdams plīsa balkona loga stikls, un telpā iebruka vēl divi vīri. Belkneps nedzīvo ķermeni, gluži kā smilšu maisu, pierāva sev priekšā, juzdams tā siltumu un aso sviedru smaku. Viņš cerēja, ka nogalinātā līdzdalībnieki, nesaprazdami, vai tas dzīvs vai miris, uz viņu nešaus.

Belkneps no tā ieguva tikai sekundes, taču vairāk viņam nevajadzēja.

Viens no vīriem – garš, platiem pleciem un muskuļains, ar maskēšanās vesti mugurā, – rokās turēja *Heckler & Koch MP5*, kompaktu ložmetējpistoli, tā dēvēto "slotu". Viņš raidīja ložu krusu matracī. Ja zem tā kāds slēptos, tam izredžu vairs nebūtu. Saprātīgs drošības solis, Belkneps tēmēdams nodomāja, un ieraidīja lodes abiem balkona vīriem mugurkaulā. Tie bija divi šāvieni ar sekundes intervālu.

Belkneps dzirdēja ne ar ko nesajaucamu skaņu. Velns! Kāds ielika pistolē jaunu aptveri, un tas bija ievainotais, ko viņš bija gandrīz aizmirsis. *Nolādēts! Nepieļaujama kļūda.*

Zibenīgi pavēlies sāņus, Belkneps nospieda ieroča mēlīti, apzinādamies, ka divcīņas iznākums izšķirsies sekundes desmitdaļās. Viņa pēdējā lode caururba pretiniekam kaklu, un vīrs nogāzās uz grīdas. Ja Belkneps būtu nedaudz lēnāks, tas izšautu pirmais un nevis Belkneps, bet šis vīrs izietu no apšaudes dzīvs.

Belkneps grīļodamies piecēlās kājās un pārlaida skatienu ainai, kas pavērās pēc asiņainā slaktiņa. Dārgās viesnīcas numurā gulēja četru jaunu, spēcīgu vīriešu līķi – tie bija labi ēdināti un trenēti vismaz gadus desmit, un viņu apmācībai bija izlietoti prāvi līdzekļi. Nu viņi bija miruši. Tāpat kā skaistā meitene un viņas smagi strādājušie vecāki, kuri mīlēja savu meitu, bet dzīves svētkus neviens no viņiem tā arī nesagaidīja. Miruši. Ja apšaude būtu notikusi uz ielas, nevis šajā gaisa kondicionētāju atvēsinātajā vaļa vēderā, kas veidots no stikla un betona, virs līķiem jau lidinātos mušas. Belkneps bija spiests stāties pretim četriem bruņotiem slepkavām un izdzīvoja. Tuvcīņa bija reta māksla, un viņš tajā, kā izrādījās, bija meistarīgāks par saviem pretiniekiem. Taču Belkneps nejutās kā uzvarētājs, viņš nejuta triumfu. Viņš juta vienīgi tukšumu. Viņš bija līdz kaulam izsmelts.

Ja mēs neizturēsimies pret nāvi ar cieņu, mēdza teikt Džereds, *tā neizturēsies ar cieņu pret mums.*

Nākamajās pāris minūtēs Belkneps pārmeklēja nogalināto vīru apģērbu. Viņš uzgāja kabatas portfeļus ar viltotiem dokumentiem, kuros bija lasāmi plaši izplatīti vārdi un uzvārdi, kas viegli izrunājami un tikpat viegli aizmirstas. Visbeidzot trāpīgā snaipera, kurš nošāva Lučiju Zingareti, vestes kabatā viņš atrada saburzītu papīra strēmeli. Tas bija noplēsts no šauras papīra lentes, kādu izmanto kases aparātos. Uz lapiņas stabiņā bija uzrakstīti uzvārdi.

Vannas istabā nomazgājis no sejas asinis, Belkneps viesnīcu pameta. Tikai pēc tam, kad bija noīrējis džipu un izbraucis no stāvvietas, viņš sarakstu uzmanīgi izlasīja.

Daži uzvārdi viņam bija zināmi. Nesen noslepkavotais Itālijas avīzes *La Repubblica* žurnālists. Parīzes tiesnesis, par kura slepkavību nesen rakstīja avīzes. Vairākums juku jukām sarakstīto uzvārdu Belknepam neko neizteica. Tur bija minēta arī Lučija Zingareti.

Un viņš, Belkneps.

SEPTĪTĀ NODAĻA

Aizbraukt uz Bānkrofta fonda mītni patstāvīgi bija pavisam kas cits nekā kopā ar šoferi, kurš zināja ceļu. Andrea Bānkrofta jutās apmierināta, ka, sēdēdama pakaļējā sēdeklī, bija pievērsusi uzmanību pagriezieniem. Tomēr pāris reižu viņa nogriezās nepareizi, tāpēc ceļš prasīja vairāk laika, nekā viņa bija domājusi.

Kad Andrea iegāja pa galvenajām durvīm iekšā, viņu pieklājīgi sagaidīja sieviete ar biezajiem vara krāsas matiem. Šķita, ka, ieraudzījusi Andreu, viņa ir neizpratnē.

– Gluži vienkārši atbraucu, lai šo to papētītu, – Andrea paskaidroja. – Saprotiet, man jāgatavojas nākamajai Uzraudzības padomes sēdei. Atcerējos, ka otrajā stāvā jums ir iespaidīga bibliotēka. – Galu galā viņa bija kuratore un vēlējās izpētīt to divdesmit miljonu dolāru izmantošanas iespējas, kurus viņai piešķīris Pols Bānkrofts. Andrea nolēma, ka par viņa negaidīto rīcību pagaidām klusēs. Iespējams, kāds tajā saskatītu favorītismu, tāpēc mazrunība šajā ziņā šķita prātīgākais lēmums.

– Turklāt vēlos atdot dokumentus, ko jūsu cilvēks man vakar atveda.

– Jūs esat ļoti apzinīga. – Sieviete vēsi pasmaidīja. – Tas, protams, priecē. Tūdaļ atnesīšu tēju.

No kabinetiem ik pa brīdim iznāca fonda darbinieki, sasveicinājās ar Andreu un piedāvāja savu palīdzību, ja viņai gadījumā rastos kādi jautājumi. Viņu attieksmē jautās rūpes un gādība.

Vai viņi nav pārāk gādīgi? Vai aiz piedāvājumiem palīdzēt viņas pētījumos tie neslēpj nodomu viņu izsekot? Tādas domas uz mirkli pavīdēja Andreas prātā, bet tad viņa pievērsās darbam. Pāris stundu viņa cītīgi šķirstīja papīrus, iepazīdamās ar skaitļiem un informāciju par veselības aizsardzības programmām mazāk attīstītajās pasaules valstīs. Datu klāsts bija vispusīgs un viegli atrodams, jo bija prasmīgi sakārtots un izvietots. Lasītavā uz tumšas parketa grīdas stāvēja iespaidīgi, izturīgi riekstkoka skapji, kuru plauktos glabājās grāmatas un mapes. Šķērsodama bibliotēkas "lasītaju stūri", viņa ieraudzīja zēnu ar cirtainiem gaišiem matiem un apaļiem vaigiem. Brendons. Viņam priekšā uz galda atradās kaudze grāmatu – bieza dabaszinātņu grāmata, kāda krievu matemātiķa traktāts par skaitļu teoriju un Kanta "Tīrā prāta kritika". Tās nebija gluži tādas grāmatas, ko lasa ikviens trīspadsmit gadus vecs zēns. Kad viņš ieraudzīja Andreu, viņa acis iemirdzējās. Brendons izskatījās noguris, zem acīm bija tumši loki.

– Sveika! – Viņš smaidīja.

– Sveiks! – Andrea atbildēja. – Mazliet palasi?

– Jā. Vai zināt kaut ko par lancetveida aknu trematodi? Pārākā būtne. Sīks tārpiņš, bet ar tādu dzīves ciklu, ka elpa aizraujas.

– Ļauj minēt. Katru dienu līdz pašai pensijai tas braukā uz darbu Ņujorkā, līdz pārvācas uz Maiami un dzīvo tur tik ilgi, kamēr beidzas atsperes inerces darbība.

– Nē, jūs nedaudz kļūdījāties. Lancetveida trematodi gliemezis izgrūž no sevis ārā, bet skudra, kam ļoti garšo gliemeža izkārnījumi, to apēd. Nonākusi skudras iekšās, trematode iekļūst viņas smadzenēs un to preparē. Tā ieprogrammē skudru, lai tā uzrāpjas zāles stiebra galā, tad paralizē tās žokļus, un skudra tur paliek cauru dienu, iekams agri vai vēlu to apēd aita.

– Hmm... – Andrea savicbās. – Tārps ieprogrammē skudru, lai to apēd aita. Aizraujoši. Katram savs priekšstats par laika pavadīšanu.

– Patiesībā runa ir par eksistences cīņu. Saprotiet, aitas aknas ir vieta, kur trematodes vairojas. Tiklīdz aita izkārnās, pasaulē nāk miljons trematožu. To mērķis ir iekļūt skudrās un ieprogrammēt šos kukaiņus uz pašiznīcināšanos. Lancetveida aknu trematodes *valda*.

– Jāteic, ka mans prāts nav īpaši atsaucīgs, kad mēģinu izprast putnus un bites. – Galvu purinādama, Andrea iesmējās.

Pēc krietna brīža, likdama atpakaļ plauktā kārbu ar kompaktdiskiem, kuros bija Vispasaules veselības aizsardzības organizācijas informācija par slimībām un mirstību, viņa ievēroja, ka sirmā bibliotekāre viņā ilgi noraugās.

Andrea sveicinādama laipni pamāja viņai ar galvu. Sievietei bija apmēram sešdesmit gadu. Sirmie mati ieskāva sārtu, tādu kā mazliet pietūkušu seju. Andrea viņu redzēja pirmo reizi. Uz galda sievietes priekšā atradās bibliotēkas uzlīmes, ko viņa piestiprināja pie kārbām ar diskiem.

– Piedodiet... – viņa nedroši sacīja, – jūs man atgādināt kādu sievieti. – Viņa saminstinājās. – Loru Bānkroftu.

– Tā ir mana māte, – Andrea atbildēja, juzdama, ka pietvīkst. – Vai jūs viņu pazināt?

– Nu protams! Viņa bija labs cilvēks. Svaiga gaisa malks... Man viņa ļoti patika. – Pēc izrunas varēja spriest, ka sieviete nāk no Mērilendas vai Virdžīnijas, jo viņai bija tikko jaušams dienvidnieku akcents. – Viņa *redzēja* cilvēkus. Vai saprotat, ko es gribu teikt? Viņa pievērsa uzmanību tādiem kā mēs. Dažiem cilvēkiem, kā, piemēram, viņas vīram, bibliotekāres un sekretāres ir tikai mēbeles. Ja tās nav savā vietā, ir slikti, taču vērību tās nav pelnījušas. Jūsu māte bija citāda.

Andrea atcerējās, ko bija teicis vīrietis uzvalkā. *Jūs esat ļoti līdzīga savai mātei.*

– Es nezināju, ka mana māte aktīvi strādājusi fondā, – pēc klusuma brīža Andrea teica.

– Lora nebaidījās iebilst, pat ja viņas domas nesaskanēja ar kopīgo viedokli. Kā jau teicu, viņa pievērsa vērību cilvēkiem, kuri bija viņai apkārt. Manuprāt, viņai savs darbs ļoti patika. Tik ļoti, ka viņa nevēlējās par to saņemt naudu.

– Ak tā?

– Kad Reinoldam bija jāatstāj Uzraudzības padome, viņa varēja būt droša, ka sēdēs ar viņu nesastapsies.

Andrea apsēdās sirmajai bibliotekārei līdzās. Viņā bija kaut kas tāds, kas piemita vecmāmiņām, – neliekuļota līdzcietība.

– Tātad viņi piedāvāja mātei darbu fondā, lai gan viņu pie Bānkroftiem piederīgu padarīja tikai laulība. Vai tā bija?

– Noteikumi ir skaidri izklāstīti statūtos. Jā, nekādu jautājumu par to nebija. Cik saprotu, māte jums par savu darbu fondā neko nav stāstījusi.

– Jums taisnība, – Andrea apstiprināja.

– Mani tas neizbrīna. – Sieviete lūkojās uz savām uzlīmēm. – Man negribētos, lai jūs domātu, ka mēs to vien darām kā tenkojam, taču kaut kādas baumas par šīm laulībām līdz mums nonāca. Kāds gan brīnums, ka māte vēlējās jūs no visa šā jucekļa pasargāt. Viņa baidījās, ka Reinolds noskaņos jūs pret viņu un jūs viņu ienīdīsiet, tāpat kā ienīda Reinolds. – Viņa brīdi klusēja un tad turpināja: – Piedodiet, es zinu, ka par mirušajiem nerunā sliktu. Taču... kas pateiks taisnību, ja mēs klusēsim? Jūs jau droši vien tāpat zināt, ka Reinolds bija īpaši nejauks cilvēks.

– Neesmu pārliecināta, ka jūs saprotu. Kad runājat par manas mātes raizēm.

Sieviete paskatījās uz viņu ar savām rudzupuķu zilajam acīm.

– Kad sievietei uz rokām ir bērns, viņai nav viegli saraut attiecības ar vīrieti. Jātiek skaidrībā par tik daudziem jautājumiem, jārod atbildes. Cerības uzplaukst un tiek sagrautas no jauna. Es arī esmu šķīrusies no vīra, un man ir četri bērni, protams, jau lieli. Tā kā man par to ir savs viedoklis. Manuprāt, jūsu māte centās jūs aizstāvēt.

Andrea norija kamolu, kas bija iestrēdzis kaklā.

– Un tādēļ beigu beigās atteicās no darba fondā?

Sieviete novērsa skatienu.

– Es īsti nesaprotu, par ko jūs runājat, – viņa pēc brīža sacīja. Viņas balsī bija dzirdams vēsums, it kā Andrea būtu atļāvusies ko nepieklājīgu. – Vai varu jums kaut kā palīdzēt? – Sievietes seja, kurā iegūla profesionāla izteiksme, it kā aizvērās, kļūdama tikpat vienaldzīga kā pulētā galda virsma.

Andrea steigšus viņai pateicās un atgriezās savā puskabīnē. Viņa atkal dziļi sevī juta augam nemieru. It kā uzliesmotu gadiem ilgi gailējušas ogles.

Lora nebaidījās iebilst, pat ja viņas domas nesaskanēja ar kopīgo viedokli. Tā bija tikai rakstura iezīmes konstatācija, nekas vairāk. *Viņa redzēja cilvēkus.* Ko gan tas īsti nozīmē? Vienīgi to, ka viņas māte nestaigāja, degunu izslējusi? Andrea sevi aprāja, ka nespēj valdīt savas izjūtas, ka ļaujas domām par izsekošanu. *Dedzībai jābūt saprāta robežās,* sacīja Pols Bānkrofts. Viņai jāiemācās pakļaut savas jūtas racionālismam – lietišķai attieksmei pret visu, kas notiek. Par spīti pūlēm, viņai neizdevās atbrīvoties no neizprotamām aizdomām. Tās bija kā lapsenes, kas uzklupušas maltītes dalībniekiem brīvā dabā, – uzmācīgas un neatlaidīgas. Lai arī kā viņa atgaiņātos, tās riņķoja visapkārt.

Viņa mēģināja koncentrēt uzmanību uz kādu lappusi Vispasaules veselības aizsardzības organizācijas almanahā, taču velti. Domas pastāvīgi atgriezās pie Bānkrofta fonda. Andreai nebija šaubu, ka tam piederēja arī neizmērojami pilnīgāki arhīvi nekā tie, kas jāuzrāda pēc federālo iestāžu pieprasījuma. Uz viņas jautājumiem atbildes varēja atrasties pagrabstāva arhīvos, kur glabājās vecākie dokumenti par fonda darbību.

Kad Andrea gāja ārā no bibiotēkas, viņa atkal ieraudzīja Brendonu un, uztverot zēna skatienu, kaut kas viņā saviļņojās.

– Žēl, ka šeit nav basketbola groza, – bērnišķīgi iesmējies, viņš teica, – citādi es jūs izaicinātu uz nelielu divcīņu.

– Nākamreiz, – Andrea atbildēja. – Diemžēl man jārokas pa arhīviem. Pašiem garlaicīgākajiem, kas noslēpti pagrabā.

Brendons pamāja ar galvu.

– Visi labie materiāli ir būrī. Ieslēgti aiz restēm tāpat kā neķītrie žurnāli.

– Ko gan tu zini par tādām lietām? – māksloti stingrā balsī Andrea noteica.

Zēna sejā izpletās blēdīgs smaids. Lai gan viņš bija ģēnijs, taču tik un tā – puišelis.

Būrī. Neuzraudzītās, reti izmantotās arhīva telpās krājumi patiešām varētu atrasties standarta skapjos. Andreai vajadzēja piekļūt šiem iesprostotajiem materiāliem, tāpēc viņai bija nepieciešama palīdzība. Viņa negrasījās to lūgt kādam no atbildīgajiem darbiniekiem. Andrea savam nolūkam vēlējās izmantot jaunu, nepieredzējušu ierēdni. Viņa klīda pa gaiteni garām kafijas automātam un dzeramā ūdens aparātam, tad uz labu laimi iegāja kādā kabinetā un nosauca savu vārdu divdesmit gadus vecam puisim, kas šķiroja pasta sūtījumu kaudzi. Jaunais cilvēks – bāls kā mēness, īsiem, peļu pelēkiem matiem un nikotīna nobrūninātiem pirkstiem – atcerējās viņas vārdu, bija dzirdējis, ka viņa ir jaunā padomes locekle, un šķita iepriecināts, ka viņa tērē laiku, lai ar to iepazītos.

– Tātad, – Andrea teica, kad abi bija apmainījušies obligātajām laipnības frāzēm, – es gribētu zināt, vai jūs varat man palīdzēt. Ja jums ir citi, svarīgāki darbi, tad tā arī pasakiet. Labi?

– Es jums labprāt palīdzēšu, – atbildēja puisis, vārdā Robijs.

– Ziniet, man jāiepazīstas ar vairākiem arhīva dokumentiem, saprotiet, Uzraudzības padomes dokumentiem, bet esmu aizmirsusi pagrabstāva atslēgas, – viņa sameloja, klusībā apbrīnodama savu izdomu, par kādu līdz šim nebija nojautusi. – Jūtos tik neveikli...

– Ko jūs! – jaunais vīrietis labsirdīgi iesaucās, priecādamies par atelpu no ierastā darba. – Ko jūs! Es varēšu jums palīdzēt. – Viņš pārlaida skatienu kabinetam. – Gan jau kādam no šiem jaukajiem cilvēkiem ir atslēga. Esmu par to pārliecināts. – Pavandījies rakstāmgaldu atvilktnēs, Robijs patiešām atrada atslēgu.

– Kāda laime, ka es jūs sastapu! – Andrea ierēdnim uzsmaidīja. – Pēc mirkļa būšu atpakaļ un atslēgu atdošu.

– Es iešu jums līdzi, – puisis sacīja. – Tā būs vienkāršāk. – Bez šaubām, viņš cerēja, ka paspēs uzsmēķēt.

– Man patiešām negribas jūs apgrūtinat... – Andrea dūduja.

Taču viņa priecājās, ka Robijs parādīja ceļu uz pagrabstāvu, izmantodams nevis visiem labi redzamās galvenās kāpnes, bet gan šaurākas sētaspuses kāpnes, kas asiem līkločiem veda lejup. Pagrabs bija pavisam citāds, nekā ar šo vārdu pieņemts saprast. Tā bija lepna apakšzemes telpa, kur gaisā vēdīja viegls mēbeļu spodrināšanas līdzekļa aromāts, vecu papīru un tikko jaušama pīpes tabakas smarža. Sienas bija apšūtas ar koka paneļiem, grīdas klātas ar dārgiem, platiem Viltšīras celiņiem. Pagrabstāva arhīvam bija divas daļas, no kurām viena, kā jau Brendons teica, bija norobežota ar slēgtu dzelzs režģi. Ielaidis Andreu pagrabā, puisis steidzās augšup, neslēpdams vēlēšanos ārpusē uzsmēķēt.

Andrea palika viena fonda arhīva telpā. Viņas priekšā garās rindās stiepās plaukti ar laminētām finiera kastēm, uz kurām bija burtu un ciparu apzīmējumi. To bija simtiem, un Andrea nesaprata, ar kuru lai sāk. Viņa pavilka uz savu pusi tuvāko kasti un pašķirstīja papīra lapas. Tur bija piecpadsmit gadus vecu rēķinu kopijas – par ēkas remontu, par dārza kopšanu. Viņa iestūma kasti atpakaļ un pievērsās nākamajam plauktam. Tas atgādināja augsnes paraugu noņemšanu. Tikusi līdz kastei ar dokumentiem, kas atbilda mātes bojāejas gadam un mēnesim, viņa izpētīja papīrus lēni un rūpīgi, cenzdamās ievērot ikvienu sīkumu un cerēdama, ka uznirs kaut kas neparasts. Taču neko tādu viņa neieraudzīja.

Piektajā kastē, ko viņa pārlūkoja, atradās Katonas mītnes telefona rēķini, tie bija arī nākamajā. Pārbaudījusi vienu plauktu, Andrea virzījās tālāk, bet joprojām, šķirstīdama dokumentus, neievēroja neko tādu, ko būtu vērts papētīt vērīgāk. Beidzot viņa atvēra kartona kārbu, kurā bija pēdējā pusgada telefona rēķini. Bez īpaša nolūka paņēmusi iepriekšējā mēneša telefona sarunu izrakstu, viņa to ielika rokassomiņā.

Iegājusi citā krātuves sekcijā, Andrea atvēra vienu kasti, tad vēl vienu. Viņu ieinteresēja kāds bieži minēts zinātniskais centrs Izpētes trijstūra parkā Ziemeļkarolīnas štatā. Citā plauktā Andrea ieraudzīja dokumentu kastes, uz kurām bija uzlīme – ITP.

Kas bija šī iestāde? Nometusies uz ceļiem, viņa uz labu laimi atvēra vienu no ITP kastēm zemākajos plauktos. Izdevumu ailes šķietami otršķirīgām vajadzībām rādīja, ka šis centrs tiek dāsni

153

finansēts. Dāsni finansēts – taču netika minēts padomes sēdē. Kas gan tas varētu būt?

Iegrimusi domās, viņa pacēla skatienu un... klusi iekliedzās. Iespriedis rokas sānos, uz viņu noraudzījās masīvais vīrs, kurš bija apciemojis viņu Kārlailas mājās.

Acīmredzot viņš tikko bija nonācis lejā. Kā tas bija uzzinājis, ka viņa ir šeit? Savaldījusies Andrea pūlējās saglabāt rāmu un vēsu sejas izteiksmi, lai gan sirds krūtīs trauksmaini dauzījās. Gausi piecēlusies kājās, viņa pastiepa vīrietim roku.

– Es esmu Andrea Bānkrofta, – viņa lēni un skaidri sacīja.
– Kā jūs droši vien atceraties. Un... kas būtu jūs? – viņa asi pavaicāja.

– Gluži vienkārši atnācu jums palīgā, – vīrietis īsi atbildēja. Andreai šķita, ka viņš skatās tai cauri. Protams, viņš bija atnācis šurp, lai viņu uzraudzītu.

– Jūs esat ļoti laipns, – Andrea noteica.

Šķita, ka viņas atbilde vīrieti uzjautrina.

– Esmu tik laipns, cik nepieciešams, – viņš attrauca.

Iestājās ilgs klusums. Andrea juta, ka viņai trūkst sīkstuma, lai izturētu šā vīra klātbūtni. Viņai jāparunā ar Polu Bānkroftu un jāsaņem atbildes uz saviem jautājumiem. Polam Bānkroftam būs atbildes. Vai viņš ir lietas kursā par pilnīgi visu, kas risinās fondā? Tā nebūtu pirmā reize vēsturē, kad ideālistu izmanto citi, kuru mērķi nepavisam nav cildeni.

Nesteidzies ar secinājumiem, Andrea.

– Es grasos šodien aprunāties ar Polu, – stīvi smaidīdama, viņa sacīja, izmantodama tuvo pazīšanos ar lielo vīru par ieroci. *Un viens no tematiem, ko ar viņu apspriedīšu, būs par to, vai patiešām fondā ir vieta tādiem kā tu.*

– Viņš ir izbraucis.

– Es zinu, – Andrea sameloja. – Esmu nolēmusi viņam piezvanīt. – Viņa juta, ka neizklausās pārliecinoša. Kāpēc viņa to saka? Viņai nekas šim cilvēkam nav jāpaskaidro.

– Viņš ir izbraucis, – vīrietis nesatricināmi atkārtoja, – un sazināties ar viņu nav iespējams. Brīnos, ka tas jums nav paziņots.

Andrea lūkojās viņa saltajās acīs, bet diemžēl bija spiesta novērsties pirmā.

– Kad viņš atgriezīsies?

– Uz nākamo valdes sēdi.

– Labi, – Andrea nopūzdamās teica. – Katrā ziņā es jau posos prom.

– Atļaujiet jūs pavadīt līdz automašīnai, – vīrietis uzsvērti oficiāli sacīja.

Viņš vairs neteica ne vārda, iekams viņi nonāca ar granti nobertajā stāvlaukumā, kur viņa bija atstājusi automašīnu. Vīrietis pamāja uz motoreļļas pilieniem zem šasijas.

– Ar to jātiek skaidrībā, – viņš teica. Viņa tonis bija laipns, taču samiegtās acis atgādināja šaujamlūkas.

– Paldies, es katrā ziņā tikšu, – Andrea atbildēja.

– Ir bīstami, ja mašīna nav kārtībā, – vīrietis turpināja. – Tas var beigties traģiski. Jums tas būtu jāzina labāk par citiem.

Sēzdamās pie stūres, Andrea juta caur ķermeni izskrienam saltus drebuļus, it kā viņu būtu aplaizījis aligators. *Ir bīstami, ja mašīna nav kārtībā.* Draudzīgs padoms.

Kāpēc viņa jutās tā, it kā būtu draudēts?

Dubaija, Apvienotie Arābu Emirāti

– Ko tev izdevās noskaidrot? – cieši sažņaudzis rokā mobilo tālruni, Tods Belkneps jautāja.

– Gandrīz visiem sarakstā minētajiem cilvēkiem ir kas kopīgs, – Mets Gomess klusi atbildēja. Acīmredzot piespiedis lūpas pie klausules, Belkneps nodomāja. – Viņi ir miruši. Un tas noticis pēdējās pāris nedēļās.

– Noslepkavoti?

– Nāves cēloņi ir dažādi. Vairāki noslepkavoti, divi izdarījuši pašnāvību. Viens gājis bojā negadījumā, un viens miris dabiskā nāvē.

– Varu derēt uz lielu naudu, ka viņi visi ir nogalināti. Dažos gadījumos pēdas izdevies noslēpt labāk nekā citos. Un Džanni?

– Sirdslēkme. Pirms pāris minūtēm.

– Velns parāvis! – Belkneps, nožēlas pārņemts, ieaurojās.

– Vai tu man nosauci visus uzvārdus no tā saraksta?

– Jā, visus. – Belkneps nospieda sarunas beigu taustiņu. Viņš bija nosaucis visus, tikai vienu ne. Toda Belknepa vārdu.

Ko tas nozīmēja? Visos šajos cilvēkos Ansari tīkls, pareizāk, tā jaunie saimnieki, saskatījuši sev draudus. Bet kādus? Varbūt tīkla iekšienē briedusi sazvērestība? Kāds tai sakars ar Džereda Rainharta nolaupīšanu? Vai vispār šie notikumi ir savstarpēji saistīti?

No saspringtās domāšanas Belknepam sāka sāpēt galva. *Saraksts*. Tas liecina par tīrīšanu. Tik rūpīgi parasti kārtību ievieš pirms svarīgas operācijas. Iespējams, laika Polluksa meklēšanai palicis pavisam maz.

Bet varbūt viņš jau ir nokavējis.

Belknepam nedeva mieru vēl viena doma. Viņš skaidri redzēja, ka šie slepkavas rīkojas ārkārtīgi nežēlīgi, tāpēc nebija saprotams, kāpēc itāliešu meitene netika nogalināta uzreiz, jau Romā. Kāpēc bija jāgaida, lai Dubaijā uzrastos Belkneps un paātrinātu asiņaino iznākumu? Varbūt saimniekiem kaut kādā ziņā meitene bija vērtīga? Kādā ziņā? Belkneps to nezināja. Lai ar kādām riebeklībām Dubaijā bija spiesta saskarties Lučija Zingareti, tajā visā bija dūmu strūkliņai līdzīga vārga cerība, ka dzīvība joprojām saglabāta arī Polluksam.

Itāliešu meitene viņam bija teikusi, ka sākumā turēta Mārvātroudā, aiz *Dhow Building Yard*. Viņš dosies uz turieni ar noīrēto džipu. Varbūt tur būs kāds, kuram Lučija uzticējās. Varbūt iestādes saimniekam būs kāda informācija.

Negaidīti iezvanījās tālrunis, ko Belkneps bija pagrābis no slepkavu barveža kabatas. Nospiedis taustiņu, viņš nenoteikti atsaucās:

– Ja?

Zvanīja sieviete.

– Hallo, vai... – Sieviete nogaidoši apklusa. Tā bija amerikāniete.

Klusēja arī Belkneps, un, nomurminājusi atvainošanās vārdus, sieviete sarunu pārtrauca. Vai tā bija uzdevuma izpildes pārbaude? Vai gluži vienkārši kļūme numura sastādīšanā? Pēc numuru noteicēja Belkneps noprata, ka tā bijusi starptautiska saruna un zvanīts no Amerikas Savienotajām Valstīm. Numurs nebija uzspiests kļūdaini, Belkneps par to bija pārliecināts. Atkal vajadzēja lūgt palīdzību Gomesam.

– Velns lai parauj, Kastor, es neesmu tev nekāds iejūga zirgs! – viņš burkšķēja, kad Belkneps viņam nodiktēja ciparus. – Tu ņirgājies par mani, ko?

– Izpalīdzi, esi draugs! Labi? Man trūkst laika. Bez tavas palīdzības es galā netikšu. Tikai noskaidro šā sasodītā numura īpašnieku. Norunāts?

Gomess piezvanīja pēc nepilnas minūtes.

– Es noskaidroju šīs dāmas personību un ievācu par viņu šādas tādas ziņas.

– Iespējams, tieši viņa ir sasodītā tumsas princese, – Belkneps drūmi sacīja.

– Nezinu, kas viņa ir tumsas valstībā, bet šajā pasaulē viņa ir Andrea Bānkrofta.

Belkneps klusēja.

– No *tiem* Bānkroftiem? – viņš beidzot noprasīja.

– Precīzs trāpījums. Pavisam nesen viņa kļuva par Bānkrofta fonda Uzraudzības padomes locekli. – Brīdi nogaidījis, Gomess izsmējīgi piebilda: – Nu, kā tev patīk?

Andrea Bānkrofta. Kāds gan viņai sakars ar slepkavībām? Cik svarīgu amatu viņa ieņem? Vai viņai kas zināms par Džereda Rainharta pazušanu? Vai viņa ar to saistīta? Pārāk daudz jautājumu, pārāk daudz neskaidrību. Belkneps sakritībām neticēja. Nevarēja būt ne runas, ka Andrea Bānkrofta piezvanījusi nejauši. Viss vedināja uz domu, ka viņa ir bīstams cilvēks. Vai vismaz saistīta ar ļoti bīstamiem cilvēkiem.

Belkneps piezvanīja atvaļinātam operatīvajam darbiniekam, ar kuru nebija sarunājies jau vairākus gadus, taču tam nebija nozīmes. Šā cilvēka segvārds bija Sarkanais Navaho, un Sarkanais Navaho bija Belknepa parādnieks.

Pēc dažām minūtēm viņš priekšā ieraudzīja ēku no izdedžu blokiem. Tālu no ceļiem, rūpniecības objektu ielenkumā vienmuļi pelēkā celtne radīja pamestas un tukšas mājas iespaidu. Šķita, ka saules nokaitētajā gaisā tā vibrē. Pēc itāliešu meitenes vārdiem, tā bija priekamāja. Ēka savā mūžā acīmredzot bija pieredzējusi dažādus ļaudis no dažādiem sabiedrības slāņiem. Taču līdz šim tai nebija gadījies uzņemt tādu kā Tods Belkneps.

Nospiedusi zvana atsaukuma taustiņu, Andrea Bānkrofta uzgrieza nākamo telefona numuru, kas visbiežāk atkārtojās sarunu izrakstā. Kā izrādījās, tā bija kāda Ņūdžersijas stādaudzētava, kuras pakalpojumus acīmredzot izmantoja dārznieki, kas aprūpēja fonda ēkas teritoriju. Andrea šo rindiņu izsvītroja. Meklējumus vajadzēja kaut kā sistematizēt – diez vai viņa ko panāks, ja gluži vienkārši uzgriezīs numuru un gaidīs, kas atbildēs. Kad viņa zvanīja uz starptautisko sarunu telefona numuru, klausuli pacēla vīrietis un nepateica ne vārda. Tas, protams, bija aizdomīgi, taču

157

diez vai to varēja saukt par informāciju. Andrea ielika rēķinu somiņā un aizdomājās, atcerēdamās mātes nāves dienu.

Kas īsti viņai nedeva mieru?

Lai gan bija pagājis tik ilgs laiks, vairāk nekā desmit gadu, Andreai joprojām sažņaudzās sirds, kad viņa to atminējās. Policists durvīs... tūdaļ paziņos skumjo vēsti. Taču viņa jau to zināja, jo pirms tam viņai piezvanīja. Andrea skaidri atcerējās, ka viņai piezvanīja un pastāstīja, ka māte gājusi bojā. Kas bija šis zvanītājs? Un pēkšņi viņa aptvēra, kāpēc brīdī pirms pāris dienām, kad klausulē atskanēja dobjā, no smēķēšanas aizsmakusī fonda drošības dienesta darbinieka balss, kurš piezvanīja sakarā ar konfidencialitātes prasībām, viņai dzīslās sastinga asinis.

Tā bija tā pati balss, kas tajā naktī paziņoja par mātes nāvi.

Toreiz Andrea nosprieda, ka viņai zvanīts no policijas, taču policists, kurš atnāca pie viņas uz mājām, izbrīnījās, kad izdzirdēja par šo zvanu. Varbūt viņa kļūdoties. Varbūt viņa gluži vienkārši iztēlojoties to, kā nav bijis. Tomēr... tās nakts notikumos bija kaut kas tāds, kas viņu joprojām mulsināja, nedeva mieru, gluži kā acī iekļuvusi skropsta. Viņai teica, ka alkohola saturs mātes asinīs bijis 0,1 procents, taču māte nelietoja spirtotus dzērienus. Kad Andrea to paskaidroja, policists pieklājīgi painteresējās, vai tad savulaik viņas māte neesot ārstējusies no alkoholisma. Jā gan, bija ārstējusies, taču "Anonīmajos alkoholiķos" izārstējusies un vairākus gadus nedzēra ne piles. Policists pamāja ar galvu un atzinās, ka pats arī kādreiz izārstējies no alkoholisma. Taču tas esot tikai laika jautājums. Agri vai vēlu viss sākoties no jauna. Ikvienu Andreas iebildumu pieklājīgi, taču kategoriski noraidīja. Visiem šķita, ka sašutusī meita, kas aizstāv māti, gluži vienkārši nevēlas ieskatīties patiesībai acīs.

Kad tas notika? septiņpadsmit gadus vecā Andrea pajautāja. *Aptuveni pirms divdesmit minūtēm*, policists paskaidroja. *Nē*, Andrea sacīja, *tas noticis agrāk, jo man piezvanīja vismaz pirms pusstundas.*

Policists savādi uz viņu palūkojās. Vairāk neko Andrea neatcerējās, jo viņu apskaloja bēdu okeāns, aizslaucīdams visas izjūtas, bet atstādams vienīgi sāpes.

Par visu jāpastāsta Polam Bānkroftam, Andrea nolēma. Katrā ziņā ar viņu jāaprunājas. Bet ja nu viņš jau to zina? Ja nu viņš zina daudz vairāk, nekā izliekas zinām? Andreai sāka sāpēt galva.

Braukdama pa Oldpostroudu, viņa ieslēdza logu tīrītājus, taču tajā pašā mirklī apjēdza, ka ne jau lietus, bet gan viņas asaras apgrūtina redzamību.

Tu esi tālu no patiesības, Andrea, viņa sevi norāja. Taču dziļi viņā mītošais instinkts iebilda: *Varbūt tu esi tikusi tai tuvāk, Andrea. Varbūt esi tikusi tuvāk.*

Veikli pirksti skraidīja pa datora tastatūru. Pirksti paši zināja, kurš taustiņš jānospiež, lai dators precīzi un ātri izpildītu daudzas sarežģītas komandas. Ašiem, klusinātiem klikšķiem tapa elektroniskā vēstule. Vēl daži pieskārieni taustiņiem, un šifrētais sūtījums bija anonīmi pārsūtīts uz ārzonas serveri, kur to attīrīs no visiem identifikācijas kodiem, atšifrēs un visbeidzot nosūtīs galīgajam saņēmējam, kura adrese beidzās ar *senate.gov*. Nepilnas minūtes laikā kāda ASV senatora kabinetā iepīkstējās dators. Ziņojums bija pienācis, un tas bija parakstīts ar vienu vārdu.

ĢENĒZE.

Nākamajās pāris minūtēs veiklie pirksti nosūtīja vēl citus ziņojumus un citas instrukcijas, pārsūtīja naudu no konta uz kontu, virzīja sviras, kuras savukārt iedarbojās uz citām svirām, raustīja pavedienus, kas raustīja citus pavedienus.

ĢENĒZE. Vieniem šis vārds patiešām nozīmēja sākumu. Citiem tas nozīmēja beigu sākumu.

Tomam Mičelam smeldza viss ķermenis. Tā viņš jutās vai nu pēc fiziskiem treniņiem, vai pēc pārmērīgas alkohola lietošanas. Ar muskulatūras stiprināšanu pēdējā laikā viņš nebija nodarbojies, tātad pēc izslēgšanas metodes atlika otrais variants. Izberzējis acis, Mičels paraudzījās uz atkritumu spaini. Tas bija pilns ar tukšām alus bundžām – skārdenēm, kā tās dēvēja viņa austrāliešu draugi. Cik tādu viņš izdzēris? Kad Mičels par to domāja, viņam sāpēja galva. Kad nedomāja, galva tik un tā sāpēja.

Caurvējā ar troksni aizcirtās durvis. Gluži kā granātas sprādziens, viņš nodomāja. Netālu iedūcās lapsene, bet Mičelam tā atgādināja Otrā pasaules kara iznīcinātāju, kas riņķo virs galvas. Un telefona zvans, kas bija nesen atskanējis, viņam šķita gluži kā gaisa trauksmes sirēna.

Varbūt kaut kādā ziņā tā patiešām *bija* gaisa trauksmes sirēna. Piezvanīja Kastors, un ne jau tādēļ, lai aizņemtos karotīti cukura. Kastors nebija no tiem, kam Toms Mičels atteica. Kad Mičels vēl strādāja operatīvajā darbā un viņu dēvēja par Sarkano Navaho, viņš nosprieda, ka justos pateicīgs par iespēju atlīdzināt parādu. Ar Dzinējsuni joki bija mazi. Dzinējsunim bija zobi, un viņa kodiens bija daudz briesmīgāks par viņa riešanu.

Turklāt rāmas dzīves idille Ņūhempšīrā tik un tā beidza viņu nost. Viņš nebija radīts mierīgai, klusai dzīvei. Un cerība, ka dzeršana aizstās satraukumu un azartu, kas nu viņa ikdienā pietrūka, neattaisnojās.

Šo vietu atrada Šīla. Guļbūve, lai ko tas, sasodīts, nozīmētu, ar platu dēļu grīdu. Šīla aiz sajūsmas gavilēja tā, it kā būtu uzgājusi Tutanhamona kapenes. Mazliet tālāk ceļa abās pusēs bija nožēlojamas būdeles, pussabrukušas vienstāva vasarnīcas un automašīnu notriekto jenotu līķi, virs kuriem lidinājās mušu mākonis. Aiz mājas bija pietiekami daudz vietas, lai viņš laiku pa laikam noņemtu no sienas *Ruger* šaujamo un dotos uz mežu pašaudīt vāveres, iztēlodamies tās par vjetkongiešiem. Putnu barotavas bija paredzētas vienīgi lidoņiem – ja tajās uzdrošinājās ielavīties koku žurka, tā riskēja ar dzīvību.

Taču ne jau tā bija Vienkāršās Dzīves grūtākā puse. Galu galā trīsdesmit gadu, reizēm veselu mēnesi bez radiosakariem, viņš bija blandījies pa Dieva aizmirstiem zemeslodes nostūriem, kalpodams Amerikas Savienoto Valstu dienestā, un Šīla viņu uzticīgi gaidīja. Trīsdesmit gadu. Pavisam precīzi – trīsdesmit vienu ar pusi. Viņa sieva šo laiku sīksti pārcieta. Šīla priecājās, kad viņš atgriezās mājās, un slēpa skumjas, kad viņš devās prom. Beidzot garie pacietības gadi vainagojās ar pelnītu atalgojumu – vīrs pārnāca mājās pavisam. Viņi pārcēlās uz savu māju lauku patvērumā, par ko vienmēr bija sapņojuši. Viņiem piederēja vairāki akri zaļas platības, kas iegādāta gandrīz bez parādiem. Ilgi gaidītā paradīze, ja vien vasarā nepievērsa uzmanību mušu bariem.

Šīla izturēja nedaudz ilgāk par gadu. Šajā laikā viņa redzēja vīru vairāk nekā iepriekšējos trīsdesmit gados kopā. Tas acīmredzot bija sarežģījumu iemesls.

Viņa centās to izskaidrot. Viņa teica, ka neesot radusi katru nakti dalīt ar vīru savu gultu. Viņa teica vēl daudz ko. Šeit bija astoņi akri neskartas Ņūhempšīras dabas, bet Šīla sūkstījās, ka viņai esot "nepieciešams savs stūrītis". Ne viens, ne otrs nebija liels runātājs, taču tajā dienā, kad Šīla aizbrauca uz Čepelhilu pie māsas, kura viņai bija sameklējusi dzīvokli kooperatīvā mājā, viņi izrunāja daudz ko. Šīla teica: "Man ir garlaicīgi." Toms teica: "Mēs varam ievilkt kabeļtelevīziju."

Toms nekad neaizmirsīs, ar kādu skatienu Šīla palūkojās uz viņu pēc šiem vārdiem. Ar nožēlas pilnu skatienu. Tajā nebija naida, bija tikai vilšanās – tā raugās uz apnikušu vecu suni, kas pietaisījis istabu. Šīla viņam zvanīja reizi nedēļā un aprunājās ar viņu gluži kā aukle. Viņa izturējās kā atbildīgs pieaudzis cilvēks, kas pārbauda, vai ar bērnu viss ir kārtībā, vai viņš nav iekūlies kādās nepatikšanās. Mičels jutās kā automašīna, kas ar noņemtiem riteņiem rūsē uz betona bloka. Šajā apkaimē ierasta ainava.

Viņš izņēma no kafijas automāta stikla kausu ar karstu kafiju un piepildīja vēderainu krūzi, uz kuras bija uzraksts, kas viņu savulaik smīdināja: VAI ES IZSKATOS RESNA? Pēc tam iebēra tajā krietnu tējkaroti cukura. Vai ir vērts uztraukties par to, Mičels domāja, kā Šīla uz viņu paskatījusies? Nu viņš var bērt tik daudz cukura, cik viņam patīk! Kā teikts štata sauklī: "Esi brīvs vai mirsti!"

Dodge pikapu izdevās iedarbināt viegli, taču pēc divu stundu brauciena pa šoseju sevi atgādināja izdzertā kafija – viņam vajadzēja ne vien uz tualeti, bet arī viegli, toties nepatīkami dedzināja kuņģi. Pirmo traucējumu viņš atrisināja, divas reizes apstādamies autovadītāju atpūtas laukumos, bet otru novērsa košļājamās tabletes *Tums*. Juzdams, ka tirpst sēžamvieta, Mičels nodomāja, ka vainīgas sēdekļa atsperes. Jāsadabū īpašs spilvens, tāds, kādu lieto tālbraucēji šoferi, kas cieš no hemoroīdiem, viņš klusībā prātoja.

Kārlailā, Konektikutas štatā, viņš nokļuva pēc krietnām četrām stundām, un viņa noskaņojums bija riebīgs. Četras izniekotas viņa dzīves stundas. Viņš varētu tās pavadīt... kā? Un tomēr. Četras stundas. "Nu, aizskrien! Tas būs ātri," Kastors bija teicis. Četras stundas – vai tas ir ātri?

Taču darāmais tikai tāds nieks vien būs. Vairākas reizes izlūkošanas nolūkā izbraucis Elmstrītai cauri, viņš par to bija pārliecināts. Kārlailas policija nebija nopietni ņemama. Norādītā dāma dzīvoja Keipkodas piekrastei raksturīgā namiņā, un nekas neliecināja, ka tas būtu nodrošināts pret iebrucējiem. Tam bija stiklotas ārdurvis un logos – parastais stikls. Gar māju neauga krūmi, kuros varētu paslēpt signalizācijas sistēmas. Viņš nebrīnītos, uzzinājis, ka saimniece, vakaros gulēt iedama, pat neaizslēdz durvis.

Taču Mičels bija atbraucis šurp, lai strādātu, nevis izklaidētos, – viņš bija profesionālis. Kastors bez svarīga iemesla nebūtu viņu apgrūtinājis, uzticēdams šo uzdevumu. Tas nozīmēja, ka Sarkanajam Navaho pienācis laiks iziet uz skatuves.

Viņš novietoja kravas automobili pāris simtu jardu attālumā no šīs mājas ielas pretējā pusē. Kad beidzot, atvieglotu uzelpodams, viņš izkāpa no paģiru atraugu un savu gāzu piesātinātās kabīnes, Mičels atgādināja strādnieku. Viņam mugurā bija pelēkzili rūtains krekls, kombinezons, kam uz krūškabatas izšūts uzraksts SERVISA CENTRS, un ādas josta ar instrumentiem ap vidukli. Parasts strādnieku puisis. Neviens tādam nepievērsīs uzmanību, tikai tas, kurš viņu izsaucis. Elmstrītā bija glīti appļauti mauriņi un rūpīgi kopti apstādījumi. Sarkanās bārbeles, zilie kadiķi, īves ar plakanu galotni, forsītijas – šie augi bija Ziemeļaustrumu piekrastes priekšpilsētu neatņemama sastāvdaļa. Galvu grozīdams, viņš nopētīja mājas ielas abās pusēs, cik vien tālu sniedzās skatiens. Četru veidu krūmi, četru veidu mājas. Amerikas Savienotajās Valstīs valda kārtība, vai ne?

Sarkanais Navaho ievēroja, ka garāža ir tukša un automašīnas nav arī mājas priekšā. Pa logiem neviens nebija redzams. Visticamāk mājās neviena nebija. Piegājis pie durvīm, viņš piezvanīja, nolēmis, ka izliksies sajaucis adresi, ja durvis tomēr kāds atvērs. Kā jau viņš paredzēja, neviens pie durvīm nenāca. Apgājis apkārt mājai, viņš sameklēja vietu, pa kurieni iekšā bija ievadīti telefona un televīzijas kabeļi. Paslēpt noklausīšanās ierīci nebūs grūti. Viņš negrasījās izmantot neko īpašu – tāpat kā daudziem atvaļinātiem operatīvajiem darbiniekiem, viņam bija vesela kaste dažādu "mantiņu" –, taču ierīce būs pārbaudīta un droša. Nometies uz ceļgaliem, Sarkanais Navaho sameklēja mazu melnu plastmasas kārbiņu ar šķidro kristālu displeju, kas izskatījās pēc kabeļu pārbaudes ierīces, pabāza roku zem kabeļu savienojuma un... sataustīja nelielu, iegarenu priekšmetu, kaut ko līdzīgu mazai baterijai, kas atgādināja signālu pārtveršanas ierīci.

Sasodīts... kas tad tas?

Viņš uzmeta ierīcei skatienu, gūdams apstiprinājumu tam, ko vēstīja tauste. Kāds bija viņu apsteidzis. Telefona līnijai bija pievienota noklausīšanās ierīce, turklāt modernāka nekā viņējā.

162

Piecpadsmit sekundes sētaspuses durvju atslēgas caurumā padarbojies ar diviem cietas stieples galiem, kas gan nebija labākais instruments tādam mērķim, Sarkanais Navaho iegāja majā un to apstaigāja. Istabas bija iekārtotas vienkārši, bet glīti. Lai gan tas bija sievietes miteklis, šeit nemanīja ne puķu pārbagātību, ne pūkainas un sārtas lietas. Taču nebija arī nekā tāda, kas liecinātu par to, ka šis ir ļaunuma perēklis.

Sarkanais Navaho, novērtējis telpas, secināja, ka šeit ir daudz labu vietu, kur ielikt noklausīšanās ierīci. Ideāla vieta ir tāda, kas atbilst divām prasībām. Tai jābūt tādai, kur "vabolīti" neuzies, un tādai, kur tā uztvers kvalitatīvu signālu. Ja ierīci iebāztu ūdensvada caurulē, to neviens nemūžam neatrastu, taču noklausīties arī neko nevarētu. "Vabolīti" nedrīkst paslēpt priekšmetā, ko cilvēks pārvieto vai pat izmet, teiksim, puķes no vāzes. Sarkanais Navaho sprieda, ka šajā mājā atradīs drošu paslēptuvi pusducim ierīču. Izlēmis, ka sāks ar lustru ēdamistabā, viņš uzkāpa uz krēsla un aplūkoja apaļo misiņa plafonu, kas ietvēra liesmas formas elektriskās spuldzes. No grīdas ietvars, caur kuru iet vadi, nebija redzams, un tajā bija pietiekami vietas, lai... Sarkanais Navaho pārsteigts samirkšķināja acis. Arī šeit kāds jau bija darbojies. Lielākā daļa cilvēku to uzlūkotu par vēl vienu vadu. Taču Sarkanais Navaho zināja, kas tas ir.

Nākamajās piecpadsmit minūtēs bijušais aģents secināja, ka visās piemērotajās vietās, kur viņš grasās izvietot "vabolītes", tās jau ir priekšā.

Viņš pēkšņi apjēdza, ka ir sasprindzis, un tam nebija nekāda sakara ar paģirām. Elmstrītas 42. māja bija gluži kā piebāzta ar akustisko aparatūru – gatavā ierakstu studija. Kaut kas nebija kārtībā.

Lai gan Sarkanā Navaho instinkti bija krietni notrulinājušies, tie brīdināja viņu, ka jāvācas no šejienes prom, cik ātri vien iespējams, un to viņš arī darīja. Izgājis pa sētaspuses durvīm ārā, gar mājas stūri viņš devās uz ielas. Ar acs kaktiņu kaut ko manīja... Vai kāds no kaimiņu pagalma viņu vēro? Sarkanais Navaho apsviedās, lai ieraudzītu glūnētāju, taču neviena tur nebija. Vai viņam tikai šķita? Viņš nogāja pusi kvartāla līdz savam pikapam, piesēdās pie stūres un devās atpakaļceļā. Kastors bija solījis, ka pēc pāris stundām viņam piezvanīšot. Nu, viņam būs ko dzirdēt.

Gaisa kondicionētājs strādāja ar pilnu jaudu. Sarkanais Navaho neatcerējās, ka būtu atstājis to ieslēgtu. Viņš pastiepa roku, lai to izslēgtu, bet vajadzīgā poga uz paneļa pēkšņi šķita novietota pārāk tālu. Pēcpusdienas saule it kā pamirkšķināja un sāka dzist, un tas nozīmēja, ka to aizsedzis mākonis. Gaisma Sarkanā Navaho acu priekšā kļuva aizvien blāvāka un dūmakaināka... Neviens mākonis taču nevar dienu pārvērst par nakti, viņam pazibēja prātā. Taču tā neapšaubāmi bija nakts, zili melna, kāda tā ir pusnakts stundā, un viņš iedomājās, ka jāieslēdz lukturi, bet tad uzzibsnīja cita doma, ka no lukturiem tik un tā nebūs nekāda labuma, un viņš paspēja apstāties ceļmalā, pirms dīvainā tumšā nakts pārvērtās necaurredzamā tumsā. Un tad vairs nebija nevienas domas.

Aiz pikapa klusi apstājās tumšzils sedans ar tonētiem logu stikliem. No mašīnas izkāpa divi vidēja auguma un vidējas miesas būves vīri ar vidēji gariem un vidēji brūniem matiem, ne ar ko īpašu neizceldamies. Taču viņu iegarenās sejas bija skarbas un savaldīgas un kustības – saskaņotas un efektīvas. Vērotājs nodomātu, ka viņi ir brāļi, – un nebūtu kļūdījies. Viens pacēla kravas automobiļa motora pārsegu un izņēma no gaisa kondicionētāja plakanu skārda kārbu. Otrs atvēra kabīnes kreisās puses durvis un, aizturējis elpu, izvilka no turienes ārā nedzīvo ķermeni. Viņa pāriniekam kravas automobilis bija jānogādā Ņūhempšīrā, kādā vietā, kuras adrese bija paziņota, bet vispirms tas palīdzēja aiznest mirušo uz sedana bagāžas nodalījumu. Līķis atgriezīsies mājās, kur to novietos ticamā pozā.

– Ņem vērā, ka jābrauc vismaz četras stundas, – paceldams līķi aiz padusēm, viens teica.

– Ja četras, tad četras. Ko citu lai dara? – otrs atbildēja. Par abiem viņi ievietoja mirušo bagāžniekā tā, lai tas, mašīnai braucot, pārāk nezvalstītos no vienas puses uz otru. Sarkanā Navaho līķi viņi aplieca ap rezerves riepu. Izskatījās, ka tas riepu apskāvis. – Galu galā viņš pats vairs nav spējīgs sēsties pie stūres.

ASTOTĀ NODAĻA

Turies, Polluks, Belkneps domās drošināja draugu. *Es dodos tev palīgā, taču mans ceļš nav taisns un viegls.* Džereds Rainharts viņu saprastu labāk nekā jebkurš cits.

"Īsākais attālums starp diviem punktiem," Džereds reiz paziņoja, "bieži ir parabola, nereti elipse, bet citreiz hiperbola."

Ar to viņš gribēja teikt, ka spiegošanas pasaulē nav šablona, kā nonākt pie mērķa, ka dažreiz aplinkus ceļi attaisnojas, bet citreiz tie vainagojas ar tādiem pašiem panākumiem, ar kādiem šajā mērķī var trāpīt no senas musketes. Ar tiem vārdiem viņš brīdināja Belknepu, bet šajā mirklī Belknepam izvēles nebija.

Pelēkbrūnā ēka atgādināja rūpniecības preču vairumtirdzniecības bāzi. Tai apkārt stiepās primitīvs dzeloņstiepļu žogs, kas izskatījās ierīkots skata pēc, lai atbaidītu nelūgtus ciemiņus. Belkneps ar džipu iebrauca pa galvenajiem vārtiem un novietoja mašīnu ēkas priekšā. Tuvoties šādai ēkai slepeni nebija iespējams, tāpēc Belkneps slēpties nemaz nemēģināja. Turklāt tas liecinātu, ka viņa pozīcijas ir vājas. Patiesībā tie bija viņi, kuriem jāslēpjas. Belkneps nolēma rīkoties pārdroši.

Tiklīdz viņš izkāpa no mašīnas, viņu apņēma svelme gluži kā no krāsns mutes. Pirms nebija vēl nosvīdis, viņš steidzās uz tuvākajām durvīm. Nevis uz masīvās eņģēs iestiprinātām garāžas durvīm, uz kurām veda gudronēts piebraucamais ceļš, bet uz baltām metāla durvīm. Tās atgrūdis, Belkneps iegāja ēkā. Kad viņa āra spozmes apžilbinātās acis aprada ar telpas blāvo puskrēslu, viņš nodomāja, ka ienācis ļaužu pārpildītā bēgļu nometnē.

Vāji apgaismotā telpa, kur uz grīdas bija izlikti guļammaisi un plāni matrači, atgādināja alu. Vaļējās dušas kabīnēs telpas pretējā galā no krāniem pilēja ūdens. Gaisā vēdīja ēdiena smārds, ko izplatīja lēta vietējā ražojuma sautēta gaļa no kartona kārbām.

Visapkārt bija daudz ļoti jaunu cilvēku – gan meitenes, gan zēni, gluži vēl bērni. Vieni sēdēja pulciņos, citi snauda vai gulēja ciešā miegā. Tā bija pārsteidzoši internacionāla sabiedrība. No Taizemes, Birmas, Filipīnām, no Āfrikas Sahāras tuksneša zemēm, no Indijas ciemiem, viens otrs no Austrumeiropas un arābi.

Belknepu šis skats īpaši nepārsteidza, taču doma par to, kāpēc jaunie cilvēki šeit atrodas, izraisīja nelabumu. Šos zēnus un meitenes nabadzība un posts bija iedzinis seksa verdzībā. Vienus bija pārdevuši vecāki, citi savus vecākus nemaz neatcerējās.

Mazliet pieklibodams, viņam tuvojās bārdains, melnīgsnējs vīrs, ģērbies baltā kokvilnas kreklā un džinsu īsbiksēs. Pie jostas viņam karājās rācija un makstī šūpojās liels, līks nazis. Viņš nebija šeit nekas vairāk par uzraugu. Tas bija pats ļaunākais – lai šos jaunos cilvēkus turētu gūstā, nebija vajadzīgi ne sargi, ne slēdzenes, ne restes, ne važas. Jo īstās važas, kas viņus šeit turēja, bija trūkums. Belknepam nebija jēgas atsvabināt šos nelaimīgos, pat ja viņš to ļoti vēlētos. Ja viņus palaistu Dubaijas ielās, agri vai vēlu viņi atkal nokļūtu līdzīgā vietā. Viņu vienīgā vērtība šajos apstākļos bija viņu fiziskā pievilcība, kas tika pakļauta nežēlīgai tirgus loģikai.

Belknepam degunā iecirtās asa ķimikāliju smaka, ar kuru šeit slāpēja smirdoņu. Pēc restotiem caurumiem betona grīdā varēja spriest, ka šo telpu regulāri mazgā ar ūdeni no šļūtenēm un apstrādā ar kādu dezinfekcijas līdzekli. Cūkas fermā tur labākos apstākļos, Belkneps nodomāja.

Cilvēks ar nazi pie sāniem kaut ko noburkšķēja arābu valodā. Kad Belkneps neatbildēja, viņš piegāja tam vēl tuvāk.

– Jūs esat kļūdījies. Jums jāiet prom, – vīrs teica ar stipru akcentu, apzinādamies, ka rācija pie jostas – iespēja izsaukt papildspēkus – ir viņa galvenais ierocis.

Belkneps, nepievērsdams vīram uzmanību, joprojām lūkojās apkārt. Tā bija Aīda valstība, pazemes pasaule, ko atstāt lemts tikai nedaudziem tās iemītniekiem, mazākais – ar salauztu dvēseli. Starp vairākiem desmitiem jauniešu tikai daži bija vecāki par divdesmit gadiem, pārējie bija divpadsmit trīspadsmit gadus veci bērni. Katrs ar savu traģēdiju.

Par spīti karstumam, Belkneps juta pār muguru pārskrienam aukstus drebuļus. Riskēdams ar dzīvību, viņš mācēja izkulties no bezcerīgām situācijām, lieliski prata apieties ar ieročiem, bija viltīgs un drosmīgs spiegs, bet nu, saprazdams, kādas šausmas ir šo zēnu un meiteņu dzīve, jutās bezpalīdzīgs. Nolādētas nabadzības dēļ bērni nokļūst šādās vietās, kur jūtas pateicīgi par iespēju piepildīt vēderu. No visiem pazemojumiem visvairāk pazemo bads.

– Es teicu, ka jums jaiet prom! – vīrs atkārtoja. Viņa elpa oda pēc ķiplokiem un bojātiem zobiem.

No drūmo pusauga meiteņu bariņa atskanēja troksnis, un vīrietis apsviedies paglūnēja uz viņām. Draudīgi savicinājis nazi, viņš izkliedza dažādu valodu lamuvārdus. Meitenes acīmredzot bija pārkāpušas kādu iekšējās kārtības noteikumu. Tad viņš ar nazi rokā pagriezās pret Belknepu.

– Pastāsti par itāliešu meiteni, – Belkneps teica.

Bārdainais vīrs lūkojās uz viņu ar neizteiksmīgu skatienu. Visas šejienes meitenes viņam šķita vienādas, gluži kā lopi, ja vien negadījās kādas patiešām acīm redzamas īpatnības.

– Vācies! – viņš ierēcās.

Uzraugs aši pastiepa roku pie jostas un pagrāba rāciju, bet Belkneps to viņam no plaukstas izrāva. Tad viņš strauji iespieda labās rokas pirkstus vīra mīkstajā kaklā. Kad tas noslīga zemē, bezpalīdzīgi tverdams pie rīkles, Belkneps tam ar smago zābaku iespēra pa seju. Melnīgsnējais vīrs bez samaņas saļima uz grīdas.

Kad Belkneps pagriezās, uz viņu noraudzījās vairāki desmiti acu. Tajās nebija ne atzinības, ne nosodījuma – tikai interese par to, ko viņš darīs tālāk. Viņos ir kaut kas no aitām, Belkneps nodomāja, uz mirkli juzdams nicinājuma uzplūdu.

Viņš pavērsās pret meiteni, kas izskatījās tikpat veca, kāda bija Lučija Zingareti.

– Vai tu pazīsti itāliešu meiteni? Viņu sauc Lučija. Pazīsti?

Meitene kā apdullusi purināja galvu. Viņa nepavirzījās tālāk, bet nepaskatījās arī Belknepam acīs. Gluži vienkārši gribēja nodzīvot vēl vienu dienu. Izdzīvošana viņiem bija sasniegums.

Belkneps mēģināja runāt ar citu meiteni, tad vēl vienu – reakcija bija viena un tā pati. Klusēšana. Šie jaunie cilvēki bija apguvuši, ka ikviens mēģinājums kaut ko grozīt savā dzīvē ir veltīgs. Savas nevarības mācību viņi atcerējās labi.

Belkneps gāja pa telpu uz priekšu, līdz pameta skatienu ārā pa lodziņu, kas vairāk atgādināja šauru spraugu, un dažu jardu attālumā ieraudzīja nelielu piebūvi no izdedžu betona blokiem. Izgājis no galvenās ēkas pa sānu durvīm ārā, viņš pa saplaisājušo zemi devās uz piebūvi. Nopētījis lielo piekaramo slēdzeni, kas nebija aizslēgta, viņš ievēroja uz tās krāsas nobrāzumus, kas atsedza spīdošu tēraudu. Šķita, ka nobrāzumi ir svaigi.

Viņš pagrūda smagās dzelzs durvis un, izvilcis no kabatas nelielu lukturīti, ielūkojās tumsā. Betona grīda bija putekļaina un piedrazota, taču izskatījās, ka tur kāds vārtījies. Varbūt šeit kāds bijis ieslodzīts, Belknepam pazibēja prātā.

Pagāja vismaz piecas minūtes, iekams viņš to ieraudzīja.

Uzrakstu, ko viegli varēja neievērot, apmēram pēdas augstumā no grīdas uz tālākās sienas. Belkneps notupies pietuvināja tam lukturīti.

Divi nelieliem burtiem uzkrāsoti latīņu vārdi: *POLLUX ADERAT.* "Pollukss bija šeit." Belkneps aizturēja elpu. Pat uz šīs sienas burti bija kārtīgi un glīti... Belkneps atcerējās drauga akurāto, nevainojamo rokrakstu un tajā pašā mirklī saprata vēl kaut ko.

Abi vārdi bija rakstīti ar asinīm.

Tātad Džereds Rainharts bijis šeit – bet kad? Un kur viņš ir tagad? Steigšus atgriezies galvenajā ēkā, Belkneps no jauna sāka iztaujāt bērnus, vai pēdējās dienās tie nav redzējuši gara auguma amerikāni. Taču atbildes neatskanēja. Ikvienā viņa izteiktajā vārdā bērni klausījās ar mēmu vienaldzību.

Neko neuzzinājis, Belkneps atgriezās pie džipa. Mati lipa pie sviedrainās pieres. Tajā brīdī viņš izdzirdēja zēna balstiņu.

– Mister, mister! – bērns sauca.

Viņš pagriezās un ieraudzīja melnacainu arābu, kam varēja būt gadi trīspadsmit vai mazāk. Puišeļa balss vēl nebija piedzīvojusi lūzumu. Tādus zēnus pieprasīja izvirtuļi.

Belkneps klusuciezdams vērās uz puišeli.

– Jūs jautājāt par savu draugu? – zēns vaicāja.

– Nu?

Zēns brīdi klusēdams raudzījās amerikānim acīs, it kā pētīdams viņa raksturu, viņa dvēseli, iespējamos draudus un iespējamo palīdzību, ko no viņa varēja sagaidīt.

– Bizness?

– Turpini.

– Jūs vedat mani mājās uz ciemu, uz Omānu.

– Un?

– Es zinu, kurp viņi aizveda jūsu draugu.

Tāds bija zēna piedāvājums – informācija pret nogādāšanu mājās. Vai viņam var ticēt? Ja puišelis izmisīgi vēlas atgriezties savā Omānas ciemā, viņš, iespējams, sagudrojis pasaciņu, Belknepam ienāca prātā.

– Kurp?

Zēns papurināja galvu, un biezie melnie mati saulē uzmirdzēja. Ap acīm viņam bija smiņķa pēdas – droši vien, lai izdabātu klientiem. Maigajā sejā bija jaušama apņēmība, un lielajās, nopietnajās acīs vīdēja cerība. Vispirms tātad jāapspriež darījuma noteikumi.

– Runā! – Belkneps mudināja. – Kāpēc man tev būtu jātic?

Puišelis, apmēram četras pēdas un sešas collas garš, viegli uzsita pa džipa motora pārsegu.

– Vai kondicionētājs ir?

Belkneps nomērīja viņu ar skatienu. Tad apsēdās pie stūres un atvēra pasažiera puses durvis. Mazais arābs iekāpa iekšā. Belkneps iedarbināja motoru, un mirkli vēlāk viņus apņēma vēss gaiss.

Piespiedis seju pie tuvākās gaisa kondicionētāja atveres, zēns smaidīja žilbinošu, baltzobainu smaidu.

– Habībs Almāni. Vai jūs zināt tādu princīti?

– Princīti?

– Tā viņš sevi sauc. Kungs no Omānas. Ļoti bagāts. Liels cilvēks. – Zēns izpleta rokas uz abām pusēm, rādīdams, cik liels tas cilvēks ir. – Viņam Dubaijā pieder daudz māju. Pieder veikali. Pieder kravas automobiļu firma. Pieder celtniecība. – Viņš pamāja uz pelēkbrūno ēku. – Šī arī pieder. Neviens nezina.

– Bet tu zini.

– Mans tēvs ir parādā Almāni. Almāni ir *beit*, klana vadonis.

– Un tavs tēvs viņam tevi atdeva.

Puišelis noliedzoši purināja galvu.

– Mans tēvs nekad mani neatdotu! Viņš atteicās mani atdot! Taču Habība Almāni ļaudis manam tēvam divus bērnus nozaga! *Caps!* – un tumsā nozaga. Ko mans tēvs varēja darīt? Viņš nezina, kur es esmu.

– Kur ir mans amerikāņu draugs?

– Es redzēju, ka viņu aizsietām acīm atveda ar Habība Almāni mašīnu. Viņi izmanto Almāni kravas automašīnas. Viņi izmanto šo māju pērkamiem puikām un meitenēm. Habībs Almāni viņus klausa, laikam dara visu, ko šie liek. Tad viņi aizveda garo amerikāni prom. Princītis zina, kur, jo ir viens no viņiem!

– Kāpēc tu tā domā?

– Mani sauc Bezs. Bezs, tas ir "piekūns". Vanags redz visu ko. – Viņš vērīgi palūkojās uz Belknepu. – Jūs esat amerikānis, tāpēc to nespējat saprast. Taču nabags nav tas pats, kas muļķis.

– Mēģināšu iegaumēt.

Zēns pastāstīja, ka ceļš pie Almāna vedot pa tuksnesi, pa vietām, kur brauc tikai retais. Ja Bezs viņam melo... taču šķita, ka zēns novērtē gan risku, gan iespējamo balvu. Turklāt viņa stāstījumā bija daudzas ticamas nianses.

– Ņemiet mani līdzi, – puisēns lūdzās, – un es aizvedīšu jūs pie viņa.

SoftSystems Corporation galvenā pārvalde Portlendā aizņēma plašu teritoriju. Ērtās sarkanu ķieģeļu un stikla ēkas veidoja pilsētiņu, ko viens no *The New York Times* arhitektūras jautājumu aprakstniekiem bija nodēvējis par postmodernisma Portlendu. Pārvaldē nebija iemesla sūdzēties par kafijas trūkumu. Korporācijas dibinātājs un izpilddirektors Viljams Kolps jokoja, ka programmētājs ir mašīna, kas pārvērš kafiju datoru kodos. Pēc Silīcija ielejas tradīcijas, lieliski kafijas automāti bija pilnīgi visos kabinetos, turklāt šo dzērienu te gatavoja tikai no izmeklētām, dārgām kafijas pupiņām. Viljams Kolps uzskatīja, ka tā kafijas šķirne, ko lieto viņš, ir pati labākā no visām labākajām. Protams, *Kona* vai *Tanzanian Peaberry* arī nebija sliktas, taču Kolps deva priekšroku *Kopi Luwak* pupiņām. Tās maksāja sešsimt dolāru mārciņā, un ik gadu no šiem kafijkokiem ieguva tikai piecsimt mārciņu ražas, un tas notika Sulavesi salā, Indonēzijā. Lielāko daļu šā garduma izpirka Japānas kafijas mīļotāji. Taču Kolps bija parūpējies par to, lai arī viņš regulāri varētu papildināt šīs kafijas šķirnes krājumus.

Kas gan īpašs piemīt šīm *Kopi Luwak* pupiņām? Kolps guva baudu, to skaidrodams. Īstenībā šīs pupiņas apēd somaiņi, kas uzturas kokos un izvēlas visgatavākās kafijkoka sēklas, kuras pēc tam veselas izvada no organisma, joprojām klātas ar lipīgu auga gļotu kārtiņu, uz ko tikai nedaudz iedarbojušies dzīvnieka gremošanas fermenti. Vietējie iedzīvotāji vāc somaiņu izkārnījumus un, gluži kā zelta sijātāji, rūpīgi tās mazgā. Galu galā tiek iegūta pasaulē piesātinātākais kafijas aromāts – bagātīgs, mazliet tā kā pārbriedis, ar tādu kā karameles piedevu. Kolps savas kafijas smaržu raksturoja īsi un skaidri – tas esot "džungļu aromāts".

Šajā brīdī viņš baudīja tasi tikko vārītas kafijas.

Bobs Donelijs, analīzes nodaļas priekšnieks, vīrietis ar platiem pleciem, kādus bija ieguvis, savulaik spēlēdams universitātes futbola komandā par aizsargu, uzjautrināts vēroja šefu. Donelijam mugurā bija bālzils krekls ar atpogātu apkaklīti un uzrotītām piedurknēm. *SoftSystems* valdīja brīvs ģērbšanās stils. Ja telpās pastaigājās vīrietis uzvalkā, ar kaklasaiti, bija skaidrs, ka tas ir viesis. Tikpat neformālas, cik drēbes, šeit bija arī darbinieku attiecības. Arī šī tradīcija bija raksturīga Silīcija ielejai.

– Vēl viena tase *kakučīno*? – Donelijs, greizi smaidīdams, novilka. Viņi divi vien sēdēja nelielā apspriežu zālē, kas atradās blakus Kolpa privātajam kabinetam.

– Tu nespēj iedomāties, kādu baudījumu sev liedz. – Kolps arī pasmaidīja. – Bet mani tas neuztrauc.

Donelijs nebija no tēviem dibinātājiem, kā viņi sevi dēvēja, nebija viens no tiem sešiem Marinas apgabala puišiem, kuri pirms nieka desmit gadiem, garāžā rakņādamies senā elektronu skaitļojamā mašīnā *Atari*, izveidoja datora peles prototipu. Toreiz netika patentēta pele – periferijas ierīce –, bet gan programmatūra, kas to atdzīvināja. Kopš tā laika visās tirgū pieejamās programmatūras pakotnēs bija licencēts intelektuālais īpašums, ko bija patentējis Kolps un viņa biedri. *SoftSystems* izauga par milzu uzņēmumu. Kolps uzdāvināja saviem vecākiem solīdu daļu akciju, un, kad akcijas tirgus vērtība kļuva lielāka par nominālvērtību, viņi tās par prāvu summu pārdeva. Kolps klusībā pavīpsnāja par vecīšu bailēm no riska. Tuvākajos piecos gados akciju cena trīskāršosies, un Kolps kļūs par miljardieri, vēl nesasniedzis trīsdesmit piecu gadu vecumu.

Gadu gaitā visi viņa vecie biedri no *SoftSystems* pamazām aizgāja. Vieni dibināja savus uzņēmumus, citi vadīja laiku, darbodamies ar dārgām spēļmantiņām – ātrgaitas jahtām un reaktīvajām lidmašīnām. Vienīgi Kolps turpināja iesākto kursu. Garāžas biedrus aizstāja jaunie biznesa vadības maģistri, un *SoftSystems* kopš tiem laikiem pārliecinoši pieņēmās spēkā. Dzīvi traucēja vienīgi pastāvīgās tiesas prāvas, kuras izraisīja konkurences cīņa un kurās uzvarēt kļuva aizvien grūtāk.

– Tātad, ko tu saki par to, ja mēs pārņemsim *Prismatic*? – Donelijs vaicāja.

– Vai tu domā, ka varam to padarīt ienesīgu?

Donelijs pārbrauca ar roku pār īsajiem rudajiem matiem, kas bija biezi un cieti kā cūkas sari, un papurināja galvu.

– Vienīgi NUA.

Korporācijas iekšējā žargonā abreviatūra NUA nozīmēja "nopirkt un aprakt". Kad *SoftSystems* analītiķi atklāja kādu firmu, kuras tehnoloģija varēja radīt konkurences draudus, uzņēmums dažreiz firmu nopirka ar visiem tās patentiem gluži vienkārši tādēļ, lai to izslēgtu no tirgus. *SoftSystems* programmu modernizēšana atbilstoši jauniem, pirmšķirīgiem algoritmiem bija ļoti dārgs prieks. "Pietiekami labs" – tas bija viss, ko parasti pieprasīja tirgus.

– Vai izpētīji viņu finanses? – Kolps iedzēra vēl vienu malku sava iecienītā dzēriena. Viņš izskatījās pēc novecojuša studenta – pat brilles metāla ietvaros bija tādas pašas kā studiju gados universitātē, un rudie mati nebija atkāpušies ne par milimetru. Kad piegāja viņam klāt, kļuva manāmas krunciņas ap acīm, kas izzuda, tiklīdz viņš uzrauca augšup uzacis. Patiesībā zēna gados Kolpā nebija nekā puiciska. Kad Kolps bija pusaudzis, viņš jau atgādināja pieaugušu cilvēku, un varbūt tāpēc brieduma gados viņā bija kaut kas no pusaudža. Viņu uzjautrināja doma, ka cilvēki, kas pretendēja būt par viņa sirsnīgiem draugiem, viņu aiz muguras dēvēja par Bilu. Tie, kas viņu patiešām pazina, ļoti labi zināja, ka viņš vienmēr bijis Viljams. Ne Bils, ne Vils, ne Billijs un ne Villijs. Viljams.

– Šeit ir viss, – Donelijs sacīja, pasniegdams Kolpam vienu lapu, kurā bija savietojusies skaitļu un rādītāju pārbagātība. Kolps prasīja no saviem darbiniekiem, lai īss apkopojums patiešām būtu īss apkopojums.

– Tas, ko es šeit redzu, man patīk, – Kolps teica. – Taisnīgs maiņas darījums... vai tu domā, ka viņi tam piekritīs?

– Mēs varam rīkoties elastīgi. Ja būs nepieciešams, solīsim dāsnāk, un, ja mums palūgs maksāt skaidrā naudā, arī tas nebūs kavēklis. Turklāt esmu pazīstams ar *Prismatic* investoriem – Billiju Hofmanu, Lū Parīni un citiem. Viņi pieprasīs, lai norēķināmies bez kavēšanās. Ja būs nepieciešams, iegrozīs smadzenes savai vadībai.

– Piedodiet, – sacīja Millija Lodža, Kolpa sekretāre. – Steidzama telefona saruna.

– Es paņemšu klausuli šeit, – Kolps izklaidīgi atbildēja.

Millija klusēdama papurināja galvu – tā bija tikko manāma kustība, no kuras Kolpam iekšā viss sagriezās otrādi.

Paņēmis kafijas tasi, viņš iegāja kabinetā un pacēla klausuli.

– Tas esmu es, Kolps, – pēkšņi aizsmacis, viņš teica.

Balss, kas ar viņu sasveicinājās, bija līdz nelabumam pazīstama, kaut gan elektroniski pārmainīta. Griezīgais čuksts, bezjūtīgs un nepiekāpīgs, skrāpēja viņa dzirdi gluži kā ar vīli. Kolpam ienāca prātā, ka tā runātu kukainis, ja mācētu runāt.

– Laiks samaksāt desmito tiesu, – balss sacīja.

Kolps juta, ka nosvīst aukstiem sviedriem. Viņš zināja, ka izsekot šo zvanu pasaules tīmeklī nav iespējams. Viņam tikpat labi varēja zvanīt no apakšējā stāva, kā no būdas Sibīrijas plašumos. To noskaidrot nebija iespējams.

– Tiem sasodītajiem mežoņiem atkal vajadzīga nauda? – sakodis zobus, Kolps jautāja.

– Mūsu priekšā ir dokuments, kas sacerēts septiņpadsmitajā oktobrī, vairāki ziņojumi, kas tajā pašā pēcpusdienā nosūtīti pa elektronisko pastu, viens iekšējais dokuments, kas datēts ar divdesmit pirmo oktobri, un konfidenciāls sūtījums uzņēmumam *Rexell Computing Ltd.* Vai gribi, lai nosūtām šo dokumentu kopijas Vērtspapīru komisijai? Turklāt mūsu rīcībā ir dokumenti par kādas ārzonas firmas – *WLD Enterprises* – izveidošanu un...

– Pietiek! – Kolps ieķērcās. – Ko jums no manis vajag? Esmu jūsu varā.

Doma par dumpi un nepakļaušanos bija izgaisināta. Ar jebkuru nosaukto dokumentu būtu pietiekami, lai Vērtspapīru komisija ierosinātu jaunu izmeklēšanu par konkurences likuma pārkāpumiem, un tiesāšanās purvs, kas tam sekotu, izsūktu no korporācijas miljardus un uzņēmuma tirgus kapitalizācijā radītu plaisu, kuras aizmūrēšana prasītu ļoti ilgu laiku. Tas radītu pat draudus, ka uzņēmums jāsadala, un lielāks posts nebūtu iedomājams, jo šīs daļas katrā ziņā būtu mazāk vērtīgas nekā viens vesels. Nebija vajadzības šīs sekas iztēloties. Viss bija skaidrs kā avota ūdens.

Un tāpēc viņš jau kuro reizi bija spiests ar Viljama un Dženiferas Kolpu labdarības fonda starpniecību pārskaitīt lielas summas ar tropu kaitēm sirgstošo slimnieku ārstēšanai. Patiesībā Kolps ne aci nepamirkšķinātu, ja kādu dienu viss Āfrikas kontinents nogrimtu okeāna viļņos. Taču viņš vadīja milzu impēriju, par kuru uz viņa pleciem gūlās atbildība. Turklāt viņa ienaidnieki bija grūti uzveicami un gudri, un ļoti nepatīkami. Kolps bija iztērējis kaudzi skaidras naudas, lai mēģinātu sadzīt viņiem pēdas, bet bija panācis tikai anonīmus uzbrukumus korporācijas interneta vietnēm.

Ļaudis domā, ka viņš ir pilntiesīgs sava īpašuma saimnieks. Kādas blēņas! Viņš ir *upuris*, velns lai parauj! Ko tad viņš īsti

pārvalda? Kolps paraudzījās caur stikla starpsienu uz savu ana-
līzes nodaļas priekšnieku. Donelijam uz deguna bija uzmetusies
pūte, maziņa pūtīte, un Kolpam pēkšņi gribējās to saspiest vai ie-
durt tajā ar kniepadatu. Viņa seju sašķobīja sājš smaids. *Varu iz-
tēloties, kas notiktu, ja es to izdarītu.* Kolps uztvēra Millijas Lodžas
skatienu. Viņš nešaubījās, ka Millija Lodža, kurai bija zināmi
daudzi viņa noslēpumi, ir uzticīga viņam līdz sirds dziļumiem.
Taču kādas pretīgas smaržas viņa lieto! Kolps jau sen grasījās
viņai to pateikt, taču netrāpījās piemērots brīdis, – turklāt viņš ne-
varēja izdomāt, kā lai iesāk sarunu pietiekami smalkjūtīgi, lai
Milliju neaizvainotu. Galu galā viņa to parfīmu lietoja visus šos
daudzos gadus, un pēkšņi – lūdzu! Izrādās, ka Viljams Kolps šīs
Jean Tatou, vai kā tās sauc, nevar ciest.

Bet varbūt... varbūt tieši Millija ir kaut kā saistīta ar šo izspie-
šanu! Kolps palūkojās uz viņu vēlreiz, ļoti vērīgi, iztēlodamies
savu sekretāri par sazvērnieci. Taču nebija jēgas ko tamlīdzīgu
iztēloties – gluži vienkārši viņai pietrūktu gan gudrības, gan vil-
tības, lai darītu ko tādu. Kolps klusēdams vārījās dusmās. *Te nu
es sēžu, Viljams Kolps, trešais Forbes četrsimt bagātāko cilvēku
sarakstā, bet šie nelieši sagrābuši mani kā tādu zeņķi! Vai tas ir
taisnīgi?*

– Eiropas Komisija ar aizdomām raudzīsies uz jūsu nodomu
iegādāties firmu *Logiciel Lilles*, – balss no elles turpināja, – tiklīdz
tā uzzinās, kāds īstenībā ir jūsu projekta mērķis...

– Visu svēto vārdā pasakiet, ko jūs no manis gribat! – Kolps
rūgti izgrūda. Viņa balsī jautās pieveikta zvēra rezignācija. – Pa-
sakiet!

Iedzēris vēl vienu malku atdzisušās kafijas, viņš sašķobījās.
Dzērienam bija nepatīkama piegarša. Kuru viņš galu galā grib ap-
mānīt? Kafija garšoja pec sūdiem.

Omāna

Tālumā, izrobodamas apvārsni, no purvainas, retām, nīkulī-
gām akācijām aizaugušas zemienes slējās stāvas klintis. Ziemeļu
pusē bija redzama dūmakā tītā Hadžāra nelīdzenā kore. Vietām
ar sarkanīgu smilti aizpūstais vienas joslas ceļš saplūda ar tuk-
snesi. Pārvedis pāri kalnu pārejai, ceļš iestiepās sausā upes

gultnē, gar kuras malām auga dateļpalmas, tuksneša oleandri un asa zāle.

Laiku pa laikam Belkneps klusībā sajusminājās par neierasto ainavu, šā neauglīgā un neapdzīvotā tuksneša majestātiskumu. Pamazām viņa domas atgriezās pie Džereda Rainharta.

Belkneps nespēja atbrīvoties no domas, ka viņš pieviļ cilvēku, kurš viņu nebija pievīlis ne reizi. Cilvēku, kurš bija glābis viņu no drošas nāves, kurš, ne mirkli nevilcinādamies, bija cēlies, lai viņu pasargātu. Belkneps atcerējās, ka Džereds viņu brīdināja, pastāstīdams par kādu sievieti, ar kuru viņš, Belkneps, bija satuvinājies, – bulgāru emigranti, kas strādāja Voltera Rīda hospitālī. Kā izrādījās, FIB viņu turēja aizdomās par spiegošanu un slepeni pētīja viņas gaitas. Belknepu pārņēma šausmas, kad Rainharts viņam parādīja dosjē par šo sievieti. Taču viss būtu daudz sliktāk, ja viņš patiesību nebūtu uzzinājis – informāciju par izmeklēšanu FIB rūpīgi sargāja pat no draudzīgajiem izlūkošanas resoriem. Belknepa karjera viņa bezrūpības dēļ varēja izputēt, un, iespējams, tam bija jānotiek. Taču Rainharts par to negribēja ne dzirdēt. Lai arī kādus pārbaudījumus liktenis Belknepam sagādāja, Rainharts vienmēr bija blakus gluži kā sargeņģelis. Kad autoavārijā gāja bojā Belknepa bērnības draugs, Rainharts devās tālajā ceļā uz bērēm Vērmontā, gluži vienkārši tādēļ, lai Belkneps savās sērās tur nebūtu viens un justu, ka draugs sēro kopā ar viņu. Kad Belfāstā kādā operacijā nogalināja Belknepa meiteni, Rainharts uzņēmās paziņot draugam šo briesmīgo vēsti. Belkneps atcerējās, kā pūlējās saņemties, lai nesāktu raudāt, un kā, pacēlis skatienu, ieraudzīja, ka Rainharta acis ir miklas.

Paldies Dievam, ka tu man esi, Belkneps toreiz draugam teica. *Neviena cita man nav.*

Un tagad? Kas Belknepam atlicis tagad?

Viņš pieviļ savu vienīgo draugu. Pieviļ vienīgo cilvēku, kurš viņu nekad nav pievīlis.

Džips bedrainajā ceļā palēcās, un Belkneps atrāva skatienu no kalna šķautnēm, kas vīdēja tālumā dažādos okera toņos – zemes un akmeņu krāsās. Benzīna tvertni viņš pēdējo reizi bija piepildījis pirms divām stundām un nu laiku pa laikam paskatījās uz degvielas līmeņa rādītāju. Klints pakājē skatienam pavērās neapdedzinātu ķieģeļu namiņu puduris, virs kura debesīs riņķoja putni.

– Piekūni! – Bezs iesaucās.

175

– Kā tu, Bez, – Belkneps noteica, ar to parādīdams, ka sapratis zēna iepriekš teikto.

Ceļojuma sākumā puišelis dzīvi tērgāja, bet vēlāk saduga un sēdēja, nokāris galvu. Belkneps nebija pārliecināts, ka mazais arābs, sastapies ar nepatikšanām, izturēs. Tiklīdz mašīna izbrauca no Dubaijas, Bezs pagrieza saulessarga spoguļīti pret sevi un sāka tīrīt nost no sejas grimu. Belkneps šim nolūkam iedeva viņam mutautu. Kad grims bija noberzēts, Belkneps nopētīja zēna seju, kāda tā bijusi pirms tam, kad viņu ar varu ievilka Habība Almāni iestādē. Bezs pastāstīja, ka tēvs vēlējies, lai viņš kļūtu par imāmu, un vectēvs viņam no agras bērnības mācījis Korāna tekstus. Tas pats vectēvs, kurš jaunībā bijis piekrastes tirgotājs, iemācījis viņam angļu valodu. Bezs bija sajūsmināts par radio uz mērinstrumentu paneļa un brauciena pirmajā pusstundā brīnīdamies pārslēdza radiostacijas citu pēc citas.

Iepretim namiņiem, kas bija sadrūzmējušies nogāzē pie izkaltušas upes gultnes, stāvēja liela telts. Krēmkrāsas zīda audums vieglajā vējā klusi švīkstēja.

– Vai šī ir īstā vieta?

– Jā, – Bezs saspringtā balsī apstiprināja.

Omānas Princītis acīmredzot bija teltī savu galminieku ielokā. Pie ieejas, izretinājušies nevienādā ķēdē, stāvēja seši vai septiņi cilvēki, ģērbušies garos virsvalkos, ar turbāniem galvā. Visi bija tumši iedeguši, ar bronzas krāsas ādu, kalsni, gandrīz vāji. Bezs paskaidroja, ka Almāni regulāri apciemo savu dzimto reģionu un dala dāvanas vietējiem vadoņiem un ciemu vecākajiem. Tāda kārtība Omānā bija kopš feodālisma laikiem.

Iegājis teltī, Belkneps redzēja, ka tā izklāta ar zīda paklājiem. Kalps pārbijies uztraukti žestikulēja, kaut ko sacīdams viņam arābu valodā. Belkneps aptvēra, ka viņu aicina novilkt apavus. *Kaut man būtu tavas problēmas*, viņš nodomāja.

Bezs bija teicis, ka Princītim ir liels vēders, taču, kā izrādījās, tas bija visai nepilnīgs raksturojums. Almāni gluži vai pazuda savos taukos. Viņa augums bija apmēram piecas pēdas un astoņas collas, un viņš svēra vismaz trīssimt mārciņu. Kļūdīties nebija iespējams. Princītis, gluži kā tronī, sēdēja pītā niedru krēslā. Uz paklāja viņa priekšā atradās kaudze bezgaumīgu, lētu nieciņu, kas acīmredzot bija viesos atnākušo ciemu vecāko dāvanas. Viens no viņiem, tērpies putekļainā muslīna tunikā, tajā brīdī atvadījās no Almāni, pie krūtīm spiezdams vīstokli zeltītā folijā.

– Jūs acīmredzot esat Habībs Almāni, – Belkneps teica.

– Manu dārgo ser... – Iepletis acis, Princītis līgani novēzēja roku. Uz pirkstiem iemirdzējās neskaitāmi dārgakmeņi. Pie jostas viņam karājās *khandjar*, līks parādes zobens ar briljantiem nosētu rokturi. Almāni angļu valoda bija nevainojama – ja Belkneps aizvērtu acis, viņš spētu noticēt, ka iegriezies kādā lepnā Londonas klubā. – Amerikāņi mūsu pusē nav bieži viesi. Lūdzam piedošanu, ka uzņemam jūs tik pieticīgā mājoklī. Diemžēl šeit nav Maskata... Ar ko esam izpelnījušies tādu pagodinājumu? – Arāba mute runāja laipnības, bet tumšās, aizdomu pilnās acis, kas bija samiegtas šaurās spraudziņās, pauda ko citu.

– Esmu šeit, lai iegūtu informāciju.

– Jūs atnācāt pēc informācijas pie necilā Omānas Princīša? Droši vien esat nomaldījies no ceļa un vēlaties uzzināt, uz kuru pusi jābrauc? Lai nokļūtu tuvākajā... diskotēkā? – Viņš pēkšņi sāka zviegt, paglūnēdams uz stūrī iespiedušos, gadus trīspadsmit vecu meiteni. *Izvirtušais ķēms*, Belkneps nodomāja. – Tu arī labi izklaidētos tādā nakts diskotēkā, vai ne, manu rozes pumpuriņ, – Princītis saldā tonī noteica un tad atkal pievērsās Belknepam.

– Nešaubos, ka arābu viesmīlība jums nav sveša. Ar to esam slaveni visā pasaulē. Man jūs jāpacienā ar labākajiem ēdieniem un jāgūst no tā baudījums. Taču, kā redzat, mani moka ziņkārība.

– Es strādāju ASV Valsts departamentā. Esmu pētnieks, teiksim tā.

Almāni tuklajā sejā noraustījās muskulis.

– Tātad spiegs. Cik jauki! Nopietna spēle. Gluži kā vecajos labajos Osmaņu impērijas laikos.

Princītis iedzēra malku no sudraba pialas. Belkneps, kurš stāvēja viņam samērā tuvu, juta vieglu viskija aromātu. Dārga viskija, protams. Nebija šaubu, ka iedzeršana ir Almāni vājība. Mēle viņam nemežģījās – gluži pretēji, viņš runāja apņēmīgi un skaidri, kā runā cilvēks, vēlēdamies reibumu slēpt.

– Nesen pie jums nokļuva kāda itāliešu meitene, – Belkneps sacīja.

– Baidos, ka nesaprotu, par ko jūs runājat.

– Viņa strādāja priekšmājā, kas jums pieder.

– Zvēru pie pravieša bārdas, ka jūs mani satriecat līdz sirds dziļumiem, ievainojat līdz slēptākajam dvēseles stūrītim, liekat nodrebēt...

177

– Nepārbaudiet manu pacietību, – Belkneps zemā, draudīgā balsī pārtrauca viņa vervelēšanu.

– Kaut nelabais jūs parautu... Ja jums vajadzīga itāliešu palaistuve, jūs patiešām esat nomaldījies. Varu piedāvāt jums kompensāciju. Ne vien varu... es to vēlos! Vai jums patīk ātras automašīnas? Kādus dzērienus esat iecienījis? Varbūt gribat... jā, varbūt gribat manu rozes pumpuriņu? – Almāni pamāja uz stūrī iespiedušos meiteni. – Ņemiet viņu! Protams, *ne jau* pavisam. Ja tā drīkst izteikties, jūs varat paņemt viņu izmēģinājuma braucienā... un aizbraukt uz paradīzi!

– Jūs izraisāt manī riebumu, – Belkneps teica.

– Tūkstošreiz atvainojos. Es saprotu. Jūs stūrējat pa citu maršrutu. Vizināties ar citām mašīnām. Varat nepaskaidrot. Redziet, esmu mācījies Ītonā, un tur visi ir kā jukuši pēc bagijiem. Šajā skolā bagiju sacīkstes ir svētākais sporta veids, gluži tāpat kā Sienas spēle. Vai zināt, kas ir Sienas spēle? To spēlē tikai Ītonā. Jums derētu apmeklēt Ītonu Svētā Endrū dienā, kad tiek rīkots ikgadējais skolēnu un pilsētnieku turnīrs. Šī spēle ir līdzīga futbolam. Visnotaļ līdzīga. Taču tajā pašā laikā tas nav futbols. Ja nemaldos, pēdējos vārtus Svētā Endrū dienā iesita tālajā tūkstoš deviņsimt devītajā gadā. Vai spējat noticēt...

– Vai zini, kam *notici*, gnīda? – Belkneps klusi izgrūda, lai to dzirdētu vienīgi Almāni. – Ja neizstāstīsi, ko tev prasu, es izraušu tev roku no locītavas!

– Ahā, jūsu gaumē ir kas skarbāks! – Princītis ar izsmieklu novilka. – Mēs izdabājam ikvienam. Lai cik ugunīgs jūs būtu, lai cik attīstīta būtu jūsu fantāzija. Tagad, ja apgriezīsieties un dosieties atpakaļ uz Dubaiju, es pagādāšu jums...

– Man atliek tikai piezvanīt, un šeit ieradīsies pāris helikopteru, kas aizvedīs tevi un tavu nolādēto svītu uz vienu ļoti drūmu vietu, no kurienes tu, iespējams, vairs nekad neiznāksi. Atliek tikai piezvanīt...

– Ak, nerunājiet tādas blēņas! – Ar gredzenotajiem pirkstiem sagrābis pialu, omānietis vienā malkā to iztukšoja un izelpoja smirdošu dvingu. – Vai zināt ko? Jūs esat liels asprātis. Patiešām, spožs jokdaris.

– Es tevi brīdināju.

– Itāliešu skuķis... kas viņā tāds īpašs? Mani lūdza izdarīt pakalpojumu, un cauri. Mani tur iekšā nepiniet, to es jums saku bez maksas. Kāds gribēja viņu aizvākt patālāk no cilvēku acīm.

– Kāds, kurš saistīts ar Halila Ansari grupu.

Pēkšņi Princītis vairs nejutās labi. Pamājis ar roku un nomurminājis dažas frāzes Omānas arābu valodā, viņš lika vākties prom visiem, kas atradās teltī, arī diviem spēcīgiem vīriem, kuri stāvēja viņam līdzās un kuru *khandjar* nebija domāti tikai skaistumam. Palika vienīgi klusā meitene telts stūrī.

– Pļāpīgas mēles gremdē kuģus! – Almāni noburkšķēja.

– Kas viņu gribēja aizvākt? – Belkneps uzstāja. – Kas?

– Halils Ansari ir miris, – neatbildēdams uz jautājumu, arābs drūmi teica. Viņa balsī bija iezagusies piesardzība – tāds vīrs apsargus labprātīgi neatlaiž. Acīmredzot Almāni ļoti baidījās, ka viņu varētu atmaskot.

– Vai tu domā, ka es to nezinu?

– Lai gan... kāda tam tagad nozīme? – iereibušais omānietis sacīja. – Viņš tik un tā vairs nekontrolēja biznesu. Bija vajadzīga jauna vadība. Jauns maestro. – Viņš pacēla gaisā rokas, atdarinādams diriģentu. – *Tam-tī-tam, tamītī-tamītī-tamm*, – Princītis rūca melodiju, kas Belknepam nebija pazīstama. – Katrā ziņā izvēles man nebija. Jūs, puiši no CIP, to nesaprotat. Jūs vienmēr ciet paņemat mūs, bandiniekus, bet karaļus, dāmas un torņus atstājat, lai rosās. – Viņam pēkšņi kļuva sevis žēl, un viņš asarainā balsī noprasīja: – Ko es *jums* tādu esmu nodarījis?

Belkneps paspēra soli uz priekšu. Almāni, viņš noskārta, savulaik bijis saistīts ar CIP. Ar to bija izskaidrojama viņa attieksme pret nepazīstamu amerikāni, no kura viņš izmisīgi centās atpirkties, lai neuzpeldētu pierādījumi par viņa bijušajiem sakariem, jo tagadējos apstākļos tie varēja viņam kaitēt. Persijas jūras līča piekrastē daudzi starpnieki bija tādā situācijā.

– Runa ir ne tikai par itāliešu meiteni, – Belkneps turpināja. – Pastāsti man par gara auguma amerikāni. Par Džeredu Rainhartu.

Habība Almāni acis gluži vai izsprāga no dobumiem. Viņš iestenējās, it kā grasītos krist ģībonī.

– Man taču nebija izvēles! Velns parāvis, nebija! – viņš stostīdamies izmocīja. – Ir tādi cilvēki un tādi spēki, kuriem nav iespējams pateikt: "Lasies prom!" Man nebija izvēles.

Satvēris Almāni mīksto roku, Belkneps to spēcīgi saspieda. Princītis aiz sāpēm saviebās.

– Kur viņš ir? – Belkneps jautāja. Piebāzis galvu tuvu klāt pie omānieša sejas, viņš uzkliedza vēlreiz: – Kur viņš ir?

– Jūs esat nokavējis, vai ne? – Almāni pavīpsnāja. – Viņa šeit vairs nav. Nav. Jā, viņš bija Dubaijā. Viņu nodeva man, lai es viņu uzraudzītu. Taču drīz vien to garo puisi iesēdināja privātā lidmašīnā, un jūsu draugi viņu aizveda no šejienes prom.

– *Uz kurieni*, velns parāvis?

– Cik sapratu, kaut kur uz Eiropu. Jūs taču zināt, kā tas notiek ar privātām lidmašīnām. Lidojuma plānā ieraksta vienu, bet mērķis ir pavisam cits.

– Es tev jautāju – uz kurieni viņu aizveda? – Belkneps atvēzējās un iesita omānietim pa seju.

Vīrs, smagi elpodams, uzmeta kumpu un sarāvās. Belkneps lasīja viņa domas – Princītis mēģināja izšķirties, vai saukt šurp miesassargus, taču nolēma to vēl nedarīt. Netiklais, patmīlīgais Almāni nebija radis, ka pret viņu izturas cietsirdīgi. Viņa dusmas pārvērtās aizvainojumā.

– Es tev teicu, ka nezinu, maitas gabals tāds! – viņš ņurdēja. – Par tādām lietām nemēdz jautāt! Vai tu to nesaproti?

– Šķiet, ka tu nesaproti. – Belkneps abām rokām sagrāba Almāni, viņu žņaugdams. – Tu nesaproti, ar ko esi sastapies. Vai gribi zināt, ko es izdarīšu, ja tu nesāksi runāt? Gribi zināt? Gribi?

Omānietis kļuva tumši sarkans.

– Es tev jau tik daudz pateicu! – viņš rīstīdamies izgrūda. – Atbildēju uz visiem taviem divdesmit jautājumiem. Ja tu domā, ka es iedrošināšos kaut ko teikt par...

Belkneps iebelza viņam ar dūri pa seju. Pirkstu kauliņi sāpīgi skāra vaiga kaulu.

– Tu esi *jucis*, ja domā, ka es ko teikšu par Ģenēzi, – Almāni nočukstēja, un šajā saspringtajā čukstā jautās neviltotas bailes. Viņa reibums pagaisa kā nebijis, un atgriezās spriestspēja, brīdinādama viņu gluži kā balss, kas skan no akas dibena. – Tu esi jucis, ja domā dzīt jokus ar Ģenēzi.

Ģenēze? Belkneps ieblieza Princītim ar elkoni pa žokli.

Lūpu kaktiņā tam ieriesās asinis, kas tievā straumē plūda pa ādu lejup. Izskatījās, ka Almāni sejā kāds mēģinājis uzzīmēt skumju klauna smaidu.

– Netērē velti laiku un spēkus, – vīrs elsodams turpināja. Rimties Belknepu piespieda nevis arāba vārdi, bet nolemtība viņa balsī. Nolemtība un bailes.

– Ģenēze?

Almāni, par spīti sāpēm un asinīm, saverkšķīja seju smīnā.

– Tas ir visur. Vai tad tu nezini?

– Tas?

– Tas, viņa, viņš, viņi... Neviens par to neko nezina, tikai daži nelaimīgie, kam ir iemesls lādēt Allāhu. Es saku "tas" gluži vienkārši ērtības pēc. Tā taustekļi ir visur. Tā rokaspuiši ir starp mums. Iespējams, tu arī esi viens no viņiem.

– Tu tā domā, jā?

– Nē, patiesībā es tā nedomāju. Tavi sasodītie gājieni ir pārāk paredzami. Tu esi no tiem, kam divreiz divi allaž ir četri. Tu neesi sarežģīto manevru lietpratējs. Neesi Ģenēzes līdzinieks. Kaut arī... par kuru gan var teikt, ka viņš tāds ir?

– Neko nesaprotu. Tu dzīvo izmisīgās bailēs no personas, kuru nekad neesi redzējis?

– Tāpat kā tas notiek ar cilvēkiem jau tūkstoš gadu. Reti bailēm bijis dibināts iemesls. Princītis tev, muļķa naivulim, pastāstīs, kādas klīst baumas. Ja gribi, uzskati to par arābu viesmīlību. Vai neuzskati, ja negribi. Taču nesaki pēc tam, ka es tevi nebrīdināju. Vieni teic, ka Ģenēze esot sieviete, kāda vācu rūpnieka meita, kura pagājušā gadsimta septiņdesmitajos gados sapinusies ar radikāļiem no Bādera un Meinhofas grupas un Otrā jūnija kustības, bet pēc tam pārgājusi pretējā nometnē. Citi apgalvo, ka Ģenēze esot pasaulē pazīstams diriģents, maestro, kurš braukājot pa pasauli, sniegdams koncertus un vienlaikus slepeni vadīdams savus padotos, kas viņa identitāti pat nenojauš. Vieni runā, ka viņš esot liela auguma vīrs, citi, gluži pretēji, – ka viņš esot gluži vai punduris. Esmu dzirdējis dažādas baumas – gan, ka tā esot neticami skaista jauna sieviete, gan, ka atgādinot grumbainu, vecu raganu. Esmu dzirdējis, ka Ģenēze dzimis Korsikā, Maltā, Maurīcijā un citās vietās Austrumos, Rietumos, Ziemeļos un Dienvidos. Kāds apgalvo, ka tā esot japāņu samuraju ģimenes atvase un lielāko daļu laika pavadot dzenbudistu klosterī. Cits, pie krūtīm sizdams, zvēr, ka viņa tēvs bijis nabadzīgs gans Dienvidāfrikā, bet pēc tam viņu pieņēmusi būru ģimene, kurai piederējušas dimantu raktuves, ko vēlāk viņš mantojis. Ir tādi, kuri Ģenēzi uzskata par ķīnieti, kas bijis kādu laiku Dena Sjaopina uzticams draugs, un ir tādi, kuri domā, ka viņš ir orientālistikas un Āfrikas pētījumu skolas profesors kādā Anglijas universitātē, bet neviens nezina, kurā. Tajā pašā laikā citi...

– Pietiek buldurēt! – Belkneps aprāva omānieša vārdu plūdus.

181

– Es tikai gribēju sacīt, ka baumu ir daudz, bet ticamu faktu nav. Ģenēze valda ēnu valstībā, kas aptvērusi zemeslodi, taču tajā pašā laikā – viņa, viņš? – ir neredzams, gluži kā Mēness otra puse.

– Kāda velna pēc...

– Tas nav domāts tavam prātiņam. Tas pārsniedz arī manu saprašanas spēju, taču es vismaz to atzīstu.

– Tu taču saproti, ka es varu tevi nogalināt, vai ne? – Belkneps teica.

– Jā, tu vari mani nogalināt. Taču Ģenēze var izdarīt ļaunāk. Nesalīdzināmi ļaunāk. Ak, cik baismīgu stāstu esmu uzklausījis! Leģenda par Ģenēzi... tas vis nav kaut kas nenozīmīgs.

– Tie ir stāsti, ko var klāt vaļā pie nometnes ugunskura, – Belkneps nicīgi novērtēja. – Baumas, kas dibinātas uz aizspriedumiem.

– Šos stāstus ļaudis cits citam pavēsta čukstus. Jā, var jau būt, ka tās ir baumas, taču tādas baumas, kurās ir liela daļa patiesības. Tu saki – stāstiņi, ko stāsta pie ugunskura? Ģenēze šo to zina par uguni. Atļauj tev pastāstīt par vienu princi, pareizāk, par Saūda Arābijas karaliskās ģimenes locekli. Stāsta, ka reiz Ģenēzes aģents viņam nodevis lūgumu. Ģenēzes lūgumu. Muļķa vīrs bijis tik neapdomīgs, ka atteicis. Viņš domāja, ka Ģenēzei var nepakļauties. – Habībs Almāni ar piepūli norija kaklā iestrēgušo kamolu. Caur zīda telts audumu izlauzies saules stars uzspīdēja uz viņa sviedriem klātās pieres. Stāstīdams Almāni žņaudzīja savas apaļīgās rokas. – Tad viņš pazuda. Pēc nedēļas viņu atrada Rijādā. Atkritumu kastē.

– Mirušu.

– Ļaunāk, – Almāni paskaidroja. – Dzīvu. Viņš joprojām ir dzīvs kādā Rijādas slimnīcā. Tādā pašā stāvoklī, kādā viņu atrada. – Omānietis paliecās uz priekšu ar šausmu izteiksmi sejā. – Kad viņu atrada, tas vīrs bija paralizēts, jo viņam rūpīgi bija pārgrieztas muguras smadzenes. Viņa mēle bija ķirurģiski amputēta. Turklāt ar neirotoksīna injekciju izraisīts nepārejošas blefarospazmas stāvoklis. Vai saproti? Viņam paralizēti pat plakstiņi, kas vienmēr ir cieši aizvērti. Tā ka viņš nespēj sazināties ar apkārtējiem, pat mirkšķinot acis!

– Un citādi... šā cilvēka organisms darbojas?

– Jā, tas ir kaut kas drausmīgs. Viņš dzīvo, viņš ir pie pilnas apziņas, taču nekustīgs, ieslēgts savā pusnakts eksistencē, un viņa ķermenis ir viņa kaps... Tas ir brīdinājums mums, pārējiem.

– Jēzus Kristus, – Belkneps izdvesa.

– *Allahu Akbar*, – omānietis piebalsoja.

Belkneps piemiedza acis.

– Kā tu vari būt pārliecināts, ka *es* neesmu Ģenēze, ja nekad to neesi redzējis?

Almāni nomērīja viņu ar skatienu.

– Vai *tu* ko tamlīdzīgu spētu izdarīt?

Belkneps klusēja, bet Almāni viņa sejā redzēja pietiekami izsmeļošu atbildi.

– Un tad vēl tas notikums ar kādu glītu kuveitieti, naftas magnāta dēlu, lielas bagātības mantinieku. Viņš bija brunču mednieks. Bijis tik pievilcīgs, ka brīdī, kad iegājis telpā, visi apklususi. Viņš arī vienu reizi neesot pakļāvies Ģenēzes gribai. Kad ģimene viņu atrada, vēl dzīvu, viņam no sejas bija noplēsta āda. Vai saproti? Sejas āda...

– Pietiek! – amerikānis atkal viņu pārtrauca. – Pie velna, esmu jau diezgan saklausījies! Vai tu gribi teikt, ka Pollukss ir šīs Ģenēzes nagos?

Habībs Almāni uzsvērti paraustīja plecus.

– Vai tad mēs *visi* neesam viņa nagos? – Viņš nokāra galvu un paslēpa seju rokās, it kā iegremdēdamies savās bailēs. Kur neviens viņu nevarētu atrast.

– Sasodīts, vai nu tu atbildēsi uz manu jautājumu, vai es tev pārgriezīšu rīkli! Tas nebūs nekas tik smalks, kā tu man tikko pastāstīji, bet ceru, ka negribēsi par to pārliecināties. – Belkneps izņēma no kabatas nazi ar saliekamu asmeni un pielika to druknajam vīram pie kakla.

Almāni apātiski raudzījās uz viņu.

– Vairāk atbilžu man nav, – viņš vienaldzīgi teica. – Par Polluksu, par Ģenēzi? Es izstāstīju tev visu, ko zinu.

Belkneps saprata, ka šis cilvēks runā taisnību. Viņam bija skaidrs, ka neko vairs no tā neizdabūs.

Kad Belkneps iznāca no telts, Bezs ar drūmu seju gaidīja viņu pie džipa. Viņa spīdīgie melnie mati, kuros vējš bija sapūtis tuksneša putekļus, nu izskatījās nespodri.

– Kāp iekšā! – Belkneps nokomandēja.

– Tev jāizdara vēl kas, – zēns teica.

Belkneps, pēkšņi atkal juzdams svelmi, kas viļņiem cēlās gaisā no zemes virsmas, klusēdams lūkojās uz viņu.

– Vai teltī bija meitene? Trīspadsmit gadu.

Belkneps pamāja ar galvu.

– Arābu meitene.

– Tev jāiet atpakaļ, jāpaņem viņa aiz rokas un jāatved šurp, – Bezs paziņoja, vērdamies lejup un apņēmīgi aptverdams sevi ar tievajām rokām. – Lai varam ņemt viņu līdzi. – Skaļi nopūties, viņš beidzot pacēla skatienu, un Belkneps redzēja, ka viņa acis ir miklas. – Viņa ir mana māsa.

DEVĪTĀ NODAĻA

Savrupnamā Kasa de Oro, kas atradās stundas brauciena attālumā no Buenosairesas, bija kaut kas gan no klasiskas spāņu *hacienda*, gan renesanses laikmeta villas. Šeit netrūka ne arku, ne marmora ar zelta dzīslojumu. Šajā rītā viesi pulcējās nolaidenā mauriņa tālākajā galā, lai vērotu polo spēli, kas risinājās turpat blakus, desmit akru lielā, iežogotā laukā. Smokingos tērpušies viesmīļi nepārtraukti tekalēja, pienesdami viesiem augļu sulas glāzes un uzkodas – mazas sviestmaizītes. Jauns aziāts aprūpēja izdēdējušu večuku elektriskā braucamkrēslā. Kāda pavecāka sieviete, kuras sejas āda bija gludi nostiepta plastiskās operācijas ceļā un kuras izbalinātie zobi izskatījās tā, it kā būtu domāti citai, daudz jaunākai un lielākai mutei, uz katru sirmā patriarha frāzi reaģēja ar spiedzošiem izsaucieniem.

Spēlētājiem, kas bija ģērbušies dzeltenās jakās, ar baltām ķiverēm galvā un garām nūjām rokā gandrīz neviens nepievērsa uzmanību. Zirgi dīžādamies skaļi sprauslāja, un viņu elpa vēsajā rīta gaisā veidoja baltus mākulīšus.

Kāds piecdesmit gadus vecs vīrietis, ģērbies savā ierastajā vasaras tērpā – baltā frakā, ar tumšsarkanu drēbes jostu, – dziļi ieelpoja svaigo gaisu. No lauka vējš atnesa zirgu un cilvēku sviedru aromātu. Viņš bija ietekmīgs biznesmenis, starp kura īpašumiem bija tālsakaru kompānijas, kas aptvēra lielāko daļu Dienvidamerikas kontinenta. Par viņa ieradumu bija kļuvusi ikviena redzeslokā nokļuvuša nekustamā īpašuma paviršа novērtēšana. Ar ieinteresētu skatienu viņš nopētīja villu un trīssimt akru zaļojošas zemes, kas to ieskāva. Viņam nebija pamata domāt, ka viesmīlīgais saimnieks Denijs Munjoss grasītos savu muižu pārdot, turklāt viņam nebija vajadzības to pievienot pārējiem saviem nekustamiem īpašumiem, taču viņa interese par apkārt redzamo nebija apslāpējama. Tāda bija viņa daba.

Viens no apkalpotājiem, kurš bija vecāks par pārējiem un pēdējā brīdī uzaicināts aizstāt sasirgušu viesmīli, pienāca pie telekomunikāciju magnāta.

– Vai nevēlaties papildināt savu dzērienu?

Vīrietis kaut ko nesaprotamu noburkšķēja.

Viesmīlis smaidīdams piepildīja viņa pustukšo glāzi ar citronu un meloņu punšu. Rīta saules stari apspīdēja gaišos matiņus uz viņa delnas virspuses. To izdarījis, viņš aizgāja aiz slaidām Itālijas cipresēm un atlikušo punšu nemanāmi izlēja zemē. Viesmīlis jau gandrīz bija atgriezies villā, kad satraukuma pilna kņada – kliedzieni un trauksmainas, skaļas sarunas – vēstīja, ka biznesmeni ķērusi sirdstrieka.

– *Ataque del corazón!* – kāds iesaucās.

Jā, ļoti labs minējums, vīrietis viesmīļa tērpā nodomāja. No malas tā patiešām izskatījās pēc sirdstriekas. Patologa atzinums būs tāds pats. Viņš tūlīt ies un pārliecināsies, vai izsaukta palīdzība. Kādēļ gan to nedarīt, ja upurim vairs palīdzēt nav iespējams?

Atvilkusi melnās neilona somas rāvējslēdzēju, Andrea Bānkrofta izņēma no tās klēpjdatoru un nolika to uz kvadrātveida galdiņa, kas bija apklāts ar vienreizējo galdautu. Kopā ar Volteru Saču viņa sēdēja otršķirīga Griničas veģetārā restorāna zāles dziļumā. Šķita, ka Sačs izraudzījies šo vietu tikai tādēļ, lai par to pasmietos. Zālē bija tikai viņi vien, un viesmīle laiku pa laikam uz viņiem palūkojās, pārliecinādamās, ka viņas pakalpojumi nav vajadzīgi, un tūdaļ no jauna iebāza degunu Dikensa "Lielajās cerībās".

– Vai tikko nopirki? – Sačs apjautājās. – Jauks modelis. Lai gan... par to pašu naudu varētu atrast ko labāku. Tev vispirms vajadzēja pavaicāt man padomu.

Volters Sačs mēdza savus pelēkbrūnos matus sānos apgriezt ļoti īsus, bet augšpusē atstāja garus, tāpēc viņa jau tā izstieptā, stūrainā seja izskatījās vēl garenāka un stūraināka. Izvirzītais, apņēmīgais zods mazliet kontrastēja ar šauro krūškurvi. Viņam bija plakana pēcpuse – Andrea, to ievērojusi, apmulsa, bet tā nu tas bija. Bikses, cik vien varēja, viņš savilka augšup, tomēr aizmugurē tās tik un tā karājās vaļīgi. Lai kliedētu stereotipu, ka visi datoru ģēniji nēsā brilles, viņš izmantoja kontaktlēcas, taču acīmredzot nespēja pie tām pierast. Sačam bija apsarkušas acis. Varbūt

186

viņam acis bija pārāk sausas vai lēcu izliekums nebija gluži piemērots. Andrea negrasījās to jautāt.

– Tas nav mans dators.

– Saprotu, – Volters jautri noteica. – Zagta manta.

– Zināmā mērā.

Volters uzmanīgi paraudzījās uz viņu.

– Andrea...

– Es gribu tev lūgt nelielu palīdzību. Šajā datorā glabājas datnes, ko es gribētu izlasīt, taču tās ir šifrētas. Tāda ir situācija. Kāda informācija vēl tev vajadzīga?

Pakasījis zodu, Volters veltīja viņai apbrīnas pilnu skatienu.

– Pēc iespējas mazāk, – viņš atbildēja. – Tu taču nedari neko neatļautu, vai ne?

– Volter, tu taču mani pazīsti. – Andrea vārgi pasmaidīja. – Vai tad es kaut reizi esmu darījusi ko neatļautu?

– Lieliski. Vairāk neko nesaki.

Kā gan viņa varēja Sačam to izskaidrot? Viņa pati sev nespēja to izskaidrot.

Varbūt viņas aizdomas bija nepamatotas. Taču, gluži kā tādas sarkanas skudras, tās joprojām drūzmējās viņas prātā, likdamas viņai justies kā uz adatām. Kaut kas bija jādara, lai tiktu no tām vaļā, – varbūt jāizseko līdz pūznim? Andrea pieņēma lēmumu impulsīvi, taču ar tā izpildi tik raiti nevedās.

Tas bija šāviens uz labu laimi. Andrea apmainīja Bānkrofta fonda revidenta *Hewlett-Packard* klēpjdatoru pret tāda paša modeļa datoru, kura cieto disku bija iztīrījusi. Viņa cerēja, ka to pieņems par diska kļūmi, informāciju atjaunos no rezerves kopijām, un ar to viss beigsies. Lai atvienotu datoru no lokālā tīkla un elektrības vada, bija vajadzīgas nepilnas desmit sekundes. Andrea to izdarīja, kamēr datora saimnieks devās uz apakšstāva ēdnīcu pusdienās. Bērnu spēle. Taču bērnu spēle nepavisam nebija sirds skaļā dauzīšanās krūtīs, kad Andrea ar samainīto datoru somā atgriezās automašīnu stāvvietā. Atšķirīga bija ne vien pasaule, kurā viņa iegājusi, atšķirīga bija arī viņa, Andrea Bānkrofta. Viņai nebija ne jausmas, ko par fondu uzzinās. Taču viņa jau daudz bija uzzinājusi par sevi, un tas, ko viņa uzzināja, viņai nepatika.

Volters pārmeklēja saknes direktoriju.

– Šeit ir daudz visa kā. Lielākoties datu datnes.

– Sāc ar jaunākajām, – viņa ieteica.

– Tās visas ir šifrētas.

187

– Kā jau teicu.

Viņa ielēja sev nedaudz "Klusuma dzēriena" – acīmredzot kaut kādu ilzīšu tēju, kam veģetārajā restorānā piešķirts poētisks nosaukums. Māla krūzes pieskāriens pie lūpām Andreai šķita nepatīkams.

Volters atsāknēja datoru, nospiedis vairākus taustiņus: *Shift*, *Option* un vēl dažus, ko Andrea nesaskatīja. Uz tumšā ekrāna parādījās nevis parastais starta attēls, bet gan viena komandrinda. Volters strādāja mašīnkoda programmā. Viņš uzklabināja pāris rindiņu un tad ar gudru seju pamāja ar galvu.

– Jaukais standarta šifrs, – viņš teica. – Izmantots *RSA*, sērijveida publiskās atslēgšifrēšanas algoritms.

– Vai atšifrēt būs viegli?

– Tikpat viegli kā sardīņu kārbu, – mirkšķinādams acis, Volters atbildēja. – Ar nagiem.

– Jēziņ! Cik laika tas prasīs?

– Grūti pateikt. Vajadzēs tam uzlaist virsū C-plus-plus. Pievienot pie manas Lielās Bertas. Izplatāmprogrammatūras zemē ir diezgan labi kārbu atvērēji. Pārsūtīšu kādas desmit datnes galvenajā sistēmā un sākšu tās apmētāt ar akmeņiem. It kā sistu ārā loga stiklu, lai varētu attaisīt ārdurvis. Patiesībā es centīšos atrast pretējo šifrēšanas algoritmu un iegūt ķīli, ar ko iespiesties starp tūkstoš divdesmit četru bitu pirmskaitļiem, un tas ir vissarežģītākais.

Andrea aizgrieza galvu sāņus.

– Es neko nesapratu no tā, ko tu tikko teici.

– Tad uzskati, ka sarunājos pats ar sevi. Nav jau pirmā reize.

– Tu esi mīļš.

– Ceru, ka tevis dēļ mani neiemetīs verdošā ūdenī.

– Protams, nē. Es to nepieļautu. Remdenā – jā. Siltā – varbūt. Siltā taču varētu, vai ne?

– Tu esi no dziļajiem ūdeņiem, Andrea Bānkrofta.

– Ko tu ar to gribi teikt?

Cieši raudzīdamies mašīnkodā, kas sāka pildīt ekrānu, Volters saknieba lūpas.

– Kas teica, ka es runāju ar tevi?

Protams, viņa vairs *nav* starp dzīvajiem. Sarkanais Navaho piekrita izpildīt Kastora lūgumu, un ir nogalināts. Tikai tā varēja izskaidrot, kāpēc viņš nepiezvanīja norunātajā laikā un neatbildēja uz telefona zvaniem. Belknepu smacēja niknums un nelabums, un viņš laikā attapās, ka traucas ar bīstamu ātrumu. Ko viņš līdz šim ir panācis? Vairāk kaitējuma nekā labuma? Varbūt ailē ar plus zīmi varēja ierakstīt to, ka viņš aizveda Bezu un viņa māsu atpakaļ uz ciemu, kas gluži kā pelēks ķērpis bija piekļāvies pie klints. Aizbraukdams viņš joprojām dzirdēja ciema ļaužu priekpilnos izsaucienus, un viņa domas atgriezās pie Princīša. Šajā saules izdedzinātajā zemē, kur ikviena eksistence savā ziņā bija brīnums, valdīja pilnīga beztiesība un necieņa pret cilvēka dzīvību. Kas notiks ar divpadsmit gadus veco Bezu? Vai viņš reiz būs imāms, kā to vēlas viņa vectēvs, vai viņa dzīvību laupīs nākamā holeras vai tīfa epidēmija? Varbūt viņš no jauna kritīs par upuri varmācībai? Par ko viņš galu galā kļūs – par teroristu vai cilvēku, kuram nežēlība ir dziļi pretīga? Vai ļaunums, ar ko šis zēns sastapies, būs saindējis viņa turpmāko dzīvi vai, gluži pretēji, nostiprinājis viņa apņēmību darīt labu? Belkneps to nezināja. Zēns ir gudrs, viņš domāja, prot skaidri izteikties, neapšaubāmi ir vairāk apguvis nekā lielākā daļa tā ciema iedzīvotāju. Varbūt viņš izrausies no tumsas, kas valda viņam apkārt. Varbūt viņa vārds reiz būs pazīstams vairāk nekā viņa radu un draugu vārdi. Tikai – saistībā ar ļauniem vai labiem darbiem?

Dažs labs teiktu, ka atbilde ir atkarīga no paša atbildes devēja, uzsvērdams, ka vispārzināmus teroristus viņu piekritēji atzīst par varoņiem. *Daudzi uzskata, ka teroristi esam mēs abi,* Džereds reiz teica. Belkneps bija sašutis. *Vai tāpēc, ka esam vardarbīgi pret ļaundariem?* Džereds papurināja galvu. *Tāpēc, ka par ļaundariem viņi uzskata mūs.*

Nebija tā, ka Džeredu nebūtu vilinājis ērtais relatīvisms. Ir meli, un ir patiesība. Ir fakti, un ir falsifikācijas. *Ja tev parāda monētu ar vienādām abām pusēm, kur virsū ērglis, tu uzreiz saproti, ka tev piedāvā viltotu naudu,* viņš teica. *Taču tas vēl nav viss.*

Kas tad vēl? Belkneps jautāja.

Džereds gausi pasmaidīja. *Tu sapratīsi, ka derības būs jāslēdz uz ērgli.*

Belknepa domas atgriezās pie Princīša stāsta par Ģenēzi – pie baisajiem sodiem, ko saņēma nepaklausīgie. Vai patiešām Džereds nokļuvis šā briesmoņa rokās? Belkneps nodrebinājās. Kā gan šim cilvēkam izdodas noslēpt savu personību, ja viņam pieder tāda milzu vara? *Ēnu valstība, kas aptvērusi zemeslodi.*

Apstādinādams ceļmalā džipu, Belkneps mutē juta rūgtu garšu. Viņš trešo reizi stundas laikā mēģināja sazvanīt Gomesu, taču velti. Jaunākais analītiķis droši vien atradās apspriedē, bet atstāt viņam ziņojumu Belkneps negribēja. Ceturtajā reizē Gomess beidzot atsaucās. Kad Belkneps pastāstīja, ka Sarkanais Navaho neatbild uz telefona zvaniem, Gomess viņa ļaunākās aizdomas apstiprināja. Sarkanais Navaho jeb Tomass Mičels patiešām bija pagalam. To apliecinājuši Ņūhempšīras štata Velingtonas pilsētas policisti, kas ar patruļmašīnu aizbraukuši uz viņa mājām, kur saimnieks atrasts miris. Nāve iestājusies aptuveni pirms septiņām stundām. Iemesls vēl neesot noskaidrots. Vardarbības pēdu neesot. Vispār nekādu pēdu neesot.

Belkneps vienīgais zināja, ka Sarkano Navaho nāvei rīklē iesūtījis viņš.

Viņš lika tam novērot Andreu Bānkroftu, bet nebija pareizi novērtējis šīs sievietes viltību un nežēlību – vai to, cik viltīgi un nežēlīgi ir viņas apsargi.

Viņa kļūdas dēļ bojā bija gājis cilvēks.

Gomess, pēc viņa lūguma, sniedza pilnīgāku ziņojumu par Andreu Bānkroftu. Viņas šķietami nevainīgā sabiedriskā dzīve liecināja par viņas izlikšanās meistarību. Bānkrofta nepārprotami bija ļoti inteliģenta, un viņas rīcībā bija milzu iespējas.

Vai Andrea Bānkrofta varētu būt Ģenēze?

Belkneps nobēra desmit federālo datu bāzu nosaukumu.

– Tur vajadzētu būt tam, ko es vēlos uzzināt, – viņš teica.

Šajā reizē jaunākais analītiķis neiebilda. Sarkanā Navaho nāve bija jāatriebj. Šai sievietei jāsaņem pelnītais sods.

Vai arī taisno tiesu viņai spriedīs Belkneps pats.

OTRĀ DAĻA

DESMITĀ NODAĻA

Lidojums no Kenedija lidostas uz Roli-Daremas starptautisko lidostu Ziemeļkarolīnā prasīja divas stundas, un Andrea Bānkrofta šo laiku mēģināja izmantot snaudai, taču nemierpilnās domas miegu nelaida ne tuvumā. Iepriekšējā vakarā vēlu Volters Sačs viņai iedeva kompaktdisku ar gigabaitu atšifrēto datņu, ko mājas datorā viņa lasīja tik ilgi, kamēr sāka sāpēt acis. Tur bija gan dokumenti ar blīvu tekstu, gan elektroniskas tabulas, gan grāmatvedības pārskati. To visu nu viņa bez grūtībām varēja atvērt. Taču pienācīga iedziļināšanās dokumentos prasīja laiku un neatslābstošu uzmanību.

Īsts rēbuss Andreai bija finansiālo darījumu dokumenti. Simtiem miljonu dolāru bija pārskaitīti uz kādu iestādi Izpētes trijstūra parkā, turklāt atļauju naudas pārvedumiem devis personiski doktors Pols Bānkrofts. Šī nezināmā iestāde, kas bija aizslēpta aiz desmitiem juridisku priekškaru, baudīja fonda visdāsnāko finansējumu, taču tās nosaukums, kā Andrea noskaidroja, nekur nebija minēts. Pēc ilgiem pūliņiem viņai ierakstos izdevās atrast tās adresi: Bruņrupuča ceļš 1. Droši vien tā atradās septiņu tūkstošu akru plašā priežu mežā, kas bija pazīstams ar nosaukumu "Izpētes trijstūra parks". Taču tas nebija atrodams nevienā kartē.

Šis Izpētes trijstūra parks ar savu devīzi "Šeit tiekas pasaules spožākie prāti" arī bija kaut kāda anomālija. Nebija skaidrs, kam tas pieder. Amerikas Savienoto Valstu Pasts to apzīmēja par pilsētu vai municipalitāti, taču Daremas varas iestādes apgalvoja, ka parks esot viņu pārziņa, tomēr īsti tas nebija ne Daremas, ne kādas kaimiņu pilsētas municipalitātes valdījumā. Izpētes trijstūra parkā darbojās pasaulē jaudīgākie datori, un tur atradās dažādi farmācijas pētniecības centri, kuros dzima idejas. Tā vairāk bija nevis publiska vai privāta firma, bet pastāvīga bezpeļņas organizācija. Pirms vairāk nekā četrdesmit gadiem to dibināja kāds plutokrāts, kas labprāt palika ēnā, – emigrants no Krievijas, kurš it kā bija sakrājis kapitālu, darbodamies tekstilrūpniecībā, un nopircis šo zemes gabalu. Meža biezoknī slēpās moderno tehnoloģiju kompāniju un zinātnisku institūtu pilsētiņa, bet nezinātājam tas bija tikai neskarts mežs.

Vai īstenībā viss bija daudz sarežģītāk? Ja vien viņa varētu parunāties ar Polu Bānkroftu! Taču neviens fondā nespēja viņai paskaidrot, kad doktors Bānkrofts atgriezīsies, bet gaidīt viņa vairs nevarēja. Visas viņas domas gan dienā, gan nakts murgos bija saistītas ar noslēpumaino iestādi Izpētes trijstūra parkā. Vai tas ir fonds fondā? Vai Pols Bānkrofts par to zina, ja patiešām tā ir? Varbūt par to nejauši uzzināja viņas māte? Ak... jautājumu bija tik daudz, bet skaidrības tik maz.

Andrea atkal juta sevī nemieru, it kā gailošas ogles būtu skārusi tikko jaušama vēja pūsma, kas spētu radīt liesmu. Šīs ogles nez kāpēc Andreu pievilka. *Tāpat kā naktstauriņu pievelk uguns?*

Bezdarbība beidza viņu nost. Andrea zināja, ka došanās uz Izpētes trijstūra parku vienai būtu neprāts, bet sēdēšana klēpī saliktām rokām arī viņu tracināja. Varbūt pavisam vienkārši, līdz šim nezināmi fakti reizi par visām reizēm apklusinās viņas drudžaino fantāziju. Varbūt viņas nemieram ir kāds parasts, garlaicīgs izskaidrojums. Apzinādamās, ka, lauzīdama galvu, mieru sev neradīs, Andrea bija nolēmusi doties ceļā.

Bruņrupuča ceļš 1.

Andreas garastāvoklis bija drūms, un piezemējoties viņai šķita, ka apkārt viss vēsta ļaunu, pat milzu uzraksts *RDU* ar lieliem ziliem burtiem. Lidosta bija celta sterila modernisma stilā, ne ar ko neatšķirdamās no simtiem citu tādu pašu visā valstī izkaisītu māsu.

Andrea juta, ka ir pārāk nervoza un saspringta. Gandrīz visas sejas viņai šķita aizdomīgas. Viņa pat nemanāmi ieskatījās kādos bērnu ratiņos, pārliecinādamās, ka tā nav butaforija, ko izmanto viņas izsekotāji. Bērns, līksmi viņai uzsmaidījis, sāka lalināt, un viņai kļuva kauns. *Saņemies, Andrea!*

Viņa bija atbraukusi bez lielas bagāžas, tikai ar vienu somu, ko paņēma sev līdzi salonā un novietoja plauktā virs galvas. Iedama caur lidostu, viņa stūma ratiņus ar šo somu. Pie durvīm, baudīdami kondicionētāju sagādāto vēsumu, drūzmējās sagaidītāji ar palielām papīra lapām rokās. Andrea bija nokārtojusi, lai lidostā viņu sagaidītu šoferis, taču neredzēja nevienu, kurš turētu lapu ar viņas uzvārdu. Grasīdamās jau doties uz taksometru pieturu, viņa redzēja, ka durvīm tuvojas kāds vīrietis ar papīra lapu, uz kuras rakstīts: A. BĀNKROFTA. Acīmredzot nokavējies. Viņa pamāja šoferim, aizgaiņādama īgnumu. Šoferis – viņa ievēroja, ka tas ir pievilcīgs vīrietis skarbiem sejas vaibstiem un pelēkām acīm, – pamāja viņai pretī, paņēma viņas somu un vadīja viņu pie tumšzila *Buick*. Apmēram četrdesmit piecus gadus vecs, Andrea sprieda. Masīvs, bet gaita apbrīnojami viegla. Nē, nevis masīvs, Andrea domās izlaboja savu pirmo iespaidu, bet gan muskuļots – acīmredzot pastāvīgs trenažieru zāļu apmeklētājs. Viņam bija sarkani iedegusi piere, it kā nesen būtu ilgi uzturējies saulē.

Viņa iedeva šoferim viesnīcas *Radisson* ITP adresi, un tas līgani un prasmīgi izstūrēja *Buick* caur lidostas stāvvietas satiksmes plūsmu. Andrea atviegloti atslīga sēdeklī. Taču domas, kas acumirklī bija klāt, prātam atslābināties neļāva.

Cik ātri skaists sapnis bija pārvērties murgā! Lora Perija Bānkrofta. Ieraudzījusi dokumentos šo glīti ierakstīto vārdu, Andrea jutās satriekta. Atmiņas par māti joprojām uzvēdīja skumjas. Mātes nāve bija metusi ēnu uz visu viņas dzīvi. Taču – cik daudz viņa var uzticēties savām izjūtām, savām aizdomām? Varbūt viņu uz priekšu dzina neapmierinātība un aizvainojums, ko viņā bija sējusi māte, nevis mīlestība, uzticība un skumjas? Vai Bānkrofti patiešām mātei nodarīja pāri, vai arī viņa pati nodarīja sev pāri ar savām bezspēcīgajām dusmām? Vai viņa īstenībā izprata māti? Andrea gribēja uzdot mātei tik daudz jautājumu! Tik daudz jautājumu...

Taču māte nekad vairs uz tiem neatbildēs. Viņa bija paņēmusi atbildes sev līdzi, iedama bojā autoavārijā. Par to domādama, Andrea joprojām juta sāpes, kas pārņēma gluži vai visu ķermeni.

Šķita, ka automašīna brauc pa grambainu ceļu, un Andrea, atvērusi acis, pirmo reizi palūkojās ārā pa logu. Viņi atradās uz vientuļa divjoslu lauku ceļa, un nākamajā mirklī automašīna, palēninādama gaitu, gludi pieslīdēja pie ceļmalas...

Kaut kas nebija kārtībā.

Strauja spēkrata kustība Andreu pameta sānis, un viņa juta drošības jostu, kas cieši viņu apkampa. Nobraukusi no ceļa, automašīna iegriezās paplatā meža stigā. Ak kungs... *Tās ir lamatas!*

195

Vai patiešām šoferis iepriekš izlūkojis apkārtni, lai ievestu viņu šajā ļaužu acīm apslēptajā vietā, saprazdams, ka viņa attapsies tikai tad, kad jau būs par vēlu?

Andrea atpakaļskata spogulī notvēra šofera skatienu. Tajā bija tāda niknuma un naida izteiksme, ka viņai aizrāvās elpa.

– Ņemiet visu naudu, cik man ir, – viņa izgrūda.

– *To* tu gribētu gan, – šoferis nicīgi atteica.

Andrea juta, ka sirdi sagrābj auksti baiļu pirksti. Viņa patiešām bija liela optimiste, domādama, ka viņam vajadzīga tikai nauda. Spēka viņam pietiks. Ja viņa to spētu kaut kā pārsteigt... Citas iespējas viņai nebija. Vēl varbūtība, ka vīrietis novērtēs viņu par zemu.

Kas viņai ir somā? Ķemme, mobilais tālrunis, tintes pildspalva, ko pirms daudziem gadiem dāvināja māte... kas vēl? Andrea nolaida kreiso roku pie potītes. Kad viņa pacēla skatienu, šoferis no priekšējā sēdekļa rāpās pie viņas. Izmantodama brīdi, Andrea saņēma savu kurpi aiz smailā papēža un novilka no kājas. Nikni ievaidējusies, viņa atvēzējās un rāvās uz priekšu, tēmēdama varmākas sejā, tieši acī.

Gandrīz izdevās. Kad papēdis bija collas attālumā no vīrieša acīm, viņš sagrāba Andreas plaukstas locītavu, pastumdams viņas roku ar visu kurpi malā. Ne mirkli nevilcinādamās, Andrea ar otru roku ieblieza viņam pa degunu. Andrea atcerējās, ko savulaik studentu kopmītnē viņai stāstīja istabas biedre, kura apmeklēja pašaizsardzības nodarbības. Upuri parasti nesitot uzbrucējam pa seju, jo baidoties būt agresīvi. *Izskrāpē viņam acis, salauz degunu, nodari pēc iespējas lielāku ļaunumu.* Tā bija galvenā jēga, ko saviem klausītājiem centās iedvest treneri šajās nodarbībās. Drosmi pretoties. *Tavs lielākais ienaidnieks esi tu pati,* Elisona mēdza teikt.

Vai patiešām? Blēņas! Viņas lielākais ienaidnieks bija šis maitas gabals, kurš viņu mēģināja nogalināt, kurš, vairīdamies no viņas otrā sitiena, paspēja paraut galvu sāņus. *Lai arī kas ar mani notiks,* izmisīgi pūlēdamās atvērt durvis, Andrea nodomāja, *vismaz es nebūšu padevusies bez cīņas.*

Vīrietis bija neapturams un spēcīgs un gluži vai uzminēja ikvienu viņas kustību. Piespiedis Andreu pie sēdekļa, viņš uzkliedza:

– Kāpēc tu nogalināji Tomu Mičelu?

Andrea neizpratnē mirkšķināja acis, taču varmāka nerimās kliegt, bērdams nesaprotamus jautājumus gluži kā no ložmetēja. Mičels. Sarkanais Navaho. Džeralds... vai Džereds? Rainharts. Ko nozīmē visi šie vārdi? Andreai par to nebija ne jausmas.

Viņa neko nesaprata.

– *Kā* tu viņu nogalināji, sasodīts? – Vīrietis iegrūda roku jakas iekškabatā un izvilka pistoli. Auksti iezalgojās metāls. Pielicis ieroci Andreai pie galvas, viņš naidpilnā balsī nošņāca: – Kā man gribas tevi nošaut! Vai tu vari minēt kaut vienu argumentu, kāpēc man tas nebūtu jādara?

Tods Belkneps nikni raudzījās uz gūstekni. Viņa cīnījās mežonīgi kā fūrija, un viņas uzdauzītie zilumi pāris dienu būs jūtami. Taču tā bija instinktīva aizsargāšanās bez speciālas sagatavotības pazīmēm. Tā bija viena neatbilstīga nianse. Un otra – viņas neviltotais izbrīns, izdzirdot jautājumus. Pilnīgi iespējams, ka viņa bija lieliska aktrise un mele. Belkneps ne mirkli neatteicās no domas, ka viņa varētu būt Ģenēze vai viena no tā sabiedrotajām. Taču nekas neliecināja, ka viņa patiešām tā ir.

Neatraudams pistoles stobru no jaunās sievietes deniņiem, Belkneps viņu nopētīja. Viņa prātā kā zivs duļķainā dīķī uzpeldēja vēl viens jautājums. Vai viss nenorisinās pārāk vienkārši? Šī sievicte nopirkusi lidmašīnas biļeti, pateikdama savu vārdu un zinādama, ka tas būs reģistrēts Civilās aviācijas pārvaldes datu bāzē. Pēc tam ar savu platīna kredītkarti – atkal neslēpdama savu vārdu – samaksājusi par to, lai viņu sagaida mašīna ar šoferi. Belkneps no šofera tika vaļā smieklīgi vienkārši, samaksādams tam dažas banknotes un sacerēdams stāstiņu par izjokošanu dzimšanas dienā. Ja viņa patiešām ir profesionāle, nebija saprotams, kāpēc viņa ir tik savādi pārliecināta, ka neviens viņu neizseko. Varbūt viņa nav speciāli apmācīta, jo viņas pakalpojumus izmanto laiku pa laikam un viņas diletantisms ir labākais pierādījums viņas nevainīgumam? Vai arī tas viss ir viena liela kļūda. Tad kāpēc no viņas mobilā tālruņa zvanīts slepkavam Dubaijā?

Sieviete centās atgūt elpu. Viņa bija glīta, iespējams, bijusī sportiste. Varbūt kāds viņu izmantoja par ēsmu?

Jautājumu bija daudz. Belknepam bija vajadzīgas atbildes.

– Vai drīkstu jautāt? – izturēdama viņa skatienu, sieviete sacīja. – Kas jūs man uzsūtīja? Vai esat no Bānkrofta fonda?

– Neizliecies par muļķi! – aģents uzkliedza.

Joprojām aizelsusies, viņa tvēra pēc gaisa.

– Ja jūs grasāties mani nogalināt, man ir tiesības pirms nāves uzzināt patiesību. Vai jūsu cilvēki nogalināja arī manu māti? Velns parāvis, par ko viņa runā?

– Tavu māti?

– Loru Periju Bānkroftu. Viņa gāja bojā pirms desmit gadiem. Man teica, ka autoavārijā. Es visu laiku tam ticēju. Taču nu vairs neticu.

Belkneps apjuka, un mirkli šis apmulsums atspoguļojās viņa sejā.

– *Kas* jūs tāds esat? – viņa šņukstēdama izgrūda. – Kas jums vajadzīgs?

– Par ko tu runā? – Belkneps juta, ka īsti nepārvalda situāciju.

– Jūs taču zināt, kas es esmu.

– Andrea Bānkrofta.

– Pareizi. Un kas jums lika mani nogalināt? Tas ir mans pēdējais jautājums, velns parāvis! Gluži kā pēdējā cigarete. Vai tad jums, algotajiem slepkavām, nav sasodīta goda kodeksa? – Viņa samirkšķināja acis, kurās riesās asaras. – Filmās arī saka: "Tā kā tu tagad mirsi, varu tev pateikt..." Neko vairāk es neprasu. – Sieviete caur asarām pasmaidīja, taču bija redzams, ka viņa visiem spēkiem turas, lai nezaudētu samaņu.

Belkneps purināja galvu.

– Man jāzina, – viņa čukstus turpināja un, mirkli klusējusi, atkārtoja: – Man jāzina. – Pēkšņi, ievilkusi plaušās gaisu, viņa, vairs ne lūgdama, bet pieprasīdama, izkliedza: – *Man jāzina!*

Belkneps kā sastindzis iebāza pistoli atpakaļ makstī.

– Vakar pēcpusdienā kāds cilvēks no Ņūhempšīras, pēc mana rīkojuma, apmeklēja jūsu māju. Pirms saulrieta viņš jau bija miris.

– Jūsu *rīkojuma*? – Andrea pārjautāja, neticēdama savām ausīm. – Kāda velna pēc?

Izvilcis nogalinātā slepkavas mobilo tālruni, Belkneps sameklēja sarakstu ar numuriem, no kuriem zvanīts, un piezvanīja uz kādu numuru Amerikas Savienotajās Valstīs. Pēc mirkļa Andreas somiņā ietirkšķējās tālrunis. Belkneps nospieda sarunas beigu taustiņu. Zvans apklusa.

– Šis mobilais tālrunis piederēja algotu slepkavu vienības barvedim. Es tikos ar viņu Dubaijā. Kāpēc jūs viņam zvanījāt?

– Kādēļ lai es viņam zvanītu? Es nezvanīju... – Andrea sastomījās. – Tas ir, jā, es piezvanīju, bet man nebija ne mazākās nojausmas, kam es zvanu. – Viņa atvēra rokassomiņu un sāka tajā rakņāties.

– Ne tik strauji! – viņš uzkliedza, acumirklī izrāvis pistoli un draudīgi to pavēzējis.

Sieviete sastinga.

– Vai redzat to salocīto papīra lapu?

Belkneps paskatījās rokassomiņā, ar kreiso roku izvilka lapu laukā un, gaisā papurinādams, to atlocīja. Tas bija telefona numuru saraksts.

– Vai tas bijāt jūs, kam es piezvanīju?

Belkneps nogrozīja galvu.

– Es zvanīju uz visiem šiem numuriem pēc kārtas, – jaunā sieviete skaidroja. – Vismaz uz pirmajiem diviem desmitiem noteikti. Ja neticat, varat paskatīties manā tālrunī un redzēsiet, ka esmu uz tiem zvanījusi. Būs redzams datums un laiks.

– Kāpēc jūs to darījāt?

– Es... – Andrea aprāvās. – Tas viss ir ļoti sarežģīti.

– Tad mēģiniet paskaidrot vienkārši, – Belkneps uzsvērti pamācīja.

– Es mēģināšu, bet... – Viņa ievilka saraustītu elpu. – Es vēl sasodīti daudz ko nezinu. Sasodīti daudz ko nesaprotu.

Belknepa skatiens nedaudz atmaiga. *Tātad esam jau divi*, viņš nodomāja.

– Nezinu, vai man jums jātic, – viņš piesardzīgi sacīja, atkal ielikdams pistoli makstī. – Jūs piezvanījāt, es atbildēju, un jūs nolikāt klausuli. Sāksim no šīs vietas.

– Jā, sāksim no tās. Kāds negribēja ar jums runāt pa tālruni, un jūs ar pistoli rokā devāties uz otru pasaules malu, lai sadzītu tam cilvēkam pēdas. – Andrea ieskatījās viņam acīs. – Man bail iedomāties, ko jūs darāt, ja kāds aizņem jūsu automašīnas vietu stāvvietā.

Belkneps nenoturējies iesmējās.

– Jūs neesat mani sapratusi pareizi.

– Iespējams, jūs mani arī ne, – viņa attrauca.

– Ceru, ir kāds veids, kā to visu varētu noskaidrot. – Belknepa balsī bija atgriezies iepriekšējais spriegums.

Andrea lēni papurināja galvu – nevis noraidoši, bet domīgi.

– Es joprojām neko nesaprotu. Jūs nosūtījāt cilvēku pie manis uz Kārlailu. Hmm... Ko viņam tur vajadzēja darīt? Pārbaudīt, vai esmu noplēsusi matracim birku? Piedodiet, es nesaprotu...

– Man bija jānoskaidro, vai esat saistīta ar Džereda Rainharta nolaupīšanu.

– Kas ir Džereds?

– Džereds? – Belkneps atkārtoja un apklusa.

– Man ir grūti sekot jūsu domu gaitai bez priekšā teikšanas.

Belkneps nepacietīgi sarauca pieri.

– Īstenībā nav svarīgi, vai jūs saprotat.

– Nav svarīgi... kuram?

– Svarīgi ir saprast, kāpēc šis telefona numurs šajā rēķinā ir. Lai to saprastu, man būs vajadzīga jūsu palīdzība.

– Protams, – viņa noteica, nervozi pasmaidīdama. Atmetusi atpakaļ gaišo matu cirtu, viņa stingri paskatījās uz Belknepu. – Tātad jūs nevēlaties man izstāstīt, kāpēc man varētu būt kāds sakars ar to nolaupīšanu?

Belkneps lūkojās viņai pretim, juzdams, ka krūtīs aug niknums.

– Sasodīts! – viņš nolādējās. Taču Andreai bija taisnība. Šī sieviete nesaprot, kādas ir viņa raizes, un viņš nesaprot, kas satrauc šo sievieti. – Labi, klausieties. Runa ir par valsts drošības jautājumiem. Par slepenu informāciju. Diemžēl neko vairāk es jums nevaru teikt.

– Jūs gribat sacīt, ka esat valdības pilnvarota persona, bet es ne.

– Jums taisnība.

– Vai jūs mani uzskatāt par aitasgalvu?

– Ko?

– Jūs dzirdējāt pareizi. Jūs gribat teikt, ka esat slepenais aģents? Velns parāvis, tad pierādiet to! Jo es neticu, ka ASV izlūkdienesta darbinieki strādā tā kā jūs. Kur ir jūsu komanda? Kāpēc jūs šeit esat viens pats? Es varētu vienīgi noticēt, ka esat Čārlza Bronsona varonis no "Nāves alku" sērijas, kur nejauši esmu nokļuvusi. Ja kļūdos, es labprāt ar jums tiktos jūsu darbavietā un visu apspriestu ar jūsu priekšniekiem.

Belkneps skaļi nopūtās.

– Varbūt mēs nesākām soļot ar pareizo kāju?

– Ak jūs *tā* domājat? Un par kādu savu kļūdaino solīti jūs patlaban runājat? Vai to, kurā vicinājāt man gar degunu pistoli un

draudējāt sašķaidīt man smadzenes? Vai to, kurā gandrīz vai sa-
lauzāt man kaulus? Varbūt mēs varētu ieskatīties Eimijas Vander-
biltas etiķetes rokasgrāmatā un pārbaudīt, kādu noteikumu katrs
esam pārkāpuši?

– Lūdzu, paklausieties! Patlaban es nepildu dienesta pienā-
kumu. To jūs pareizi izskaitļojāt. Taču es esmu slepenā dienesta
operatīvais aģents, skaidrs? Neceru, ka jūs no tā kaut ko sapro-
tat. Taču es par jums kaut ko zinu. Jūs par mani nezināt neko.
Varbūt, tikai varbūt, mēs varam viens otram palīdzēt.

– Cik jauki! Tad jau viss ir kārtībā, – Andrea Bānkrofta sarkas-
tiski sacīja. – Viens sasodīts psihopāts uzskata, ka mēs viens ot-
ram varam būt noderīgi. Taisiet vaļā šampanieša pudeli! – Viņas
acīs mirdzēja dusmas.

– Vai jūs patiešām mani uzskatāt par psihopātu?

Andrea krietnu brīdi viņā raudzījās, līdz beidzot novērsa ska-
tienu.

– Nē, – viņa klusi teica. – Savādi, bet neuzskatu. – Viņa mirkli
klusēja. – Un jūs? Vai patiešām domājat, ka esmu iesaistīta jūsu
drauga nolaupīšanā?

– Vai gribat zināt patiesību?

– Dažādības pēc nebūtu slikti.

– Domāju, ka neesat. Taču pārliecināts par to neesmu.

– Vīrietis, kurš baidās noticēt. – Viņa rūgti iesmējās. – Gluži
kā no manas dzīves.

– Pastāstiet par to fondu, – Belkneps mudināja. – Ar ko tas no-
darbojas?

– Ar ko tas nodarbojas? Tas ir Bānkrofta fonds... un nodarbo-
jas ar labiem darbiem. Globāli veselības aizsardzības jautājumi...
un tamlīdzīgi.

– Tad kāpēc jūs jautājāt, vai es strādāju fondā?

– Ko? Es atvainojos. Nespēju vairs sakopot domas. – Andrea
uzlika roku uz pieres. – Man reibst galva. Atļaujiet man izkāpt
no mašīnas un pāris minūšu pastaigāties. Man vajadzīgs svaigs
gaiss, citādi atslēgšos. Pārāk daudz informācijas, lai viss būtu
skaidrs.

– Lieliski. – Belkneps bija aizdomu pilns. – Izkāpiet un pastai-
gājieties. – Varbūt viņa teica patiesību, taču Belknepa šaubas ne-
izgaisa. Droši vien centīsies atgūties, vienlaikus apdomādama nā-
kamo soli. Belkneps nolēma paturēt viņu acīs, tajā pašā laikā
nevēlēdamies, lai Andrea Bānkrofta justos kā gūstekne. Iespējams,

viņa bija godīgs cilvēks, un intuīcija Belknepam teica, ka tā ir. Varbūt viņam vajadzēs iekarot šīs sievietes uzticību.

Uzgriezusi Belknepam muguru, viņa basām kājām vienmērīgā solī pastaigājās pa ceļu. Kad viņa beidzot pagriezās un nāca atpakaļ, Belkneps pēc viņas sejas izteiksmes saprata, ka kaut kas noticis. Domās viņš attina atpakaļ redzēto un iztēlojās to, ko nebija redzējis, un pēkšņi atskārta, ko viņa izdarījusi. Andrea bija paņēmusi līdzi rokassomiņu, no mobilā tālruņa piezvanījusi uz 911 un klusi izteikusi lūgumu pēc palīdzības.

– Vai brauksim? – Belkneps jautāja.

– Pēc brītiņa, – viņa atbildēja. – Kaut kas nav kārtībā ar pašsajūtu. Droši vien vainīgs satraukums. Vai neiebildīsiet, ja uz mirkli apsēdīšos?

– Kādēļ lai es iebilstu?

Piegājis pie viņas, Belkneps ar negaidītu kustību iebāza roku somiņā un izvilka mobilo tālruni. Paspaidījis taustiņus, viņš uz displeja ieraudzīja numurus, uz kuriem zvanīts. Kā jau viņš paredzēja, pirmais numurs bija 911. Belkneps pasvieda tālruni viņai atpakaļ.

– Vai pasaucāt palīgā kavalēriju?

Andrea nenovērsa skatienu.

– Jūs teicāt, ka jums vajadzīga palīdzība. Es nolēmu ataicināt profesionāļus. – Viņas balss tikko jaušami drebēja.

Nolādēts! Tālumā – bet ne pārāk tālu – atskanēja policijas patruļmašīnas sirēna.

Viņš nometa automašīnas atslēgas zemē.

– Vai es izdarīju ko nepareizi? – Andrea ar vieglu izsmieklu apjautājās, pagriezdamās pret ceļu.

Sirēna taurēja arvien skaļāk.

VIENPADSMITĀ NODAĻA

Roli, Ziemeļkarolīnas štats

Andrea Bānkrofta beidzot iekārtojās viesnīcā – divas stundas vēlāk, nekā bija paredzējusi. *Atgriezusies no elles*, viņa ironiski nodomāja.

Viņa atcerējās, kādu atvieglojumu juta, izdzirdēdama sirēnu, cik apmierināta bija ar sevi, gaidīdama policijas patruļmašīnu, un kā, pagriezusies atpakaļ, ieraudzīja, ka viņas gūstītājs nozudis. Tas bija neticami – viņa nebija dzirdējusi ne skrejošus soļus, ne čaboņu, neko. Pirms mirkļa viņš tur bija un pēkšņi pagaisa, gluži vai gaisā izkūpēja! It kā būtu nez kāds burvju mākslinieks! Izskaidrojums tam, protams, bija vienkāršs. Vīrietis bija iemucis mežā, un tur zemi klāja nevis nobirušas lapas, kas varētu čabēt, bet gan bieza egļu skuju kārta, pa kuru varēja staigāt bez mazākā trokšņa. Turklāt viņš bija apgalvojis, ka esot "operatīvais darbinieks". Droši vien iziet sveikā no tamlīdzīgām situācijām viņiem gluži vienkārši jāmāk. Iespējams, viņiem to iemācīja.

– Jūsu kredītkarte, lūdzu, – administratore atgādināja. Viņai bija augstu uzkasīti kastaņbrūni mati un vairākas mazas pinnes uz vaigiem.

Andrea paņēma kredītkarti un parakstījās uz izpildītās anketas. Tā bija nevis *Radisson* ITP, kur viņa bija plānojusi apmesties, bet *Doubletree*. Maz bija ticams, ka vīrietis meklēs viņu vēlreiz, tomēr elementāra piesardzība par ļaunu nenāca.

Policisti pauda gatavību palīdzēt, kā vien spēj, taču viņas stāstījumā tie klausījās ar tādu kā skepsi, kas pastiprinājās, kad tie viņas teikto pārbaudīja. Viņa apgalvoja, ka viņu sagaidījis šoferis, bet, šur tur piezvanījuši, policisti noskaidroja, ka automašīna

Buick noīrēta. *Turklāt dokumentos minēts jūsu vārds, mis Bānkrofta.
Jūs pati esat šo automobili noīrējusi.*

Ar mērķi noskaidrot, kādas bijušas viņas "attiecības" ar sve-
šinieku, policisti sāka uzdot jautājumus. Andrea juta, ka viņai ne-
tic. Tātad viņš ņēma un gluži vienkārši nozuda? Un kā tas nā-
kas, ka viņa vārdu jūs nezināt, bet zināt par viņu visu ko citu?
Pēc 23. policijas iecirknī, Atlantijas avēnijā, pavadītas stundas An-
drea jutās gandrīz vai kā aizdomās turētā, nevis cietusī. Policisti
izjautāšanas gaitā saglabāja nemainīgu dienvidniecisku laipnī-
bu, taču viņa juta, ka tiek uzskatīta par tādu kā garā vāju, pret
kuru jāizturas ar īpašu iecietību. Viņi apsolīja vēlreiz vērsties au-
tonomas firmā. Automašīnā, protams, noņemšot pirkstu nospie-
dumus, un viņas pirkstu nospiedumi jāņoņem, lai viņu neiekļau-
tu aizdomās turamo sarakstā. Viņi informēšot Andreu par
notikumu attīstību. Bija skaidri redzams, ko viņi domā. Viņi do-
māja, ka sastapušies ar kārtējo neirotiķi, kādu viņiem ik dienas
gadījās ne mazums.

Piektajā stāvā Andrea pagaidīja, kamēr dežurants pārbauda
vannas istabu un tualeti, tad, iedevusi dzeramnaudu, ļāva viņam
iet. Atvilkusi somas rāvējslēdzēju, viņa izņēma drēbes, iekāra tās
skapī un tad pagriezās pret logu.

Andrea acumirklī juta, ka sirds pamirst.

Vīrietis. Svešinieks ar platajiem pleciem un pistoli. *Viņš bija ša-
jā numurā.* Loga rūtī atspīdēja viņa siluets. Viņš stāvēja, rokas sa-
krustojis uz krūtīm.

Andrea saprata, ka viņai jābēg, jāapsviežas un jātraucas ārā
no numura. Taču vīrietis stāvēja pavisam nekustīgi, un nekas ne-
liecināja, ka tas grasās viņu apdraudēt. Andrea apvaldīja satrau-
kumu, kas kņudēja krūtīs, traucēdams elpot. Viņa pagaidīs da-
žas sekundes, Andrea nolēma. Situācija tāpēc nepasliktināsies,
toties viņa varbūt noskaidros ko vērtīgu.

– Kāpēc jūs esat šeit? – Andrea ledainā tonī jautāja.

Viņa varēja painteresēties, *kā* tas šeit nokļuvis, taču to viņa va-
rēja izdomāt pati. Acīmredzot paslēpies aiz smagajiem linu aiz-
kariem, kas savilkti vienā pusē, un gaidījis viņu. Visticamāk ap-
zvanījis lielākās viesnīcas, noskaidrojis, ka viņa apmetīsies šeit,
un, izmantodams kādu vienkāršu viltību, uzzinājis viņas numuru.
Taču tas nebija galvenais. Galvenais bija – kāpēc?

– Gluži vienkārši nolēmu turpināt sarunu, ko nepabeidzām, –
vīrietis atbildēja. – Mēs pat neiepazināmies. Mans vārds ir Tods
Belkneps.

Andreai kaut kas ienāca prātā, un viņai atkal no šausmām pagura sirds.

– Jūs esat maniaks! – plati ieplestām acīm viņa izgrūda.

– Ko?

– Jums ir slimīgas seksuālas fantāzijas...

– Neglaimojiet sev, – Belkneps, nicīgi nospurcies, viņu pārtrauca. – Jūs neesat manā gaumē.

– Tad...

– Un jūs nemākat klausīties.

– Visa šī nolaupīšana un draudēšana ar ieroci bija tikai tādēļ, lai mani samulsinātu? – Andrea samiedza acis. Dīvaini, bet baiļu un apdraudējuma sajūta mazinājās. Viņa varēja apcirsties un bēgt – Andrea to zināja. *Mazliet patēlo tu arī*, viņa domās sev teica.

– Vai zināt, es nožēloju, ka izsaucu policiju, – viņa sameloja.

– Patiešām? Man gan tas itin labi patika, – Belkneps zemā balsī atbildēja. Viņa tonis bija rāms un valdonīgs. – Šis jūsu solis man šo to par jums pavēstīja.

– Ko jūs ar to gribat teikt?

– Jūs rīkojāties tieši tā, kā tādā situācijā rīkotos ikviens bezpalīdzīgs pilsonis. Es nedomāju, ka jūs man melojat vai muļķojat mani. Vairs ne. Domāju, ka muļķo *jūs*.

Andrea klusēja, lai gan viņas domas bija trauksmainas.

– Tagad es klausos, – viņa beidzot sacīja. – Pastāstiet man vēlreiz, kam pieder šis mobilais tālrunis. Tas, kura numurs ir fonda telefona rēķinā.

– Tas piederēja cilvēkam, kura darbs bija slepkavošana. Profesionālim, algotam slepkavam.

– Kādēļ gan kādam no Bānkrofta fonda būtu jāzvana tādam cilvēkam?

– To man pastāstiet jūs.

– Es nezinu.

– Taču jūs neizskatāties pārāk satriekta.

– Es esmu satriekta, – viņa sacīja. – Taču ne... pārāk.

– Nu labi.

– Jūs teicāt, ka esat operatīvais darbinieks. Kam es varu piezvanīt uz jūsu darbavietu? – Viņa pasmaidīja ar cieši sakniebtām lūpām.

– Vai vēlaties dzirdēt atsauksmes?

– Tā varētu teikt. Vai ir kādi kavēkļi?

Belkneps lūkojās uz viņu ar vērtējošu skatienu.

205

– Varbūt vispirms atļausiet piezvanīt man uz Bānkrofta fondu? Lai apjautātos, ar ko jūs šeit nodarbojaties. Izpētes trijstūra parkā. Galu galā jūsu sākotnēji rezervētā viesnīca bija *Radisson* ITP.

– Tā nebūtu prātīga doma, – Andrea attrauca, vēsi pasmaidīdama.

– Pata stāvoklis.

– Tātad saruna beigusies.

– Patiešām? – Vīrietis nebija izkustējies no vietas. It kā justu, ka šis nekustīgums ir vienīgais, kas attur Andreu no tūlītējas bēgšanas. – Manuprāt, saruna vēl nemaz nav sākusies. Pēdējās pāris stundās man bija iespēja padomāt par mūsu tikšanos, un es atcerējos no tās dažas nianses. Kāds nelietis draud jums ar pistoli. Jūs jautājat viņam, vai viņu atsūtījis Bānkrofta fonds. Par ko tas liecina? Par to, ka jūs šajā organizācijā kaut kas satrauc. Satrauc tik ļoti, ka jūs pieļaujat tādu baisu iespēju. Loģika man diktē, ka tieši ar jūsu satraukumu, lai arī kāds tam būtu iemesls, izskaidrojams jūsu sasteigtais brauciens uz šejieni. Jūs pasūtījāt biļetes tajā pašā dienā, kad iekāpāt lidmašīnā. Tas ir mazliet neparasti. Tātad jūs kaut ko meklējat – tāpat kā es.

– Es meklēju pavisam ko citu. Nevis to, ko meklējat jūs.

– Iespējams, ir kāda saikne.

– Varbūt, ka ir, bet varbūt, ka nav.

– Iekams es nezinu ko vairāk, esmu spiests jums piekrist. Taču izpētīsim iespēju "varbūt, ka ir". – Viņš pamāja uz tuvāko krēslu. – Vai drīkstu apsēsties?

– Tas ir neprāts, – Andrea teica. – Es nezinu, kas jūs īstenībā esat. Jūs prasāt, lai es riskēju, lai gan man nav iemesla to darīt.

– Mans draugs Džereds mēdza teikt: "Ja nemetīsi kauliņu, nepiedalīsies spēlē." Pieņemsim, ka mēs iesim katrs savu ceļu un nekad vairs nesatiksimies, tādējādi neizmantodami izdevību noskaidrot patiesību, kas svarīga mums abiem. Manuprāt, neizmantot izdevību ir vēl viens risks, turklāt bieži izrādās, ka tā bijusi slikta izvēle.

– Es atļauju jums apsēsties, – Andrea beidzot sacīja, – taču jūs šeit nedrīkstat palikt.

– Man jums kaut kas jāpasaka, Andrea Bānkrofta. Jums arī šeit nevajadzētu palikt.

***

Pāris, kas apmetās netālajā viesnīcā *Marriott*, nereģistrējās ne ar Bānkrofta, ne Belknepa vārdu, un kopīgu numuru abi izvēlējās nevis tādēļ, lai baudītu intīmu tuvību, bet gan drošības apsvērumu pēc. Par spīti savstarpējai neuzticībai, viņi redzēja viens otrā radniecīgu meklētāja dvēseli, turklāt bija jāturpina saruna.

Taču saruna skaidrību neviesa. Cerība, ka divi stāstījumi papildinās viens otru gluži kā saliekama attēla blakus daļiņas, ātri izplēnēja. Belkneps un Andrea guva nevis atbildes, bet saskārās ar vēl lielāku mīklainību.

Pols Bānkrofts. Vai *viņš* bija Ģenēze? No Andreas stāstītā Belknepam palika iespaids, ka viņš visu mūžu veltījis cilvēkmīlestībai – bet varbūt tieši otrādi? Vīrs, kura rīcībā bija milzu līdzekļi un kuram piemita izcils prāts, ikvienam būtu lielisks sabiedrotais vai... velnišķīgs pretinieks.

– Tātad Ģenēze bija segvārds cilvēkam, kurš nodibināja "Inverbrasu", – Belkneps domīgi sacīja.

– Drīzāk šis segvārds ir kaut kas līdzīgs titulam. Tā dēvē galveno cilvēku, bosu, kurš tajā vai citā laikā šo organizāciju vada.

– "Inverbrass"... Tātad kāds tam iedvesis jaunu dzīvību?

Andrea paraustīja plecus.

– Vai to varētu izdarīt Pols Bānkrofts?

– Domāju, ka jā. Lai gan par Ģenēzi, tāpat kā par šo organizāciju, viņš izteicās visai neatzinīgi. Taču tas neko nepierāda.

– Kāds mans draugs teica, ka visi svētie uzskatāmi par grēciniekiem, iekams nav pierādīts viņu nevainīgums, – Belkneps apcerīgi noteica. Viņš bija atlaidies gultā un salicis rokas aiz galvas.

– Jūsu draugs citēja Orvelu. – Andrea bija apsēdusies antīkā stilā veidotā krēslā, kas bija piestumts pie tāda paša stila sekretāra. Viņas priekšā uz izvelkamas virsmas gulēja krāsainas brošūras par izpriecu vietām Roli kaimiņpilsētās Daremā un Čepelhilā. Viņai bija krietni jāpadomā, lai saprastu vārdkopas "izklaide ģimenei" jēgu. – Pagaidām nesteigšos ar secinājumiem. Iespējams, visam ir kaut kāds vienkāršs izskaidrojums. Varbūt viss ir viena liela kļūda. Varbūt... – Viņa cieši lūkojās uz Belknepu. – Kāpēc man būtu jātic par to cilvēku Dubaijā? Varbūt jūs to esat izdomājis.

– Kāpēc man tas būtu jādara?

207

– Kā gan es, pie velna, varu to zināt! Es tikai minu iespējas. Es nenostājos neviena pusē.

– Izbeidziet!

– Izbeidzu? Ko lai es izbeidzu?

– Izbeidziet stāvēt malā.

Andrea cieši saknieba lūpas, izskatīdamās apņēmīga un neapmierināta.

– Paklausieties, ir jau vēls. Es ieiešu dušā. Vai jūs nevarētu pasūtīt vakariņas numurā? Mēs paēdīsim un tad... kaut ko izdomāsim. Sasodīts, ja jūs grasāties mani turēt šeit kā cietumā, vismaz piešķiriet man savu kameru!

– Tas nenotiks. Jūsu drošības labad, ticiet man. Iespējams, jums draud briesmas.

Viņa sarauca uzacis.

– Dieva dēļ...

– Jūsu zobu suku es nelietošu, neuztraucieties.

– Ne jau par zobu suku es runāju, un jūs to labi saprotat! – viņa atcirta.

– Gluži vienkārši man labāk patīk doma, ka jūs uzturaties manā redzeslaukā.

– Jums patīk? Vai šeit nevienu neinteresē, kas patīk *man*? – Andrea aizcirta vannas istabas durvis.

Izdzirdējis tur plūstam ūdeni, Belkneps paņēma mobilo tālruni un piezvanīja senai paziņai, kas strādāja Konsulāro operāciju nodaļas Izlūkošanas un pētniecības birojā. Viņas vārds bija Rūta Robinsa, un viņas pirmā darbavieta bija Valsts departamenta Tehniskās izlūkošanas birojs. Belkneps bija panācis viņas paaugstināšanu un pārcelšanu uz Konsulāro operāciju nodaļu, jo bija ievērojis viņas aso prātu, intuīciju un spriestspēju, un šīs iezīmes bija krietni vērtīgākas nekā prasme savākt un salīdzināt informāciju. Dažā ziņā viņi bija radniecīgas dvēseles, lai gan Rūtas Robinsas ikdiena nebija saistīta ar operatīvo darbu, bet gan ritēja kabineta klusumā, informācijas, ziņojumu un datoru valstībā. Viņa bija sirsnīga liela auguma sieviete, jau pārkāpusi piecdesmit gadu slieksni. Rūta Robinsa viena bija izaudzinājusi divus dēlus – viņas vīrs, karavīrs, gāja bojā mācībās – un savā darbavietā bija lietas kursā par ikviena kolēģa vājībām un dīvainībām.

– Kastor, – viņa sacīja, izdzirdējusi Belknepa balsi. – Paklau, vienmēr esmu gribējusi tev pajautāt... vai tevi tā dēvē par godu *Castor-oil* motoreļļai? – Belkneps, zinādams, ka nav pareizi zvanīt viņai uz mājām, nopriecājās, ka viņa joko. Rūta Robinsa, protams, saprata, ka nieku dēļ viņš nezvanītu un iemesls ir svarīgs. – Brītiņu pagaidi! – viņa sacīja un, acīmredzot aizsegusi klausuli ar roku, jo balss skanēja slāpēti, uzsauca: – Jaunais cilvēk, pietiek nīkt pie televizora! Laiks maršēt uz gultu! Bez iebildumiem, lūdzu! – Pēc brīža viņa noprasīja: – Ko tu tur teici?

Belkneps ātri nosauca dažus atslēgas vārdus, dažas norādes, kāda ir mīkla, ko viņš patlaban risina. Izdzirdējusi Ģenēzes vārdu, Rūta skaļi nopūtās.

– Es nevaru par to runāt pa telefonu, Kastor. Jā, šis vārds ir mūsu datu bāzē – ar bagātu vēsturi. Jā, mēs nesen pārtvērām baumas, ka Ģenēze pēc daudziem klusēšanas gadiem sarosījies. Tu zini, kāda kārtība ir mūsu birojā – pēc darbadienas beigām es nevaru tikt pie informācijas pat tad, ja to ļoti vēlētos. Taču rīt, tiklīdz ieiešu sistēmā, pārbaudīšu visus avotus. Apspriest šo jautājumu pa parasto līniju es nevarēšu – droši vien jau tāpat būšu pārkāpusi noteikumus.

– Tad mums jāsatiekas.

– Es tā nedomāju. – Viņas balsī ieskanējās satraukums.

– Rūta, lūdzu!

– Ja kas atgadīsies, nepatikšanas būs man. Ja kāds ievēros, ka es kopā ar tevi pusdienoju, mani var nomest no amata. Aizsūtīs šķirot apakšveļu uz kādu no mācību centriem.

– Rīt pusdienlaikā, – Belkneps teica.

– Tu laikam nedzirdi, ko es saku.

– Rokkrīkas parkā. Tur vienmēr ir ļaužu ka biezs, tātad droša vieta. Norunāts? Mēs tiksimies uz pavisam īsu brīdi. Neviens par to neuzzinās. Gaidīšu tevi austrumu daļā, kur gar gravu ved taka. Nenokavē!

– Kaut velns tevi parautu, Kastor! – Robinsa, negribīgi piekrizdama, noteica.

Belkneps zināja, ka Rūtas Robinsas vaļasprieks ir jāšana un viņa bieži pusdienlaiku pavada Rokkrīkas parkā – tie bija divi tūkstoši mežainu akru Vašingtonas ziemeļrietumos. Tāpēc Belknepam šķita saprātīgi izmantot šo Robinsas ieradumu, jo neviens viņas došanos uz parku neuzskatīs par kaut ko neparastu, turklāt viņai būs labs aizbildinājums par pavadīto laiku.

Rīt ar agro reisu jāielido Ronalda Reigana vai Dalesa lidostā, Belkneps klusībā sprieda. Viņam būs pietiekami laika, lai nokļūtu līdz norunātajai vietai. Izstiepies gultā, Belkneps, ņemdams

209

talkā gribasspēku, mēģināja aizmigt, taču operatīvajā darbā izkoptā spēja aizmigt pēc smadzeņu pavēles šajās dienās viņu pievīla. Viņš nomodā gulēja tumsā, klausīdamies Andreas Bānkroftas elpā dažu pēdu atstatumā. Viņa izlikās, ka ir aizmigusi, tāpat kā viņš. Šķita, ka pagāja vairākas stundas, līdz apziņa beidzot ieslīga dūmakā. Sapnī viņš redzēja tos, kurus bija zaudējis. Ivetu, ko viņam atņēma, pirms tā viņam īsti piederēja. Lūizi, kura gāja bojā sprādzienā Belfāstas operācijas gaitā. Belknepa gara acu priekšā, uznirdamas no atmiņas dzīlēm, vīdēja sejas – draugi un mīļotās sievietes, kas uz mūžu bija zudušas. Tikai viens cilvēks visus šos gadus nemainīgi bija viņam blakus – viņa uzticamais draugs Pollukss.

Džereds Rainharts, vienīgais, kurš viņu nekad nebija pievīlis. Džereds Rainharts, kuru viņš patlaban pievīla.

Pusnaktī Belkneps, uztrūcies no miega, vaļējām acīm raudzījās griestos, iztēlē redzēdams savu sagūstīto, spīdzināto, nelaimīgo draugu. Viņam tik ļoti gribējās ticēt, ka Džereds nav zaudējis cerību! Kamēr vien Kastors elpo, viņš domāja, tas lauzīs galvu un darīs visu, lai draugu izglābtu. *Turies, Polluks! Es dodos tev palīgā, bet mans ceļš nav taisns un viegls. Taču es noiešu to līdz galam.*

Nākamajā rītā viņš pastāstīja Andreai, ko iecerējis.
– Lieliski, – viņa teica. – Es tikmēr sameklēšu Bruņrupuča ceļu. Gribu uzzināt to, ko zināja mana māte.
– Bet nav taču nekādu pierādījumu, ka tam visam ir kāda saistība ar viņas nāvi. Tā būs taustīšanās tumsā.
– Nē. Es taustīšos gaišā dienas laikā.
– Jums nav vajadzīgo iemaņu, Andrea.
– Varbūt nav. Taču tikai viens no mums ir fonda kurators. Tikai vienam no mums ir likumīgs iegansts turp doties.
– Jūs neesat izvēlējusies piemērotu laiku šim apmeklējumam.
– Vai man sava dienas kārtība jāsaskaņo ar jums?
– Es došos kopā ar jums. Es jums palīdzēšu. Norunāts?
– Kad?
– Vēlāk.
Andrea cieši ielūkojās viņam acīs. Negaidīti viņa piekrizdama pamāja ar galvu.
– Labi. Darīsim tā, kā jūs sakāt.

210

– Es izlidoju pulksten deviņos un atgriezīšos pēcpusdienā, – Belkneps teica. – Līdz tam laikam pacentieties neiepīties nepatikšanās. Pasūtiet pusdienas numurā, uzvedieties klusu, un viss būs labi.

– Skaidrs.

– Esiet piesardzīga.

– Es darīšu tā, kā jūs sakāt. Varat uz mani paļauties.

Es darīšu tā, kā jūs sakāt, Andrea viņam pateica. Šķita, ka šis vīrietis, Tods Belkneps, viņai noticēja. Viņa skatiens pauda, ka nekas viņu neapturēs ceļā uz mērķi. Šā muskuļu kalna pašpārliecinātībai nebija robežu, taču Andreu tas nemulsināja. Tā bija *viņas dzīve*, par kuru viņi runāja. Un kas viņš tāds vispār ir? Andrea joprojām nesaprata, ko viņš īsti dara un ko grib panākt. Cik viņa zināja, no izlūkošanas dienesta nieku dēļ nevienu nepadzen. Taču galvenajā Andrea viņam ticēja. Kāds no Bānkrofta fonda patiešām bija zvanījis ļoti, ļoti sliktam cilvēkam. Tas atbilda viņas pieņēmumam, ka fonda iekšienē eksistē savrupa struktūra, kas darbojas savās interesēs. Svarīgākais jautājums bija, vai Pols Bānkrofts par to zina vai nezina.

Andrea jutās apņēmības pilna. Iespējams, iepriekšējās dienas sadursme ar Belknepu automašīnā bija izgaisinājusi viņas bailes. Noīrējusi purpursarkanu *Cougar*, viņa krustu šķērsu līkumoja pa Izpētes trijstūra parka ielām, meklēdama to, kuras nosaukums bija "Bruņrupuča ceļš".

Bānkrofta fondam šeit piederēja vairāk nekā tūkstoš akru liels zemes gabals – kaut ko tik lielu būtu grūti noslēpt. Nebija iespējams noslēpt tūkstoš akru zemes gabalu priežu mežā... ja nu vienīgi šis priežu mežs bija septiņu tūkstošu akru liels.

Kaut kas traks! Andrea jau labu brīdi, nobraukusi no galvenā ceļa, stūrēja pa maziem ceļiem un ieliņām, kas savienoja zinātniskās pētniecības iestādes. Viņa braukāja šurpu turpu. Viņa saprata, ka viņai nav jādodas pa galvenajām šosejām, kas veda uz parka dienvidu daļu, kas bija vairāk apbūvēta un labāk attīstīta. Viņai bija vajadzīgi ziemeļi. Šaurie ceļi šeit gluži kā asinsvadu kapilāri izplūda dažādos virzienos, un ceļrāži te bija sastopami tikai retumis. Andreu pārņēma izjūtas, ka viņa iemaldījusies svešā, privātā īpašumā. Viņa brauca jau stundām ilgi, bet nekur vēl nebija nonākusi. Beidzot pēc neskaitāmiem pagriezieniem, krustojumiem un strupceļiem Andrea ieraudzīja šķembām klātu ceļu, pie kura bija redzama ceļa zīme ar zaļa bruņrupuča attēlu. Tas nebija nekāds vienkāršs bruņrupucis – tas bija ASV piekrastē mītošais terapins, saldūdens bruņrupucis ar plakanām kājām, kas darbojas kā peldspuras. Taču viņas atvieglojumu izgaisināja uzraksts, kas bija lasāms zem zīmes. IEBRAUKT AIZLIEGTS.

Andrea tomēr nogriezās uz šā ceļa, kas ielocījās mežā. Ik pa simt jardiem bija izliktas aizlieguma zīmes. "Iebraukt aizliegts", "Medīt un makšķerēt aizliegts", "Iebraukt privātīpašumā aizliegts". Neredzēt šīs zīmes nebija iespējams.

Andrea izlikās tās neredzam. Šķembu segums drīz vien pārtapa šaurā, līkumotā, bet nevainojami līdzenā asfaltētā ceļā. Visapkārt joprojām bija pirmatnējs mežs. Vai viņa būtu kļūdījusies? Padoties Andrea negrasījās. Viņa bija iztērējusi ceturtdaļu degvielas tvertnes, vizinādamās pa šo ceļu, kas nebija iezīmēts nevienā kartē, šur tur uz labu laimi nogriezdamās un cerēdama, ka agri vai vēlu viņa nokļūs īstajā vietā.

Beidzot viņa bija klāt – nekādas kļūdas nebija.

Andrea tūdaļ saskatīja šajā ēkā jau kaut ko redzētu. Tā nepavisam nebija tāda pati kā Katonas mītne, taču līdzīga abām bija veiksmīgā iekļaušanās apkārtnē. Šī bija zema ķieģeļu un stikla konstrukcija, taču Andrea nespēja saprast, kāpēc tā šķiet iespaidīga. Tāpat kā Katonas ēka, tā nebija ieraugāma pa gabalu, bet tikai tad, ja piebrauca tai klāt, – acīmredzot ar domu, lai nebūtu saskatāma no gaisa. Nebija iespējams neapbrīnot tās diskrēto grandiozumu, kurā nebija ne miņas no ārišķības.

Izdzirdējusi spēcīga motora rūkoņu, Andrea saprata, ka nav šeit viena. Palūkojusies atpakaļskata spogulī, viņa ieraudzīja lielu melnu *Range Rover*. Pēc mirkļa automobilis pievirzījās viņai blakus, atrazdamies paris collu no viņas braucamā. Iekšā sēdošos Andrea nespēja saskatīt – gan saules atspīduma dēļ, gan tāpēc, ka apvidus automobilim bija tonēti stikli. Jaudīgais spēkrats piespieda Andreu iegriezties piebraucamā ceļā, kas veda uz ķieģeļu un stikla ēku. Andreai sirds vai lēca laukā pa muti. Taču – tieši to viņa vēlējās, vai ne?

Esi piesardzīga, kad iedomājies vēlēšanos...

Viņa varētu uzņemt ātrumu un... ko tālāk? Ietriekties sānos milzenim, kurš sver divreiz vairāk nekā viņas automašīna? Tie taču neiedrošināsies darīt viņai pāri, Andrea izmisusi nodomāja. *Range Rover* izskatījās pēc apsardzes mašīnas, sargi droši vien

212

nosprieduši, ka viņu teritorijā ielauzies kāds iebrucējs, Andrea mēģināja sev iestāstīt, pati tam neticēdama.

Pēc brīža no *Range Rover* izlēca divi plecīgi vīri un palīdzeja viņai izkāpt no automašīnas. Viņu rīcību varēja tulkot gan par pieklājību, gan piespiešanu.

– Ko jūs, pie velna, darāt? – Andrea noprasīja, pūlēdamās izturēties pašapzinīgi. – Vai jūs maz zināt, kas esmu?

Viens no vīriešiem palūkojās uz viņu gandrīz vai ar sajūsmu. Andrea nodrebinājās, ievērojusi viņa pūtaino ādu un sikspārņa spārniem līdzīgās uzacis.

– Doktors Bānkrofts jūs gaida, – otrs sacīja, pieklājīgi, bet stingri virzīdams viņu uz ēkas durvju pusi.

DIVPADSMITĀ NODAĻA

Pols Bānkrofts patiešām viņu gaidīja.

Kad stikla durvis pēc Andreas ienākšanas klusi aizvērās, viņš, starojoši smaidīdams, iznāca no stūra un izpleta rokas, it kā grasītos viņu apskaut. Andrea viņam netuvojās. Redzēdama viņa sejā smaidu, kas plānajā, gludajā ādā ievilka asas līnijas, viņa neapmākušos, silto skatienu, Andrea apjuka, nezinādama, ko lai domā.

– Ak kungs, Andrea! – viņš iesaucās. – Jūs nebeidzat mani pārsteigt!

– Kur jūs, tur es, – Andrea sausi atbildēja. – Atgriežos... gluži kā viltota monēta.

– Viltotu monētu nemēdz būt. Ir tikai nesaprastās monētas. – Pols Bānkrofts jautri iesmējās. – Laipni lūdzu manufaktūrā!

Andrea vēroja viņa seju, meklēdama dusmu vai draudu pazīmes, bet neko no tā neieraudzīja. Gluži pretēji – Pols Bānkrofts izstaroja labsirdību.

– Nesaprotu, ko būtu vērts apbrīnot vairāk – jūsu ziņkāri, neatlaidību, apņēmību vai izdomu, – sirmais zinātnieks sacīja.

– Apbrīnojiet ziņkāri, – Andrea piesardzīgi atbildēja. – Tā patiešām ir liela un neviltota.

– Kā jau teicu agrāk, mana dārgā, es saskatu jūsos līdera potenciālu. – Viņš pamāja ar garajiem pirkstiem abiem vīriem, kas bija pavadījuši Andreu līdz durvīm, sūtīdams tos prom. – Esmu jau sasniedzis vecumu, kad ir laiks lūkot sev pēcteci.

– Vismaz reģentu, – Andrea piebilda.

– Jūs gribat teikt, ka uz laiku, iekams Brendons izaug? Saprotiet, es joprojām ceru, ka mans zēns par ģimenes biznesu ieinteresēsies, taču neesmu par to pārliecināts. Tāpēc, sastapdams ar vajadzīgajām īpašībām apveltītu cilvēku, pievēršu viņam īpašu uzmanību. – Viņa acis iemirdzējās.

Andrea juta, ka viņai izkaltusi mute.

– Vispirms atļaujiet jūs izvadāt nelielā iepazīšanās ekskursijā, –
Pols Bānkrofts laipni piedāvāja. – Šeit ir daudz, ko redzēt.

Kopš tā laika, Tods Belkneps prātoja, kad Rūta Robinsa mēģi-
nāja viņu pārliecināt, ka jāšana ar zirgu – transportlīdzekli bez
trieciena amortizatora un gaisa kondicionētāja – ir atpūta, nevis
pārvietošanās iespēja gadījumā, ja visi citi resursi izsmelti, aizri-
tējuši krietni desmit gadi. Viņai tā arī neizdevās pievērst Belkne-
pu savai ticībai, jo viņš nekādu baudījumu no jāšanas neguva,
taču viņam patika ar Rūtu kopā pavadīt laiku. Viņa bija uzaugu-
si Oklahomas štata Stilvoteras pilsētiņā skolas futbola komandas
trenera ģimenē, bet tajā pusē pret skolas futbola komandu trene-
riem izturējās ar tādu pašu cieņu kā pret karaliskās ģimenes lo-
cekļiem. Tiesa gan, pavisam citādi bija tajās reizēs, kad trenētā ko-
manda zaudēja. Rūtas māte, kas bija dzimusi Kanādā, Kvebekas
provincē, citā skolā mācīja franču valodu. Rūtai svešvalodas pa-
devās – vispirms, mātes mudināta, viņa iemācījās franču valodu,
pēc tam vēl divas romāņu valodas – spāņu un itāliešu valodu.
Četrpadsmit gadu vecumā pavadījusi vasaru Bavārijā, viņa diez-
gan ciešami apguva arī vācu valodu. Rūta kā uzburta vēroja Ei-
ropas futbolu – viņu tas aizrāva ne mazāk kā amerikāņu futbols –
un visu, kam vien ķērās klāt, darīja sparīgi, labā garastāvoklī un
jokodama. Ar zirgu viņa jāja, sēdēdama vīriešu seglos, jo sieviešu
seglu manierīgums neatbilda viņas gaumei. Cilvēkiem viņa pati-
ka. Rūtas atvērtība un labsirdība vedināja tos uz vaļsirdību. Jau-
nas meitenes viņai uzticēja pirmās mīlestības sāpes, trīsdesmit ga-
dus vecas dāmas lūdza padomu laulības dzīves sarežģījumos, un
vecākas kundzes viņai žēlojās par naudas grūtībām. Pat ja Rūta
Robinsa pateica ko bezkaunīgu, viņai to piedeva, jo pat asākos
viņas izteikumus caurstrāvoja labsirdība.

Ap pusdienlaiku Belkneps izdzirdēja dipoņu, ko radīja zirga pa-
kavi, triekdamies pret cietu zemi. Pakāpies atpakaļ no gravas akme-
ņainās malas, viņš laiski pamāja jātniecei, kura bija parādījusies viņa
redzeslokā. Piejājusi klāt, Rūta Robinsa nolēca no zirga un apsēja
pavadu ap smuidra ozola stumbru. Parkā bija vienpadsmit jūdžu
garš jāšanas celiņš, bet šī bija trases vientuļīgākā vieta.

Rūta Robinsa reiz pajokoja, ka viņai esot nevis krūtis, bet *biste*.
Viņu nevarēja dēvēt par resnu, taču viņa bija pilnīga, atgādi-
nādama deviņpadsmitā gadsimta sievieti, kas, dzemdējusi vien-

padsmit bērnu, segtā pajūgā dodas uz Rietumiem. Pat ārēji Rūtā bija kaut kas no Vecajiem Rietumiem, lai gan Belkneps nevarētu pateikt, kas īsti. Katrā ziņā apakšsvārkus un krinolīnu viņa nevalkāja.

Piesējusi zirgu, viņa apstājās netālu no Belknepa, bet uz viņa pusi neskatījās. Abi modri vēroja apkārtni, katrs pārredzēdams simt astoņdesmit grādu lielu klajumu.

– Tātad, – viņa sacīja bez ievadvārdiem, – Ansari tīkls. Īstenībā mēs par to neko nezinām. Neskaidri sarunu pārtvērumi norāda uz kādu neidentificētu igauņu magnātu.

– Vai tādu ir daudz?

– Tu būsi pārsteigts. – Rūta sausi iesmējās. – Šis ir viens no tiem, kas līdz šim zem mūsu mikroskopa nebija nokļuvis. Tajā ir sava loģika. Padomes, pamezdamas šo impērijas nomali, atstāja tur milzīgas ieroču noliktavas, un Igaunijas armijas rokās jau nu tās nenonāca, to es varu droši teikt. – Vēja brāzma caur ozola lapotni atnesa mālu un zirga sviedru smaržu.

– Kāpēc gan viņiem vajadzēja savu arsenālu izvietot Igaunijā?

Rūta pagriezās pret Belknepu.

– Atcerēsimies ģeogrāfiju. Somu līcis bija stratēģiski svarīgs rajons. Lai kravas nogādātu Sanktpēterburgā – tajā pašā Ļeņingradā –, tās bija jāpārved pāri šim līcim. Nedaudz vairāk nekā divsimt jūdžu garumā no ziemeļiem to ieskauj Somija, bet no dienvidiem – Igaunija. Turklāt Igaunija bija atslēga ceļā uz Rīgas līci – uz visu Baltijas jūru. Viss, kas saistīts ar jūras kara floti Baltijā, neizbēgami bija saistīts ar Igauniju. Tāpēc tur atradās varena padomju jūras karabāze, un nevienam nebija lielāki munīcijas un militārie resursi kā šīs impērijas jūras kara flotei. Droši vien to noteica ne tik daudz stratēģiski apsvērumi, cik Kremļa politikāņi, taču, kad jautājums bija par labumu dalīšanu, krievu jūrnieks vienmēr saņēma pašu lepnāko.

– Cik saprotu, likumīga Igaunijas arsenāla privatizācija nav notikusi. – Belknepa skatiens apstājās pie veca valrieksta koka, kuru žņaudza efeja. Vīteņaugs apņēma tā zarus gluži kā brezents.

– Tā bija klaja laupīšana vispārēja haosa laika, kad Austrumos daudzi vēl neizprata atšķirību starp kapitālismu un zagšanu.

– Tātad ar ko esam saskārušies? Vai tu gribi teikt, ka Ģenēze ir Igaunijas oligarhs? Vai arī oligarhs, kas darbojas ar Ģenēzi kopā? Kāda ir šī aina?

– Es pastāstīju tev visu, ko uzzināju, un tas nemaz nav maz. Taču, kā jau tu saproti, tie ir tikai pieņēmumi. Lai cik savādi tas būtu, Ansari tīkls neuzskatīja par vajadzīgu mums pa pastu atsūtīt savu reklāmas brošūru.

– Kas īsti zināms par šo Ģenēzi?

Rūta saviebās.

– Mans tēvs savulaik nodarbojās ar fotografēšanu un pagrabā bija ierīkojis laboratoriju. Laiku pa laikam kāds no mums, sīkajiem, tur iebruka tieši tajā brīdī, kad tēvs attīstīja negatīvus. Un visas lieliskās ainas, cīņa par bumbu, pārvērtās ēnās un miglā. Tēvs mēdza mūs par to noslānīt. Bet es to saku tāpēc, ka mums nekādas sasodītas bildes nav. Mums ir ēnas un migla.

– Es gribu zināt, kurš par to jānoslāna, – Belkneps nemitējās.

– Rūta, pastāsti man par Ģenēzi!

– Ģenēze. Tā ir leģenda, ar ko saistīti daudzi nostāsti. Noslēpumaini un mistiski nostāsti. Viens no tiem ir par cilvēku, kurš par nepakļaušanos Ģenēzei divus gadus turēts dzelzs sarkofāgā, kas darināts pēc viņa ķermeņa formas. Pie dzīvības viņš uzturēts ar intravenozu barošanu. Visu šo laiku nelaimīgais nav spējis pakustināt nevienu ķermeņa daļu vairāk par collu. Pēc diviem gadiem muskuļi pilnīgi atrofējušies un viņš nomiris. Lai ko tādu iedomātos, vajadzīga Edgara Po iztēle. Pastāstīšu vēl vienu gadījumu, par ko uzzinājām no mūsu Atēnu sektora. Par Ģenēzes upuri kļuva ietekmīgas grieķu kuģniecības īpašnieku ģimenes loceklis. Taču stāsts ir nevis par viņu, bet viņa māti, kura cietusi neremdināmas zaudējuma sāpes. Laiks dziedinot, taču uz šo sievieti tāds teiciens nav attiecināms. Viņa gribēja redzēt cilvēku, kurš atņēmis dzīvību viņas dēlam, un negrasījās nomierināties. Ne par ko citu viņa nerunāja, tikai par to.

– Viņa alka atriebības. To es spēju saprast.

– Pat ne tā. Viņa saprata, ka atriebt nespēs. Izmisusī sieviete gluži vienkārši vēlējās ieraudzīt Ģenēzes seju. Ielūkoties viņam acīs. Gribēja ieraudzīt, ieraudzīt to, ko, cik zināms, redzējis nav neviens. Viņa bija tik apņēmīga, tik nelokāma, ka beidzot saņēma vēsti.

– No Ģenēzes?

– Vēstī bija teikts, ka Ģenēze dzirdējis par sievietes lūgumu un esot nolēmis to izpildīt. Taču ar vienu noteikumu. Par iespēju viņu ieraudzīt šai sievietei jāmaksā ar savu dzīvību. Tāds bija šis noteikums, un nelaimīgā varēja vai nu to pieņemt, vai atteikties.

Belkneps nodrebinājās, lai gan vēja pūsmas bija siltas un liegas.

– Neremdināmu sāpju pārņemtā māte izvirzītajam noteikumam piekrita, – Rūta turpināja. – Cik esmu dzirdējusi, viņa saņēma mobilo tālruni un norādījumus, pēc kuriem viņai bija jāiet no vienas izolētas vietas uz citu. Viņas līķi atrada nākamajā rītā. Pirms nāves sieviete krūšturī bija iebāzusi zīmīti, kas bija rakstīta ar viņas roku. Tajā bija teikts, ka viņa "to" patiešām redzējusi. To, kuru ieraudzījis ikviens mirst. Ģenēze savu solījumu izpildīja. Un savādi – runā, ka nāves cēloni noskaidrot neesot izdevies. Sieviete nomira, un cauri.

– Nespēju tam noticēt.

– Es arī ne, – Rūta Robinsa sacīja. – Tas viss izklausās pēc sasodīta šausmu stāsta. Mēs visi tos esam dzirdējuši, bet nekad mums nav bijis iespējas pārliecināties par to autentiskumu. Tu mani pazīsti. Es, tāpat kā tu, neticu tam, par ko nevaru pārliecināties.

– Lai gan... Uz zemes un debesīs ir daudz kā tāda...

– Varbūt, varbūt... Taču es skaitu tikai to, ko varu saskaitīt. Ja mežā nogāzas koks, un Rūta Robinsa no saviem avotiem nesaņem oficiālu apstiprinājumu, ka tas nogāzies, viņai šis koks stāv, kur stāvējis.

Belkneps ielūkojās viņai sejā.

– Un tagad pastāsti par "Inverbrasu".

Rūta Robinsa nobālēja. Viņas skatiens pēkšņi kļuva nedzīvs.

Belknepam bija vajadzīgas vairākas sekundes, lai aptvertu, kas notiek. Rūtas mutes kaktiņā, atgādinādams nemākulīgu lūpu krāsas pieskārienu, sariesās asiņu piliens. Viņas ķermenis saliecās uz priekšu... un viņa bija mirusi, pirms nogāzās zemē.

Pusdienas saules gaismā tumšsarkanā straumīte iemirgojās.

Pola Bānkrofta lepnums par šo iestādi Ziemeļkarolīnas štatā bija puicisks, eksaltēts un nevaldāms. Viņš valdonīgā gaitā soļoja pa lakotām flīzēm klātiem gaiteņiem gar matēta stikla sienām. Andrea nepārstāja minēt, *kas* ir šī vieta. Kādēļ doktors Bānkrofts atrodas šeit? Andrea redzēja ar dokumentiem piekrautus plauktus, datoru termināļus, dzirdēja spraiga darba sanoņu gluži kā *NASA* lidojumu vadības centrā. Mērenais apgaismojums Andreai izraisīja asociācijas ar reto grāmatu un rokrakstu bibliotēku. Pēc vienādiem atstatumiem bija kāpnes, kas veda lejup. Koka un dzelzs margas, ar flīzēm izklāti kāpņu laukumi. Acīmredzot lielākā daļa ēkas atradās zem zemes. Lietišķi ģērbušies vīrieši un sievietes, kas sēdeja pie datoriem, pār zemām sienām pavirši nolūkojās abos garāmgājējos.

– Bez pārspīlējuma varu teikt, ka esmu sapulcējis patiešām izcilu analītiķu komandu, – Pols Bānkrofts teica, kad viņi iegāja plašā zālē, kas acīmredzot šeit bija galvenā telpa. Caur puspavērtām logu žalūzijām iekšā spraucās saules gaisma.

– Un to labi noslēpis...

– Šī patiešām ir visai vientulīga vieta, – zinātnieks piekrita.

– Pēc maniem paskaidrojumiem jūs iemeslu sapratīsiet.

Viņš apstājās, ar plašu mājienu norādīdams uz telpu. Pie pakavveida galda, monitoru pusloka ieskauti, sēdēja seši cilvēki un dzīvi sarunājās. Viens no viņiem, kalsns vīrietis ar nelielu melnu bārdu, ģērbies zilā uzvalkā, bez kaklasaites, redzēdams, ka Bānkrofts tuvojas, piecēlās kājās.

– Kādi ir jaunumi no Lapasas? – Bānkrofts apjautājās.

– Tieši patlaban sākam rūpīgu analīzi, – dziedošā balsī atbildēja bārdainis. Viņam bija smalkas, sievišķīgas rokas.

Andrea nopētīja vīriešus un sievietes, kas sēdēja pie galda. Viņa jutās kā Alise, kas nonākusi Aizspogulijā.

– Es vadāju nelielā ekskursijā savu krustmeitu Andreu, – Pols Bānkrofts šiem cilvēkiem paskaidroja un tad pagriezās pret Andreu. – Lielākā daļa šo termināļu ir savienota ar jaudīgu paralēlo procesoru sistēmu – turklāt nevis ar vienu superdatoru *Cray XT3*, bet gan ar veselu telpu, kas ar tiem pilna. Droši vien pats ātrākais dators pasaulē šodien ir Enerģētikas ministrijas Lorensa Livermora nacionālajā laboratorijā. Otra ātrākā esot *IBM BlueGene* sistēma Jorktaunā. Mūsējais acīmredzot ir trešais un iet soli solī ar tiem, kas uzstādīti *Sandia* laboratorijā, Albukerkē, un Groningenas universitātē Nīderlandē. Mēs runājam par datoru sistēmu, kas spēj veikt simtiem teraflopu sekundē – simtiem triljonu operāciju. Šī sistēma vienas stundas laikā paveic vairāk, nekā visas mūsdienu datoru laikmeta elektroniskās skaitļojamās mašīnas paveikušas piecdesmit gados. Līdzīgus superjaudīgus datorus izmanto genomikas un proteomikas pētījumos, haotiskas seismiskās aktivitātes prognozēšanā, kodolsprādziena procesu modelēšanā, dabas parādību pētīšanā. Mūsējais nebūt nav vienkāršaks. Mēs modelējam notikumus un norises, kas ietekmēs septiņus miljardus šīs planētas iedzīvotāju.

– Ak Dievs... – Andrea nopūtās. – Jūs tiecaties sniegt maksimālu labumu maksimālam cilvēku skaitam... jūs mēģināt izskaitļot laimes formulu.

– Agrāk tie bija tukši vārdi. Patiesībā neviens un nekad īsti nav pievērsies mēģinājumam to aprēķināt. Savstarpēji saistītie apstākļi ir pārāk sarežģīti, un to ir pārāk daudz. Nepieciešamo aprēķinu apjomi aug ģeometriskā progresijā. Tomēr šajā virzienā esam guvuši panākumus, esam guvuši reālus rezultātus. Cilvēces dižākie prāti par to sapņoja jau kopš apgaismības laikmeta. – Polam Bānkroftam iemirdzējās acis. – Mēs pārvēršam morāli matemātiskās formulās.

Andrea klusēja, it kā būtu zaudējusi valodu.

– Vai esat dzirdējusi apgalvojumu, ka cilvēces zināšanu apjoms pusotra tūkstoša gadu laikā kopš Kristus dzimšanas līdz renesansei esot dubultojies? No renesanses līdz Francijas revolūcijai tas divkāršojās vēlreiz. Simt divdesmit piecos gados no revolūcijas Francijā līdz pirmajam automobilim, kas bija industrijas revolūcijas kulmināciju, zināšanu apjoms dubultojās no jauna. Pēc mūsu aplēsēm, Andrea, mūsdienās cilvēku zināšanu apjoms divkāršojas ik pa trim gadiem. Tajā pašā laikā mūsu morāles principi nemainās. Cilvēka tehniskā doma daudzreiz apsteigusi viņa ētisko pilnību. Šie varenie skaitļošanas resursi, ko mēs izmantojam, kaut kādā ziņā mums noder par prāta protēzi, mūsu domāšanas spējas mākslīgas paplašināšanas līdzekli. Neviens neiebilst, ka NASA vai Cilvēka genoma pētniecības institūts uzaicina zinātniekus, kas ņem talkā datorus, lai atrisinātu dažādas inženiertehniskas vai bioloģiskas problēmas, ar kurām mēs sastopamies. Kādēļ gan lai mēs neparūpētos par mūsu sugas labklājību daudz konkrētāk? Tas ir uzdevums, ar kura risināšanu mēs šeit nodarbojamies.

– Bet ko jūs īsti šeit darāt? Par ko jūs runājat?

– Nenozīmīga iejaukšanās var izraisīt nozīmīgas sekas. Mēs cenšamies modelēt sekas, lai novērtētu iejaukšanās risku. Piedodiet... tas joprojām skan abstrakti, vai ne?

– Tā varētu sacīt.

Pola Bānkrofta skatiens bija laipns, bet vienlaikus bargs.

– Esmu spiests paļauties uz jūsu apdomību. Šī programma netiks īstenota, ja par tās darbību sabiedrība uzzinās.

– Par tās darbību? Jūs joprojām runājat šifrēti.

– Un jūs, protams, uz slepenību raugāties ar aizdomām, – Pols Bānkrofts sacīja. – Īstenībā jūsu interese ir pamatota. Es patiešām esmu izolējis šo grupu, noslepis to sabiedrībai, izdzēsis tās atrašanās vietu no kartes. Jūs par to brīnāties un vēlaties uzzināt, kas man slēpjams.

Andrea pamāja. Viņas prātā virmoja tūkstoš jautājumu, taču viņai šķita, ka būs labāk, ja šajā brīdī mazāk runās, bet vairāk klausīsies.

– Jautājums ir ļoti delikāts, – Pols Bānkrofts turpināja. – Kad es jums pastāstīšu, ar ko viss sākās, ceru, ka jūs sapratīsiet, kāpēc tas, ko mēs šeit darām, ir nepieciešams.

Viņš ieveda Andreu klusākā telpas stūrī ar skatu uz bagātīgu, zaļojošu parku, kur starp krūmiem un puķudobēm burbuļodams plūda strauts.

– Nepieciešams, – Andrea atkārtoja. – Bīstams vārds.

– Reizēm, lai korumpēta režīma apstākļos īstenotu labdarības projektus, vispirms jānoskaidro, kas ir tie, kuri liek šķēršļus un traucē, un jāpanāk, lai tie pakāpjas malā, iespējams, pat piedraudot ar publisku atmaskošanu. Viss sākās tā... – Pola Bānkrofta melodiskā balss skanēja mierinoši, tajā bija kaut kas hipnotisks. Atlaidis muguru pret ādas krēsla atzveltni un uzlicis plaukstas uz hromētajiem paročiem, viņš lūkojās tālumā. – Tas notika pirms daudziem gadiem. Fonds tikko bija izstrādājis dārgu ūdensapgādes projektu Zamoras-Činčipes provincē Ekvadorā – projektu, kurā bija paredzēts ar tīru ūdeni nodrošināt desmitiem tūkstošu trūcīgu iedzīvotāju, galvenokārt kečvu cilts indiāņus. Pēkšņi kā zibens no skaidrām debesīm mūs sasniedza ziņa, ka ar savu pērkamību pazīstams valdības ministrs nolēmis ar šo zemes platību izrīkoties citādi – to pārdot kalnrūpniecības uzņēmumam, kura vadītāji tam bija apsolījuši dāsnu komisijas naudu.

– Tas ir nelietīgi.

– Es biju tajā ciematā, Andrea. Es izstaigāju slimnīcas, kas bija pilnas ar bērniem – četrus, piecus, sešus gadus veciem –, un tie mira tāpēc, ka bija dzēruši inficētu ūdeni. Es redzēju, kā cieš māte, kura zaudējusi visus piecus bērnus, jo tos atņēmušas ūdens parazītu un kaitīgu mikrobu izraisītas slimības. Tādu māšu, kuru bērni slimoja, zaudēja spēkus un mira, tur bija tūkstošiem. Desmitiem tūkstošu. To visu bija iespējams apturēt. *Novērst*. Vajadzēja tikai rīkoties. Taču dažiem tāda doma šķita muļķīga. – Andrea manīja, ka Pola Bānkrofta acis kļuvušas miklas. – Mūsu

221

darbiniece, kas atbildēja par projekta īstenošanu Zamoras provincē un tur jau krietnu laiku strādāja, par šo ministru ieguva kompromitējošu informāciju un nodeva to man. Un es, Andrea, dziļi ievilku elpu un pieņēmu lēmumu. – Viņa brūnās acis bija vērīgas, siltas un mierīgas, un nožēlas tajās nebija. – Es nolēmu informāciju izmantot tā, kā to no manis gaidīja šī līdzstrādniece. Mēs padarījām korumpēto ministru nekaitīgu.
– Es nesaprotu. Ko jūs izdarījāt?
Pols Bānkrofts nenoteikti atmeta ar roku.
– Pačukstēju pāris vārdu pareizajam vidutājam. Mēs spērām soli uz priekšu. Ministrs spēra soli atpakaļ. Un tūkstošiem dzīvību tajā gadā bija izglābtas. – Viņš brīdi klusēja un tad pajautāja:
– Vai jūs būtu rīkojusies citādi?
– Vai tad cita iespēja bija? – Andrea nevilcinādamās atjautāja.
Sirmais zinātnieks atzinīgi pamāja ar galvu.
– Tātad jūs mani sapratāt. Lai pārvērstu pasauli, panāktu cilvēces kopējā labklājības līmeņa paaugstināšanos, filantropijai jābūt pasaulīgai. Jābūt stratēģijai, ar labiem nodomiem vien nepietiek. Šim darbam jāgatavojas, tas jāplāno, jāvāc informācija – tātad jāizstrādā, jāveido stratēģija, lai vajadzības reizē būtu vieglāk izšķirties par īsto rīcību. Svarīgas informācijas vākšana nav parasto fonda darbinieku kompetencē, tāpēc izveidots šis centrs, kurā ietilpst īpaša nodaļa.
– Par kuru neviens nezina.
– Neviens par to nedrīkst zināt. Pretējā gadījumā tas ietekmētu rezultātus, ko mēs tiecamies sasniegt. Cilvēki mēģinās prognozēt mūsu iejaukšanās plānus un aizsteigties tiem priekšā, prognozēt, ko prognozē citi, un tie citi prognozēs, ko prognozē vēl citi. Tas patiešām būtu informācijas sprādziens. Cēlonības neskaidrie apvāršņi kļūtu pavisam necaurredzami.
– Kas tā par nodaļu? Jūs to skaidri nepateicāt.
– Tā ir grupa *Theta*. – Pola Bānkrofta skatiens joprojām bija vērīgs, bet silts. – Laipni lūdzu šajā grupā! – Viņš piecēlās kājās. – Vai atceraties mūsu sarunu par nevēlamām sekām? Par labiem darbiem ar postošu iznākumu. Šīs problēmas risināšana ir manas īpašās grupas uzdevums, un šie cilvēki to veic elektroniskajā granularitātes pakāpē. Agrāk tas nebija iespējams. Jo augstāka datoru sistēmas granularitāte, jo sistēma elastīgāka. Jūs esat racionāli domājošs cilvēks, Andrea, taču ne jau tāpēc, ka jūs būtu

bezsirdīga. Gluži otrādi – tieši tāpēc, ka jums ir laba sirds un ass prāts. Viens bez otra tie nekam neder.

Viņā ir kaut kas no svētā, Andrea nodomāja. Gaišs miers un spēja iejusties citu ciešanās. *Viņš ir īsts cilvēks.* Tajā pašā brīdī viņai prātā ienāca vārdi, ko teica Belkneps, – ka viņu muļķojot.

Andrea, nenovērsdama skatienu no sarunas biedra, kaut ko apsvēra. Beidzot viņa pieņēma lēmumu.

– Jūs stāstījāt par iejaukšanos. Kāda var būt saistība starp Bānkrofta fondu un nelikumīgas pusmilitāras vienības barvedi Apvienotajos Arābu Emirātos? – Andrea jautāja, cenzdamās saglabāt rāmu balss toni, lai gan juta krūtīs dauzāmies sirdi.

Pols Bānkrofts izskatījās apmulsis.

– Šķiet, es īsti jūs nesaprotu.

Andrea pasniedza Bānkroftam telefona sarunu izraksta pēdējās lappuses kserokopiju un pielika pirkstu pie numura, kas sākās ar 0119714. Tas bija Dubaijas starptautiskais kods.

– Nejautājiet, kā tas nonāca pie manis. Gluži vienkārši paskaidrojiet man. Es piezvanīju uz šo numuru... vārdu sakot, es jau teicu, uz kādu tipu uztrāpījos.

Viņas balss tomēr nodrebēja. Andrea nevēlējās stāstīt par Todu Belknepu. Pagaidām vēl ne. Ļoti daudz kas bija neskaidrs. Ja Polam Bānkroftam fakts, ka no viņa fonda kāds sazvanās ar slepkavu, nebūs nekas jauns, Andrea domāja, viņš sacerēs pasaciņu par kļūdainu telefona numuru vai ko tamlīdzīgu. Ja viņš patiešām par tādām sarunām neko nezina, viņš vēlēsies noskaidrot patiesību.

Doktors Bānkrofts, uzmetis skatienu telefona numuram, no jauna palūkojās uz brāļameitu.

– Andrea, es patiešām nejautāšu, kā pie šā izraksta esat tikusi. Es uzticos jums un jūsu intuīcijai.

Piecēlies no krēsla, viņš paraudzījās apkārt un pamāja ar roku vīrietim tumšā uzvalkā.

Tas nebija kāds no tiem cilvēkiem, kurus Andrea redzēja apspriežamies pie ieapaļā galda, – šo vīrieti viņa pirms tam nebija ievērojusi. Tam bija salmu krāsas mati, iedegusi seja, ielauzts deguns un slīdoša gaita. Bānkrofts viņam pasniedza papīra lapu ar telefona numuriem.

– Skenlon, sameklējiet datu bāzē šo Dubaijas numuru. Tiklīdz noskaidrosiet, kam tas pieder, dariet man zināmu.

223

Vīrietis, ne vārda neteikdams, pamāja ar galvu un aizslīdēja projām.

Bānkrofts, no jauna apsēdies, jautājoši lūkojās uz Andreu.

– Un tas ir viss? – Andrea sacīja.

– Pagaidām jā. – Bānkrofts raudzījās uz brāļameitu, it ka vērtēdams. – Man teica, ka jūs interesējoties par fonda arhīviem. Manuprāt, es nojaušu iemeslu. – Viņa balsī nebija ne nosodījuma, ne pārmetuma.

Andrea klusēja.

– Šī interese saistīta ar jūsu māti, vai ne?

Viņa novērsa skatienu.

– Izrādās, ka esmu par viņu zinājusi ļoti maz. Tikai tagad uzzināju, ka viņa darbojusies fondā. – Andrea atkal brīdi klusēja, pirms turpināja: – Un par viņas nāves apstākļiem. – To teikdama, Andrea vēroja sarunas biedra sejas izteiksmi.

– Tātad jūs esat uzzinājusi, kā tas notika, – Pols Bānkrofts sacīja, skumji nodurdams galvu.

Kā lai to notēlo? Cerēdama, ka melodama nenosarkst, viņa pateica rūpīgi pārdomātu, neskaidru frāzi:

– Tā bija briesmīga traģēdija.

Pols Bānkrofts uzlika roku uz viņas plaukstas un tēvišķīgi to paspieda.

– Lūdzu, Andrea... Nevainojiet viņu.

Vainot viņu? Par ko viņš runā? Andreu pārņēma dažādas izjūtas, gluži kā ledus gabaliņi dzēriena glāzē sizdamās cita pret citu. Viņa klusēja, gaidīdama, ka sarunas paskaidros ko vairāk.

– Patiesībā mēs visi esam atbildīgi par to, kas notika, – doktors Bānkrofts sacīja.

TRĪSPADSMITĀ NODAĻA

Andrea apmulsa. Pakrūtē pletās viegls nelabums.

– Kad māte atstāja amatu Uzraudzības padomē... – viņa iesāka.

– Jā. Kad padomes locekļi nobalsoja, ka viņai jāaiziet, neviens nedomāja, ka reakcija būs tāda. Taču tas *bija* jāparedz. Kad atskatos pagātnē, man lūst sirds. Tās pašas nedēļas nogales ballītē, ko sarīkoja fonda padomes locekļi, viņa iedzēra par daudz un vairs nevaldīja pār sevi. Es tur nebiju, taču man visu atstāstīja. Man ļoti žēl. Jums to nav viegli klausīties.

– Man ir ļoti svarīgi to dzirdēt no *jums*, – pēkšņi aizsmakušā balsī Andrea teica. – Man tas jādzird.

– Balsojums nebija viņai labvēlīgs. Manuprāt, tas bija pārsteidzīgs. Lora bija iejūtīgs un vērīgs cilvēks, kurš izprata mūsu uzdevumu. Viņas ieguldījums Uzraudzības padomes darbā bija jūtams. Jā, viņai bija sava vājā vieta, bet – kam gan tādu nav? Prasība atkāpties no amata viņai šķita pārāk bargs sods. Viņa jutās dusmīga un sarūgtināta... un kurš viņai to varētu pārmest? Viņa izdarīja to, ko varēja sagaidīt. Tā kā alkoholu Katonā aiz atslēgas mēs neturam, viņa piedzērās līdz nemaņai.

Andrea juta, ka deniņos pulsē vēna. Savulaik māte savas neskaitāmās glāzes ar ledus gabaliņiem un degvīnu jokodama dēvēja par "ārstniecisko balzamu". Taču pēc tam viņa atmeta dzeršanu. Viņa bija skaidrā. Tika ar to galā. Vai patiešām tā bija?

– Kad atklājās, ka viņa paņēmusi mašīnas atslēgas un aizbraukusi, viņai pakaļ tika nosūtīts mūsu drošības dienesta darbinieks. Lai mēģinātu viņu apturēt, atvest atpakaļ sveiku un veselu. – Doktors Bānkrofts izskatījās satriekts. – Taču bija par vēlu.

Kādu brīdi abi cieta klusu. Pols Bānkrofts, ļaudams Andreai saņemties, viņu nesteidzināja.

Ar telefona numuru sarakstu rokā atgriezās gaišmatainais, iedegušais vīrietis. Skenlons.

– Tas ir kāda Tomasa Hilla Grīna, juniora, telefona numurs, ser, – viņš mundri Bānkroftam ziņoja. – Viņš ir Amerikas Savienoto Valstu ģenerālkonsulāta preses sekretārs Dubaijā. Patlaban vācam par viņu informāciju.

Bānkrofts pagriezās pret Andreu.

– Vai tas būtu iespējams? – Uztvēris brāļameitas neticīgo skatienu, viņš sacīja: – Piezvanīsim uz to numuru. Kāpēc ne?

Viņš pamāja uz zema galdiņa pusi, uz kura atradās melns telefona aparāts.

Andrea uzmanīgi uzgrieza ciparus. Pēc dažām sekundēm, ko pildīja statiskās elektrības sprakšķi, atskanēja murrājošs signāls.

– Tomijs Grīns klausās, – sacīja draudzīga, moža balss.

– Es zvanu no Bānkrofta fonda, – Andrea teica, – un vēlos runāt ar ģenerālkonsulāta preses sekretāru.

– Jums ir laimējies, jo es klausos, – balss atbildēja. – Kā varu palīdzēt? Vai runa ir par šā vakara izglītības konferenci?

– Piedodiet, mister Grīn, – Andrea sacīja. – Mums šeit radies neliels sajukums. Es piezvanīšu jums vēlāk. – Viņa pārtrauca sarunu.

– Fonds patiešām atbalsta izglītības darbu Persijas jūras līča zemēs, – Bānkrofts domīgi teica. – Pieņemu, ka viņam kāds zvanījis, lai saskaņotu vienu vai otru programmas jautājumu. Taču, ja vēlaties, es varu šo gadījumu papētīt dziļāk. Laiku pa laikam mēs patiešām saņemam ziņas, ka mūsu mobilo tālruņu numurus "klonē" visvisādi blēži. Tas ir paņēmiens, kā var uzkraut citiem cilvēkiem maksu par savām telefona sarunām.

Andrea pievērsa skatienu steidzīgajiem strauta ūdeņiem.

– Nē, nepūlieties. – Andrea vēlējās pajautāt Polam Bānkroftam par vīrieti, kas bija atnācis pie viņas uz mājām ar fonda dokumentiem un atsacījās nosaukt savu vārdu. Tomēr gaišā dienas laikā viņa nespēja pateikt, kas šā vīrieša rīcībā vai izteikumos izraisīja viņas nemieru. Kad Andrea mēģināja domās ietērpt savas šaubas vārdos, viņa juta, ka tie neizklausīsies pārliecinoši. Vārdi sastinga uz lūpām neizteikti.

– Atcerieties, ka varat jautāt man pilnīgi visu, – doktors Bānkrofts sacīja. – Jebko.

– Paldies, – viņa klusi nočukstēja.

– Jūs jūtaties muļķīgi. Izbeidziet! Jūs rīkojāties tā, kā būtu rīkojies es arī. Ja kāds jums iedod zelta monētu, tā jāpārbauda uz zoba, lai pārliecinātos, vai ir īsta. Jūs saskārāties ar ko nesaprotamu. Jums bija vajadzīga papildu informācija. Un nekas jūs nespēja apturēt. Ja to uzskatām par pārbaudījumu, Andrea, jūs to lieliski izturējāt.

– Pārbaudījums? Vai tad tas bija pārbaudījums? – nespēdama valdīties, Andrea gandrīz vai aizsvilās.

– To es neteicu. – doktors Bānkrofts, it kā šaubīdamies, saknieba lūpas. – Taču pārbaudījumi patiešām mums jāiztur – ik dienu, ik nedēļu, ik gadu. Mums jāpieņem lēmumi, jāizvērtē. Bet mācību grāmatas beigās atbildes nav dotas. Muļķība, tāpat kā vienaldzība un zinātkāres trūkums, ir netikums. Slinkuma paveids. Nereti mums jāpieņem lēmumi nepilnīgas vai apšaubāmas informācijas apstākļos. Mēs nekad nezinām absolūti visu. Un mūsu rīcība rada sekas. Tāpat kā bezdarbība.

– Tas ir tāpat kā gadījumā ar tramvaju, par kuru jūs stāstījāt.

– Pirms desmit gadiem manas *bezdarbības* pēc mēs zaudējām dārgu cilvēku.

– Manu māti. – Andrea dziļi ieelpoja gaisu. – Vai viņa zināja par...?

– Par grupu *Theta*? Nē. Taču tāds cilvēks mums būtu noderējis. – Viņa acis iemirdzējās. – Zinu, ka šī viņas dzīves daļa nedod jums mieru. Taču jums nevajadzētu just vilšanos, lasot par viņu mūsu oficiālajos arhīva dokumentos. Jūsu mātes ieguldījums bija ļoti nozīmīgs, un dokumenti nespēj to atainot. Tas jums jāzina. – Viņš dziļi ievilka elpu. – Lora. Manuprāt, es savā ziņā viņu mīlēju. Nepārprotiet mani. Starp mums nebija romantisku attiecību. Gluži vienkārši viņa bija ļoti dzīva, kūsājošas enerģijas pilna, ļoti *laba* sieviete. Piedodiet. Man nevajadzētu jūs ar šādiem stāstiem apgrūtināt.

– Es neesmu viņa, – Andrea klusi noteica.

– Protams, neesat. Taču, kad pirmo reizi jūs ieraudzīju, es uzreiz zināju, kas jūs esat, jo jūsos ieraudzīju viņu. – Pola Bānkrofta balss nodrebēja, un viņš apklusa. Pēc mirkļa viņš turpināja: – Kad mēs kopā vakariņojām, vienu brīdi man šķita, ka veros veca televizora ekrānā un redzu pazīstamu pagātnes atspulgu. Es jutu Loras klātbūtni. Tad tā pagaisa, un es ieraudzīju jūs, tādu, kāda patiesībā esat.

Andrea valdīja asaras, stingri apņēmusies neļaut tām varu. Kam lai tic? Kam lai uzticas? *Es uzticos jūsu intuīcijai*, Pols Bānkrofts pirms brīža teica. Vai viņa drīkst uzticēties savai intuīcijai?

– Andrea, esmu nolēmis jums ko piedāvāt. Vēlos, lai jūs būtu starp maniem tuvākajiem palīgiem, lai jūs esat mana padomniece. Gribu izmantot jūsu zināšanas un vērīgumu. Jūs esat studējusi ekonomikas vēsturi, tā ka esat lieliski sagatavota un piemērota šim izaicinājumam. Jūs mums ļoti noderēsiet. Un pasaulei arī.

– Es gan par to šaubos.

– Jūs jau esat atklājusi, ka neesmu bezjūtīgs cilvēks. – Viņš tikko jaušami pasmaidīja. – Taču vairāk par visu es vērtēju prātu. Esiet droša, manu priekšlikumu diktē vienīgi racionāli apsvērumi. Turklāt es vairs neesmu zaļoksns jauneklis, un to man pastāvīgi netieši atgādina mani jaunie kolēģi, zinātnes dižgari. Esmu jums namatēvs īpašumā, kurā drīz vairs nebūšu saimnieks. Man jāmeklē aizstājējs. Mēs nevaram gluži vienkārši ielikt avīzē sludinājumu, vai ne? Kā jau teicu, neviens nedrīkst zināt, ko mēs šeit darām. Pat fondā tikai daži cilvēki skaidri apzinās, kādi ārkārtēji uzdevumi tiek šeit veikti.

– *Ārkārtēji uzdevumi*. Man jāzina par šo Bānkrofta stratēģiju vairāk. Kas īsti šeit notiek?

– Drīz jūs to uzzināsiet. Vismaz es tā ceru. Šis process ir pakāpenisks. Algebriskās topoloģijas kursu nevar lasīt skolēnam, kurš nav apguvis ģeometriju. Secībai ir liela nozīme, jo tikai tā var apgūt informāciju. Jaunu zināšanu ēka tiek celta uz iepriekšējo zināšanu pamatiem. Taču par to es neraizējos. Kā jau esmu teicis, jūs esat spējīga skolniece.

– Varbūt jums vajadzētu sākt ar sava pasaules uzskata izskaidrošanu? – Andrea mazliet sarkastiski pavaicāja.

– Nē, Andrea. Vai zināt, kāpēc? Tāpēc, ka tas jau ir jūsu pasaules uzskats. Bānkrofta stratēģija – jūs to esat formulējusi labāk par jebkuru citu.

– Es jūtos tā, it kā būtu ieklīdusi džungļos. Mēs katrā ziņā vairs neatrodamies Kanzasā.

– Ieklausieties sava saprāta balsī, Andrea. Ieklausieties, ko jums saka prāts un sirds. *Jūs esat pārnākusi mājās.*

– Mājās? – Viņa cieši vērās Polam Bānkroftam acīs. – Vai zināt ko? Es klausos jūsu vārdos, un tie skan pareizi kā pulkstenis. Viss šķiet tik neapšaubāms, gluži kā reizrēķins – divreiz divi ir četri. Taču es šaubos.

– Es *vēlos*, lai jūs šaubītos. Mums ir vajadzīgi cilvēki, kuri šaubās un uzdod sarežģītus jautājumus.

– Slepena organizācija, kas veic slepenus pētījumus. Es gribu zināt, kur ir robeža. Kas ir tas, ko jūs *nedarītu*?

– Cilvēces labklājības vārdā? Ticiet man, tie ir jautājumi, uz kuriem mums pastāvīgi jāatbild. Kā jau teicu, ikviens mēs tiekam pārbaudīts – visu laiku, bez mitas.

– Tā ir abstrakta atbilde.

– Uz abstraktu jautājumu.

– Tad pastāstiet man par to visu vairāk.

Atbilde bija laipna, taču nepiekāpīga.

– Tad, kad jūs būsiet tam sagatavojusies, – doktors Bānkrofts sacīja.

Andrea atkal paraudzījās laukā uz strautu, kas saules staros vietām uzmirdzēja, un slaidajām priedēm, kuras slējās mazliet tālāk. Viņa atkal iedomājās, ka starp mežu un zaļojošo parku šis komplekss vērotājam no gaisa ir pilnīgi apslēpts.

Daudz kas šeit bija slēpts vērotāja skatienam.

Un daudz kas joprojām tika slēpts no viņas.

Ārkārtēji uzdevumi. Darbība. Iejaukšanās.

Andreai pašai arī bija kas slēpjams. Pola Bānkrofta spriedumi spēja iedvest ticamību, taču reizē tie biedēja. Viņš nekautrējās izsecināt galaspriedumu, kas izrietēja no paša iepriekš izteiktiem spriedumiem. Ja nu viņa doktrīnu dzelzs loģika noved pie nelikumīgām darbībām? Vai Pols Bānkrofts māk apstāties un pakļauties likumam? Vai viņš atzīst noteikumus, kas nav tapuši saskaņā ar viņa sarežģīto morāles sistēmu?

– Es ar jums nestrīdēšos, – Andrea, beidzot izlēmusi, teica. Bānkrofts nebija viņu pārliecinājis, un viņa neizliksies, ka šaubas kliedētas. Lai uzzinātu ko vairāk, lai šaubas patiešām izgaisinātu, vajadzēja iekļūt iekšpusē. Kas zina, kādas patiesības viņai atklātos Pola Bānkrofta slepenajā impērijā? – Neesmu pārliecināta, ka šeit patiešām iederos, – viņa piebilda. *Nepiekrīti pārāk viegli. Ļauj savas šaubas nojaust – lai viņš tevi pierunā.*

– Gluži vienkārši mums būtu jānoskaidro, kurā jomā jūs būtu visnoderīgākā. Personiskā attieksme var būt atšķirīga, svarīgi, lai nemainīga būtu Bānkrofta stratēģija. Vai jūs vismaz apsvērsiet manu priekšlikumu?

Andrea jutās vainīga, ka māna viņu. Taču, ja Pols Bānkrofts patiešām ir tāds pilnības paraugs, viņa domāja, par kādu viņa to uzskatīja abu iepazīšanās sākumā, nekāds kaitējums viņam nebūs nodarīts.

– Jā, apsvēršu.

– Atcerieties, – zinātnieks turpināja, uzraukdams augšup vienu uzaci, – ka rīkoties pareizi ne vienmēr ir vienkārši.

Viņa atminējās doktora Bānkrofta izteikumus par sliktiem darbiem, kas vainagojas ar labu iznākumu. *Ecrasez l'infame!* Saminiet nekrietno! Viņa zināja, ka centieni mazināt nekrietnības nereti nozīmē jaunas nekrietnības.

– Man nedod mieru doma, ka es varētu jūs pievilt, – Andrea meloja, valdīdama balsi, lai tā nedrebētu. – Jūs saistāt ar mani lielas cerības, bet es neesmu pārliecināta, ka tās attaisnošu.

– Vai esat ar mieru pamēģināt?

Andrea dziļi ievilka elpu.

– Jā, – viņa teica. – Esmu. – Un izmocīja smaidu.

Pasmaidīja arī Pols Bānkrofts, taču viņa sejas izteiksmē pavīdēja kaut kas izvairīgs un piesardzīgs. Vai Andreas apņēmība viņu nepārliecināja? Viņai vajadzēs būt ļoti uzmanīgai. Viņu droši vien novēros. Bānkrofta ļaudis pagaidām viņai neuzticas, tik daudz Andreai bija skaidrs. Viņai darīja zināmu tikai vīziju par noslēpumu, tādējādi padarot viņu par potenciālu ieguvumu – vai potenciālu draudu. Viņa nedrīkstēja spert soli, kas tos satrauktu.

Andreai ienāca prātā, ko teica vīrietis no Katonas, kurš vēlējās palikt anonīms. Viņa vārdi viesa tādas pašas izjūtas kā melns mākonis, kas aizsedz sauli. *Ir bīstami, ja mašīna nav kārtībā. Jums tas būtu jāzina labāk par citiem.*

ČETRPADSMITĀ NODAĻA

Vašingtona, Kolumbijas apgabals

Vila Gerisona seju izķēmoja dusmu un bezspēcības grimase.

– Esmu vainīgs, – Konsulāro operāciju nodaļas vecākais analītiķis ar nožēlu balsī teica. – Man to nelieti vajadzēja iesēdināt aiz atslēgas, kad vēl bija tāda iespēja.

– Dzinējsunim... – direktora vietnieks analīzes jautājumos Maiks Oukšots klusā balsī iesāka, bet tālāk netika.

– Jāierāda viņa īstā vieta! – Gerisons nokliedza.

Viņi bija sapulcējušies pie operāciju direktora Gereta Drekera, un kabineta saimnieka skatiens ik pa brīdim pievērsās ziņojumam, kas viņam bija priekšā uz galda. Pusdienas pārtraukumā nogalināta pieredzes bagāta Konsulāro operāciju nodaļas analītiķe. Šī ziņa viņu satriektu arī tad, ja Rūta Robinsa nebūtu viņam patikusi personiski. Tāpēc viņš jutās tā, it kā būtu saņēmis dubultu triecienu. Drekers paņēma zīmuli, grasīdamies kaut ko atzīmēt, taču pārlauza zīmuli uz pusēm.

– Manas sasodītās dežūras laikā! – Drekera acis šaudījās uz visām pusēm. – Tas notika manas sasodītās dežūras laikā! Atvainojiet... bet *kas* īsti notika? – Operāciju direktors, nespēdams mierīgi nosēdēt, pielēca kājās no krēsla un iegrūda rokas sirmajos matos. Rūta Robinsa bija viņa komandas balsts, un Rūtas nāve bija viņam ārkārtīgi liels zaudējums, tāpēc, lai gan tas bija primitīvi un bērnišķīgi, viņu kaitināja, ka Oukšots un Gerisons piesaka savas tiesības uz viņa traģēdiju.

Gerisons pagriezās pret viņu kā vērsis, kas noliec galvu, lai dotos pretiniekam virsū.

– Tu pats sasodīti labi zini...

231

– Kas ir nogalināts. Jā, protams, to es zinu. – Drekers salti raudzījās viņam pretim. – Taču kā, kas, kāpēc...!

– Nav vajadzības visu sarežģīt! – Gerisons noskaldīja. – Belkneps gluži vienkārši ir nojūdzies.

– Vai tu domā, ka viņam no bēdām aptumšojies prāts? – Tievais Oukšots ar garajām rokām, atgādinādams zirnekli, apņēma savu cukurniedres vidukli.

– Viņu apsēdusi doma par atriebšanos! – aizkaitināts, ka neviens negrib viņā klausīties, Gerisons atcirta. – Viņš ir devies, velns lai viņu parauj, pasaules turnejā, lai sētu nāvi! Šis ķertais sirgst ar paranoju, tāpēc nogalina ikvienu, ko uzskata par līdzvainīgu Rainharta pazušanā. Sākot no itāliešu meitenes līdz Rūtai Robinsai. Žēlīgais Dievs! Kurš gan var justies drošībā no šā nelieša?

Oukšots izskatījās satraukts un nedrošs, toties Gerisona niknumam piemita pārliecība.

– Tu katrā ziņā ne, – Oukšots tomēr pabrīdināja.

– Lai tikai tas mērglis pamēģina! – Gerisons noņurdēja.

Gerets Drekers, bungodams pa galdu ar pirkstiem, brīdi raudzījās uz abiem.

– Mums jāatšķir iztēle no faktiem, – viņš beidzot sacīja. Pierē viņam pulsēja vēna. – Mūsu izmeklētāji joprojām pēta videoierakstus no drošības kamerām, kas izvietotas pie parka ieejām un izejām. Tam nepieciešams laiks.

– Laiks, kura mums nav, – Gerisons piebilda.

– Nolādēts! – operāciju direktors nolamājās un piekrizdams pamāja ar galvu. – Uzskatu, ka mums ir pietiekams pamats iesaistīt apturēšanas komandu. Lai atgādā viņu šurp un nopratina, izmantojot visus līdzekļus. Citādas pavēles nebūs. Tas jāsaprot. Visam jānorit pēc noteikumiem.

– Sasodītā Kērka komisija, – Gerisons noburkšķēja. – Gandrīz jau biju to piemirsis.

Drekers pamāja ar galvu.

– Mums jārīkojas pēc visstingrākajiem noteikumiem. Kopš visas šīs ķibeles sākuma jautājums par "zaudētu" no dienas kārtības izņemts. Tikai korektas administratīvas darbības. Jārīkojas ar domu, ka par visu būs jāziņo senāta komisijai, jo, kā zināms...

– Operatīvais darbs nav mans lauks, tāpēc nelieciet man par to klausīties, – Oukšots sacīja. – Taču neaizmirstiet, ka lielākā daļa puišu pret Kastoru izturas ar cieņu.

– Ko tu ar to gribi teikt? – Drekers noprasīja. – Tu gribi man iestāstīt, ka mūsu operatīvie darbinieki atteiksies pildīt oficiālu pavēli?

– Viņi nesaprot, kāda ir Kastora vaina, – Oukšots paskaidroja. Drekers apņēmīgi purināja galvu.

– Es tā nedomāju. Šo sasodīto parādi joprojām komandēju es.

– Gribēju tikai pateikt, ka būs jārīkojas ļoti piesardzīgi, – Oukšots turpināja savu domu. – Viņam ir draugi. Draugi brīdina draugus. Viņi var Belknepam kaut ko pačukstēt. Daudziem, sevišķi jaunākajiem puišiem, viņš ir īsts, sasodīts Robins Huds. – Viņš paskatījās uz Drekeru. – Bet jūs esat tikai šerifs. – It kā gribēdams pārējos nomierināt, Oukšots pacēla gaisā savas garās rokas. – Es tikai atgādinu, ka jums jāņem vērā iekšējās disciplīnas apsvērumi.

– Tā tik man vēl trūka! Gluži kā bieds ikvienu darbību pavada doma par šo nolāpīto senāta komisiju. – Operāciju direktors grūtsirdīgi paskatījās griestos. – Vai tu baidies, ka viņa sabiedrotie var izpļāpāties komisijai?

– To es neesmu teicis, – Oukšots attrauca. – Es tikai atgādinu, ka jābūt uzmanīgiem.

Drekers sarauca pieri.

– Tādā gadījumā tā būs paaugstinātas slepenības operācija, kurā drīkst iesaistīt tikai īpaši izraudzītos. Neviens nepiederīgais par to neuzzinās.

– Belkneps pats ne reizi piedalījies tādās operācijās, – Oukšots brīdināja.

– Tieši tāpēc mēs izmantosim spēkus no paralēlām struktūrām. Tas pats attiecas uz apgādes grupām. Atšķirīga operācija, atšķirīga pieeja. Un nekādas informācijas noplūdes.

Oukšots pielieca galvu.

– Cilvēku izvēles iespējas gan nebūs lielas. Profesionālā ziņā.

– Mēs būsim taupīgi un izveicīgi. Mums jānodrošina, lai šī operācija noritētu kā pēc notīm, jo vecais maita Kērks alkst asiņu. Es es to sapratu šodien izlūkdienestu vadītāju darba pusdienās. – Drekers greizi pasmaidīja. – Un vēl kas. Kopš Edgara Hūvera laikiem joprojām turpinās slīdēšana lejup no augstā kalna. Ja jūs klusībā cerat, ka FIB uzurķēs kādu dosjē un piespiedīs augsti godāto senatoru Benetu Kērku atkāpties, varu paziņot, ka jūs sapņojat velti.

233

– Tie mūsdienu federāļi nav nekas cits kā mīkstčauļu bars, – Gerisons noņurdēja. – Viņi nevar atrast savu pēcpusi, pat ja skatās ar tālskati.

– Neviens jau nedomā, ka šis Kērks ir tīrs kā tikko uzkritis sniegs. – Drekers par nīsto senatoru nebija pateicis visu. – Gluži vienkārši viņš nav pārāk "sasmērējies". Turklāt viņš visiem spēkiem pūlas kļūt arvien ietekmīgāks.

– Ja divkāršosi pūliņus, divkāršosies bauda, – Gerisons gurdi novilka.

Viņš ļoti labi zināja, ka Benets Kērks vada ne tikai senāta izmeklēšanas komisiju, bet arī neatkarīgu advokātu grupu. Kērka regulārās uzstāšanās par to, kā viņš izskaudīs ļaunprātīgu varas izmantošanu ASV izlūkdienestos, kā arī to nelikumīgus darījumus komercijā un pilnvaru pārsniegšanu saskarsmē ar nevalstiskajām organizācijām, tracināja plašsaziņas līdzekļus. Senators tik ļoti bija ieskrējies, ka apstāties vairs nespēja. Ikviena karjera izlūkdienestā bija apdraudēta. Aģenti pēdējā laikā demonstrēja priekšzīmīgu uzvedību... vai steidzīgi dzēsa ārā no dokumentiem sliktas uzvedības liecības.

– Es neparakstīšu nevienu papīru, kas var nonākt Kērka rokās, – Drekers nomurmināja. – Tikai tā mēs būsim tīri. – Viņš atkal uzmeta acis Rūtas Robinsas personiskajai lietai, un tad viņa skatiens apstājās pie Vila Gerisona plankumainās, niknās sejas. Drekers, tajā raudzīdamies, ilgi klusēja.

– Dodu atļauju apturēšanai, – viņš beidzot sacīja. – Paaugstināta svarīguma operācija. Iesaistīt īpaši profesionālus aģentus. Neko vairāk.

– Ja apturēšanas grupa cietīs neveiksmi, es pats viņu atvilkšu aiz matiem šurp, – Gerisons drūmi nozvērējās. Tas bija lepnuma un cieņas jautājums. Viņš viegli izslēja zodu, uzskatīdams Drekera klusēšanu par piekrišanu. – Tavas rokas, Geret, paliks tīras. Par šo kļūdu atbildu es. Ja būs vajadzīgs, es to izlabošu, lai arī ko man tas maksātu.

Izpētes trijstūra parks, Ziemeļkarolīnas štats

– Vai drīkst, Pol, tevi traucēt? – vaicāja vīrietis ar rūpīgi kopto melno bārdu.

234

Pols Bānkrofts piebiedrojās viņam pie apspriežu galda.

– Protams. Kas noticis?

– Mis Bānkrofta...

– Viņu pavadīs līdz viesnīcas durvīm.

– Es ceru, ka tu zini, ko dari, – bārdainais Džordžs Kolingvuds teica.

Doktors Bānkrofts pret kritiku parasti izturējās iecietīgi, un atklāta valoda viņam patika. Taču šajā reizē runa bija par ģimenes lietām, tāpēc izteikties vajadzēja uzmanīgi.

– Visai drīz mums būs skaidrība, – sirmais filozofs atbildēja.

– Aklimatizācijas gaitu... nevajag steidzināt. Uz priekšu jāvirzās pakāpeniski, soli pa solim. Tāpat, kā tas bija ar tevi.

– Izklausās pēc smadzeņu skalošanas.

– Vai vispār ir tāds cilvēks, kura smadzenes nederētu mazliet attīrīt?

– Vai tevi nemulsina viņas detektīva tieksmes?

– Gluži pretēji. Andreai bija radušās aizdomas, un viņa izmantoja iespēju, lai aizdomām gūtu apstiprinājumu vai tās kliedētu. Tagad viņa var doties tālāk un to aizmirst. Tas ir labs pirmais solis, lai kļūtu par vienu no mums.

– Par vienu no mums, ko vieno prāta kults. – Šķita, ka Kolingvuds, to teikdams, ik vārdu izgaršo. – Nujā, tu pazīsti viņu labāk. Gribu tikai atgādināt, ka Beneta Kērka komisija ir gatavais negaisa mākonis, ko atliek tikai nedaudz satricināt, lai pār mūsu galvām sāktu birt krusa. – Viņš palūkojās uz Indiānas štata senatora dosjē, ar kura pētīšanu nodarbojās kāds viņa kolēģis.

– Es to saprotu, – Pols Bānkrofts nesatricināmi atbildēja, – un pieļauju, ka varu kļūdīties. Taču esmu cerību pilns.

– Kaut nu tavas cerības attaisnotos. – Kolingvuda sejā nozibsnīja ātrs, vēss smaids.

Paliela auguma sieviete ar nepakļāvīgu melnu matu ērkuli uzspieda uz vairākiem pults taustiņiem, un augšup no zemāka līmeņa, klusi dūkdama, uzslīdēja šaura metāla kaste, kas iespraucās brīvā nodalījumā līdzās citām tādām pašām kastēm platā skapī, kuru norobežoja stikla panelis. Tā bija Džīna Treisija, jaunākā grupas *Theta* līdzstrādniece. Viņa nolika roku uz stikla virsmas, kas bija iebūvēta nelielā padziļinājumā, un sagaidīja, kamēr identifikācijas skeneris apstiprina viņas plaukstas nospiedumu. Tad stikla panelis atvērās, un viņa izvilka no kastes vairākas mapes. Šie dokumenti bija izdrukāti uz papīra, kas acumirklī kļūst melns, ja uz to iedarbojas kaut niecīga ultravioletā starojuma deva, arī tik liela, kādu rada parasta kvēlspuldze un dienasgaismas lampa. Apgaismojumu *Theta* mītnē rūpīgi filtrēja, novēršot elektromagnētisko starojumu, kam viļņa garums mazāks par zilās gaismas viļņa garumu. Nolaupīti šie dokumenti acumirklī kļūst nederīgi – gluži kā gaismas iedarbībai pakļauta negatīva fotofilma.

– Mēs aizsūtījām uz Lapasu vienību, – viņa teica, paņēmusi mapi ar dokumentiem par zemes platību apguves projektiem. – Kā noskaidrots, kāds sabiedriskais aktīvists rīko tur mītiņus un visādi kavē darbu gaitu. Esam izdibinājuši, ka patiesībā viņš darbojas kāda vietējā Francijas konglomerāta pārstāvja interesēs.

– Tas mani nepārsteidz. – Pols Bānkrofts pamāja ar galvu.

– Mēs grasāmies viņu no turienes izsvēpēt – izplatīt dokumentu kopijas par viņa finanšu operācijām, atklājot viņa bankas kontā ieskaitītās summas. Tas izdarīts pietiekami primitīvi. Visos dokumentos minēts viņa vārds. Tā ka viņš neapšaubāmi būs diskreditēts. – Džīna pasmaidīja. – LLLS, mērgli! – LLLS bija grupas *Theta* mērķa saīsinājums: lielāks labums lielākam skaitam.

– Teicami! – Bānkrofts sacīja, juzdamies apmierināts.

– Jautājums par Āfrikas valstu parādu dzēšanu ir sarežģītāks, jo Eiropas Savienības birokrātija ir ārkārtīgi komplicēta. Mūsu uzmanības lokā nonācis kāds beļģu politiķis, kas labprāt paliek ēnā. Viņa vieta pašā hierarhijas piramīdas apakšā ir samērā necila, toties viņš bauda neierobežotu ietekmi virsotnē. Gudrs, mērķtiecīgs, strādīgs, līdz ar to izpelnījies vadības neapšaubāmu uzticību. Šis beļģis enerģiski iestājas pret trešās pasaules valstu parādu norakstīšanu. Ideologs atradies! Viņa personiskā lieta ir pie Bērdžesa. – Viņa pagriezās pret kolēģi, vīrieti asiem sejas vaibstiem un tik gaišiem matiem, ka tie izskatījās bezkrāsaini.

Džons Bērdžess pirms pievienošanās grupai *Theta* desmit gadus bija vadījis izmeklēšanas nodaļu privātā apsardzes firmā *Kroll Associates*.

– Šis ideologs, – Bērdžess teica, – turklāt ir vecpuisis. Bērnu viņam nav. Vienīgais no dzīvajiem vecākiem sirgst ar Alcheimera slimību. Mēs izstrādājām dažādus modeļus, bet secinājums ir viens – viņš jāatbrīvo no ciešanām, pareizāk, no citu cilvēku ciešanām.

– Vai domstarpību par to nav? – Bānkrofts jautāja.

– Divas darba grupas apstrādāja informāciju neatkarīgi viena no otras, – Kolingvuds atbildēja. – Un abu atzinums bija vienāds. Gluži vienkārši kādu rītu viņš nepamodīsies, un pasaule bez viņa būs kļuvusi labāka. LLLS, vai ne?

– Ļoti labi, – Bānkrofts drūmi noteica.

– Kas mums vēl bija? Jā, baņķieris no Indonēzijas, – Kolingvuds turpināja. – Tur mēs esam uzvarētāji. Vakar vakarā viņam piezvanīja, un viņš tikko iesniedzis atlūgumu.

– Tīri nostrādāts, – Bānkrofts uzslavēja.

Nākamajā pusstundā viņi apsprieda vēl citus jautājumus, sarunā minēdami gan ietiepīgu ogļraktuves direktoru Dienvidāfrikā, gan reliģiozu aktīvistu Gudžaratas štatā, Indijā, gan ietekmīgu telekomunikāciju bosu Taizemē – viņi visi sagādāja apkārtējiem ciešanas, ko varēja novērst. Vienus *Theta* piespieda demisionēt vai atteikties no darbības virziena. Ja šantāžai panākumu nebija, iesaistījās prasmīga soda vienība, kas šos cilvēkus nogalināja. Parasti izskatījās, ka viņu nāvi izraisījis nelaimes gadījums vai kādi dabiski iemesli.

Pavisam reti grupa *Theta* bija spiesta izšķirties par iespaidīgām izrādēm, kā tas bija ar Mārtina Lutera Kinga noslepkavošanu. Traģiska nepieciešamība – par to viņi visi bija vienisprātis – pilsoņtiesību kustības aktivizēšanas vārdā. Tāda pati nepieciešamība bija arī pāris *NASA* vairākkārt izmantojamu kosmosa lidaparātu katastrofas, lai panāktu bezjēdzīgas un izšķērdīgas programmas finansēšanas pārtraukšanu. Saujiņas cilvēku zaudējums nozīmēja tūkstošiem izglābtu dzīvību, miljardu dolāru novirzīšanu vērtīgākām programmām.

Taču jārīkojas bija piesardzīgi. Lai gan datoru modeļi kļuva aizvien izsmalcinātāki, grupā *Theta* visi saprata, ka neviens no tiem nav absolūti nekļūdīgs, lai cik lielas jaudas dators tas būtu.

Visbeidzot Bānkrofts un viņa grupas atbildīgie darbinieki pārgāja pie pēdējā, vissarežģītākā jautājuma. Kompleksas politiskas problēmas atrisināšanai bija izstrādāta kombinācija, kas prasītu valsts futbola izlases bojāeju. Kāda štata gubernators bija uzaicinājis uz savas dzimšanas dienas svinībām futbolkomandas spēlētājus, kas, pirms trim dienām uzvarēdami pasaules čempionātā, bija kļuvuši par nacionālajiem varoņiem. Gubernators uzstāja, ka futbolistiem uz lepno īpašumu jāatlido viņa privātajā lidmašīnā, antīkā, ar mīlestību aprūpētā Otrā pasaules kara laika eksemplārā, kas simbolizēja viņa tēva varonību karā. Eksplozija gaisā paņems slavenu, jaunu cilvēku dzīvības un ietīs valsti uz neilgu laiku sēru plīvurā, bet reizē arī nolems neveiksmei gubernatora izredzes vēlēšanās, jo tauta šajā traģēdijā vainos viņu. Tā bija vienīgā iespēja, kā nepieļaut postošu valsts pārvaldi un nodrošināt panākumus reformistu kandidātam. Ies bojā futbolkomanda, tātad būs pazudināta saujiņa dzīvību. Tas nebija viegli pieņemams lēmums. Toties valsts uzplauks. Līdz ar to būs iespēja vairāk investēt nabadzīgo valstu ekonomiskajā attīstībā, tādējādi izglābjot tūkstošiem dzīvību.

Bānkrofts ilgi klusēja. Viņa skatiens apstājās pie Hermaņa Lībmaņa, viena no vecākajiem ekspertiem.

– Ko tu par to domā, Hermani? – filozofs klusi jautāja.

Lībmanis pārvilka ar roku pār retajiem sirmajiem matiem.

– Tu zini, ka es vienmēr atceros tās reizes, kad plāns neīstenojās, kā iecerēts, – viņš sarkastiski sacīja. – Nešaubos, ka tas gubernators ir nelietis. Taču nevaru neatcerēties Ahmadu Hasanu el Bakru.

– Ko? – Treisija izgrūda.

– Viņš bija īsts tirāns. Negants Irākas vadītājs, kurš septiņdesmitajos gados tur valdīja kopā ar citu sunnītu līderi. Tu vēl nebiji nākusi pasaulē, Džīna, taču Pols atceras. Mēs lauzām šķēpus par šo problēmu, taču visi bijām pārliecināti, ka el Bakrs no abiem ir lielākais ļaunums. Mēs nosūtījām uz Irāku īpašo vienību, kas ievadīja el Bakra organismā ķīmiskus preparātus un izprovocēja miokarda infarktu, savu uzdevumu paveikdami nevainojami. Varu valstī nevilcinādamies pārņēma viņa partneris. Sadams Huseins. Tas notika tūkstoš deviņsimt septiņdesmit sestajā gadā.

– Jā, tas nebija mūsu labākais brīdis, – Pols piekrita.

– Nebija gan, – Lībmanis piebalsoja. – Un es – Pols ir pārāk pieklājīgs, lai to atgādinātu, – tieši es visaktīvāk iestājos par el Bakra iznīcināšanu. Šķita, ka visi situācijas modeļi manu viedokli apstiprina.

– Tas notika sen, – Bānkrofts samiernieciski teica. – Kopš tā laika *Theta* algoritmi ir pilnveidoti. Tagad mūsu rīcībā ir neizmērojami lielāks skaitļošanas potenciāls. Mēs neesam ideāli, nekad tādi neesam bijuši. Tomēr šo planētu esam padarījuši labāku. Zīdaiņi, kas bez *Theta* iejaukšanās būtu nomiruši, nu izauguši par vīriešiem un sievietēm un dzīvo pilnvērtīgu dzīvi. Mēs nodarbojamies ar ķirurģiju, Hermani, un tu zini to tikpat labi kā pārējie. Skalpelis dzīvā ķermenī – tā ir vardarbība. Taču dziļu griezumu neizdara bez iemesla. Reizēm no ķirurģiskas iejaukšanās atkarīga cilvēka dzīvība. Jāizoperē ļaundabīgi audzēji, jāiztīra asinsvadu nosprostojumi vai gluži vienkārši jānoskaidro, kas īsti cilvēkam kait. Laiku pa laikam no ķirurģiskas iejaukšanās ļaudis mirst. Taču daudz vairāk cilvēku nomirst, tāpēc ka operācija nav veikta laikā. – Viņš pagriezās pret Bērdžesu. – Savādi... es skatījos šā pasaules čempionāta finālspēli. Neparasti apgarota komanda. Kad Rodrigess iesita vārtus, viņa sejā bija tāda izteiksme... – Viņš pasmaidīja par mirkli, ko bija atcerējies.

– Taču esam veikuši aprēķinus. Izdevību mainīt valdību valstī, kuras nemākulīgā un noziedzīgā politika izpostījusi veselus rajonus, veselas paaudzes, mēs gluži vienkārši nedrīkstam neizmantot. Iespējams, šis lēmums būs viens no svarīgākajiem šajā gadā.

– Vismaz diskusijas pēc vēlreiz padomāsim par tiem divpadsmit futbolistiem, kas lidos ar to lidmašīnu. – Lībmanis neizaicināja doktoru Bānkroftu, viņš saprata, ka tas vēlas, lai viņš runā nevis par tālajām sekām, kuru vārdā tas viss sācies, bet raksturo tuvākos notikumus. – Par šiem *jaunajiem* puišiem. – Viņš pabungoja ar pirkstiem pa dosjē otro lappusi. – Trīs no tiem ir precējušies. Rodrigess arī. Sieva dzemdējusi viņam jau divas meitenes un atkal ir stāvoklī. Abi cer, ka būs dēls. Puišiem ir vecāki, lielākajai daļai arī vectētiņi un vecmāmiņas. Šo cilvēku sāpes būs neizmērojamas un nekad nepāries. Jo vairāk – dziļas sēras pārdzīvos visa valsts.

– Kad datori modelēja situāciju, visi šie faktori sistēmai bija zināmi, – Bānkrofts klusi sacīja. – Mēs neko tādu neplānotu, ja pozitīvais ieguvums nebūtu lielāks. Trūcīgo zemju ļaudis gaida, ka mēs pieņemsim labu lēmumu. Viņi neuzzinās, kas īsti notika, un viņi katrā ziņā neuzzinās, kādēļ, un tāpēc viņi mums paldies neteiks. Taču pēc četriem vai pieciem gadiem viņiem būs iemesls mums pateikties.

– LLLS, – Bērdžess pusbalsī nomurmināja kā lūgšanu.

– Ak, man ir ziņa, kas, iespējams, padarīs jūsu vaigu gaišāku! – Kolingvuds mundri nobēra, turēdams rokā Kolpa fonda preses paziņojumu. – Viljams Kolps piešķir līdzekļus jauniem *AIDS* vakcīnu izmēģinājumiem Kenijā.

239

– Un šis nelietis plūks laurus, – Treisija ironiski noteica. – Tas nav taisnīgi.

– Mēs šeit strādājam ne jau lauru dēļ, – Bānkrofts skarbi atgādināja. Taču viņš zināja, ka par tādām muļķīgām piezīmēm nav jāuztraucas – grupā *Theta* strādāja caurcaurēm ideālisti.

Viņš pagriezās pret Lībmani.

– Atgriezīsimies pie futbola izlases. Vai tu domā, ka esmu pieņēmis nepareizu lēmumu?

Lībmanis uzreiz neatbildēja, tad papurināja galvu.

– Gluži otrādi, es zinu, ka tu esi pieņēmis pareizu lēmumu. Vislabākie, visgudrākie lēmumi – tādi, kas patiešām dzīvi padara labāku, – ir vissāpīgākie. Tu man to mācīji. Tu man iemācīji daudz ko. Un es mācos joprojām.

– Gluži tāpat kā es pats, – doktors Bānkrofts sacīja. – Vai zināt, Platons apgalvoja, ka iemācīšanās patiesībā ir atcerēšanās. Par sevi varu teikt, ka tas patiešām tā ir. Cilvēki reizēm ir tik akli! Valdības īstenotā politika desmitiem tūkstošu ļaužu nolemj bojāejai, turklāt tas ir *paredzams*, kā tas bija ar kļūdainajām veselības aizsardzības programmām. Taču viņi labprāt tērē miljonus, lai izmeklētu vienu atentātu. – Viņš novērsa skatienu sāņus. – Mirstība no *AIDS* pasaulē pielīdzināma divdesmit pasažieriem pilnu laineru katastrofām dienā, taču valstu vadītāji pat pirkstu nepakustina. Toties kāda muļķa erchercoga nāve var mobilizēt valstis karam. Viens bērns iekrīt akā, un vairākas dienas tam pievērsta visas pasaules uzmanība, bet tajā pašā laikā badu cieš veseli reģioni, bet šī vēsts televīzijas ziņās pat neatskan, jo vismaz piecpadsmit minūtes vajadzīgas, lai izstāstītu, cik slikti uzvedusies kāda slavenība.

– Tas ir neticami, – Treisija novilka.

– Patiesībā tas ir necilvēciski, – Bānkrofts pietvīcis paziņoja.

– Dīvainākais ir tas, ka grupai *Theta* savi labie darbi jāveic slepenībā, – Kolingvuds brīnīdamies sacīja, – lai gan par tiem skaļi būtu jātaurē visai pateicīgajai pasaulei. Tā es domāju. – Viņš pievērsās doktoram Bānkroftam. – Vai cilvēces vēsturē bijis otrs tāds labdaris kā tu? Tici, tie nav glaimi, tas ir fakts. Tam apstiprinājums rodams pagrabstāvā novietotajos *Cray* datoros. Es patiešām gribētu zināt – vai kāda organizācija ir devusi vairāk labuma pasaulei nekā grupa *Theta*?

Bērdžess izpleta pirkstus uz Beneta Kērka dosjē.

– Tāpēc pašaizsardzībai ir tik liela nozīme. Lai mēs varētu darīt to, ko darām, mūs jāliek mierā. Paraudzīsimies patiesībai acīs. Ir daudz cilvēku, kuri mūs labprāt pastumtu malā.

– Mūsu pienākums kalpot dižam mērķim, – rāmā, nepielūdzamā balsī sacīja doktors Bānkrofts, apspriedi pabeigdams, – nereti prasa, lai malā tiktu pastumti *viņi*.

PIECPADSMITĀ NODAĻA

Vašingtona, Kolumbijas apgabals

Senāta administratīvā ēka starp Konstitūcijas avēniju un Otro ielu aizņem miljonu kvadrātpēdu biroju platības, un tās deviņos stāvos izvietojies Amerikas Savienoto Valstu senāts un tā darbinieki. Senatoru skaitu noteica republikas dibināšanas laikā – divi no katra štata –, taču senatoru līdzstrādnieku skaits, ko toreiz nenoteica, pārsniedz desmit tūkstošus cilvēku. Režģots marmors pasargā ēkas logus no saules, kas uzaust Atlantijas okeāna pusē. Iekšējā pagalmā, kurā gaisma krīt no augšas, redzama Aleksandra Koldera konstrukcija "Kalni un mākoņi" no melna tērauda un alumīnija. Iekšējo pagalmu apjož lifti un vītņu kāpnes, pa kurām var nokļūt blakus ēkās.

Senatora Beneta Kērka divstāvu birojā – tas aizņēma platību gan septītajā, gan astotajā stāvā – kabineti bija ērti un glīti iekārtoti, taču bez luksusa spožuma. Grīdas klāja Austrumu paklāji ar standarta rakstu, sienas pieņemamā telpā bija apšūtas nevis ar riekstkoka, bet ozolkoka paneļiem, taču kabinetos jautās solīdums, kas liecināja par varu. Senatora kabinetā valdīja tumšāki toņi nekā citos, tas bija plašs un bezpersonisks. Masīvās mēbeles bija lietojuši viņa priekšteči, un droši vien tās nonāks arī pēcteču rīcībā.

Filips Satons, kas vadīja senatora biroju vairāk nekā desmit gadus, televizora ekrānā vēroja senāta komisijas sēdi, kas risinājās zālē piecus stāvus zemāk un ko translēja iekšējā televīzija. Dažreiz viņam bija vieglāk sekot šefam televīzijā, sevišķi pēdējā laikā. Satons paskatījās pulkstenī. Senators pirms minūtes bija izgājis no sēžu zāles un droši vien pēc mirkļa ienāks savā birojā. Izslēdzis mazo televizoru, Satons satumsušajā ekrānā ieraudzīja neskaidru savu atspulgu – apaļīgu neliela auguma plikpauri.

242

Nekāda reklāmas seja viņš vis nebija. Pat nagi viņam bija apgrauzti. Tādus kā viņš neņem darbā pat par suņu ķērājiem, Satons nodomāja. Pēc rakstura viņš bija palīgs, nevis priekšnieks, un šo patiesību uzņēma bez rūgtuma un nožēlas. Ja viņš gribēja zināt, kā viņam trūka, atlika paskatīties uz senatoru Benetu Kērku, un viss bija redzams kā spogulī. Tajā brīdī senators savā brīvajā gaitā ienāca birojā – tas bija vīrs ar platiem pleciem, šauru, smalki veidotu degunu un pagariem sudrabaini sirmiem matiem, kas piešķīra viņam tādu kā gaismu.

Ar asu prātu un ātru dabu apveltītais senators Kērks bija arī samērā iedomīgs. Satons zināja visus šā vīra trūkumus un vājības, taču tas netraucēja to apbrīnot. Benetam Kērkam piemita ne vien senatoram atbilstoša āriene, viņš bija arī mērķtiecīgs un godprātīgs vīrs, kas necieta ārišķību un glaimus.

– Fil, tu izskaties noguris, – senators Kērks teica zemā balsī, uzlikdams roku palīgam uz pleca. – Tu izskaties tā, it kā ēstu pārtikas preces, ko var nopirkt sīkpreču automātos. Kad tu beidzot sapratīsi, ka fasētas gatavās uzkodas nav veselīgs ēdiens?

Satons rūpīgi nopētīja sava priekšnieka seju, cerēdams, ka viņš to nemana. Satons negribēja, ka senators raizējas par viņa veselību, jo tam bija jāraizējas par savējo. Pagaidām gan slimības ārējās izpausmes nebija manāmas. Jau vairākas nedēļas Satons palīdzēja šefam apjomīgajā izmeklēšanā, taču galvenais darba smagums tik un tā gūlās uz senatora pleciem. Milzu smagums. Pat veselam cilvēkam tāda slodze būtu par lielu.

– Vai nevēlaties paklausīties jaunus vilinošus priekšlikumus? – Satons teica. – Vēl nekad tik daudzi cilvēki nav dedzīgi vēlējušies paust jums savu laipnību.

– Nekārdini mani, draugs. – Senators atlaidās ādas krēslā, kura augstā atzveltne bija vērsta pret logiem. No bikšu kabatas izņēmis mazu brūnu plastmasas pudelīti, viņš izkratīja uz plaukstas ovālu dzeltenu tableti un to norija, nemeklēdams ūdeni, ko uzdzert.

– Tātad. No rīta zvanīja Ārčijs Glīsons – bijušais kongresmenis, tagad enerģisks Nacionālās kosmiskās aviācijas rūpniecības asociācijas aizkulišu aģitators. Viņam radusies pēkšņa doma sniegt mums finansiālu palīdzību nākamās vēlēšanu kampaņas laikā.

– Ak, šie aizsardzības industrijas aizstāvji! Tikpat kautrīgi kā jenoti, kas tikuši pārtikas atkritumu tvertnē.

243

– Jā. Glīsons smalkjūtīgi ļāva noprast, ka ar savu priekšliku-
mu, ja jums par to interese neradīsies, viņš vērsīsies pie visiem
iespējamiem jūsu sāncenšiem. "Mēs tikai vēlamies palīdzēt," viņš
nemitīgi atkārtoja. Doma bija skaidra – ja palīdzēsi man, es palī-
dzēšu tev.

– Viņi uztraucas par to, kas komisijas izmeklēšanā var atklā-
ties. Un cik liela smirdoņa no tā var izcelties. Nevar jau viņus vai-
not, ka viņi aizstāv savas intereses.

– Jūs runājat kā īsts kristietis, – Satons smīnēdams noteica un
turpināja: – Cita firma piedāvāja Amandai viceprezidentes ama-
tu korporatīvo sakaru jomā.

Senatora sieva pasniedza vidusskolā angļu valodu, un tāds
piedāvājums bija vēl viens klajš mēģinājums tuvināties cilvēkam,
kurš vada senāta izmeklēšanas komisiju.

– Varu iedomāties, ko par to teiktu Amanda. – Kērks klusi ie-
smējās. – Ļaudis patiešām rīkojas bez aplinkiem, bez izsmalcinā-
tības.

– Labu algu piedāvāja. Nosauca pat aptuvenu summu.

– Pajautā, vai viņi neņemtu mani, – senators jokodams ieteica.

Kopš Kērka komisijas izveidošanas maskēti draudi un uzpirk-
šanas piedāvājumi pienāca katru dienu.

Kērks nebija nekāds svētais. Satons joprojām rauca degunu, at-
cerēdamies, ka senators atbalstīja spirta ražošanas programmu,
izdarīdams politisku pakalpojumu kādam ietekmīgam agrorūp-
niecības nozares uzņēmējam, kurš bija viņu atbalstījis iepriekšē-
jās vēlēšanās. Taču, tāpat kā ikviens senātā, Kērks izprata lielo
politiku un kopumā no netīriem darījumiem izvairījās.

Nu visas viņa domas bija vērstas uz izvirzīto mērķi. Neviens
no piedāvājumu izteicējiem, kas centās viņu piekukuļot vai pie-
spiest, nezināja, ka senatoru vairs nekas nevar ne atturēt, ne ie-
tekmēt. Benets Kērks par savu diagnozi bija pateicis tikai tuvāka-
jiem palīgiem un sievai.

Nevienam citam nebija jāzina, ka Benetam Kērkam diagnosti-
cēts neārstējams limfocītu audzējs. Diagnozes noteikšanas brīdī
nekas vairs nebija glābjams, jo slimība jau bija sasniegusi ceturto,
pēdējo stadiju. Līdz nākamajām vēlēšanām nodzīvot viņam nebi-
ja lemts. Benetu Kērku uztrauca tikai mantojums, ko viņš atstās,
un tas bija mantojums, ko nevar nopirkt ne par kādu naudu.

Satons tikai reizumis – kad senators saviebās vai nespēja no-
slēpt sāpju izteiksmi – manīja, ka viņš cieš. Taču Benets Kērks bija

apņēmies ignorēt slimības simptomus un nepadoties, iekams tā nepārraus viņa izturības dambi.

– Ir vēl kaut kas, vai ne? – Kerks sacīja, notvēris Satona skatienu. Senators krēslā sagrozījās, sakrustodams kājas un mēģinādams iekārtoties ērtāk. Taču neviena poza nebija laba. Vainīgas metastāzes, Kērks nodomāja. – Es taču redzu. Tu esi saņēmis vēl vienu vēstījumu no viņiem.

Satons pēc brīža pamāja ar galvu.

– Jā, vēl viens ziņojums no Ģenēzes. Atnāca pa e-pastu.

– Vai tu patiešām to biedēkli ņem par pilnu?

Biroja vadītājs atkal drūmi pamāja ar galvu.

– Mēs par to jau runājām. Kopš pirmajiem saņemtajiem vēstījumiem bija skaidrs, ka Ģenēzei ir zināmi paši slepenākie noslēpumi, lai cik dziļi tie būtu noglabāti. Piekrītu, ka esam saskārušies ar visai amorfu tēlu, taču mums pret to jāizturas ar piesardzību.

– Un ko interesantu šis spoks pavēsta šoreiz?

Satons pasniedza senatoram pa elektronisko pastu pienākušās ziņas izdruku.

– Ģenēze mums sola sniegt informāciju – vārdus, datus, lieciniekus, vainīgos... Visnotaļ vērtīga dāvana.

– Atceries manu devīzi – vienmēr ieskaties dāvinātam zirgam zobos. Taču, ja zirgs nav redzams, tam zobus pārbaudīt nav iespējams, vai ne?

– Mēs nevaram atteikties no šā priekšlikuma. Tas ir ļoti labs, ļoti vērtīgs. Kaut ko tādu saviem spēkiem mēs nenoskaidrosim, lai cik izmeklētāju iesaistītu. Tādējādi mēs spēsim atklāt un atmaskot sazvērestību, kuras aizmetņi meklējami laikā pirms jūsu iekļūšanas senātā.

– Vai arī mēs stāvēsim lietusgāzē ar nolaistām biksēm. Domāju, ka tas var būt viens pamatīgs joks.

– Informācijā būs papilnam faktu, ko varēsim pārbaudīt. Redzēsim, vai tie apstiprināsies vai ne.

– Tu taču zini, kā politikā mēdz teikt – vispirms pārbaudi informācijas avotu. Man nepatīk uzturēt saikni ar rēģiem. Tas neveicina kuņģa darbību. – Senators Kērks vērīgi lūkojās uz Satonu. – Man jāzina, kas ir šis Ģenēze. Vai viņa meklēšanā ir panākumi?

Satons nervozi paraustīja plecus.

– Mēs esam neveiklā situācijā. Normālos apstākļos šis uzdevums būtu jāuztic izmeklēšanas un spiegošanas dienestiem. Protams, ja vien netiktu izmeklēta šo dienestu darbība.

– Varu derēt, ka viens otrs no šiem neliešiem pats ar milzu labpatiku sagrābtu Ģenēzi aiz rīkles, – Kērks zem deguna noņurdēja.

– Runā, ka Ģenēze dodot iespēju uz sevi paskatīties... – senatora biroja vadītājs nedroši teica, – ja vien ziņkārīgais ir ar mieru par to maksāt ar savu dzīvību. Taču tādu ir maz.

– Ceru, ka tu gluži vienkārši mani muļķo. – Senatora mute smaidīja, taču acis bija nopietnas. – Un tāda Ģenēzes nemaz nav.

Urugvajas austrumdaļa

Havjers Solanass paplikšķināja sev pa tuklo vēderu, iztukšoja pēdējo alus kausu, pārlaida skatienu visiem, kuri sēdēja ap galdu, un nodomāja, ka viņš nekad nav bijis tik laimīgs kā šajā brīdī un droši vien ir tik laimīgs, cik laimīgam cilvēkam jābūt.

Havjeram Paisandu apkaimē bija pieticīgs rančo, bet Urugvajā bija tūkstošiem lielāku un veiksmīgāku saimniecību par viņējo. Toties viņš, apvienojis trīs nelielus zemes gabalus, pats to bija radījis un iekārtojis – viņš, kazu gana dēls! Taču svinības nebija sarīkotas par godu viņam – gaviļniece bija viņa sieva Elena, ar kuru viņš dzīvoja laulībā jau četrdesmit gadu. Elena atzīmēja savu dzimšanas dienu. Tā bija pat labāk. Tas nozīmēja, ka lepnums, kas Solanasu bija pārņēmis, neizraisīs nevienā skaudību. Par Elenu pat ļaunākās tenku vāceles nevarētu pasacīt ko sliktu. Elena viņam bija dāvājusi piecus bērnus – trīs meitenes un divus zēnus. Viņu bērni bija ne vien pieauguši, bet visiem jau bija savi bērni. Havjeram bija trīs znoti, un divi no tiem viņam patiešām patika. Kurš gan vēl ir tik laimīgs?

Galds bija dāsni piekrauts, un šķīvji un bļodas raiti tukšojās. Tur bija gan mīkstas liellopa gaļas šķēles, kas bija ceptas pussaldā vīnā un pārlietas ar asu ķiploku mērci, gan Havjera iecienītais, paša gatavotais ēdiens – *morcilla dulce* jeb asinsdesa ar valriekstiem un rozīnēm. Un Elenas īpašie, pildītie saldie pipari! Viesi, viņa plašā ģimene un daži kaimiņi, visu kāri nobaudīja kopā ar krietnu daudzumu Havjera pašbrūvētā alus.

Un kāds prieks atmirdzēja melnacainās Elenas jaukajā sejā, kad Havjers viņai pasniedza divas lidmašīnas biļetes! Apmeklēt Parīzi bija sens sievas sapnis. Nu viņi beidzot to izdarīs! Viņi izlidos nākamajā rītā.

– Ak, nevajadzēja! – Elena iesaucās, taču viņas līksmes pilnajā sejā bija lasāms kas cits. *Cik labi, ka tu tās nopirki!*

Lūk, ko nozīmē būt īstam vīrietim! Sēdēt pie bagātīga galda kopā ar saviem bērniem un mazbērniem un spēt viņus visus pabarot tik labi, ka neviens vairs nespēj iedabūt mutē ne vismazāko gabaliņu! Jā, kazu gana dēlam tas patiešām nebija slikti!

– Es uzsaucu tostu! Par mums! – Havjers skaļi iesaucās.

– Tu jau esi uzsaucis astoņus tostus, – viņa meita Evita atgādināja.

– *Papi!* – Havjera vecākā meita Marija sacīja. Viņa baroja zīdaini, vienlaikus paturēdama acīs vecāko bērnu. – Mums beigusies zīdaiņu pārtika. Pedro ļoti garšo rīvēti burkāni.

– Mums beidzies alus! – Evitas vīrs Huans piebalsoja.

– *Pepsi* arī vairs nav, – Evita novilka.

– Es aizbraukšu uz veikalu, – Huans piedāvājās.

– Ar kuru mašīnu? – Havjers noprasīja.

– Ar jūsējo? – atskanēja muļķīgs pretjautājums.

Havjers pamāja uz trim tukšām alus pudelēm pie Huana šķīvja.

– Es *pats* aizbraukšu, – Havjers paziņoja.

– Nebrauc! – viņa sieva sacīja.

– Es atgriezīšos pēc piecām minūtēm. Jūs pat nemanīsiet, ka esmu bijis prom.

Havjers piecēlās kājās un devās uz sētaspuses durvīm. Kad viņš ar Elenu apprecējās, viņam bija gluds vēders, tik gluds kā pampa, zāļu stepe, bet nu viņš iedams nemaz īsti nevarēja saskatīt savas pēdas. Elena teica: "Tagad man ir vairāk, ko mīlēt." Taču Havjers prātoja, ka viņam vairāk jākustas. Ģimenes galvas pienākums ir ģimenei rādīt priekšzīmi.

Pa šaurām sānu durvīm iegājis zaļi nokrāsotā garāžā – neviens nepateiks, ka reiz tā bijusi vistu kūts, – Havjers ieslēdza gaismu. Pēc tam viņš nospieda paceļamo garāžas durvju vadības pults pogu.

Durvis nekustējās. Viņš nospieda pogu vēlreiz. Atkal nekā. Vai viņam pašam būs jāpaceļ tās spītīgās durvis? Havjers ievilka elpu un sajuta ko savādu. Viņš ievilka elpu vēlreiz un vēlreiz. Lai cik dziļi viņš ieelpotu, viņam trūka gaisa.

Gaisma noņirbēja un nodzisa. Havjeram tas šķita dīvaini. Viņš juta, ka apziņa aptumšojas, muskuļi atslābst un viņš lēni noslīgst uz betona grīdas. Havjers gulēja zemē un juta sevi – savu miesu, asinis, kaulus... Juta, ka uz pieres nosēžas muša, un juta, ka atlido citas, lai ar viņu pamielotos. Havjers juta, ka drīz vairs nejutīs neko. Vai tā ir sirdslēkme? Vai insults? Viņš nebija domājis, ka viss notiks tā. Par nāvi, par tās iespējamību viņš vispār nebija domājis.

Prātā, mezdama lēnus virpuļus, raisījās atskārta. *Tad tā tas ir. Žēl, ka es nevaru atgriezties un pastāstīt to pārējiem. Patiesībā nemaz nav tik ļauni. Galvenais ir nebaidīties no tumsas.*

Viņa apziņa gaisa kā rīta rasa, un mušas dūkdamas traucās šurp biezā mākonī.

Kviesāja malā stāvēja divi vīri. Abiem kaklā karājās tālskatis.

– Vai tu domā, ka viņam stipri sāpēja? – viens jautāja otram.

– Noindēšana ar slāpekli ir viens no humānākajiem paņēmieniem, kā cilvēkam laupīt dzīvību, – atbildēja otrs, kam tādā ziņā acīmredzot bija lielāka pieredze. Viņš sevi dēvēja par misteru Smitu, vismaz tad, kad pildīja uzdevumu. – Slāpšana nav jūtama, jo ogļskābās gāzes koncentrācija asinīs nepalielinās. Cilvēks nesaņem skābekli, taču nesaprot, kas ar viņu notiek. Skābekļa padeve ir pārtraukta, gluži kā izslēgts elektriskais apgaismojums.

– Manuprāt, cilvēks vienmēr jūt, ka mirst, – sacīja pirmais, garš vīrietis ar rudiem matiem. Misters Džonss.

– Marko Brocs neko nejuta.

– Jā, tas gan, – misters Džonss piekrita. – Liela kalibra lode galvā. Viņš patiešām nepaspēja ko just. Man šķiet, ka tas ir vieglākais veids.

– Abas šīs nāves ir vieglas. Pat nāve no ātras iedarbības indes uzskatāma par vieglu salīdzinājumā ar to, ko mums katram pataupījusi daba. Vēzis, kas ar savām spīlēm sagrauž iekšas. Tā nomira mana māte... tas bija briesmīgi. Vai drupinošā sajūta, ko rada sirdslēkme. Tēvs man stāstīja, kā juties pirmā infarkta laikā. Nē, dabiska nāve ir pretīga. Tā ir daudz labāk. Tā, kā rīkojamies mēs.

– Kā tu zināji, ka Havjers ies uz garāžu, nevis kāds cits?

– Vai tad viņš ļautu kādam citam sēsties pie sava jaunā sedana stūres? Tāds vīrs kā viņš? Acīmredzot tu slikti pazīsti šejienes tikumus. – Misters Smits nospieda palielinātās jaudas tālvadības pults taustiņu, un divsimt jardu attālumā garāžas durvis pacēlās augšup.

Lai garāžā ielaistu tīru slāpekli no sašķidrinātās gāzes balona, viņiem bija nepieciešama gandrīz pusstunda. Atmosfēras gaiss atjaunos normālu koncentrāciju nepilnas minūtes laikā.

Misters Džonss pielika pie acīm tālskati un noregulēja asumu, līdz uz betona grīdas ieraudzīja guļam cilvēku. Viņam starp kājām rēgojās tumša urīna peļķe un seju bija apsēdis mušu bars.

– Nāvē nav nekā cienīga, – viņš teica. – Taču viņam ir mierīga sejas izteiksme, vai ne?

Otrs slepkava, misters Smits, paņēma tālskati un rūpīgi nopētīja līķi.

– Vai viņa seja ir mierīga? Grūti pateikt. Bet katrā ziņā viņš izskatās pēc miroņa.

Roli, Ziemeļkarolīnas štats

Kad Belkneps atgriezās viesnīcā, tikko piedzīvotās ainas plosīja viņa prātu. Rūtas aklās, ieplestās acis, asiņu straumīte, kas patvērās viņas mutes kaktiņā. Vienā brīdī viņa runāja, elpoja un domāja, bet nākamajā – viņas vairs nebija. Rūta Robinsa gluži vienkārši bija prom, atstādama šajā pasaulē tikai nejutīgu ķermeni. Nē, Belkneps sevi izlaboja, pēc Rūtas paliks vēl daudz kas vairāk. Divi dēli, kas kļuvuši par bāreņiem, un atmiņas, ko citi cilvēki saglabās par šīs brīnišķīgās sievietes vērtīgo mūžu. Par viņas mūžu, ko izdzēsa precīzi raidīta lode, izdzēsa neģēlis, kurš nospieda ieroča mēlīti.

Snaiperis nedzirdamo lodi acīmredzot raidīja no liela attāluma, tādējādi demonstrēdams trāpīgas šaušanas meistarību. Viņa nākamais upuris varēja būt Belkneps, ja vien tas nebūtu ieniris krūmos, ne velna nesaprazdams, kas notiek. Kāpēc atsūtīts snaiperis? Kas to uzsūtījis? Kā viņi izsekoti? Belkneps centās domāt un vērtēt, taču krūtīs brieda naids, sakļaudams savus vēsos taustekļus ap viņa nocietināto sirdi. Cik draugu nāvi viņš bija pieredzējis? Gara acīm Belkneps atkal ieraudzīja savu mīļoto, lai gan atmiņas par Ivetu viņš glabāja pašos dvēseles dziļumos, gluži kā ievietojis tās kapsulā un apracis tuksneša sāls raktuves šahtā. Daļa no viņa – sapnis par to cilvēku, kāds viņš varēja būt, – bija gājusi bojā reizē ar viņa līgavu. Tur, kur mīt skaistums, mīt arī nāve.

Roli viesnīcas *Marriott* vestibilā viņš iegāja tieši pulksten četros, un tikpat precīzā Andrea Bānkrofta viņu jau gaidīja. Iekārtojusies pie zema galdiņa pie vestibila labās sienas, viņa no baltas porcelāna tasītes dzēra kafiju. Belkneps cerēja, ka Andrea klausījusi viņu un nav devusies laukā no viesnīcas. Pēc notikumiem Rokkrīkā viņš bija spiests uztraukties gan par savu, gan viņas drošību.

Belkneps instinktīvi pārlaida vestibilam sekundi ilgu skatienu – tas pārslīdēja pār telpu gluži kā logu tīrītājs pār slapju automašīnas priekšējo stiklu. Viņam pār muguru pārskrēja aukstas tirpas. *Kaut kas nav kārtībā.* Brīdināt Andreu nozīmētu pakļaut viņu briesmām – tas būtu tas pats, kas viņa ienaidnieku acu priekšā piekarināt Andreai papīra mērķi. Andrea nav viņu intereses objekts, Belkneps sprieda.

Analizēt nebija laika, vajadzēja rīkoties – ātri, negaidīti un neparedzami. *Neskaties atpakaļ, jo tavi ienaidnieki to gaida. Turpini ceļu, iedams uz priekšu!* Soli nepalēninājis, Belkneps gāja cauri vestibilam.

Ar acs kaktiņu viņš redzēja, ka Andrea pietrūkstas kājās. Acīmredzot domādama, ka Belkneps viņu nav ievērojis, viņa steidzās tam nopakaļ.

To nevajadzēja darīt.

Apsviedies viņš purināja galvu, raudzīdamies nevis tieši uz Andreu, bet tai pāri, un vienlaikus izmisīgi mēģinādams tai pavēstīt, lai netuvojas. *Neizrādi, ka mani pazīsti, tāpat kā es neizrādu, ka pazīstu tevi. Izliecies, ka esam sveši.*

Ātriem soļiem, gandrīz pusskriešus, viņš šķērsoja vestibilu un nevis apstājās pie administratora galda vai gaidīja liftu, bet neapstādamies metās tuvējās virpuļdurvīs, nonākdams bagāžas glabātavā. Šeit zem kājām nebija paklāju ar liliju rakstu, bet gan ciets linolejs, telpu apgaismoja nevis lepnas lustras kā vestibilā, bet vienkāršas dienasgaismas lampas. Garās telpas abās pusēs stiepās ar somām pilni plaukti.

Steigdamies tai cauri, Belkneps drudžaini izvērtēja draudus. Ko īsti viņš vestibilā redzēja? Atzveltnes krēslā sēdēja vīrietis pelēkā uzvalkā – aptuveni četrdesmit gadus vecs, pavisam parasts, – un lasīja avīzi. Vestibila pretējā pusē Belknepa acumirklīgais skatiens ievēroja vīrieti un sievieti, kam abiem bija ap trīsdesmit. Pāris sēdēja netālu no durvīm pie zema galdiņa, uz kura bija porcelāna tējkanna un divas baltas tasītes. It kā nekā tāda, kas būtu uzmanības vērts. Taču brīdī, kad Belkneps iegāja vestibilā, ne vīrietis, ne sieviete nepacēla acis. Ļaudis tādās situācijās parasti ienācējam uzmet vismaz paviršu skatienu. Taču šim pārim tādas vajadzības nebija, jo viņi, uzmanīdami ielu caur stikla sienu, kas robežojās ar platajām virpuļdurvīm, viņa tuvošanos jau bija ievērojuši. Sieviete īsi uzlūkoja vīrieti, kurš pretējā pusē lasīja avīzi, turēdams laikrakstu mazliet zemāk, nekā tas būtu jātur, ja viņš to patiešām lasītu. Vīrietis sēdēja, pārlicis kāju pār kāju, tā ka bija redzamas viņa apavu melnās gumijas zoles, kas acīmredzami nesaskanēja ar kurpju dārgās ādas virsmu. Sieviete bija ģērbusies svinīgi – gaišā blūzē un tumšos svārkos –, bet viņas apaviem arī bija pabiezas gumijas zoles. Viņa bija rūpīgi uzklājusi kosmētiku un matus, atsegdama kaklu, saņēmusi kopā un nostiprinājusi pakausī. Kopumā viņa izskatījās eleganta, ja vien kurpes... Apavi ar gumijas zolēm viņas tēlā neiederējās, bija pilnīgi nevietā. Belkneps to visu pamanīja vienā acumirklī – daudz vairāk laika vajadzēja, lai redzētajam piešķirtu īsto jēgu, lai to noformulētu. Viņš pazina šos cilvēkus – nevis personiski, bet profesionāli. Tie bija apmācīti cilvēki, un Belkneps zināja, kas viņus apmācījis. Tādi kā viņš pats.

Tie bija ienaidnieki, taču – un tas bija daudz sliktāk – tie bija arī *kolēģi*. Konsulāro operāciju nodaļas apturēšanas grupas dalībnieki. Tas bija acīmredzams. Augstas klases profesionāļi, kas izpilda pavēli. Šie ļaudis nebija raduši ciest neveiksmi, viņi vienmēr panāca savu. Belkneps, daudzus gadus strādādams Konsulāro operāciju nodaļā, ne reizi vien bija nodarbojies ar to pašu. Tamlīdzīgas operācijas vienmēr beidzās ātri un sekmīgi. Belknepam prātā pazibēja doma, kā gan viņa bijušajiem kolēģiem izdevies uzzināt, kur viņš jāgaida, taču nebija laika lauzīt galvu par tādiem jautājumiem.

Bagāžas glabātavas dziļumā bija durvis ar lodziņu. Tās atgrūdis, Belkneps ieklupa plašā virtuvē, kur ritēja rosīgs darbs. Neliela auguma vīrieši ar taisniem tumšiem matiem un melnīgsnēju seju tīrīja, šķērēja un kapāja. Neviens nepagrieza galvu, jo izlietnēs plūstošā ūdens strūklu radītajā troksnī un alumīnija katlu šķindoņā viņa uzrašanos neviens nepamanīja. Aiz tērauda stumjamiem ratiem, uz kuriem bija sakrautas konservētu augļu kārbas, Belkneps pamanīja vēl vienas durvis – taču tās droši vien novēroja. Tāpēc viņš metās sāņus, uz nelielu liftu, ko acīmredzot izmantoja pasūtīto ēdienu nogādei numuros.

Aiz muguras viņš dzirdēja augstpapēžu kurpju dipoņu – Andrea centās viņu panākt.

To nevajadzēja darīt.

Viņa nebija profesionāle, viņa neko nebija sapratusi no tā, ko Belkneps bija pūlējies viņai pateikt.

Virtuves trokšņu jūklī atskanēja klikšķis – šo skaņu Belkneps labi atšķīra no visām citām. Tas bija pistoles drošinātāja klikšķis. No nišas, kas atradās blakus dienesta liftam, iznāca neliela auguma stiegrains vīrs ar platu seju, pavērsis pistoli M9 pret Belknepu.

Nolādēts! Andrea nebija vienīgā, kas pieļāva kļūdu. Grupas vīri bija izvietojušies visur – viens arī pie šā dienesta lifta durvīm.

Pieskrējusi Andrea parāva Belknepu aiz piedurknes.

– Velns parāvis, kas šeit notiek?

Stiegrainais vīrs ar saspringtu skatienu tēraudsaltajās acīs nāca viņiem klāt, tēmēdams gan uz vienu, gan otru.

– Kas ir tava draudzene? – viņš norēja.

Andrea elsoja.

– Ak kungs! Tas nevar būt. Tas nevar būt!

Vestibilā bija trīs cilvēki. Nevis pieci vai septiņi. Trīs. Tas nozīmēja, ka operācijā iesaistīti vienīgi sevišķi pieredzējuši aģenti, rūdīti profesionāļi, kurus izmanto paaugstinātas slepenības operācijās īpašu drošības draudu novēršanai. Trīs cilvēki vestibilā... tātad šis vīrs ar blāvi melno pistoli rokā šeit ir viens. Tūdaļ viņš izsauks pārējos... bet pagaidām nebija to izdarījis.

Grib plūkt laurus, ka notvēris mani, Belkneps nodomāja. *Notvēris viens pats. Viņš vēlas, lai pārējiem, kad tie ieradīsies, tas būtu pilnīgi skaidrs.*

– Es prasu, kas ir tava draudzene! – vīrs ar ieroci nošņāca.

Belkneps nospurcās.

– Mana *draudzene*? Par trīssimt dolāriem stundā šī maita, protams, grib draudzēties. Samaksā, un viņa būs tava draudzene arī.

Belkneps, pametis skatienu uz Andreu, pamanīja viņas acīs tādu kā zibsni. Viņa aptvēra situāciju.

252

– Ej ellē! – viņa spalgi uzkliedza Belknepam. – Bet vispirms samaksā, ko esmu nopelnījusi! – Viņa iebelza Belknepam ar dūri pa plecu. – Vai tu, sasodīts, domāji, ka caur virtuvi tev izdosies aizlavīties? – Andrea pacirtās pret vīrieti ar pistoli. – Un kāda velna pēc tu boli acis? Vai nu tu man palīdzi, vai lasies! Dabū man viņa naudasmaku! Es ar tevi dalīšos.

– Vai tu esi galīgi jukusi? – vīrs, nedaudz apmulsināts, izgrūda, netikdams skaidrībā, ko šī sieviete melš. Viņš pastiepa roku pēc rācijas.

– Vai tad tevi neatsūtīja Bērks? – Andrea viņam uzkliedza. – Novāc taču to sasodīto daiktu!

– Klausies, padauza, ja tu vēl iepīkstēsies, dabūsi krūtīs ložu implantu, – bruņotais vīrs viņu brīdināja. – Stāviet abi un nekustieties! Es to vairs neatkārtošu.

Viens cilvēks. Viena pistole. Belkneps aizstājās Andreai priekšā, viņu aizsegdams. Ja šim vīram būtu dota pavēle šaut, viņš jau sen būtu izšāvis. Tātad šaušana atļauta tikai tad, ja izpildīt uzdevumu nav izredžu. Iebāzis rokas bikšu kabatās, Belkneps paspēra platu soli svešajam vīram pretim.

– Vai tu gribi manu naudasmaku? Ko tas viss īsti nozīmē? Jūs abi esat uz vienu roku?

Pretinieka acīs viņš ieraudzīja neizpratni. Operatīvā darbinieka svarīgākais ierocis ir rokas – neviens profesionālis, gatavodamies uzbrukt, nebāž rokas kabatās, kā to izdarīja Belkneps. Ja viņš tuvotos bruņotajam vīram, pacēlis rokas plecu augstumā, tas nojaustu gaidāmo mērķtiecīgo manevru un bija apmācīts, kā to vērst sev par labu. Pat ar gaisā paceltām rokām viņš Belknepu uzskatītu par bīstamu. Un īpaši bīstams pretinieks kļūst, ja tas pienāk izstieptas rokas attālumā.

– Pasaki savam Bērkam, ka viņam vispirms jāpanāk, lai viņa jaukumiņi pienācīgi uzvestos, un tikai tad jāgaida no klientiem čaukstošie. – Belknepa tonī jautās kaut kas solidārs, kā jau tas piedienas, ja divi vīrieši sarunājas par kaut ko tik intīmu.

– Ne soli tālāk, velns parāvis! – vīrietis saspringtā balsī pavēlēja, taču viņa šaubas acīmredzami auga. Vai viņš patiešām būtu kļūdījies, identificēdams mērķi?

Belkneps izlikās, ka pavēli nav dzirdējis.

– Iedomājies sevi manā situācijā, – viņš turpināja, pieiedams aģentam vēl tuvāk. Nāsīs iesitās pretinieka tabakas un sviedru smārds. – Zini, es gribu tev kaut ko pateikt par tavu bosu, bet lai tā maita nedzirdētu.

Belkneps pēkšņi zibenīgi pieliecās un triecās ar pieri pretiniekam sejā. Tajā pašā mirklī, pirms vīrs nogāzās zemē, viņš izrāva tam no rokas ieroci.

– Andrea, – Belkneps ātri sacīja, – vestibilā ir trīs aģenti, kuri katrā ziņā tevi ievēroja. Vismaz viens pēc piecpadsmit sekundēm varētu būt klāt. Tev jādara, ko es teikšu.

Viņš nometās pie guļošā vīra un, pārmeklējis tam kabatas, izvilka pustukšu *Camel* paciņu un šķiltavas.

Andrea strauji elpoja. Aizrāvusies viņa uz brīdi bija piemirsusi bailes. Belkneps zināja, ka drīz tās atgriezīsies.

– Turi tās labi cieši, jā? – Viņš sniedza cigaretes un šķiltavas viņai.

Andrea mēmi pamāja ar galvu.

Belkneps cieši vērās viņai acīs, it kā gribēdams pārliecināties, ka viņa izdarīs visu pareizi.

– Tu iziesi ārā pa dienesta durvīm, it kā būtu viesnīcas darbiniece, kas dodas uzsmēķēt. Paspersi piecus soļus no durvīm un apstāsies. Pagriezīsies ar seju pret viesnīcu, atvērsi somiņu un izvilksi cigaretes. Aizsmēķēsi. Radīsi iespaidu, ka tev cigarete nepieciešama gluži kā skābeklis. Tad palūkosies apkārt, it kā tev būtu jānopērk vēl viena cigarešu paciņa. Pāri autostāvvietai iziesi uz ielas. Pēc kvartāla dienvidu virzienā ir taksometru pietura. Iesēdies taksometrā, brauc uz Daremas centru un uzturies tur ļaužu pilnās vietās, teiksim, tirdzniecības centros.

– Nāc man līdzi, – Andrea nočukstēja. – Lūdzu.

Belkneps papurināja galvu.

– Es nevaru iziet pa šīm durvīm. Mani tur gaida.

– Kas ar tevi notiks? Šis cilvēks... viņš grasījās tevi...

Bija dzirdams, ka bagāžas glabātavā sākusies rosība.

– Tu ilgojies uzsmēķēt, – Belkneps sacīja zemā, steidzīgā balsī. – Tev cigarete nepieciešama gluži kā skābeklis. Ej!

Andreas pleci saspringa, un viņš redzēja, ka Andrea samierinājusies ar situāciju. Viņa ielika cigarešu paciņu somiņā un, vairs ne vārda neteikusi, devās laukā pa dienesta durvīm. Belkneps ticēja, ka Andrea tiks galā ar sava tēla atveidošanu. Viņa būs drošībā.

Pārliecības par savu drošību Belknepam nebija.

Viņš nospieda dienesta lifta izsaukuma pogu. No bagāžas glabātavas puses atskanēja dobji trokšņi. Acīmredzot tur izmētāja bagāžu. Kadam no vestibila grupas bija uzdots pārmeklēt visas pirmā stāva telpas. Aģenti, kas novēroja durvis, droši vien bija ziņojuši, ka "objekts" nav manīts.

Belkneps vēlreiz nospieda lifta pogu. Pēc īsa mirkļa operatīvais darbinieks, pārliecinājies, ka Belkneps ne aiz vienas somas nav noslēpies, dosies tālāk.

Lifta kabīnes durvis atvērās, un Belkneps iegāja tajā iekšā. Uz labu laimi viņš nospieda ceturtā stāva taustiņu. Durvis noraustīdamās aizvērās, un kabīne sāka slīdēt augšup.

Aizvēris acis, viņš pūlējās nomierināties, lai ar vēsu prātu izvērtētu savas iespējas. Jāgatavojas ļaunākajam. Ja kāds virtuvē ievēroja viņu ieejam liftā, tad šajā brīdī viņa gūstītāji jau metās viņam pakaļ, traukdamies uz ceturto stāvu vai nu ar citu liftu vai gluži vienkārši pa kāpnēm. Ticis ārā no lifta kabīnes, viņš skrēja pa gaiteni uz priekšu, ilgodamies ieraudzīt stāva dežuranta ratiņus ar gultas veļu pie atvērtām durvīm. Belkneps saprata, ka viņa rīcībā ir tikai pāris sekunžu.

Atvērtas durvis. Te nu tās bija, patiešām. Stāva dežurante bālganzilā formas tērpā beidza telpas uzkopšanu. Svaigi spilveni bija ieņēmuši savas vietas gultas galvgalī, segas pārvalks apmainīts un gulta glīti pārklāta. Pavecā sieviete, stīvi kustēdamās, palocīja galvu.

– Labdien, ser! – viņa ar spāņu akcentu sveicināja ienācēju, noturēdama to par viesi. – Tikpat kā esmu pabeigusi, – viņa piebilda.

Pēkšņi viņa iekliedzās, un Belkneps saprata, ka veiksme savu vaigu no viņa novērsusi. Apsviedies viņš redzēja numurā ieskrienam divus bruņotus vīrus. Viens izstūma no numura stāva dežuranti, aizvēra durvis un nostājās pie tām sardzē.

Belkneps, pūlēdamies saglabāt mieru, vērtēdams nopētīja abus aģentus. Izbrīnījies viņš konstatēja, ka tie nav pirms brīža vestibilā manītie – patiešām, šos viņš redzēja pirmo reizi mūžā. Viens mazliet atgādināja filipīnieti, lai gan viņam bija labi trenēta amerikāņa garie locekļi un attīstīta muskulatūra. Kādā ASV armijas bāzē noslēgtu laulību auglis, Belkneps nodomāja. Otrs bija druknāks, melnādains, ar noskūtu galvu, kas spīdēja kā nopulēts koks. Abiem rokās bija mašīnpistoles ar īsu stobru. To laides bija izgatavotas no polimērmateriāliem, un tām bija garas, izliektas patronu aptveres. Katrā aptverē sagāja trīsdesmit šāviņu – deviņu milimetru lodes. Automātiskās uguns režīmā tāds ierocis visu aptveri izšauj dažās sekundēs.

– Uz grīdas... gulties! – melnādainais vīrs neparasti rāmā balsī nokomandēja. – Rokas aizliec aiz pakauša. Vienu potīti pār otru. Pats labi zini, kas jādara. – Izklausījās, ka braukšanas instruktors skaidro autoskolas kursantam, kā jāatlaiž gāzes pedālis.

– Nu, dari, ko lieku!

Rainharts allaž izteicās ironiski un noraidoši, kad Belkneps ieminējās par veiksmi.

Vai tev nekad nav ienācis prātā, ka tā dēvētā veiksme patiesībā nav nekas cits kā izrāpšanās no mēsliem, kuros tevi iegrūdusi neveiksme?

– Es atkārtošu instrukciju vēl tikai vienu reizi, – melnādainais vīrs teica, atkal izklausīdamies pavisam mierīgs.

Es arī būtu mierīgs, ja tēmētu ar mašīnpistoli uz cilvēku, kura pistole iestrēgusi kabatā.

– Nav nekādas vajadzības, – Belkneps sacīja. – Tā kā esmu jūsu kolēģis, man jāatzīst, zēni, ka līdz šim esat darbojušies lieliski. Ja man būtu jāraksta par šo operāciju ziņojums, es droši vien uzdotu jums jautājumu par munīciju. Viesnīcās sienas ir ļoti plānas. Pieņemu, ka jūs izmantojat *NATO* standarta patronas. Tas nozīmē, ka viena lode var iziet cauri pusducim sienu. Vai uguns pārslēdzējus esat noregulējuši uz trīs patronu kārtām? Vai atsevišķiem šāvieniem?

Abi operatīvie darbinieki saskatījās.

– Uz automātisko uguni, – atbildēja afroamerikānis.

– Tas nu gan nav labi! – Pirmā plaisa bruņās. Viņš saņēma atbildi. Abi vīri bija pamatoti pārliecināti par savas uguns jaudas pārākumu. Belknepa vienīgā cerība bija kaut kā vērst šo pašpaļāvību sev par labu. – Jūs neesat ņēmuši vērā ložu caursišanas spēju.

– Ātri uz grīdas, vai es *šaušu*! – Melnādainais operatīvais aģents to izrunāja tādā tonī, it kā būtu nogalinājis pietiekami daudz cilvēku, lai to uzskatītu vienīgi par sīku neērtību. Tajā pašā laikā lepnums neļāva viņam pārregulēt savas mašīnpistoles šaušanas ātrumu. Viņš nevēlējās piekāpties kolēģa acu priekšā.

Paaugstinātas slepenības vienība. Belkneps apzinājās, ka drošākā viņa izglābšanās iespēja ir padošanās. Taču šādas "apturēšanas" operācijas nebeidzas ar tiesas prāvu vai publikāciju presē.

Ja viņš tiks "apturēts", droši vien viņu gaida ieslodzījums uz nenoteiktu laiku kādā slepenā iestādē Rietumvirdžīnijas štatā vai uz kartes neatzīmētā vietā dziļos Polijas laukos. Belkneps nevērtēja savu dzīvību tik augstu, lai viņu vilinātu padošanās bez pretošanās.

– Pirmām kārtām automātisko ieroču izmantošana vidē ar blīvu mierīgo iedzīvotāju koncentrāciju ir nepiedodama bezatbildība, – apmācību instruktora tonī Belkneps teica. – Kad es sāku ar šo arodu nodarboties, jūs abi vēl gulējāt šūpulī ar knupi mutē, tāpēc, velns parāvis, ieklausieties pieredzes balsī. Automātiskā uguns viesnīcas kartona sienās? Ziņojumā par operācijas norisi es minētu parasto iesācēju kļūdu. Šādā darbā vajadzīga maiga kamieļvilnas otiņa, nevis sasodīts krāsotāja veltnis. – Runādams viņš piegāja pie loga. – Tāpēc ļaujiet man jums palīdzēt. Lūk, šeit jūs redzat logu.

Vīrietis, kas atgādināja filipīnieti, nospurcās.

– Ak ievēroji gan? Taču viesnīcas iemītnieki gaisā nelidinās, vai ne? Tā ka varam tēmēt droši.

– Kas gan, velns parāvis, jūs apmācījis? – Belkneps noprasīja.

– Tikai nestāstiet, ka tas biju es. Nē, manuprāt, es jūsu fizionomijas neatceros. Tātad, pirms būsiet spiesti paskaidrot Vilam Gerisonam, kāpēc jūs, ar automātiem bruņojušies vīri, apturēšanas operācijas laikā sacaurumojāt neapbruņotu cilvēku – tādu operācijas iznākumu, protams, no jums neviens negaida –, atļaujiet uzdot jums vienu jautājumu. Cik tālu gaisā aizlido deviņu milimetru lode?

– Mēs neesam tavi sasodīti studenti, – garākais vīrs noburkšķēja.

– Tādas ļoti ātras lodes, pie kādām esat tikuši jūs, reizēm aizlido vairāk nekā divas jūdzes. Vairāk nekā desmit tūkstošus pēdu. Ja jūsu ierocis iestatīts uz šaušanu kārtām, jums jābūt gataviem, ka trešā lode var aiziet gaisā bez pēdām. Tagad padomāsim, kāda ir lodes dabiskā trajektorija. – Pagriezies pret operatīvajiem darbiniekiem ar muguru, Belkneps atstūma slīdošās stikla durvis, kas veda uz šauru balkonu.

– Paklau, Denij, – amerikānim līdzīgais aziāts savam partnerim teica, – es izdomāju, ko rakstīšu ziņojumā. "Objektu likvidējām, jo viņš mūs sasodīti nokaitināja."

Belkneps nepievērsa viņam uzmanību.

– Kā jūs varbūt ievērojāt, mēs atrodamies blīvi apdzīvotā rajonā. – Viņš rādīja uz stikla un tērauda biroju namu autostrādes otrā pusē, tajā pašā laikā nopētīdams lielu āra baseinu, uz kuru pavērās skats no balkona. Baseinu no ielas aizsedza augsts rododendru dzīvžogs.

Melnādainais vīrietis smīnēdams nolaidās uz viena ceļgala. Viņa mašīnpistole joprojām bija vērsta pret Belknepa krūtīm.

– Mainīt trajektoriju var bez sevišķām pūlēm, vai ne? Tas viss ir blēņas, ko tu šeit runā.

– Tev derētu palūkoties vērīgāk, – Belkneps nesatricināmi attrauca. – Derētu palūkoties, ko es daru. – Izgājis uz balkona, viņš novērtēja attālumu no ēkas sienas līdz baseinam.

– Šis nejēga domā, ka var mūs komandēt. – Otrs bruņotais vīrs draudīgi iesmējās.

– Gluži vienkārši es mēģinu jums, puiši, kaut ko iemācīt, – Belkneps turpināja. – Ja tu, Denij, šausi no šīs rīsa kaplētāja pozas, ideāli būtu, ja tavs mērķis atrastos nedaudz augstāk. – It kā demonstrēdams savus vārdus, Belkneps, atkal uzgriezis abiem aģentiem muguru, uzkāpa uz četras pēdas augsta tērauda parapeta – droši vien šo augstumu noteica kādi bērnu drošības normatīvi. *Un kā ar pieaugušu cilvēku drošību?* Mirkli balansējis, viņš lēca uz priekšu, ar kājām atsperdamies, cik spēcīgi vien spēja.

Aiz muguras atskanēja biežu šāvienu tarkšķi, kas atgādināja iedarbināta motorzāģa skaņas. Automātiskā uguns izspļāva visas trīsdesmit patronas divās sekundēs. *Ja vari to dzirdēt, tev nav trāpīts.* Aģentu reakcija uz viņa rīcību nebija pietiekami ātra, acīmredzot to aizkavēja apmulsums, kas ļāva Belknepam iegūt izšķirīgās sekundes.

Belkneps krita lejup. Dīvaini, ka, lidodams lejup brīvā kritienā, viņš jutās nekustīgs. Šķita, ka zeme skrien pretim, kļūdama aizvien lielāka un lielāka, nākdama aizvien tuvāk un tuvāk. Viņam, iespējams, bija tikai trīs sekundes, lai izstieptu ķermeni gluži kā asu žileti, kas pāršķels ūdens virsmu. Lecot no tāda augstuma, nedrīkst nirt ūdenī ar galvu pa priekšu. Nebija jēgas lūkoties lejup – ja aprēķins ir kļūdains un viņam lemts atsisties pret cementu, to grozīt vairs nebija viņa spēkos. Gluži vienkārši jāpieņem, ka viņš iekritīs tieši tur, kur bija notēmējis, – baseina dziļākajā daļā. No divdesmit jardu augstuma krītošam ķermenim ūdens nav mīksta viela, kurā patīkami iegrimt, tas pretojas un ir ciets. Jo lielāks saskarsmes laukums – jo lielāka ķermeņa virsma, ar kādu viņš saskarsies ar ūdeni, – jo spēcīgāks būs trieciens. Viņš atcerējās profesionāla nirēja vārdus – sajūta esot tāda, it kā ar dēli kāds sistu pa pēdām. Saskardamies ar ūdeni, viņš kritīs ar gandrīz četrdesmit jūdžu ātrumu stundā. *Krist nav grūti*, nirējs teica. *Grūti ir apstāties.*

Belkneps nevarēja ietekmēt kritiena ātrumu, tāpat kā nevarēja grozīt faktu, ka ūdens ir vairāk nekā astoņsimt reižu blīvāks nekā gaiss. Viņam atlika vienīgi pēc iespējas samazināt saskarsmes laukumu – saspiest kopā kājas, nostiept pirkstgalus, izstiept virs galvas rokas un delnas salikt kopā. Viņš uz mirkli ieraudzīja automašīnas, kas brauca pa ielu vismaz ar četrdesmit jūdžu ātrumu stundā, bet izskatījās, ka tās velkas uz priekšu, tikpat kā nekustēdamās. Pēdējā brīdī pirms saskarsmes ar ūdeni Belkneps dziļi ievilka elpu, piepildīdams ar gaisu plaušas un sagatavodamies tam, kam sagatavoties nebija iespējams.

Ķermenim cauri izskrēja grūdiena spēks, satricinādams visu skeletu, mugurkaulu, locekļus un muskulatūru.

Lai gan Belknepam bija šķitis, ka šis brīdis nekad nepienāks, galu galā tas pienāca ātrāk, nekā viņš gaidīja. Viņš bija izdarījis visu, ko spēja, taču jutās nesagatavojies. Pēc pirmā saskarsmes šoka uzradās citas sajūtas. Ķermenī ielauzās aukstums, bet ūdens, tik neviesmīlīgi viņu sagaidījis, pēkšņi apņēma kā maigs spilvens un, gluži kā izpirkdams vainu, padarīja viņa ceļu līdz baseina dibenam patīkami vieglu. Pēc tam vēsumu nomainīja siltums, neomulīgs siltums, un šī temperatūras maiņa negaidīti radīja sajūtu, ka viņš smok. Prātā pazibēja brīdinoša doma: *neizdari ieelpu!* Belkneps juta zem kājām cietu pamatu – baseina dibenu. Saliecies ceļgalos, viņš atspērās un traucās augšup, pretim ūdens virsmai, līdz kurai bija četrpadsmit pēdu. Beidzot, pavēcinājis acu priekšā roku, viņš pārliecinājās, ka patiešām izniris, un platu muti iekampa gaisu. *Nav laika!* Aizklumburojis uz baseina malu, viņš pārvēlās pāri betona malai.

Belkneps netērēja laiku, lai atskatītos uz balkonu, no kura bija nolēcis. Viņa gūstītāji nebija tik labi snaiperi un nebija apgādāti ar precīziem tālšāvējiem ieročiem, turklāt baseina apkārtnē bija pārāk daudz cilvēku, lai tie raidītu uguni no saviem automātiem.

Ar pūlēm viņš piecēlās kājās. Ķermeņa lejasdaļa smeldza kā milzu sasitums. Muskuļi atgādināja galertu, un, nepaspējis iztaisnot muguru, Belkneps no jauna nogāzās zemē. *Nē!* Viņš nepadosies. Ķermenī izplūda adrenalīns, nostiepdams muskuļu šķiedras, it kā ciešāk būtu piegriezta kāda tapiņa. Belkneps sāka skriet – viņš nezināja, vai var paiet, taču viņš varēja *skriet*, – uz nelielu spraugu rododendru dzīvžogā. Piemirkušais apģērbs, svērdams vismaz desmit mārciņu, šķita bezgala smags, turklāt viņš bija kļuvis kurls un aptvēra to tikai brīdī, kad gandrīz paspēra soli priekšā švīkstošai automašīnai, kas viņam šķita braucam bez trokšņa. Acīmredzot baseina ūdens bija piepildījis abus dzirdes kanālus. Kājas reizē bija dzīvas un nedzīvas – viņš nejuta asfaltu, pa kuru gāja, toties pēdās juta durstīgas sāpes un dedzinošu karstumu.

Viņu tomēr nenotvēra. Pagaidām ne. Viņš nebija "apturēts". Viņa pretiniekiem neveicās – vismaz pagaidām.

Belkneps, cik nu ātri spēja, metās pāri dzīvajam autoceļam, izmantodams divu triju sekunžu intervālus starp spēkratiem, – ja viņš pakluptu vai kādā brīdī vilcinātos par ilgu, viņu aizķertu braucoša kravas automobiļa buferis. Beidzot viņš bija otrā pusē.

Nogājis kvartālu, Belkneps sasniedza nelielu ēku rindu ar atsevišķām garāžām. Lielākajai daļai namu žalūzijas bija nolaistas, acīmredzot īpašnieki vēl nebija pārradušies no darba. Belkneps ieslīdēja pa neaizslēgtām sānu durvīm kādā garāžā un atlaidās aiz riepu kaudzes. Kad acis aprada ar krēslu, viņš sev apkārt ieraudzīja dažādas ar benzīnu darbināmas dārza ierīces – kritušo lapu savācēju, zāles pļāvēju, kultivatoru ar stūri un zariem, kas bija aplipuši ar zemi. Periodiskas degsmes pierādījumi. Šīs dārgās spēļmantiņas neapšaubāmi bija iegādātas pēc rūpīgas un ilgas cenu salīdzināšanas, pēc tam, iespējams, pāris reižu izmantotas un aizmirstas. Belkneps, ieelpojis pazīstamās riepu un mašīneļļas smaržas, iekārtojās ērtāk. Viņš te paliks, līdz izžūs drēbes.

Bija daudz vietu, kur viņš varēja doties, tāpēc apturēšanas grupai nebija jēgas gaidīt viņu viesnīcā – it īpaši pēc izskanējušām automātu kārtām un nevajadzīgās uzmanības, ko tās piesaistīja. Operatīvā grupa izklīdīs līdz nākamajai reizei, kad atkal nolems viņu kaut kur sagaidīt. Belknepam bija šeit jāpaliek vismaz sešas stundas, un viņa vienīgais likteņbiedrs bija smeldzošas sāpes, kas neatkāpās, sagrābdamas viņa izmocīto ķermeni gluži kā spīlēs. Taču nekas nebija lauzts, nekas nebija izmežģīts. Laiks sadziedēs sasitumus, un, kad sāpes ķcrmeni pametīs, viņš atskatīsies uz šiem notikumiem un viņu pārņems ne mazāk spēcīgas izjūtas – niknums.

SEŠPADSMITĀ NODAĻA

Losandželosa

– Piedodiet, ser, – teica drukns, melnā uzvalkā ģērbies vīrs, stāvēdams aiz samta virves pie moderna naktskluba durvīm Sanseta bulvārī netālu no Larabīstrītas. Viņš vienlaikus pildīja šveicara un ārā sviedēja pienākumus. – Šovakar šeit ir privāts sarīkojums.

Cobra Room bija Losandželosas lepnākais klubs, un šveicara darbs bija gādāt, lai tas savu reputāciju nezaudētu. Kluba pastāvīgie viesi bija slavenības un bagātnieki. Nejaušu apmeklētāju un ziņkārīgo klātbūtne šai klientūrai radītu nemājīgu gaisotni. Lielāko daļu vakara lempīgais šveicars ar pieklājīgu stingrību atkārtoja savu standarta formulu skopās variācijās – privātas svinības, slēgts vakars, nepiederīgiem ieeja liegta. Reti bija tie, kurus ieraudzījis viņš piekrizdams pamāja ar galvu, un tad izredzētie spiedās cauri neveiksmīgo lūdzēju baram.

– Piedodiet, mis, – šveicars sacīja. – Šovakar šeit ir privātas svinības. Nevaru jūs ielaist. – Un: – Piedodiet, ser. Privātas svinības. Ieeja slēgta.

– Bet man jāsatiek draugs, – velti viņu centās pārliecināt šie lūdzēji, it kā tāds iegansts ik vakaru nebūtu atkārtots desmitiem reižu.

Šveicars nepiekāpīgi purināja galvu.

– Piedodiet. Nekā nevaru jums palīdzēt.

Blondīne balinātiem matiem, ģērbusies īsā kleitā ar dziļu kakla izgriezumu, un satriecošām *Jimmy Choos* kurpēm kājās rakņājās pa mazo melno rokassomiņu, cerēdama šveicaru piekukuļot ar dzeramnaudu.

– Paldies, nē, kundze, – šveicars, to nojautis, brīdināja. Balinātie mati acīmredzami bija blondīnes pašas roku darbs – dārgā salonā būtu panākts dabiskāks tonis. – Lūdzu, paejiet malā.

Vīrs, kurš sevi dēvēja par misteru Džonsu, jau krietnu pusstundu caur ielas pretējā pusē novietota limuzīna tonētiem logiem vēroja rosību pie *Cobra Room*, kas atradās kvartālu tālāk. Pārinieks misters Smits jau bija sagatavojis viņam augsni. Misters Džonss iemeta skatienu pulkstenī. Viņš bija ģērbies melnās sīki rievota velveta biksēs, *Helmut Lang* kokvilnas svīterī un zīda virsjakā ar rāvējslēdzēju. Kājās viņam bija augstas kvalitātes melnas sporta kurpes. Ar šādu dārgu, Losandželosas nakts dzīves baudītājiem raksturīgu ikdienas tērpu iekļūšanai klubā būs par maz, taču tas viņam palīdzēs. Viņš lika šoferim apbraukt apkārt kvartālam un apstāties tieši pie *Cobra Room* durvīm. Uzlicis uz acīm *Oakleys* saulesbrilles, viņš izkāpa no limuzīna un nevērīgā gaitā tuvojās durvīm.

Šveicars, kura vērīgajām acīm nepaslīdēja garām neviens sīkums, apmeklētāju novērtēšanā kļūdījās reti, un šī nepārprotami bija tā reize, kad vajadzēja īpaši asu redzi. Piepeši misteram Džonsam klāt metās balinātā blondīne.

– Ak kungs, jūs taču esat Trevors Eiverijs! – viņa sajūsmināta iespiedzās. – Man tas būs jāpastāsta draudzenēm! Mēs jūs gluži vienkārši *mīlam*! – Viņa piekērās vīrietim pie rokas un, to spiezdama, satrauktā balsī turpināja: – Pagaidiet mirklīti! Lūdzu, ak, lūdzu!

– Kundze! – šveicars brīdinošā tonī sievieti apsauca.

– Vai tad jūs neskatāties "Venēcijas pludmali"? – viņa šveicaram noprasīja, minēdama pusaudžu iecienītu televīzijas seriālu.

– Nē, neskatos, – šveicars skarbi atbildēja.

– *Lūdzu*, vai jūs nevarētu mūs nofotografēt ar manu mobilo? Tas būtu *super*!

Misters Džonss pagriezās pret šveicaru.

– Ciest nevaru šīs pielūdzējas, – viņš pakurnēja.

– Ser, nāciet iekšā, – druknais vīrs teica, atāķēdams virvi no bronzas stabiņa un jaunajam viesim uzsmaidīdams. Viņš bija pieņēmis lēmumu. – Bet *jūs*, kundze, – šveicars veltīja viņai skatienu, kas spētu sasaldēt kautķermeni, – pavirzieties malā. Un, jo ātrāk, jo labāk. Kā jau teicu, tas ir privāts sarīkojums.

Blondīne saīgusi atkāpās, atvērdama savu mazo rokassomiņu un pačaukstinādama simt dolāru banknoti, ko tur bija ieslīdinājis misters Smits.

Misters Džonss iegāja zālē. Tiklīdz acis aprada ar dūmakaino apgaismojumu, vienā no melnajām vinila kabīnēm viņš ieraudzīja Losandželosas nekustamo īpašumu biznesmeni Eliju Litlu. Viņa sirmie mati asinssarkanajā sienas lampu gaismā mirdzēja gluži kā sudrabs. Kopā ar viņu pie galdiņa sēdēja jauns kinorežisors, kurš tikko bija ieguvis Sandensas kinofestivāla godalgu, vecās skolas kinostudijas direktors, panākumiem bagāts mūzikas industrijas boss un kāda kabeļtelevīzijas kanāla *HBO* seriāla galvenās lomas atveidotāja. Baumoja, ka biznesmenis esot saistīts ar organizēto noziedzību, taču Holivudas burziņu publikai, kas jūsmoja par dažādām dzīves ēnas pusēm, viņš tāpēc šķita vēl jo interesantāks.

Šķērsojis nelielo deju laukumu, Džonsa kungs izskatījās priecīgā noskaņojumā. Zāles pretējā stūrī viņš labi redzēja savu mērķi. Biznesmenis, ko parasti apsargāja vesels eskorts, dzīvi žestikulēja, acīmredzot juzdamies ļoti omulīgi, gluži kā zivs savā akvārijā.

Viņš nenojauta, ka ūdenstilpē tikko iepeldējusi haizivs.

Lejas Manhetena, Ņujorka

Andrea Bānkrofta sēdēja lētā kafejnīcā, tukšodama trešo tasi remdenas kafijas, kas pēc stipruma atgādināja samazgas un kas negribīgi bija izšļākusies no *Pyrex* ražojuma karafes. Viņa nenovērsa skatienu no ietves, ko caur logu varēja labi redzēt. Blakus izkārtnei *Greengrove Diner* pie ārdurvju malas ar līmlenti bija piestiprināta atvērta lamināta ēdienkarte. Šī nebija vieta, ko privātai sarunai būtu izraudzījusies viņa, taču Belkneps acīmredzot domāja citādi.

Andrea nervozēja, un to nebija iespējams noslēpt. Viņa iepazina citu pasauli. Cietsirdības un viltības pasauli, kur it kā starp citu izvilka ieročus un it kā starp citu šāva. Pasauli, kur cilvēka dzīvība nemaksāja neko, bet patiesība maksāja dārgi. Viņa ievēroja, ka cieši apkļāvusi pirkstus ap kafijas tasi un pirkstu kauliņi kļuvuši balti. *Saņemies*, viņa sev pavēlēja. *Saņemies!* Tā bija

Belknepa pasaule, un viņš zināja, kā tajā jāizturas. Tā nebija viņas pasaule.

Bet varbūt bija?

Nenoteiktība un bailes viņā bangoja gluži kā okeāna viļņi pret molu. Vai viņa var uzticēties Belknepam? Vai viņa var atļauties neuzticēties? Andrea atcerējās, kā Belkneps nostājās starp viņu un bruņoto vīru. Tas vīrs gribēja Belknepu notvert – kāpēc? No Belknepa miglainajām atbildēm izrietēja, ka viņam ceļā metot sprunguļus. Visi aizdomās turamie apgalvo, ka esot pataisīti par grēkāžiem. Kādēļ lai viņa tam ticētu? Tomēr viņa nez kāpēc ticēja.

Un Pols Bānkrofts? Vai patiešām fonds varētu būt saistīts ar to nolaupīšanu, ar kuru Belkneps bija kā apsēsts? Pols apgalvoja, ka grupas *Theta* mērķis esot darīt labu. Un Andrea nez kāpēc ticēja arī viņam.

– Brīnos, ka tu esi atnākusi, – atskanēja Belknepa balss.

Viņa pagriezās un ieraudzīja, ka viņš apsēdies blakus krēslā.

– Tu gribi teikt – pēc visiem kopā piedzīvotajiem jautrajiem brīžiem? – Andreas vārdos jautās sarkasms, bet patiesībā viņai prāts uz dzēlībām nenesās.

– Apmēram tā. – Viņš paraustīja plecus. – Cik ilgi tu jau auklē to kafijas tasi?

– Auklēju? Katrā ziņā labāka viņa no tā nepaliek. – Andrea tomer iedzēra vēl vienu malku. – Es neievēroju, ka tu ienāci.

Belkneps pamāja ar galvu uz dienesta durvīm zāles galā.

– Ceru, ka neviens cits arī ne.

Viņa balss tonis bija bezkaislīgs, gandrīz vienaldzīgs, taču Andrea redzēja, ka viņš ir saspringts – viņa acis it kā nemanāmi šaudījās uz visām pusēm, klejoja pa zāli, pārslīdēja pār ietvi aiz loga, nopētīja cilvēkus pie blakus galdiņa. *Dievs redz, kā izkrīt zvirbulīt's*, viņa atcerējās rindiņu no sena spiričuela. Viņai iešāvās prātā, ka Belkneps arī ievērotu, ja no ligzdas izveltos mazs zvirbulēns.

– Par to, kas notika viesnīcā... piedod, es joprojām neko nesaprotu. – Andreai gribējās piebilst: "Paldies Dievam, ka ar tevi viss ir labi," – taču viņa to nepateica. Un nesaprata, kāpēc.

– Kad noīrēju viesnīcas numuru, es reģistrējos ar uzvārdu, ko izmantoju operatīvajā darbā, – Belkneps klusā, piesmakušā balsī sacīja. Viņam mugurā bija olīvzaļš teniskrekls, caur kuru varēja nojaust muskuļu aprises. – Tādi vārdi ikvienam aģentam ir vairāki, un katram ir sava leģenda. Tie sargā no ienaidniekiem, kas ir ārpusē, bet nepasargā no ienaidniekiem aģentūras iekšienē. Tā bija Konsulāro operāciju nodaļas apturēšanas vienība.

Andrea atkal iemalkoja bezgaršīgo šķidrumu.

– Tas tips viesnīcas virtuvē... es domāju, ka viņš mani nošaus. Tāds cilvēks... – Viņa papurināja galvu.

– Operatīvais darbinieks, kurš iesaistīts paaugstinātas slepenības uzdevumā. Tas nozīmē, ka ārpus operācijas dalībnieku loka nebūs informācijas noplūdes. Tādās reizēs valdībā par to zina tikai pieci seši cilvēki.

– Un prezidents?

– Dažreiz jā. Dažreiz nē.

– Tātad tie ir brutāli necilvēki, kurus iepriecina iespēja nospiest ieroča mēlīti. Es tev jūtu līdzi.

Belkneps papurināja galvu.

– Neizdari pāragrus secinājumus. Tu redzēji, kā darbojas viens šīs grupas aģents... tu esi nobijusies.

– Protams. Kā gan citādi? – viņa asi noteica.

– Patiesībā es esmu viens no viņiem. Tikai ne šajā brīdī.

– Bet...

– Būs labāk, ja tu zināsi par mani visu. Esmu nodarbojies ar to pašu, ar ko nodarbojas viņi. Kā jau teicu, esmu viens no viņiem.

– Tad man jāuzdod jautājums. Kāda velna pēc man tev jātic, ja tavi kolēģi tev neuzticas?

– Es neesmu teicis, ka viņi man neuzticas. – Belknepa tumšpelēkajās acīs vīdēja vaļsirdība. – Viņu uzdevums bija sagrābt mani un ielikt būrī. Tas nenozīmē, ka viņi man neuzticas. Gluži otrādi, viņu rīcībā bija manāma pārāk liela uzticēšanās. Turklāt ne jau viņi pieņem lēmumus. Nē, manī nav naida pret viņiem. Esmu tāds pats kā viņi. Vienīgā atšķirība ir tāda, ka es "objektu" būtu izsekojis viens. Iespējams, arī aizturējis viņu būtu viens. Un to būtu izdarījis pareizi.

– Izsekojis?

– Tieši ar to es nodarbojos, Andrea. Es meklēju cilvēkus. Parasti tādus, kas nevēlas, lai viņus atrod.

– Vai tas tev padodas labi?

– Laikam gan labāk nekā citiem, – Belkneps atbildēja. Viņa runas veidā nebija jaušama nekāda plātīšanās. Viņš to pateica tā, kā pateiktu sava auguma garumu vai dzimšanas gadu.

– Tavi kolēģi tevi novērtē?

Belkneps piekrizdams pamāja.

– Viņi dēvē mani par Dzinējsuni. Kā jau teicu, tieši ar to es nodarbojos.

Lētu smaržu buķete vēstīja par viesmīles tuvošanos. Slaidajai sievietei bija zemeņu krāsas mati, un krūtis no formas tērpa blūzes, kam trīs pogas bija atpogātas, rēgojās gluži kā nogatavojušās melones.

– Ko pasūtīsiet? – viesmīle jautāja Belknepam.

– Vai Benijs šodien ir darbā?

– Ir gan.

– Palūdziet, lai viņš pagatavo to uzkodu no franču grauzdiņa un *mascarpone* siera, – Belkneps teica.

– Ak, tas ir kaut kas *fantastisks*! – viesmīle izdvesa. – Es arī esmu to pagaršojusi. Es viņam to palūgšu, jā.

– Izdariet gan to. – Belkneps piemiedza viņai ar aci. – Divas porcijas.

Tad abi kaut ko apsprieda klusā balsī. Andrea visu nesaprata, uztverdama tikai to, ka runa ir par kādu tipu, ar kuru Belkneps nevēlētos satikties, un viņš lūdza viesmīlei mazu pakalpojumu.

– Turēšu acis vaļā, – viņa klusi apsolīja. Mutes kaktiņā bija redzama viņas koraļļu sārtā mēle.

– Tu proti iemantot draugus, – Andrea sacīja, nepatīkami pārsteigta, ka viņas balsī skan tikko jaušams aizvainojums. Vai viņa ir greizsirdīga?

– Mums ir maz laika, – Belkneps sacīja, ar skatienu pavadīdams viesmīli, kas devās uz virtuvi. No jauna pievērsies Andreai, viņš izskatījās lietišķs. Viņa jutās vīlusies, lai gan nesaprata, kāds tam ir iemesls. Andrea izstāstīja Belknepam visu, ko bija pieredzējusi iepriekšējā dienā. Viņš klausījās, to nepārtraukdams, un viņa sejā bija neizdibināma izteiksme. Tikai brīdī, kad viņa stāstīja par zvanīšanu uz Dubaiju, Belkneps uzrauca augšup uzacis.

– Nu, ko teiksi? Kā tu to izskaidro? – Andrea vaicāja. – Kā tu pierādīsi, ka neesi to bandītu izgudrojis?

– Izsaukuma pāradresācija. Ja viņiem ir pieejams integrēto pakalpojumu cipartīkls, tas prasa apmēram pusminūti. Cik ilgs laiks pagāja no brīža, kad tu uzgriezi numuru, līdz mirklim, kad atskanēja signāls?

– Apmēram pusminūte, – Andrea atzina. – Jēziņ, es nezinu, ko lai domāju! Patiesībā es nesaprotu, kāpēc man tev būtu jātic.

– Tāpēc, ka tā ir taisnība.

– Tā saki tu. – Viņa palūkojās lejup, savā kafijas tasē, it kā tur būtu rodama skaidrība. – Taču tas, ko Pols Bānkrofts stāstīja par manu māti, ir pilnīgi iespējams. Īstenībā viņa stāsts bija ļoti ticams. Nespēju atbrīvoties no domas, ka viņš man teicis patiesību, bet es netieku galā ar savu iztēli. Nezinu, ko es šeit daru tavā sabiedrībā.

Belkneps pamāja ar galvu.

– Tu varēji šurp nenākt.

– Tātad tu man piekrīti.

– Tev sniedza pārliecinošus, labi noformulētus paskaidrojumus. Kādēļ gan lai tu tiem neticētu? Tu vari noticēt visam, ko tev pastāstīja, un dzīvot ilgi un laimīgi. Vari nopirkt greznu dzīvokli Manhetenā, par ko man stāstīji. Šajā laikā tu varētu apspriesties ar telpu dizaineri un kopā ar viņu izraudzīties mēbeles un tapetes, nevis sarunāties ar mani. – Belkneps paliecās uz priekšu. – Kāpēc, tavuprāt, tu atnāci šurp?

Andrea juta, ka vaigos saskrien karstums. Mute izkalta.

– Tu atnāci tāpēc, – Belkneps pats uz savu jautājumu atbildēja, – ka tu viņam *nenoticēji*.

Viņa pastiepa roku pēc glāzes, lai iedzertu malku ūdens, bet, sākusi dzert, glāzi iztukšoja.

– Tas mums varbūt ir kopīgs. Intuīcija reizēs, kad viss izskatās kārtībā. Tu noklausījies plašu skaidrojumu, taču nez kāpēc nejūties apmierināta. Tevi kaut kas urda, bet tu nespēj pateikt, kas tas īsti ir. Tevi māc nojauta, ka kaut kas nav tā, kā tam jābūt.

– Lūdzu, neizliecies, ka mani labi pazīsti.

– Es tikai saku to, ko redzu. Patiesību bieži vien ir grūti argumentēt. Kāds tev mēģināja loģiski izskaidrot to, kas zemapziņā tevi moka. Taču intuitīvi tu jūti, ka joprojām neesi pārliecināta. Ja būtu citādi, tu šeit nesēdētu un nemalkotu visā Lejas Manhetenā riebīgāko kafiju.

– Varbūt... – viņa vilcinādamās sacīja, – varbūt es jūtos pateicīga.

– Tu labi saproti, ka man nebūtu tevi jāglābj, ja tu nebūtu ar mani sapinusies.

Andrea pētīja Belknepa seju, mēģinādama iztēloties, kādu iespaidu viņš atstātu, ja šī abiem būtu pirmā tikšanās. Viņa ieraudzītu skarbu, izskatīgu, spēcīgu un, jā, draudzīgu vīrieti. Vingros muskuļus viņš bija attīstījis ikdienas darbā, nevis sporta zālē. Andreai šķita, ka Belknepa muskuļi ir stiegraini un mezglaini, nevis noapaļoti, domāti demonstrēšanai. Viņā jautās gribai pakļauta paškontrole, taču viņš mācēja atslābināties, tiklīdz to vēlējās. Vai viņš bija brutāls? Jā, droši vien. Taču aiz viņa spēka bija nojaušama personība.

– Kāpēc ik reizi, kad es cenšos par tevi domāt labi, – Andrea pēc brīža teica, – tu man to neļauj?

– Iedomājies, ka tu brauc ar vieglu laiviņu pa ezeru, kura ūdeņi ir tumši un dziļi. Tev pulas iestāstīt, ka tajā ezerā dzīvo tikai mazas, skaistas zivtiņas. Taču intuitīvi tu nespēj tam noticēt. Tev šķiet, ka dzelmē mīt kaut kas liels un biedējošs.

– Ezers, – Andrea domīgi atkārtoja. – Teiksim, Inverbrasa ezers. Tātad – ko tu domā? Vai Pols Bānkrofts reanimējis "Inverbrasu"? Vai *viņš* ir Ģenēze?

– Un kā domā tu?

– Es nezinu, ko lai domā.

– Paklausies... tev jātic, ka ikviens viņa vārds ir meli.

– To es nevaru, – Andrea atbildēja. – Tas būtu pārāk vienkārši, taču Pols Bānkrofts nav vienkāršs cilvēks. Manuprāt, daudz kas no viņa teiktā atbilst patiesībai. Tādai patiesībai, kādu, iespējams, mēs nespējam īsti izprast.

– Mēs runājam par cilvēku no miesas un asinīm, nevis par grieķu dievu, – Belkneps aizrādīja.

– Tu nepazīsti šo cilvēku.

– Neaizstāvi viņu tik ļoti. Divdesmit piecus gadus esmu dzinies pakaļ visadiem maitas gabaliem. Īstenībā viņi visi ir diezgan līdzīgi.

Andrea papurināja galvu.

– Viņš nav tāds, ar kādiem tu esi saskāries. Tas tev jāielāgo vispirms.

– Kā tad! Vai tu gribi teikt, ka viņš velk bikses pār galvu? Diez vai.

– Ak, cik asprātīgi, Tod! – Andrea noteica pēkšņa rūgtuma uzplūdā, juzdama, ka nosarkst. Viņa aptvēra, ka pirmo reizi nosaukusi Belknepu vārdā, un nodomāja, vai viņš to ievērojis. – Pols Bānkrofts ir ģeniālākais cilvēks, kādu jebkad esmu sastapusi. Strādādams Padziļināto pētījumu institūtā, viņš tikās ar pasaulslavenām vēsturiskām personībām – Kurtu Gēdelu, Robertu Openheimeru, Frīmenu Daisonu, pat Albertu Einšteinu, velns parāvis! – un viņi sarunājās kā līdzīgs ar līdzīgu. Un viņi bija līdzīgi! – Andrea aprāvās, lai ievilktu elpu. – Varbūt tu esi radis cilvēkus vērtēt pēc savas mērauklas, taču tu nespēj iedomāties, cik muļķīgi skan tavi spriedelējumi par Polu Bānkroftu! – Andreu izbrīnīja degsme, ar kādu viņa Bānkroftu aizstāvēja. Varbūt viņa joprojām cerēja, ka Bānkrofts tomēr attaisnos viņas ticību tā krietnumam un visas viņas bažas un aizdomas, kā izrādīsies, būs nevietā. Taču – ja tas tā nav? Ja nu viņa, vērtēdama Polu Bānkroftu, pieļauj kļūdu?

– Nomierinies, velns lai parauj! – Belkneps viņai uzšņāca. – Kura pusē tu galu galā esi? Tu runā tā, it kā šis Spožais Prāts jau tevi būtu pakļāvis. Acīmredzot viņš zina, kura podziņa jāspaida.

– Tu esi ķerts! – Andrea atcirta. – Vai tu dzirdēji kaut vienu vārdu no tā, ko es tev stāstīju par grupu *Theta*?

– Es dzirdēju visu, un man pār kauliem skrēja šermuļi! Kā tas tev patīk?

– Patīk, jo tas ļauj secināt, ka tu esi saglabājis vismaz attālu saikni ar dzīves īstenību.

Belkneps pietvīka.

– Tu stāsti par ģēniju, kam ir vairāk naudas nekā multiplikācijas filmu varonim Skrūdžam Makdakam un ko apsēdusi murgaina ideja uzlabot visai cilvēcei dzīvi. Tādi ļaudis sēj lielāku postu nekā jebkurš cits noziedznieks, kas noskaņojies darīt ļaunu.

Andrea lēni, pieļāvīgi pamāja ar galvu. Īstenībā doktora Bānkrofta absolūtais utopisms viņu biedēja visvairāk. Belknepa skarbie vārdi bija trāpīgi. Iespaidīgas teorijas un grandiozas ieceres allaž bijušas vēstures dzinējspēks. Tikai uz papīra eksistējošas utopijas vārdā *Sendero Luminoso* kaujinieki noslaktēja tūkstošiem peruāņu, miljoni gāja bojā Kampučijas spaidu darba nometnēs. Ideālisms prasījis ne mazāk upuru kā naids.

– Nespēju iedomāties, ko viņš var pastrādāt, ja izlems, ka mērķis attaisno visu, – Andrea domīgi sacīja.

– Manuprāt, – Belkneps teica, – sarkano līniju viņš jau ir pārkāpis, turklāt krietni sen. Viņš iedomājas pilnveidojam cilvēku sugu, nosakām cilvēces likteni. Jā, būs tieši tā, kā tu teici, – viņš darīs visu, pilnīgi visu, ko saskaņā ar savām teorijām pats var attaisnot.

– Es neticu, ka viņš ir Ģenēze.

– Tev ir uz to tiesības.

– Vai tu domā, ka es maldos?

– Nē, – Belkneps atbildēja, pārlaizdams skatienu ielai. – Domāju, ka tev ir taisnība. Taču, manuprāt, viņš kaut kā iekļaujas kopējā ainā. Katrā ziņā šeit ir kāda saikne – draugs vai ienaidnieks, kolaboracionists vai atriebējs, vai vēl kas pavisam cits. Taču sakarība ir. Iespējams, sarežģīts sakarību tīkls. Un Džeredu Rainhartu šajā līklā ievilināja. Varbūt ar tavu māti notika tas pats.

Andrea nodrebēja.

– Ja mans tēvocis nav Ģenēze... kas tad slēpjas aiz šā vārda?

Belkneps atkal pārlaida skatienu apkārtnei.

– Kad biju Vašingtonā, kāds draugs man pastāstīja par Ģenēzi, – viņš nesteidzīgi iesāka. – Valda uzskata, ka viņš varētu būt no Igaunijas. Magnāts, gangsteris, kas noziedzīgā ceļā valsts rūpniecības uzņēmumu privatizācijas gaitā kļuvis par miljardieri. Turklāt šā cilvēka pārvaldē nonākusi prāva daļa no bijušā padomju militārā arsenāla. Runa ir par vienu no pasaules lielākajiem ieroču tirgoņiem.

– Ieroču tirgonis? – Andreai tas šķita neticami. Viņa bažījās, ka Belkneps īsti nenovērtē pretinieku.

– Mēs runājam par cilvēku, kura taustekļi aptver visu pasauli. Cilvēku ar globālu tvērienu un globāliem mērķiem. Viņa darbībai nav valstu robežu tāpat kā putniem debesīs un zivīm ūdenī. Vai var iedomāties ideālāku darbalauku? Lūk, mūsu Ģenēze.

– Un grupa *Theta*? Varbūt tev jāpajautā savai draudzenei, kā šajā shēmā iekļaujas grupa *Theta*?

Belkneps izskatījās tāds, it kā būtu saņēmis pļauku.

– Tas nav iespējams, – smagi nopūties, viņš paskaidroja. – Viņu nogalināja manā acu priekšā.

– Ak Dievs! – Andrea klusi nomurmināja. – Man ļoti žēl.

– Kāds reiz to patiešām nožēlos. – Belknepa balss bija stindzinoši salta.

– Ģenēze.

Viņš tikko manāmi pamāja ar galvu.

– Iespējams, grupa *Theta* mēģina viņu izstumt no spēles. Varbūt tieši otrādi – viņi grib apvienot pūliņus. Kas, sasodīts, to lai zina? Taču pēdas tam nelietim es sadzīšu. Jo man jāzina, kur atrodas Džereds Rainharts. Agri vai vēlu es sagrābšu to briesmoni aiz rīkles un, ja man nepatiks tas, ko izdzirdēšu, apgriezīšu viņam kaklu kā cālim.

Belkneps pastiepa uz priekšu savas spēcīgās rokas, izteiksmīgi saliekdams pirkstus.

– Drīzāk kā dinozauram.

– Vienalga. Visiem mugurkaulniekiem ir kakls.

– Igaunija ir ļoti tālu, – Andrea sacīja.

– Ģenēzei ir intereses visā pasaulē. Tāpat kā Bānkrofta fondam. Šis apstāklis, iespējams, viņus padarījis par dabiskiem sabiedrotajiem. Vai par sāncenšiem.

– Vai tu domā, ka Ģenēzei ir sabiedrotie starp fonda darbiniekiem?

– Manuprāt, iespējams tas ir. Labāk par to varēšu spriest, kad atgriezīšos no Igaunijas.

– Tu man par to pastāstīsi, vai ne?

– Protams, – viņš atbildēja. – Bet līdz tam centies turēties tālāk no jebkādiem operatīvajiem darbiniekiem. Mēs radām tikai nepatikšanas.

– To esmu ievērojusi. Taču es pati grasos nodarboties ar okšķerēšanu. Nesen runāju ar kādu draugu, kurš strādā Nodokļu un finanšu pārvaldē Ņujorkā.

– Kam savukārt ir draugi?

– Fonds reģistrēts Ņujorkā, tāpēc es iedomājos, ka tajā pārvaldē fondam jākārto lielākā daļa dokumentu.

Belkneps no jauna pastaipīja uz visām pusēm kaklu, nopētīdams, vai nav redzams kas neparasts. Vai viņš kaut ko ievēroja?

– Un? – viņš steidzināja.

– Nekādai zelta dzīslai es neuzdūros, taču mans draugs pastāstīja, ka noliktavā glabājoties dokumenti, kas aptver informāciju par vairākiem desmitiem gadu.

– Noliktavā?

– Tie atrodoties īpašā slēgtā glabātavā kalnos Rozendeilā, Ņujorkas štatā, – Andrea atbildēja.

– Nu un? Viltus ziņojumi tiek sacerēti ik uz soļa.

– Piekrītu. Taču runa ir par privātu organizāciju, ko ik pa laikam rūpīgi pārbauda auditori. Manuprāt, tajā noliktavā glabājas autentiski dokumenti un to informācija atbilst patiesībai. Iespējams, tajos nav visa patiesība, taču es tur varētu uziet pietiekami daudz ziņu, lai man vismaz būtu, ar ko sākt.

Viesmīle atnesa divus šķīvjus, kuros bija īpašās franču maizītes, ko Belkneps pasūtīja.

– Atvainojiet, ka jums vajadzēja gaidīt tik ilgi, – viņa sacīja. – Denijs devās pāri ielai uz veikalu pēc siera. Viņš negribēja jūs pievilt.

– Benijs ne reizi nav mani pievīlis, – Belkneps piezīmēja.

– Viņa domā, ka tu esi kruķis, vai ne? – Andrea apjautājās, kad viesmīle bija aizgājusi.

– Viņa domā, ka esmu kruķis, taču nesaprot, kāds. Varbut izmeklētājs no FIB? Nekad neesmu centies viņas neziņu kliedēt, jo šajā iestādījumā pret kruķiem izturas labvēlīgi.

– Droši vien viņiem nav nekas slēpjams.

– Vai arī ir.

– Tātad Dags man palīdzēs iekļūt Rozendeilas noliktavā.

– Ak, šis nepatīkamais darbs ar papīriem...

– Kaut kur fonda pagātnē jābūt spraugai. Iespējai. Pavedienam. Kādai vājai vietai, ko varētu izmantot. Jebkam. Kaut kam taču jābūt!

– Jā, grāmatās un filmās tā mēdz būt. Reālajā dzīvē tā parasti nav. Man nepatīk būt tam, kas atver tev acis. Rakstnieka iztēle ir viens, bet dzīve – pavisam kas cits.

Andrea papurināja galvu.

– Manuprāt, mēs ikviens savu dzīvi saceram. Mēs taču to veidojam tādu, kādu esam iztēlojušies. Tu jautā, kas es esmu, un es tev pastāstu savu stāstu. Par katru ir savs stāsts, turklāt to var mainīt. Biju izdomājusi stāstu par savu māti, bet, kad šis stāsts sāk irt, man jādomā cits. Tev ir stāsts par Džeredu Rainhartu, par to, ko viņš tavā labā darījis, un no šā stāsta izriet, ka tev viņš jāglābj, pat ja tas maksātu tavu dzīvību. Stāsta izvērsumam iespējami dažādi varianti, un īsto mēs zināsim tikai tad, kad tas būs izdzīvots un pieredzēts.

– Vai tev nešķiet, ka esi pārāk ilgi sēdējusi skolas solā? – Belkneps uzjautrināts viņu uzlūkoja. – Džeredam Rainhartam esmu parādā dzīvību. Pietiktu, ja tu pasacītu vienīgi to. Kāpēc tu centies visu sarežģīt? – Viņš stingri palūkojās uz Andreu. – Labāk nobaudi franču maizīti.

– Kāpēc? *Es* to nepasūtīju. Vīrieši vienmēr tā izturas. Uztiepj savu gaumi ēdienā. – Viņa samirkšķināja acis. – Ak kungs, es *patiešām* izklausos pēc muļķa vidusskolnieces!

Belkneps piepeši saspringa.

– Laiks doties prom.

– Kas vēl nebūs! – Andrea iesaucās. Ieraudzīdama galda biedra sejas izteiksmi, viņa juta, ka pār muguru pārskrien vēsas trīsas.

– *Federal Express* puisis ielas viņā pusē, – Belkneps sakostiem zobiem paskaidroja. – Piegādā sūtījumu.

273

– Nu un kas?

– Nepareizā laikā. *FedEx* nepiegādā sūtījumus pulksten čet-
ros dienā. – Nolicis uz galda naudu par ēdienu, viņš piecēlās.
– Iesim!

Plati uzsmaidījis viesmīlei, Belkneps pa dienesta durvīm de-
vās uz virtuvi, no kuras izgāja nelielā, bruģētā pagalmiņā, kur
bija sakrautas tukšas taras kastes. No pagalma viņi nokļuva šau-
rā ieliņā, tad aizspraucās garām atkritumu konteineriem un no-
nāca nākamajā ielā. Kvartāla beigās Belkneps atskatījās. Izska-
tīdamies mierīgs, viņš noliecās un atslēdza tumšzaļas *Mercury*
durvis.

– Kāp iekšā, – viņš mudināja.

Pēc brīža viņi nogriezās un vēl pēc dažiem pagriezieniem
iekļāvās Veststrītas satiksmes plūsmā.

– Tu biji novietojis automašīnu pie ugunsdzēsības hidranta, –
Andrea beidzot sacīja.

– Jā.

– Kā tu varēji zināt, ka tai nepiespraudīs soda talonu vai ne-
aizvilks uz policijas stāvvietu?

– Tu neievēroji grāmatiņu ar soda kvītīm uz priekšējā paneļa.
Municipalitātes policists to ievēro uzreiz. Tāda grāmatiņa nozī-
mē, ka tā ir kruķa mašīna, un to liek mierā.

– Vai šī patiešām ir policijas mašīna?

– Nē, un tā nav īsta kvīšu grāmatiņa. Taču tā palīdz. – Viņš
paskatījās uz Andreu. – Kā tu jūties?

– Viss kārtībā. Izbeidz man to jautāt.

– Kā tad! Kāpēc gan tev uzreiz nepateikt: "Esmu sieviete, es-
mu spēks!"? Es sapratu. Tu esi stipra. Tu esi neuzvarama. Tu esi
sieviete.

– Labi, pateikšu, kā jūtos. Esmu nobijusies. Kā gan, pie velna,
taviem draudziņiem izdevies...?

– Domāju, ka tie nav mani draudziņi. Tie ir tavējie.

– Ko?

– Nav nekādu pazīmju, ka tie būtu mūsu puiši. Vairāk izskatī-
jās pēc parastas novērošanas. Turklāt mūsējie būtu izmantojuši
ASV pasta piegādes furgonu.

– Tātad ko tu par to saki?

– Man šķiet, ka pēc tavas viesošanās Bruņrupuču ceļa pirma-
jā namā tavi kolēģi nolēmuši tevi pieskatīt. Nevardarbīga novēro-
šana. Lai novērstu neprognozētas situācijas.

– Es biju piesardzīga, – Andrea iebilda. – Es turēju acis vaļā. Nesaprotu, kā viņi varēja mani izsekot.

– Viņi ir profesionāļi. Tu tāda neesi.

Andrea pietvīka.

– Piedod.

– Tu neesi vainīga. Gluži vienkārši dzīvo un mācies. Vai, pareizāk, mācies un dzīvo. Tātad tu gribi doties uz Rozendeilu?

– Jā. Grasījos pārnakšņot tuvējā viesnīcā.

– Es tevi turp aizvedīšu.

– Tas ir divu stundu brauciens, – viņa brīdināja.

Belkneps paraustīja plecus.

– Automašīnā ir radio, – viņš sacīja.

Taču, braukdami uz ziemeļiem pa Majora Dīgana ātrgaitas maģistrāli, kas ir 87. starpštatu autostrādes daļa, viņi to ne reizi neieslēdza. Viņu braucamais ne ar ko neizcēlās, un Belkneps apgalvoja, ka neviens viņiem neseko, bet Andrea pūlējās sevi pārliecināt, ka nevienam nav nekāda iemesla interesēties, kurp viņi dodas.

– Vakar mūs varēja nogalināt, – Andrea teica, kad viņš jau kādu desmito reizi ieskatījās atpakaļskata spogulī. – Tas ir muļķīgi, bet nespēju par to nedomāt. Mēs varējām nomirt.

– Nesaki tā, – Belkneps drūmi aizrādīja.

Andrea palūkojās uz viņu, atkal mēģinādama tikt skaidrībā, kāds ir šis cilvēks. Viņš bija veidots no muskuļiem un niknuma, viņa sejā tikko jaušami ik pa laikam atblāzmoja gan vilšanās, gan dusmu ēnas. Viņam bija gari, spēcīgi pirksti un īsi apgriezti nagi – rokas, kuras daudz ko pieredzējušas un droši vien ne reizi vien spriedušas sodu. Viņš bija cietsirdīgs, izveicīgs un viltīgs... un viņam piemita asa uztvere, ko iepriekš Andrea nebija ievērojusi. Viņš bija kalsns, skarbs un dzīves notrulināts. Kā viņu dēvēja – par Dzinējsuni? Andrea manīja, ka viņam patiešām piemīt sunim raksturīgs niknums.

– Kā tas īsti ir? Tu jūti nāves tuvo elpu, redzi pļāvēja izkapts ļauno spīdumu. Bet ko tu tādās reizēs domā? "Kāpēc gan ne? Man patīk tāda dzīve." Vai arī tu domā ko citu?

Belkneps pagrieza pret viņu seju.

– Es nedomāju neko.

– Neko.

– Jā. Tā ir mana un man līdzīgu puišu panākumu atslēga. Nedomāt par daudz.

275

Andrea apklusa. Galu galā viņš nekandidē uz dalību Ņujorkas viesnīcas *Algonquin* "Apaļajā galdā". Viņa slepus paraudzījās uz Belknepu vēlreiz, manīdama, kā krekla audums tam apspīlē augšdelmu, un nopētīdama apskrāpētās plaukstas, kas nevērīgi bija apķļāvušas stūri. Andrea laiski prātoja, kādu iespaidu viņš atstātu uz Brentu Fārliju. Ieraugot muskuļoto aģentu, Brenta nāsis nicinājumā ieplestos, un brīdī, kad sasveicinādamies Belkneps viņa roku paspiestu pārāk spēcīgi, viņš aiz nepatikas saviebtos. Andrea, to iedomādamās, pasmaidīja.

– Kas nu? – Belkneps noprasīja.

– Nekas, – viņa pārāk ātri atbildēja.

Ko Belkneps domā par viņu? Ka viņa ir nepatikšanās iekūlusies, izlutināta Konektikutas jaunkundze? Pārgudra aspirante, kas labprāt pakavētos *Birkenstock* sandaļu veikalā?

– Vai zini, – pēc brīža viņa teica, – es īstenībā neesmu Bānkrofta.

– Tu jau man to sacīji.

– Mana māte... viņa gribēja mani no tā visa pasargāt. Viņa bija cietusi sāpes un nevēlējās, lai kāds sāpinātu mani arī. Taču piederībā pie Bānkroftiem bija kas tāds, ko viņa uzskatīja par ļoti vērtīgu. To es nekad nesapratu. Fonds viņai daudz ko nozīmēja. Žēl, ka mēs par to nekad nerunājām.

Belkneps pamāja ar galvu, taču neko neteica.

Viņa ietērpa savas domas un šaubas vārdos, nebūdama pārliecināta, vai Belkneps vispār klausās un, ja klausās, vai uztver viņas teiktā jēgu. Viņš klusēdams vēroja ceļu, tikai paretam kaut ko pajautādams, vai piebilzdams. Katrā ziņā tas bija mazliet labāk nekā sarunāties pašai ar sevi.

– Pols teica, ka mīlējis manu māti. "Savā ziņā," kā viņš sacīja. Domāju, ka viņš patiešām to mīlēja. Viņa bija skaista, un viņas skaistums bija īsts, nevis porcelāna lelles skaistums. Viņa bija dzīvības pilna. Ne pārāk godbijīga, reizēm jocīga, reizēm par daudz strauja. Un reizēm nomākta.

– Dzeršana.

– Man šķiet, ka viņa tika ar to galā. Visas nelaimes sākās ar Reinoldu. Taču apmēram gadu pēc abu šķiršanās viņa deva solījumu, apņēmās... Ar to dzeršana beidzās. Pēc tam es neredzēju, ka viņa dzertu. Kaut gan... ir daudz kas tāds, ko es par viņu nezinu. Man gribētos viņu iztaujāt... – Juzdama acīs miklumu, Andrea sāka tās mirkšķināt, cenzdamās asaras apvaldīt.

276

Belkneps veltīja viņai neizdibināmu skatienu.

– Reizēm jautājumi ir svarīgāki par atbildēm.

– Vai tev kādreiz ir bail? – Kad Belkneps atkal paraudzījās uz viņu tikpat neizteiksmīgi, viņa turpināja: – Es gribu zināt. Patiešām.

– Visi dzīvnieki jūt bailes, – Belkneps teica. – Vai tā būtu pele vai burunduks, cūka vai lapsa. Vai viņi domā? Par to varētu palauzīt galvu. Vai viņi mēdz kautrēties? Domāju, ka ne. Vai viņi smejas? Šaubos. Vai viņi palaikam priecājas? Kas to lai zina? Taču vienu var teikt droši – bailes tie pazīst labi.

– Jā.

– Bailes ir gluži kā sāpes. Sāpēm ir jēga, kad tās mūs brīdina, ka esam pieskārušies kaut kam karstam vai asam. Taču, ja sāpes ir hroniskas, ja tās gluži vienkārši baro sevi, no tām nav nekāda labuma. Tās padara mūs nespējīgus rīkoties. Bailes var izglābt dzīvību, un bailes var izpostīt dzīvi.

Andrea lēni pamāja.

– Nākamais pagrieziens, – pēc kāda brīža viņa paziņoja.

Pavisam drīz viņi piebrauca pie viesnīcas *Clear Creek*, kur Andrea bija rezervējusi numuru. Pēkšņi viņa kā apstulbusi sāka mirkšķināt acis, juzdama, ka sirds pamirst. Autostāvvietā, atspiedies pret kādu mašīnu, stāvēja bezvārda vīrs no Bānkrofta fonda.

Ak kungs, nē! Andreas kaklu aizžņaudza bailes, bet krūtīs modās aizvainojums un dusmas. Viņa aptvēra, ka viņu grib iebiedēt, un tas izraisīja sašutumu.

– Neapstājies, brauc atpakaļ, – Andrea teica nosvērtā balsī. Jā, viņai ir bail, bet šis tips to neredzēs. Viņa *neļaus* sevi iebiedēt. Māte bija pelnījusi ko vairāk. Velns parāvis, viņa bija pelnījusi ko vairāk!

Belkneps nevilcinādamies paklausīja. Kad viņi bija atgriezušies uz šosejas, Belkneps pievērsa viņai jautājošu skatienu.

– Es ieraudzīju pazīstamu cilvēku.

– Tikai nesaki man, ka tu rezervēji numuru uz sava vārda, – Belkneps sacīja.

– Nē, nē... es izmantoju mātes pirmslaulības uzvārdu. – Nepabeigusi teikumu, Andrea jau saprata savu muļķīgo kļūdu.

– It kā *tas* viņus varētu maldināt. Reģistratūrā tu droši vien pasniedzi savu kredītkarti.

– Ak Dievs! Es nepadomāju...

– Jēziņ, sieviete! – Belkneps novilka. – To visu jau esam piedzīvojuši. Vai tu beidzot ieklausīsies veselajā saprātā?

Andrea ar pirkstiem berzēja deniņus.

– Es sēžu automašīnā kopā ar cilvēku, kurš, iespējams, ir bīstams valsts ienaidnieks, ar cilvēku, kuru mēģina aizturēt Amerikas Savienoto Valstu tiesību aizsardzības iestādes. Kāda šeit var būt runa par manu veselo saprātu?

– Pietiek! – Belkneps zemā balsī noņurdēja.

– Un nepārkāp patriarhālo klusēšanas ediktu? Nekad! – Andrea viņam piebalsoja.

– Vai gribi noklausīties prāta apskaidrošanas lekciju? Esi tik laba. Man žēl, ka tu esi sapinusies ar mani. Tev labāka sabiedrotā būtu Simona de Bovuāra. Žēl, ka viņas nav tuvumā.

– Simona de Bovuāra?

– Viņa ir...

– Es zinu, ka viņa ir rakstniece. Brīnos, ka tu to zini.

– Brīvajā laikā, kad nelasu pistoles *SIG-Sauer* lietošanas instrukciju... – Viņš paraustīja platos plecus.

– Ak, vienalga... Paklausies, es tikai... sasodīts, es nezinu, ko lai saka. Es neko nesaprotu.

– Beidzot tu pateici kaut ko pareizu. – Belkneps no jostai piestiprināta futrāļa izvilka iegarenu priekšmetu. Kad Andrea sarāvās, viņš atkal tai uzmeta skatienu. Viņš bija izņēmis mobilo tālruni.

Tods Belkneps piezvanīja uz viesnīcu *Clear Creek*.

– Es zvanu mis Perijas uzdevumā, – viņš sacīja nedaudz iztapīgā balsī. – Jā, jā, es zinu, ka viņa vēl nav ieradusies. Viņa lūdza mani jūs brīdināt, ka aizkavēsies un atbrauks ļoti vēlu. Aptuveni vienos naktī. Vai jūs varat saglabāt viņai numuru? Jā? Pateicos! – Viņš nospieda sarunas beigu taustiņu.

Andreai uz mēles bija jautājums, kāpēc viņš zvanīja, taču pamazām viņai atausa tādas rīcības jēga. Būs labāk, ja persona, kas viņu viesnīcā gaida, uzkavēsies pēc iespējas ilgāk vietā, kur viņa nekad neieradīsies.

– Vai tā būs labi?

Andrea skumīgi pamāja ar galvu.

– Es saprotu, ka man pie tā jāpierod. Taču Dievs zina, cik ļoti man to negribas.

Skatiens, ar kādu Belkneps viņu uzlūkoja, bija gandrīz līdzjūtīgs. Pēkšņi viņš nogrieza mašīnu no šosejas un stūrēja uz priekšu

278

pa nelielu ceļu, kas drīz beidzās pie apbružāta moteļa. Belkneps pagriezās pret Andreu, un halogēna spuldzes gaisma asi izcēla viņa sturaino zodu un sejas vaibstus, kuros atkal bija tas pats skatiens, kas tikai reģistrēja viņas klātbūtni, it kā viņa būtu instruments, kas tam vajadzīgs darbā.

– Šī ir vieta, kur tu šonakt gulēsi.

– Ja nu te ir blusas...

– No blusām var tikt vaļā. No ložu caurumiem – ne tik vienkārši.

Belkneps pavadīja viņu pie garas letes, aiz kuras uz ķebļa sēdēja reģistrators indietis.

– Kā varu jums palīdzēt? – vīrietis jautāja ar stipru hindi akcentu.

– Mums vajadzīga istaba uz nakti, – Belkneps atbildēja.

– Bez problēmām.

– Lieliski, – Belkneps noteica un ātri turpināja: – Pierakstiet manu vārdu un uzvārdu, lūdzu. Boldisars Čiksenmihālijs. Bol-di-sars Čik-sen-mi-hā-lijs.

Reģistrators pēc pirmajiem burtiem pacēla galvu.

– Piedodiet, es īsti...

Belkneps iedrošinādams viņam uzsmaidīja.

– Neuztraucieties, jūs neesat vienīgais, kam ar to rodas grūtības. Ko lai dara, ungāru izcelsme. Atļaujiet, es uzrakstīšu pats. Ticiet man, esmu jau pie tā pieradis.

Reģistrators negribīgi pagrieza uz viņa pusi viesu reģistrācijas žurnālu. Belkneps izlocītiem burtiem uzrakstīja dīvaino vārdu un uzvārdu.

– Vai četrdesmit trešā istaba? – viņš jautāja, lūkodamies uz atslēgu, kas reģistratoram aiz muguras karājās uz dēļa.

– Jā, taču es varu...

– Ak, neapgrūtiniet sevi! – Belkneps teica. – Pats savulaik esmu bijis viesnīcas pārvaldnieks. – Izvilcis kabatas portfeli, viņš izlikās, ka blakus ailē ieraksta autovadītāja apliecības numuru. Ierakstījis reģistrācijas žurnālā arī ierašanās laiku, viesu skaitu un kredītkartes numuru, Belkneps, jautri pamirkšķinājis, atdeva žurnālu indietim. – Visur viens un tas pats.

– Jā, tā ir, – reģistrators piekrita.

– Mēs maksāsim skaidrā naudā. Astoņdesmit deviņi plus nodoklis ir deviņdesmit seši, komats, piecdesmit septiņi. Noapaļosim uz simtu, ja neiebilstat. – To teicis, viņš noskaitīja uz letes piecas divdesmit dolāru banknotes. – Lūdzu, atvainojiet mūs par nepiedienīgo steigu. Gluži vienkārši mana mīļā sieva tūlīt neizturēs – viņa nevarēja saņemties un izmantot tualeti degvielas uzpildes stacijā. Ja jūs iedotu mums atslēgu...

– Ak Dievs, jau dodu! – Reģistrators pasniedza viņam atslēgu, un Andrea neviļus iztēlojās situāciju, kādu Belkneps tikko bija uzbūris.

Pēc pāris minūtēm viņi bija savā numurā. Satiksmes skaņas uz šosejas atgādināja lietusgāzes trokšņus, kad šaltis viļņveidīgi uzbrāzmo un atslābst. Istabā bija jūtama sasmakušu tabakas dūmu, matu lakas un ķīmisko mazgāšanas līdzekļu smārds.

– Ja man galvā būtu cepure, es to tavā priekšā noņemtu, – Andrea sacīja. – Tu esi viens sasodīts mākslinieks.

– Drīzāk Lerojs Nīmens, nevis Leonardo da Vinči. Es gribu teikt – nepārspīlēsim.

– Tu nebeidz mani pārsteigt. – Andrea ievilka dziļu elpu. Viņa juta šķidro ziepju aromātu, ar kurām Belkneps nomazgāja seju un rokas pēdējā pieturvietā, un Belknepa krekla veļas pulvera smaržu, un šīs nianses mazināja vāji apgaismotās telpas bezpersoniskumu.

– Miljonu mantiniecei nepiemērota vieta, vai ne?

– Es pastāvīgi aizmirstu, ka esmu bagāta mantiniece, – viņa sausi atbildēja. Tā bija taisnība.

– Tā ir labāk, – Belkneps nosvērti teica. – Šī nauda patlaban grupai *Theta* ir kā signāluguns. Viņiem būs zināma katra reize, kad tu izņem kādu summu no konta, un tādējādi būs arī skaidrs, kur tajā brīdī tu atrodies. Pavisam cita lieta būtu, ja tava nauda atrastos kodētā kontā Lihtenšteinas bankā. Tāpēc līdz brīdim, kamēr viss noskaidrosies, uzskati savu kontu par radioaktīvu.

– Par galveno ļaunuma sakni. Es sapratu.

– Es nejokoju, Andrea.

– Es taču teicu, ka sapratu, – Andrea atbildēja. Viņas tonī bija tikko jaušams īgnums. Viņa neskatījās Belknepam acīs. – Un ko tagad? Droši vien atpūtināsi kājas? Uzkavēsies, pirms trauksies uz mašīnu un dosies ceļā? – Viņas izjūtas bija tik pretrunīgas! Andrea zināja, ka blakus Belknepam viņa pakļauj sevi briesmām, bet tajā pašā laikā Belknepa tuvumā viņa jutās drošībā.

Belkneps viņas uzaicinājumā saklausīja sarkasmu.

– Vai tas ir tas, no kā tu visvairāk baidies? – Aģents nogrozīja galvu. – Neuztraucies. Es jau aizeju.

No kā tad es baidos, viņai ienāca prātā. Vai viņa maz to zināja? Un ko viņš ar to gribēja teikt?

Belkneps izgāja pa durvīm, bet tad pagriezās atpakaļ. Viņa tumšpelēkās acis bija nopietnas.

– Ja uzzināsi ko tādu, kas man jāzina, paziņo, tiklīdz tas iespējams. Es darīšu tāpat. Norunāts?

– Norunāts, – Andrea neskanīgā balsī atbildēja.

Durvis aizvērdamās noklikšķēja, un viņa pa logu noraudzījās, kā Belkneps skrien uz mašīnu – viņi bija izlēmuši, ka būs drošāk, ja Andrea no rīta izsauks taksometru. Nez kāpēc viņa jutās tā, it kā būtu kaut ko zaudējusi. Andrea zināja, ka Belkneps ir bīstams cilvēks, ko pavada nepatikšanas, bet viņa tuvums nomierināja. Lai gan tādi prātojumi bija pretrunā ar veselo saprātu, viņa neko sev nevarēja padarīt.

Andrea brīdi domāja par Belknepu, atcerēdamās viņa noskrambāto ādu, neskaitāmās sīkās brūces un elastīgos muskuļus, kas bija jaušami zem krekla, viņa ašās, modrās acis, kas nepārtraukti uzmanīja, vai viņiem kāds neuzglūn. Viņa pēkšņi juta, ka no jauna piezogas bailes, ko Belknepam bija izdevies aizgainīt. Belkneps to spēja. Nākamajā rītā viņa dosies uz arhīvu, kur lielākās briesmas, kādas viņai var draudēt, būs apnikums šķirstīt papīrus. Kas gan vēl viņu var piemeklēt? Nāve zem aktu vāku tūkstošiem?

Labāk liecies gulēt, Andrea nodomāja. *Rīt būs gara diena.*

Pa moteļa logu viņa vēroja, kā Belknepa automašīnas gabarītugunis attālinādamās kļūst aizvien mazākas un mazākas, līdz pārvērtās kniepadatas galviņas lieluma punktiņos.

SEPTIŅPADSMITĀ NODAĻA

Tods Belkneps atradās trīsdesmit tūkstošu pēdu augstumā virs Atlantijas okeāna, taču viņa domas nemitīgi atgriezās pie Andreas Bānkroftas tēla ceļmalas motelī. Iespējams, viņi vairs nekad viens otru neredzēs. Tā būs tikai vēl viena īsa tikšanās viņa dzīvē, kas sastāv no daudzām īsām tikšanās reizēm, dzīvē, kas varbūt bija vētraināka nekā lielākā daļa citu. Aizbraukdams no moteļa, viņš uzreiz neatvēra mašīnas logu, jo salonā joprojām bija jūtams viegls Andreas citrusu smaržu aromāts, un viņš nevēlējās, lai nakts vēsma to izgaisina. Šis aromāts kaut kādā ziņā atvairīja grūtsirdību, kas viņam uzmācās. Belkneps neskaidri juta sirdī mostamies neatbilstošas jūtas pret Andreu Bānkroftu, vienpusējas jūtas, kas bija absolūti nevietā. Tās nebija gaidītas un nespēja viņu iepriecināt – pārāk daudzi cilvēki, kurus viņš ielaida savā dzīvē, bija gājuši bojā. Vardarbība sekoja viņam gluži kā ēna, ar baisu cietsirdību izraudzīdamās tos, ko viņš mīlēja. Kā tāla atbalss viņam prātā atskanēja Ivetas balss: *Kur mīt skaistums, mīt arī nāve.*

Andrea jautāja, vai viņam kādreiz ir bail. Šajā brīdī Belkneps baidījās par viņu.

Miegs, kas beigu beigās guva virsroku, atspirdzinājumu nesniedza. Zemapziņā drūzmējās tēli, kas sākumā bija miglaini, līdz pārvērtās skaidri saskatāmos, izraisīdami gluži reālas izjūtas. Viņš atkal bija Kali, kā šobaltdien izdzīvodams notikumus, kas risinājās pirms desmit gadiem. Skaņas, smaržas, tēli. Bailes.

Operācijas uzdevums bija pārtvert ieroču kravu, kas bija ceļā uz Kolumbijas teroristu karteli, kas savu darbību vērsa pret narkomānijas apkarotājiem. Taču teroristi bija brīdināti – kā izrādījās, viens no informatoriem uzturēja saikni ar abām pusēm. Negaidīti no bezbortu kravas automobiļa kājās pietrūkās vīri ar

282

rokas ložmetējiem, raidīdami 7,82 milimetru ložu kārtas uz amerikāņu slēpni. Neviens tam nebija sagatavojies. Belkneps bija ieņēmis pozīciju parastā, bruņu neaizsargata sedanā, un automašīnu vienā mirklī sacaurumoja straujās šāviņu kārtas.

Pēkšņi kaut kur aiz muguras Belkneps izdzirdēja šāvienu troksni, kādu varēja radīt vienīgi garstobra šaujamierocis. Tie bija rībieni, ko šķīra ne vairāk kā divu sekunžu intervāli, un ložmetēju kārtas aprāvās. Ieskatījies ieplīsušajā atpakaļskata spogulī, viņš redzēja, ka visi četri kolumbiešu bandīti krituši. Četri bruņoti vīri, kas bija apjozušies ar patronsomām, bija nogalināti ar šāvienu galvā.

Vēl nekad klusums nebija sagādājis tādu atvieglojumu.

Belkneps izstiepa kaklu uz ceļa pusi, no kurienes izšķirīgie šāvieni bija raidīti. Uz tumstošās debess fona viņš ieraudzīja slaidu, gandrīz kārnu cilvēku ar snaipera šauteni rokā un tālskati kaklā.

Pollukss.

Viņš tuvojās ātriem, gariem soļiem, acumirklī novērtēja situāciju un tad pagriezās pret draugu.

– Jāatzīstas, man sirds kāpa vai pa muti ārā, – Rainharts teica.

– Iedomājies, kā jutos es, – Belkneps atbildēja, aiz pateicības apmulsis.

– Tu taču arī to redzēji, vai ne? Pārsteidzoši, ko? Dzeltenzaļā tanagra! Esmu pilnīgi pārliecināts, ka tā bija viņa – melni spārni, īss knābis un sarkana galva. Es to redzēju pavisam tuvu! – Viņš pastiepa roku, palīdzēdams Belknepam izrāpties no automobiļa.

– Redzu, draugs, ka tu man netici. Es tev to būtu parādījis, ja vien mūsu kolumbiešu draugi nesaceltu šo traci. Viņi taču iztramdīja visu dzīvo radību! Nesaprotu – ko gan tie cilvēki domā?

Belkneps nenovaldījies iesmējās.

– Ko tu šeit dari, Džered?

Vēlāk Belkneps uzzināja, kas bija atgadījies. Ceļu krustojumā operācijas grupa B bija nogriezusies uz nepareizu pusi un ziņojusi par aizkavēšanos uz Kali mītni. Rainharts, kurš sekoja operācijas gaitai no vietējā konsulāta, nojautis ļaunāko – ka galvenais informators nav kļūdījies nejauši, ka viņš ir nodevējs. Taču tajā brīdī Rainharts, paraustījis plecus, sniedza Belknepam savu skaidrojumu.

– Kur gan citur var sastapt dzeltenzaļo tanagru?

Iznirdams no pussnaudas, Belkneps atvēra acis. Viņš juta vēsa gaisa straumi, kas plūda no sprauslas virs galvas, sataustīja drošības jostu un atcerējās, kur atrodas. Viņš sēdēja lidmašīnā, kas čarterreisā nogādāja kādu Ņujorkas kori uz starptautisku mūzikas festivālu Tallinā, Igaunijā. Tods Belkneps – nē, nu viņš bija Tailers Kūpers, Valsts departamenta darbinieks, – brauca korim līdzi un bija atbildīgs par šo kultūras apmaiņas projektu. Belknepa sens sabiedrotais un bijušais kolēģis Tērtlijs Lidgeits, kas nedaudz pazina kora vadītāju, bija to nokārtojis. Lidgeits norādīja, ka čarterreisus nepārbauda tik rūpīgi kā regulāros starptautiskos pasažieru pārvadātāju reisus, turklāt visu nedēļu, kad Igaunijā risināsies ikgadējais kora mūzikas festivāls, Tallinā pastāvīgi nolaidīsies šādu čarterreisu lidmašīnas. Starp koristiem paklīda baumas, ka, iespējams, Valsts departaments piešķirs korim naudas līdzekļus, īstenodams savu jauno programmu "Pilsoniska sabiedrība un kultūra", tāpēc visiem pret Belknepu jāizturas kā pret kora goda biedru. Tā nu visi pret viņu patiešām bija īpaši laipni, un Belknepam tas patika.

Viņš bija nolēmis strādāt pēc jauniem noteikumiem. Pēc sadursmes Roli, kas varēja beigties ar plāna izgāšanos, viņš kļuva cik vien iespējams piesardzīgs. Vairs nekādu oficiālu valdības dokumentu. Viņš parakņājās savos krājumos un sameklēja dokumentus, kuru autentiskumu noskaidrot nebija iespējams. Tādi dokumenti bija visiem slepenajiem aģentiem, kurus Belkneps pazina, – ne jau tāpēc, ka viņi plānoja kādreiz tos izmantot savtīgos mērķos vai meklēt citā valstī politisku patvērumu. Gluži vienkārši operatīvajiem darbiniekiem tā bija profesionāla nepieciešamība – tāda kā amata slimība. "Tailers Kūpers" bija viena no veiksmīgākajām un slepenākajām Belknepa identitātēm, un šajā reizē viņš bija pārvērties tieši par šo cilvēku.

Belkneps mēģināja iemigt no jauna, taču tas nebija iespējams. Atkal šī ellišķīgā dziedāšana... Tā bija skaļāka par dzinēju troksni.

Kora diriģentam Kelvinam Gārtam uz galvas bija ugunīgu matu ērkulis, ļoti pilnīgas lūpas, smalki veidotas rokas un mazliet zviedzoši smiekli. Turklāt viņam piemita sasodīta tieksme izmantot lidojuma laiku kora mēģinājumiem.

Ja kāds korists mēģināja iebilst, Gārtu piemeklēja tāda nikna sašutuma lēkme, kas nedarītu kaunu pat ģenerālim Patonam.

– Vai jūs vispār apzināties šā brauciena svarīgumu? – viņš sacīja, iedams pa eju starp sēdvietām. – Jūs acīmredzot uzskatāt sevi par koncertturneju veterāniem. Nu protams. Parīze, Monreāla,

Frankfurte, Kaira, Riodežaneiro un tā tālāk. Taču visi šie koncerti bija nieks, mani mīļie, salīdzinājumā ar šo. Tie bija kora dziedāšanas mākslā zemākā līga. Ne vairāk kā iesildīšanās. Taču tagad ir pienākusi *īstā* reize. *Tagad* izšķirsies – būt vai nebūt. Pēc divdesmit četrām stundām jūs klausīsies visa pasaule! Paies gadi, un jūs sapratīsiet, ka šī uzstāšanās bijusi pats nozīmīgākais brīdis jūsu mūžā. Jūs sapratīsiet, ka esat kaut ko paveikuši. Brīdis, kad jūs brīvības akordu pavadījumā piecelsieties kājās, būs neaizmirstams. Jūs *saklausīs*! – Viņa izteiksmīgās rokas šķēla gaisu, izteikdamas to, ko nespēja pateikt vārdi. – Paļaujieties uz mani. Jūs zināt, ka esmu gatavs darīt visu, lai vokālās mākslas nozarē sasniegtu virsotnes. Taču atcerieties – kad runa ir par kora dziedāšanu, igauņiem līdzīgu nav. Kora dziedāšana Igaunijā ir tas pats, kas hokejs Kanādā un futbols Brazīlijā. Igauņi ir apbrīnojami muzikāla tauta. Tātad jums jācenšas, cik spēka. Džamals zina, par ko es runāju. – Gārts pameta sirsnīgu skatienu uz tenoru ar daudzām sīkām bizītēm un zelta gredzenu ausī. – Tallina uzņem lielus un mazus korus no piecdesmit pasaules valstīm. Viņi visi dziedās ar šo, – Gārts pieskārās diafragmai, – un šo. – Viņš pieklauvēja pie sirds. – Viņi dziedās tā, kā vēl nekad nav dziedājuši. Bet es jums teikšu, lūk, ko. Es zinu, uz ko jūs, dāmas un kungi, esat spējīgi. Dažs labs no jums varbūt domā, ka es gluži kā neprātīgs tiecos pēc ideāla. Uz to es jums atbildu – jā, es esmu tirāns, jo man *nav* vienalga. Mēs ierodamies kora dziedāšanas Olimpā. Un visi kopā, – viņa sejā atplauka gaišs smaids, – visi kopā mēs sniegsim brīnišķīgu priekšnesumu. – Gārts notrauca putekli no savas dzeltenbrūnās žaketes.

Kad Belkneps pēc triju stundu miega atkal uznira reālajā pasaulē, diriģents, izvietojis jaunos puišus un meitenes salonā pēc balsīm, joprojām nodarbojās ar to pašu, it kā nebūtu pat uz brīdi aprimis. Izteicis dažus aizrādījumus altiem un basiem, viņš pagriezās pret visiem dziedātājiem.

– Ar-ti-ku-lā-ci-ja, dāmas un kungi! – Gārts sauca. – Un tagad pamēģināsim vēlreiz! Tā galu galā ir mūsu kora himna, tāpēc tai jāskan nevainojami!

Pasažieri uzmanīgi sekoja viņa roku kustībām un tad pēc mājiena sāka:

Mēs apceļojam planētu un apdziedam brīvību,
Un tautu koris zina, ko nozīmē līksmība!

Jo ikviena cilvēka sirdī
Brīvība dzirkstī...

Rosīgais vīrs dzeltenbrūnajā žaketē viņus pārtrauca.
– Nav īsti labi! Astoņdesmit solistu, kas reizē dzied, vēl nav koris. Edam, Melisa, jūs neizjūtat šo vietu! Šai pasāžai jāskan *allargando*. Mēs palēninām tempu, mēs plūstam plašumā – skatieties uz manu labo roku! Amanda, nerauc pieri! Eduardo, kāpēc tu steidzies, ignorēdams takti, it kā es būtu devis norādi uz *affrettando*, uz tempa paātrināšanu? Es tev prasu – kurp tu steidzies? Nākamnedēļ, Eduardo, tu atgriezīsies darbā un stāvēsi aiz letes parfimērijas preču nodaļā veikalā *Saks* Piektajā avēnijā, bet šonedēļ tu pārstāvi Amerikas Savienotās Valstis. Šonedēļ tu pārstāvi *Empire State* kori. Vai es to pateicu pietiekami skaidri? Jums *jālepojas* ar sevi un jādzied tā, lai jūsu valsts lepotos ar jums. Eduardo, tev jādara viss, lai zeme, kas pieņēmusi tevi kā pašas bērnu, varētu lepoties ar tevi. Un tu to izdarīsi. Es tev ticu.
– Pieņēmusi? – aiz vairākām sēdekļu rindām atskanēja neizpratnes pilna balss. – Es esmu dzimis Kvīnsā!
– Kāds brīnumains ceļojums tas droši vien bija! – Gārts turpināja, it kā repliku nebūtu dzirdējis. – Eduardo, tu mūs visus iedvesmo. Ja vēl tu iemācīsies iekļauties vienā taktī ar pārējiem, tu drīz vien dziedāsi pasaules koru dziedāšanas galvaspilsētā. Tāpēc mums vēlreiz jāatkārto Igaunijas valsts himna "Mana Tēvzeme, mana laime un prieks". Neaizmirstiet, ka tā ietilpst arī mūsu programmā. – Viņš nodungoja melodiju. Balss viņam bija griezīga un nepatīkama. *Korus acīmredzot diriģē tie*, Belkneps nodomāja, *kuri nevar dziedāt*. Soprāni iesāka:

> *Mu isamaa, mu õnn ja rõõm,*
> *Kui kaunis oled sa!*
>
> *Mans prieks un mana laimība*
> *Tu esi, Tēvija!*

Belkneps pēkšņi gluži vai pierāvās kājās. Krūtīs strauji dauzījās sirds. Šo maršam līdzīgo melodiju dzērumā dungoja druknais Omānas Princītis. Belkneps centās atcerēties, par ko tajā brīdī bija saruna. Šķiet, par to, ka Ansari vairs neesot kontrolējis savu biznesu, par *jaunu vadību*. Iereibušais omānietis iztēlojās sevi par diriģentu. *Jauns maestro* – kaut ko tādu arī viņš teica.

Ansari tīkls bija nokļuvis kāda igauņa rokās. Turklāt šis igaunis, ja Robinsas paustās izlūkošanas ziņas bija pareizas, jau bija pārņēmis savā ziņā plašu aukstā kara arsenālu. Ģenēze? Vai viens no Ģenēzes varenajiem līdzgaitniekiem?

Es eju pēc tevis, Belkneps drūmi domāja. *Dzinējsuns saodis lavas pēdas.*

Pagāja krietns laiks, pirms slepenais aģents iemiga no jauna.

Kad lidmašīna pēc deviņu stundu lidojuma nolaidās Tallinas lidostā, Kelvins Gārts viņu modinādams iedunkāja.

– Esam nolaidušies, – viņš sacīja. – Šeit būs īsta trako māja. Pats redzēsiet, ka Igaunijas gadskārtējais koru festivāls ir vokālās mākslas olimpiskās spēles. Vai jūs zināt, ka koros dzied lielākā daļa Igaunijas iedzīvotāju? Tas viņiem ir asinīs. Šeit pulcēsies vairāk nekā divsimt tūkstošu dziedātāju, bet Tallinā iedzīvotāji ir aptuveni pusmiljons. Tādējādi pilsēta patiešām piederēs mums, dziedātājiem. Mēs esam *Empire State* koris un nesīsim savu karogu augstu paceltu, – viņš patētiski pabeidza.

Kad Belkneps pievienojās pārējiem rindā pie nedaudzajām muitas un imigrācijas kontroles kabīnēm, viņš redzēja, ka Gārts nav pārspīlējis. Apkārt stāvēja simtiem ārzemnieku, kas tikko bija izkāpuši no pārpildītām lidmašīnām. Daudziem rokās bija nošu lapas, un gandrīz visiem aizrautīgi mirdzēja acis. Belkneps manīja, ka muitnieki nepārtrauktā straumē plūstošos koristus necik rūpīgi nepārbauda. Taileru Kūperu, *Empire State* kora dalībnieku, ielaida valstī pēc pavirši uzmesta acu skatiena viņa pasei.

– Kā par brīnumu, – Kelvins Gārts viņam pastāstīja, pie lidostas izejas pulcinādams kopā savus dziedātājus, – jūsu izmitināšanai mums izdevās izcīnīt vienu numuru viesnīcā *Reval*. Tā atrodas netālu no ostas.

– Esmu jums ļoti pateicīgs, – Belkneps sacīja.

Kad viņi ar autobusu brauca uz viesnīcu, Gārts apsēdās Belknepam līdzās.

– Mēs gribējām apmesties viesnīcā *Mihkli*, taču tur iekārtojušies latvieši, – viņš paskaidroja, kā parasti skaļi un strauji bērdams vārdus. – Es nevēlos uztraukties par to, vai viņi nesēž, piespieduši ausis pie sienām, kad manējie mēģina repertuāru. Jūs nevarat iedomāties, uz kādām blēdībām un viltībām spējīgi šie

Baltijas koristi. Viņi iebērs jums tējā salpetri, ja uzskatīs, ka tādējādi palielinās savas izredzes konkursā. Modrības nekad nevar būt par daudz.

Belkneps nenovērsa skatienu no loga, vērodams ierastas pilsētas nomales būves – degvielas uzpildes stacijas, naftas un gāzes glabātavu cisternas.

– Diez vai viņi patiešām ir tik nekrietni, – viņš noburkšķēja.

Skatam pavērās Tallinas vecpilsēta. Sarkaniem dakstiņiem apjumtu baroka stila māju puduri, baznīcu smailes un sargtorņi ar pulksteņiem, vecais rātsnams un rātslaukums, kafejnīcas ar zilām vai sarkanām markīzēm. Pa bruģī iebūvētām sliedēm garām aizsteidzās zils tramvajs. Pie kāda bāra durvīm bija redzams ap kātu aptinies britu karogs. Izkārtne vēstīja *NIMETA BAAR* – bārs bez vārda –, bet kursīvā uz spoguļstikla angļu valodā bija uzraksts *Jack Lives Here**, kas skaidri vēstīja, kāda publika šeit īpaši gaidīta. Vai anglofilijas iezīme? Straujas attīstības reģioniem raksturīgs fenomens – ilgas pēc kaut kā idealizēta.

– Tailer, jūs pat iedomāties nevarat, – Gārts žestikulēdams turpināja savā nazālajā balsī. – Mūzikas pasaulē, tāpat kā visur, ir savas ēnas puses. Esmu dzirdējis tādas lietas... jūs būtu satriekts.

Meitene, kas sēdēja viņiem aiz muguras, piecēlās un pārsēdās pie draudzenes pāris rindu tālāk. Belknepam iešāvās prātā, ka Gārta balss viņai izraisa galvassāpes, sevišķi pēc nogurdinoša lidojuma.

– Patiešām? – Belkneps pārjautāja.

– Nudien, reizēm ir labāk nezināt, uz ko cilvēki spējīgi. Taču man saviem ļaudīm jāmāca būt piesardzīgiem. Man nepatīk izturēties kā perētājai vistai, taču likmes ir augstas, saprotiet, likmes ir ļoti augstas!

Belkneps drūmi pamāja ar galvu. Gārta balsī bija kaut kas tāds, ka viņam radās aizdomas, vai tikai kormeistars viņu nemuļķo.

– Kā jau teicu, esmu ļoti pateicīgs, ka iekārtojāt mani viesnīcā. Vienatnē man būs iespēja pārdomāt kultūras apmaiņas jautājumus...

Gārts vispirms palūkojās apkārt un tad atbildēja.

– Tērtlijs lūdza mani darīt jūsu labā visu iespējamo, – viņš klusi sacīja. Viņa balss skanēja gluži citādi, bez stieptiem patskaņiem un pārspīlēta saviļņojuma, rokas bija mierīgas un seja – neizdibināma. Tāda pārmaiņa Belknepu pārsteidza.

---

* *Burt.*: Džeks mājo šeit.

– Es māku to novērtēt.

Gārts pieliecās viņam tuvāk, it kā vērsdams uzmanību uz kādu pilsētas ainavas iezīmi.

– Nezinu, kādi ir jūsu plāni, un negribu to zināt, – viņš sacīja klusā, piesmakušā balsī, – bet šo to paturiet prātā. Kā jau esat nojautis, Igaunijas izlūkdienestu izveidoja un organizēja Padomes. Mūsdienās tas ir uzvelkamais pulkstenis bez atslēgas. Nepietiekami finansēts, nepietiekami nodrošināts ar kadriem. Jums jāpiesargās no *KaPo*, Valsts drošības policijas. To finansē labāk, un tā ir agresīvāka. Turieties no tās pa gabalu.

– Sapratu. – Belkneps jutās izbrīnījies. Kora diriģents, kas ceļo pa visu pasauli. Ideāls aizsegs. Bet kādā nolūkā? Lidgeits par to viņam nebija bildis ne pušplēsta vārda, taču Belkneps atbildi nojauta. Viņš zināja, ka daļa pensionēto izlūku sniedz pakalpojumus korporatīviem klientiem, bruģēdami firmām un kompānijām ceļu uz filiāļu un meitasuzņēmumu dibināšanu tajos pasaules reģionos, kur likuma vara vēl nav galvenā. Reģionos, kur lieti noder tāda pieredzējuša izlūka palīdzība, kurš pārzina vietējos apstākļus. Uz faktu, ka atvaļinātie darbinieki veido sev tamlīdzīgu karjeru, izlūkdienestu vadītāji raudzījās caur pirkstiem, ja vien netika pārkāptas robežas. – Sapratu, – Belkneps atkārtoja.

– Ielāgojiet vēl ko. – Gārta balss joprojām bija klusa, bet acis kļuvušas dzedras. – Ja svilsiet, pie manis nenāciet. Es jūs nepazīšu.

Belkneps, drūmi pamājis ar galvu, aizgriezās un atkal lūkojās ārā pa logu. Debesis bija spilgti zilas. Pēc saules gaismas noilgojušies ļaudis staigāja pa ielām, alkaini tverdami siltos starus, it kā vēlēdamies tos uzkrāt un izmantot pa mazumiņam garajos ziemas mēnešos. Visapkārt bija skaistums, garīgums un vēsture. Taču garie, nomācošie ziemas mēneši šajā valstī bija ideāls inkubators nāves tirgoņiem, kas, tumsā uzkrājuši spēkus, guva peļņu no divām cilvēka dabā neizskaužamām īpašībām – vardarbības un mantkārības.

Pustumšo istabu nedaudz izgaismoja vienīgi datora monitora ekrāns. Veikli pirksti klusi klikšķināja taustiņus. Burti un cipari, ko pirksti veidoja uz tastatūras, ņirbēdami plūda pa ekrānu un nozuda šifrētos, neparasti sarežģītos algoritmos, kas kaut kur tālās zemēs, tālu adresātu datoros no jauna pārveidosies. Ziņojumi tika nosūtīti un saņemti, rīkojumi – nosūtīti un apstiprināti.

Digitāli norādījumi pārvietoja naudu no viena šifrēta konta uz citu, laizdami darbā vienus līdzekļus, kas laida darbā citus līdzekļus, kuri laida darbā vēl citus līdzekļus.

Çenēze vēlreiz apcerēja vienkāršos funkcionālo taustiņu apzīmējumus – *CONTROL, COMMAND.*

OPTION. Un, protams, *SHIFT.*

Vadība, komanda, papildiespēja un pārbīde.

Lai grozītu vēstures kursu, ar vienu tastatūras taustiņa piesitienu būtu par maz. Taču ar taustiņu nospiešanu pareizā secībā, pareizu taustiņu nospiešanu pareizā laikā to varētu panākt.

Lai par to pārliecinātos, vajadzīgs laiks. Ļoti ilgs laiks. Patiešām ļoti, ļoti ilgs laiks.

Varbūt pat septiņdesmit divas stundas.

Vairāk nekā četrdesmit procentu Tallinas iedzīvotāju bija krievi – tāds bija impērijas atstātais mantojums. Krievi sastopami ne vien priviliģētās šķirās, bet arī sabiedrības zemākajos slāņos. Etniskie krievi bija panki ar mohikāņu stila matu sakārtojumu un saspraužamām adatām vaigos, viesmīļi restorānos un nesēji dzelzceļa stacijā, ierēdņi un uzņēmēji. Daudzi šejienes krievi bija kādreizējie "aparatčiki", kas Igauniju reiz uzskatījuši par Krievijas impērijai likumīgi piederošu gleznainu provinci. Daļa no viņiem bija agrākie *KGB* darbinieki – ar vienu tādu Belkneps posās tikties –, kuri savulaik dienējuši Tallinā un atvaļināšanas brīdī izlēmuši, ka palikšana šajā pilsētā ir labākā no iespējamām alternatīvām.

Genādijs Čakvetadze bija dzimis Gruzijā, taču uzaudzis lielākoties Maskavā. Divdesmit gadu viņš strādāja *KGB* Tallinas nodaļā, bet nu bija pensijā. Savu karjeru viņš sāka garlaicīgā papīru darbā, šķirodams pastu, kā jau pienācās tādam, kurš divus gadus nomācījies provinces tehnikumā un kuram nebija pazīšanās nomenklatūras aprindās. Čakvetadzem bija parupji, zemnieciski vaibsti – gaļīgs deguns, neizteiksmīgi vaigu kauli, mazas, tālu viena no otras izvietotas acis un bedrīte zodā. Taču tikai muļķi, spriezdami pēc robustajām manierēm un necilā ārējā izskata, viņu novērtēja par zemu. Pasta šķirošanas darbā viņš ilgi neuzkavējās.

Kad Belkneps ar viņu sastapās pirmo reizi, abi atradās lielās ģeopolitiskās ūdensšķirtnes – aukstā kara – pretējās pusēs. Taču arī toreiz lielvalstīm bija kopēji ienaidnieki – terorisms un dažādas sacelšanās kustības, ko vadīja tie, kuri ienīda tālaika pasaules kārtību. Belkneps meklēja kādu padomju ieroču izgudrotāju ar segvārdu *Pošlostj*, jo šis zinātnieks melnajā tirgū pārdeva informāciju Lībijai un citiem aizliegtiem klientiem. Amerikāņi nezināja viņa vārdu, viņu rīcībā bija tikai šifrēta leģenda, taču Belknepam iešāvās prātā doma sekot Lībijas delegācijai un atbraukt uz zinātnisku konferenci Paldiskos, kūrortpilsētā, kas atrodas trīsdesmit jūdžu uz rietumiem no Tallinas. Šeit Belkneps fiksēja padomju fiziķa Dmitrija Barašenkova tikšanos ar cilvēku, kurā pēc fotogrāfiju kataloga pazina Lībijas izlūkdienesta *Mukhabarat* līdzstrādnieku. Kamēr ritēja paneļdiskusija, kurā Barašenkovs piedalījās, Belkneps iekļuva fiziķa viesnīcas numurā – konferences dalībnieki bija izmitināti sagrabējušā sanatorijā – un to ātri pārmeklēja. Ar viņa atradumiem pietika, lai aizdomas apstiprinātos. Kad, pametis numuru, viņš gāja pa dzintardzeltenām un baltām flīzēm klāto noplukušo gaiteni, viņu apturēja *KGB* darbinieks ar zemnieka seju, kurā bija sastingusi noguruma izteiksme, – Genādijs Čakvetadze. Vēlāk Belkneps aptvēra, ka viņš varēja ierasties viesnīcā kopā ar daudzskaitlīgu svītu, taču, lai neradītu draudzīgu iespaidu, atnāca viens. Padomēm *Pošlostj* bija apgrūtinājums – savējais, kas, aizklīdis ārpus rezervāta robežām, slēdza neatkarīgus darījumus, uzspļaudams valsts politikas prioritātēm un oficiālajai diplomātijai. Jau vairāk nekā divus gadus *KGB* neveiksmīgi dzina viņam pēdas, un tāds fakts šai iestādei neglaimoja. Pazemojošs bija arī veids, kādā tai galu galā izdevās viņu notvert.

– Vai manā priekšā ir misters Reifs Kogans, Renslera Politehniskā institūta zinātniskais administrators? – Čakvetadze viņam jautāja.

Belkneps paraudzījās uz viņu ar neizpratni.

– Genādijs Ivanovičs Čakvetadze, – gruzīns stādījās priekšā. – Jūs varat saukt mani par Genādiju. – Viņš pasmaidīja. – Protams, ja es drīkstu jūs uzrunāt par Todu. Man šķiet, ka īstenībā mēs esam kolēģi. Ja jau jūs esat RPI administrators, es strādāju Kijevas Gāzes pārstrādes uzņēmumā. – Čakvetadze apņēma Belknepu ap pleciem, un amerikānis saspringa.

– Vai drīkstu jums izteikt pateicību? Padomju tautas vārdā.

– Man nav ne jausmas, par ko jūs runājat, – Belkneps atbildēja.

– Nāciet, iedzersim vestibilā tēju, – *KGB* vīrs aicināja. Viņš izskatījās nevīžīgs – lēto tumšzilo žaketi, kam pogas gandrīz sprāga

291

vaļā, izspīlēja prāvs vēders, īsā kaklasaite bija sagriezusies uz vienu pusi. – Sakiet, vai jums kādreiz ir gadījies piedalīties mežacūku medībās? Manā dzimtajā Gruzijā tā ir iemīļota izklaide. Lai medītu mežacūkas, vajadzīgi dzinējsuņi. Vismaz divu tipu suņi. Dzinējsuņi, kas spēj sajust mežacūkas smaku un to izsekot. Taču, kad dzīvnieks atklāts, nepieciešami suņi vajāšanai. Tāds suns ieķeras ar ilkņiem mežacūkai purnā un nelaiž to vaļā. Jūs teiksiet, ka tam liela māka nav vajadzīga? Neapšaubāmi, jums taisnība. Taču tāds suns ir neaizstājams.

Abi kopā devās lejup uz vestibilu. Liegties nebija jēgas.

– Mēs meklējam *Pošlostj*, taču mums neizdodas viņu atrast, – Čakvetadze turpināja. – Tad mēs uzzinājām, ka uz Igaunijas piejūras kūrortu atbrauks slavenais misters Belkneps. Kā mēs to uzzinājām? No jums, Tod, man nav noslēpumu, tikai personiskie. Jūsu vainas tajā nav. Viens no jūsu ļaudīm aiz nolaidības pieļāvis muļķīgu kļūdu. Viņš diviem cilvēkiem izsniedzis Reifa Kogana dokumentus. Šobrīd viens Reifs Kogans atrodas Bratislavā. Mūsu Igaunijas nodaļā dators bija neizpratnē, līdz fotogrāfijas augšupielāde neskaidrību kliedēja, un mēs apjēdzām, ka otrs "Reifs Kogans" nav neviens cits kā Tods Belkneps, tas pats ar iesauku Dzinējsuns, *sobaka*. Ko viņš izseko? Varbūt to pašu, kurš vajadzīgs mums? Tā nu mēs bruņojāmies ar pacietību un gaidījām.

Kad abi sasniedza pirmo stāvu, Belkneps izlēma pieņemt KGB darbinieka uzaicinājumu kopā iedzert tēju. Lai sarunas biedru labāk iepazītu. Tāpat domāja arī Čakvetadze.

– Tātad mēs esam jums pateicīgi. Taču jums būs iemesls būt pateicīgiem arī mums. Galu galā – ko jūs iesāksiet ar cūku, kad būsiet uzdzinuši to kokā? Jūs, amerikāņi, esat pārāk izsmalcināti, jums nepatīk darīt *mokroe ģelo*, netīro darbu. Taču viņš ir jāsoda. Problēma jāatrisina. No ceļa noklīdušo fiziķi uzreiz pēc diskusijas nodos padomju krimināltiesas rokās. Jūsu darbs būs padarīts, dzinējsuns varēs atpūsties. Nepatīkamo darbu lai veic otrs suns. Vai esat guvis apstiprinājumu, ka Dmitrijs Barašenkovs ir *Pošlostj*? Ja atbildēsiet apstiprinoši, viņu, kā jau teicu, tūlīt apcietinās. Tātad kāds ir jūsu atzinums?

Belkneps pēc ilgām pārdomām sniedza atbildi.

Nākamos divus gadu desmitus viņš ar Čakvetadzi uzturēja sakarus. Belkneps zināja, ka KGB aģents uzrakstījis ziņojumu par viņu tikšanos, un nojauta, ka šis ziņojums nav bijis izsmeļošs.

292

Belkneps nešaubījās, ka pēc padomju impērijas krišanas un *KGB* norieta gruzīns Čakvetadze joprojām saglabājis savas pozīcijas, jo bija izveidojis sev tik daudz masku, ka Belknepam nebija ne jausmas, kuru viņš izmanto. Reizēm leģenda pārvērtās īstenībā – gadījās, ka Valsts drošības komitejas darbinieks, ilgi tēlojis biznesmeni, sarāva saites ar priekšniecību un patiešām sāka veidot karjeru biznesā. Taču Belkneps zināja, ka Čakvetadze ir pensijā. Viņam bija pāri septiņdesmit, un savu iespaidu uz veselību atstāja arī dzeršana, kam viņš nodevās ilgus gadus. Belkneps zināja arī, ka Čakvetadze no bijušās darbavietas paņēmis līdzi piederumu komplektu – tā, aiziedami pensijā, rīkojās visi *KGB* virsnieki, gluži tāpat kā Otrā pasaules kara kājnieki nereti par suvenīru paturēja pistoli.

Čakvetadzes vasarnīca atradās pie Julemistes ezera, tikai dažas jūdzes uz dienvidiem no Tallinas vecpilsētas. Tā nebija gluži idilliska vieta – netālu atradās lidosta, un reaktīvo dzinēju troksnis nereti pārspēja putnu dziesmas. Vasarnīca bija pieticīgs vienstāva nams ar skaidu jumtu, kura vidū slējās sarkanu ķieģeļu skurstenis.

Izdzirdējis vecā paziņas balsi, Čakvetadze, droši vien aiz lepnuma, izbrīnu nepauda.

– Ā, nāc iekšā, nāc iekšā! – viņš aicināja ar slāvu viesmīlību, ko nebija zaudējis, dzīvodams starp atturīgajiem igauņiem.

Namatēvs izvadīja Belknepu cauri mājai uz iekšējo pagalmu, kas bija izlikts betona plāksnēm un kur stāvēja divi apbružāti krēsli ar audekla atzveltni un apsudrabots koka galdiņš. Uz mirkli viesi pametis, viņš atgriezās ar degvīna pudeli un divām glāzēm, ko nevilcinādamies piepildīja.

– Man priekšā ir gara diena, – Belkneps teica.

– Tā liksies vēl garāka, ja tev kuņģī nebūs mazliet ugunsdziras, – gruzīns paskaidroja. – Žēl, ka tu neatbrauci agrāk. Es būtu iepazīstinājis tevi ar sievu.

– Vai viņa kaut kur aizbraukusi?

– Teikdams "agrāk", es runāju par gadiem, *durak*, nevis pāris stundām. Raisa nomira pirms diviem gadiem. – Viņš apsēdās, iedzēra krietnu malku degvīna un pamāja uz ezeru, pār kuru, gluži kā garaiņi virs zupas šķīvja, cēlās miglas strūkliņas. – Vai redzi to milzīgo akmeni ezera vidū? To sauc par Lindakivi. Pēc igauņu teiksmas, varenais valdnieks Kalevs apprecējās ar meiteni Lindu, kas bija dzimusi no tetera olas. Kad vīrs nomira, Linda sanesa kapavietā daudz lielu akmeņu, taču viens izkrita viņai no priekšauta. Atraitne uz tā apsēdās un raudāja. Tā radās Julemistes ezers. No Lindas asarām.

– Un tu tam tici?

– Ikvienā tautu teiksmā ir sava patiesība, – Genādijs nopietni atbildēja. – Tāpat stāsta, ka šajā ezerā dzīvojot Julemiste Vecākais. Ja kāds cilvēks viņu sastopot, viņš jautājot: "Vai Tallina jau gatava?" Vienmēr esot jāatbild: "Nē, vēl daudz kas darāms."

– Kas notiks, ja kāds pateiks "jā"?

– Tad viņš pilsētu applūdinās. – Gruzīns iesmējās. – Redzi nu! Dezinformācija ir sena igauņu nodarbošanās. – Aizvēris acis, viņš pavērsa seju pret ezeru, no kura pūta viegls vējš. Tālumā atskanēja lidmašīnas nolaišanās troksnis, kas atgādināja oda dīkšanu.

– Dezinformācija ir ļoti iedarbīgs ierocis, – Belkneps piekrita. – Taču es meklēju ko citu.

Genādijs vispirms atvēra vienu aci, tad otru.

– Es nespēju tev neko atteikt, *drug moj*, tikai to, kas man jāatsaka.

Belkneps palūkojās pulkstenī. Tas bija labs sākums.

– Paldies par to pašu.

– Tātad? – Gruzīna acis bija vērīgas, taču smaids joprojām nepiespiests. – Ar kādiem nedzirdētiem lūgumiem tu esi ieradies?

Glabātava Binvoterroudā, Rozendeilā, kas atradās nedaudz uz ziemeļiem no Ņūpalcas, bija iekārtota bijušajās raktuvēs, un to rūpīgi apsargāja. Kad Andrea ar taksometru ieradās adresē norādītajā vietā, viņa ieraudzīja milzum lielu melnas plastmasas pārklāju, hidroizolācijas barjeru, kas pletās pār smilšainu pauguru. Viņa parādīja personas apliecību sargam, kas modrs sēdēja savā postenī, un, tos apskatījis, vīrs pacēla tērauda vārtus, ļaudams taksometram iebraukt lielā automašīnu stāvvietā. Nevienu ēku šeit neredzēja, jo glabātavas telpas acīmredzot bija zem zemes. Andrea iepriekš bija noskaidrojusi, ka šis apvidus kādreiz bijis bagāts ar kaļķakmens iegulām, kas bijušas īpaši vērtīgas zemā magnēzija satura dēļ, tāpēc iekārojamas cementa un betona ražotājiem. Liela daļa no mūsdienu Manhetenas ir uzcelta, izmantojot šā apvidus izrakteņus. Šo "cementa šahtu" vietā bija izveidota Galvenā arhīvu glabātava. Lai gan ļaudis to dēvēja par

Dzelzs Kalnu, patiesībā tā bija šahta ar tērauda plāksnēm apšūtām sienām.

Lai gan paziņa no Ņujorkas Nodokļu un finanšu pārvaldes bija laikus piezvanījis un brīdinājis par Andreas apmeklējumu, teikdams, ka viņa ir neatkarīga auditore, kuru pārvalde uzaicinājusi īpaša pētījuma veikšanai, arhīva priekštelpā viņas personas apliecību ar fotogrāfiju atkal rūpīgi pētija miesās izplūdis vīrs ar dziļi iegrimušām acīm, platiem, nolaideniem pleciem un spīdīgiem melniem matiem. Andrea sprieda, ka viņam vēl nav četrdesmit. Par spīti masīvajam augumam, viņa seja bija kalsna ar rievainiem, iekritušiem vaigiem. Beidzot sargs negribīgi pasniedza viņai īpašu karti ar magnētisko joslu.

– Ar šo karti iespējams atvērt visas durvis un liftus, – viņš teica tāda cilvēka tonī, kurš spiests regulāri instruēt un brīdināt. – Tā ir derīga astoņas stundas no zīmogā norādītā laika. Jums jāatgriežas līdz derīguma laika beigām. Nākamajos apmeklējumos jums atkal būs jāizpilda šī veidlapa un atkal jāsaņem jauna karte. Kamēr atrodaties šajās telpās, kartei visu laiku jābūt pie jums. – Viņš pabikstīja karti ar pagaru nagu. – Šeit ievietotais palaidnieks automātiski ieslēdz gaismu sekcijā, kur jūs grasāties strādāt. Neaizmirstiet, ka jāuzmanās no arhīva darbiniekiem, kuri pārvietojas ar elektriskajiem divričiem. Viņi signalizē gluži tāpat kā ratiņi lidostā. Ja izdzirdat signālu, nekavējoties paejiet malā, jo divriči drāžas visai ātri. Ja arī jums vajadzīgs tāds transportlīdzeklis, izmantojiet iekšējo telefonu un to pieprasiet. Cipars, burts un viss pārējais. Vai skaidrs? Ja iepriekš esat apmeklējusi Dzelzs Kalnam līdzīgas iestādes, jūs ar visu lieliski tiksiet galā. Ja domājat citādi, uzdodiet jautājumus tūlīt. – Sargs piecēlās kājās, un Andrea ieraudzīja, ka viņš ir daudz mazāks augumā, nekā viņa domājusi.

– Cik liela ir šī būve?

– Vairāk nekā simt tūkstoš pēdu, trijos stāvos, – darbinieks savā skolotāja balsī paskaidroja. – Atmosfēras spiedienu pastāvīgi uzmana, ogļskābās gāzes saturu un gaisa mitrumu koriģē automātiski. Šī nav nekāda pilsētas bibliotēka. Kā jau teicu, pacentieties neapmaldīties un nepazaudējiet karti. Katrā lifta pieturā ir dators, ko jūs varat izmantot, lai noteiktu jūsu pētījumam nepieciešamā sektora koordinātas. Katram stāvam, sektoram, rindai, plauktam un vienībai atbilst attiecīgi skaitļi un burti. Es visiem stāstu, ka tas ir vienkārši, ja vien tiekat skaidrībā par pamat-principiem, taču tikpat kā nevienam tas neizdodas.

– Esmu jums ļoti pateicīga par uzticību, – Andrea vārgā balsī noteica.

Viņa zināja, ka šādas dokumentu krātuves ir plašas, taču to, cik milzum liela ir šī, viņa aptvēra tikai brīdī, kad iegāja stiklotā lifta kabīnē un, grozīdama galvu uz visām pusēm, lēni nobrauca lejup. Glabātava atgādināja apakšzemes pilsētu, ekspresionistu fantāzijas augli, digitālā laikmeta katakombas, kaut ko no Friča Langa filmas "Metropole". Informācija šeit glabājās visos cilvē-kam zināmos veidos – mikrofišās, mikrofilmās, papīra mapēs, me-dicīniskajos datu ierakstos, magnētiskās lentēs, te bija tas, ko li-kums juridiskām personām un municipāliem veidojumiem prasīja saglabāt, un vēl daudz vairāk. Beigu beigās viss nonāca šeit, tika rūpīgi kataloģizēts un noglabāts šajā milzīgajā informācijas laik-meta kapsētā.

Andreai šķita, ka drūmā puskrēsla spiež viņu lejup. Varbūt vi-ņu tā iespaidoja blāvais apgaismojums? Vai divu pretēju, slimīgu baiļu – agorafobijas, baiļu no plašuma, un klaustrofobijas – mis-trojums, kas radīja sajūtu, ka viņa ieslodzīta bezgalībā. *Tam jātiek pāri*, Andrea sev pavēlēja. Viņa devās pa garo betona gaiteni bal-tas līnijas norādītajā virzienā. Priekšā vīdēja bālzila rindiņa: 3L 2:566-999. Kaklā uzkārtā karte klusi ziņoja par viņas klātbūtni, un visapkārt iedegās gaisma – kartē ievietotais elektroniskais čips reaģēja uz radiosignāliem. Gaiss pazemē bija savāds, gluži bez putekļiem un vēsāks, nekā viņa bija domājusi. Andrea jau nožē-loja, ka nebija paņēmusi līdzi svīteri. Viņai visapkārt bija milzīgi tērauda plaukti, kas stiepās līdz pat griestiem četrpadsmit pēdu augstumā. Katra sešas pēdas garā sektora beigās bija novietotas nelielas saliekamas kāpnes. Šī vieta īstenībā ir būvēta pērtiķu va-jadzībām, Andrea īgni nodomāja.

Viņa nogriezās ap stūri un nokļuva nākamajā ejā, kur viņu iz-biedēja spuldžu rindas, kas mirkšķināja, reaģēdamas uz viņas kartes sensoru. Andrea, raudzīdamās visapkārt, kādas piecpa-dsmit minūtes meklēja vajadzīgo plauktu ar dokumentiem, kas vi-ņu interesēja. Kad viņa to uzgāja, pagāja vēl stunda, līdz viņas uzmanību saistīja kāds pavediens, kas bija vērts, lai to šķetinātu.

Ziņas par valūtas maiņu ārzemju darījumos. Vairākums cilvē-ku tādā finanšu juceklī neko nesaprastu, taču Andrea savu dar-bu pārzināja. Kad organizācija pārvērš prāvu ASV naudas summu ārvalstu valūtā – lai veiktu lielu pirkumu vai izmaksu ārzemēs –, tā parasti iepriekš uzceļ "žogus", sper dažādus drošības soļus, lai pasargātu sevi no nevēlamām maiņas kursa svārstībām. Pēc dokumentiem bija redzams, ka laiku pa laikam tā rīkojās arī Bānkrofta fonds.

Kādēļ? Nekustama īpašuma vai infrastruktūras objekta iegādes darījumos tiek piemēroti starptautiskie standarta noteikumi, saskaņā ar kuriem strādā visas lielākās pasaules finanšu iestādes. "Žogi" vedināja domāt, ka runa ir par iespaidīgiem skaidras naudas maksājumiem. Ar kādu mērķi? Mūsdienu ekonomikā lielas skaidras naudas summas modina aizdomas, ka darījums nav īsti likumīgs. Kukuļi? Vai kaut kas gluži cits?

Andrea jutās kā mohikānis, kas dzen pēdas. Viņa vēl nesaskatīja zvēru, kas slēpās mežā, taču jau bija uzgājusi nolauztu zariņu, ķepas nospiedumu, vilnas kumšķi un nu vērīgi pētīja, pa kuru taku viņš devies tālāk.

Simt pēdu augstumā virs Andreas galvas vīrietis ar dziļi iegrimušajām acīm uz tastatūras uzklikšķināja apmeklētājas kartes numuru. Uz daudzu monitoru ekrāniem viņa priekšā uznira attēls no kamerām, kas atradās Andreas tuvumā. Ar dažiem peles klikšķiem viņš palielināja izšķirtspēju, tad pagrieza attēlu tā, lai varētu izlasīt sievietes interesējošā dokumenta nosaukumu. Bānkrofta fonds. Viņš bija instruēts, kā šādā gadījumā jārīkojas. Iespējams, nekas sevišķs nebija noticis. Iespējams, viņa ir viena no savējiem – galu galā daiļavas vārds ir Bānkrofta. Taču viņam nemaksā par domāšanu. Viņam maksā par brīdināšanu. *Paklausies, Kevin, tieši par to tu saņem lielos zaļos.* Nu, varbūt ne tik ļoti lielus, taču salīdzinājumā ar nožēlojamiem grašiem, ko atmeta Arhīvu pārvalde, tas bija sasodīti dāsns atalgojums. Pacēlis telefona klausuli, viņš gandrīz jau piedūra pirkstu pie ciparu taustiņiem, bet tad nolika klausuli atpakaļ uz aparāta. Būs labāk, ja darbavietā viņš pēdas neatstās. Kevins izvilka mobilo tālruni.

Tajā pašā vakarā Belkneps izmantoja savas neīstās identitātes sniegtās iespējas. Igaunijas prezidents savā rezidencē rīkoja pieņemšanu par godu starptautiskajam koru festivālam. *Empire State* koris bija starp tiem, kam pēc pieņemšanas vajadzēja uzstāties labdarības koncertā, kurā bija paredzēts ierasties arī Igaunijas valdības ministriem. Miglainais Belknepa plāns ieguva konkrētas aprises.

Trulu galvu no miega trūkuma un tūļīgs pēc pamatīgās maltītes – ceptas cūkgaļas ar rīsiem – Belkneps, autobusā, kas koristus veda uz sarīkojuma vietu, Kadriorga pili pilsētas ziemeļu rajonā, iekāpa pēdējais. Viņš apsēdās blakus gaišmatainam puisim ar labsirdīgām acīm un platu smaidu. Puisis vairākas reizes dziedāja frāzi "maigs kā dzeja, ciets kā tērauds", uzsvērdams burtu "t" tik sirsnīgi, ka ik reizi pa gaisu nošķīda siekalas. Viņam aiz muguras divi alti dziedāja: "Ak, cik daiļa tu un moža!"

Belknepam pie apģērba bija piesprausta tāda pati *Empire State* kora nozīmīte kā visiem pārējiem. Viņš centās iekļauties šajā kolektīvā, lūkodamies apkārt ar tādu pašu aizrautīgu, mazliet muļķīgu skatienu, kāds rotājās sejās koristiem, kuru platos smaidus izvilināja itin viss, ko vien viņi ieraudzīja.

Kadriorga pils ar parku ir iespaidīgākā baroka celtne Igaunijā un, tāpat kā daudzas citas Igaunijas majestātiskuma liecības, tā celta Pētera Lielā valdīšanas laikā – cars to astoņpadsmitā gadsimta sākumā dāvināja savai sievai Katrīnai. Vairākās tās ēkās iekārtoti muzeji un koncertzāles, taču galvenā pils ēka ir prezidenta oficiālā rezidence, ko viņš izmanto valstiski svarīgiem pasākumiem – un starptautisks koru mūzikas festivāls Igaunijai katrā ziņā tāds bija. Lielākajai ēkai ir divi stāvi – divi patiešām lieliski stāvi, baroka fantāzija ar baltiem pilastriem uz sarkana akmens. Nedaudz tālāk, uzkalnā, ir prezidenta pils, kas celta 1938. gadā, kad Eiropas lielu daļu apņēma tumsa, bet Igaunijai šķita, ka tā ieraudzījusi jauna rīta blāzmu. Pēc četriem autoritāra režīma gadiem tikko pieņemtā konstitūcija solīja demokrātisko brīvību garantiju, taču prieks bija pavisam īss. Baltijas valstu izmisīgie centieni laikmeta griežos saglabāt neitralitāti bija velti. Šī pils glabā atmiņas par toreizējām iluzorajām cerībām, tieši tāpēc ir tik skaista, Belkneps domāja.

Pils ārpusē bija uzslietas teltis, kur tallinieši izpratnē notika drošības pārbaude. Belkneps redzēja, ka Kelvins Gārts, uzrādīdams dokumentus, sarunājas ar kādu drošības dienesta darbinieku zilā uzvalkā. Tad viņa vadītā kora dalībniekiem atļāva doties tālāk. Iedams reizē ar pārējiem, Belkneps pagrozīja savu nozīmīti, lai tā būtu labi redzama, un savilka seju mulsā, laimīgā smaidā. Lai gan viņš bija vismaz desmit gadus vecāks par koristiem, papildu rūpīgākai pārbaudei viņu neapturēja.

Vestibils bija grezni rotāts ģipša ornamentiem un skulptūrām. Belkneps apmainījās jūsmīgiem skatieniem ar kora puišiem un meitenēm, izlikdamies tikpat saviļņots ka viņi. Ar atvieglojumu ieraudzījis, ka svinību zāle, kur noritēja pieņemšana, jau ir cilvēku pārpilna, viņš piegāja pie sienas un nopētīja carienes Katrīnas portretu, tajā pašā laikā noņemdams no žaketes korista nozīmīti. Tas cilvēks, kurš bija šeit ieradies, pārtapa citā.

Un nevis kādā nebūt citā. Nu viņš bija Rodžers Delameins no *Grinnell International*. Labsirdīgo smaidu aizstājis ar augstprātīga aizdomīguma pilnu sejas izteiksmi, Belkneps palūkojās visapkārt. Lai gan iepriekš viņš bija apskatījis Igaunijas ministru fotogrāfijas, vajadzēja laiku, lai visus ielāgotu. Prezidentu no citiem varēja atšķirt viegli – viņam bija biezas uzacis un kupli sudrabaini mati. Tas bija īsts valsts galvas tipāžs, labi izglītots vīrs, kas apdāvināts ar lieliskām oratora spējām. Viņš smaidīdams ar cilvēkiem sarokojās, ikvienam veltīja pāris sirsnīgu vārdu un nākamajā mirklī jau pievērsās citam. Belkneps viņā noraudzījās ar patiku, apbrīnodams šo spēju sadalīt savu viesmīlību, lai tās pietiktu visiem, tajā pašā laikā nezaudējot ne kripatu sava majestātiskuma. Izskatījās, ka tas prezidentam padodas viegli. Belkneps piegāja tuvāk. Ikvienu prezidenta izteikumu viesi atalgoja ar atzinīgiem smiekliem, it kā tas būtu asprātīgs joks, vai atkarībā no svarīgās amatpersonas toņa savilka dziļu pārdomu pilnu grimasi, cerēdami, ka prezidents viņu izpratni novērtē. Rokasspiediens, acu skatiens, smaids un solis pie nākamā. Īsts virtuozs, Belkneps nodomāja. Igaunijas parlaments nebija kļūdījies, izraudzīdamies viņu šim amatam.

Premjerministrs, tāpat kā vairākums viņa kabineta locekļu, bija ģērbies tumšzilā uzvalkā. Tā kā šis vīrs nebija apveltīts ar tik izcilām komunikācijas dotībām kā prezidents, viņš pārspīlēti dedzīgi klanīja galvu, iegrimis sarunā ar kādu pilnīgu sievieti – šķita, ar kādu mūzikas pasaules slavenību –, taču premjerministra izmisuma pilnie skatieni, ko viņš ik pa laikam raidīja saviem palīgiem, pauda, ka viņš neapvainotos, ja kāds šo sarunu pārtrauktu. Kultūras ministrs, tukls vīrietis ar melnām uzacīm, kas izskatījās kā uzkrāsotas, kaismīgi žestikulēdams, kaut ko stāstīja grupai rietumnieku, iespējams, anekdoti vai kādu jautru atgadījumu. Ik pa brīdim viņš stāstījumu pārtrauca, jo pašam vajadzēja izsmieties. Cilvēks, kuru Belkneps meklēja – tirdzniecības ministra vietnieks –, izturējās pavisam citādi. Viņš turēja rokā glāzi ar citrona šķēlīti uz maliņas, un tajā glāzē droši vien nebija nekas stiprāks par sodas ūdeni. Šim cilvēkam bija mazas acis, turklāt tās it kā apēnoja plata, izteiksmīga piere. Ministra vietnieks lielākoties klusēdams māja ar galvu, un ne pie vienas grupas ilgi nekavējās.

Tas bija Andruss Pērts, un Genādijs Čakvetadze bija Belknepam ieteicis ar viņu iepazīties. Loģika šajā ieteikumā bija. Belkneps meklēja lielu magnātu, bet Igaunijas valsts ir maza. Čakvetadze apgalvoja, ka Andrusam Pērtam esot saskarsme ar visiem lielākajiem Igaunijas privātā sektora biznesmeņiem, ar tiem arī, kas darbojas ēnu ekonomikā. Šajā Baltijas valstī nebija iespējams nodarboties ar apjomīgu biznesu bez augsta valdības locekļa labvēlības. Andruss Pērts pazīst visus galvenos komersantus, Čakvetadze sacīja, un viņš katrā ziņā pazīšot arī to cilvēku, kuru meklē Belkneps. Ka gruzīns tukšu nav melsis, Belkneps juta, tiklīdz ministra vietnieku ieraudzīja. *Dzinējsuņa oža*, viņš nodomāja.

Turpmākais uzdevums šajā vakarā Belknepam bija pats sarežģītākais. Viņš virzījās garām viesu pulciņiem, pāri dārgajam paklājam un vēl dārgākajam parketam, līdz apstājās dažu soļu attālumā no ministra vietnieka. Šā cilvēka sejas izteiksme atšķīrās no pārējo pieņemšanas viesu glaimīgajiem smaidiem – bija redzams, ka viņš te atrodas darbā. Politiķim veltīts lišķīgs smaids nereti pamudina viņu novērsties un doties tālāk, taču Belkneps nedrīkstēja būt arī nelaipns. Viņš vērsās pie ministra vietnieka, uzsmaidīdams tam draudzīgi un nedaudz piesardzīgi.

– Ja nemaldos, godājamais Andruss Pērts, – Belkneps teica. Vārdus viņš izrunāja skaidri, kā mēdz runāt cilvēks, kuram angļu valoda ir svešvaloda, ko tas mācījies prestižās skolās.

– Nemaldāties gan, – ministra vietnieks laipni atbildēja. Belkneps juta, ka Pērts ir ieinteresēts. Šeit bija sapulcējušies ļaudis, kas Igaunijas politikā nebija diez cik lietpratīgi, bet Belkneps ar savu savaldīgo skatienu neatgādināja smalko aprindu saietu pastāvīgu apmeklētāju.

– Savādi, ka mēs ne reizes neesam tikušies, – Belkneps uzmanīgi turpināja, cerēdams šā kunga ieinteresētību paildzināt, jo tāds izteikums pauda, ka viņiem pagātnē bijis iemesls satikties, bet tas nav noticis. Pērta sejā – pirmo reizi šajā vakarā – pavīdēja ziņkāre. – Mani lūdza to labot.

– Ak tā? – Igauņa zem pieres apslēpto acu skatiens bija neizdibināms. – Un kāpēc?

– Piedodiet... – Belkneps ar plašu vēzienu pastiepa roku. – Rodžers Delameins.

Ministra vietnieks pārlaida telpai skatienu.

– No *Grinnell International*, – Belkneps zīmīgi piebilda. Viņš bija nosaucis *Grinnell* rīkotājdirektora vārdu. Ja igaunis internetā pārbaudīs korporācijas biogrāfiju, viņš atradīs šo vārdu bez fotogrāfijas.

– *Grinnell International*, – ministra vietnieks atkārtoja. Viņš palūkojās uz Belknepu ar spriegu skatienu, ko Belkneps neizprata.

– Interesanti. Vai grasāties dibināt mūzikas nodaļu? – Ātrs, acs tikam līdzīgs smaids. – Spēlēsiet militārus maršus?

– Igauņu kora dziedāšanas tradīcijas, – Belkneps atbildēja, ar roku apvilkdams gaisā loku, – patiešām ir mana aizraušanās. Es nevarēju neizmantot iespēju šeit ierasties.

– Jūtos lepns, – Pērts noteica.

– Esmu arī citu igauņu tradīciju apbrīnotājs, – Belkneps sacīja. – Taču diemžēl atrodos šeit ne tikai personiskas intereses dēļ. Jūs taču saprotat. Runa ir par *Grinnell* darbību. Negaidītas, neparedzamas vajadzības. Lēmumus pieņem pēdējā brīdī, un uzņēmuma direktoriem, arī man, jālien vai no ādas ārā, lai tos izpildītu.

– Ar prieku būšu jums noderīgs.

Belkneps pasmaidīja.

– Iespējams, būsiet.

Kad Andrea divas stundas neatliekdamās bija lasījusi sīkiem burtiem rakstītus tekstus, viņai sāka sūrstēt acis un galvā dunēt. Pārvarēdama pēcpusdienas nogurumu, viņa uz nelielas papīra lapas pierakstīja skaitļu un datumu slejas. Varbūt tie neko nenozīmē. Varbūt tomēr nozīmē. Andrea bija spiesta paļauties uz intuīciju, atlikdama tālākus pētījumus uz brīdi, kad būs atgriezusies uz planētas Zeme. Paskatījusies pulkstenī, Andrea izlēma ielūkoties materiālos, kas glabāja liecības par tā gada aprīli, kad bojā gāja viņas māte. *Nežēlīgākais mēnesis.* Nežēlīgākais mēnesis *viņas* dzīvē.

Pārlūkotajos dokumentos viņa nebija sastapusies ne ar vienu norādi uz šo notikumu. Domās iegrimusi, Andrea noliecās pie apakšējā plaukta, lai pārbaudītu melnu plastmasas kārbu saturu. Ar acs kaktiņu ievērojusi kustību, viņa pagriezās un ieraudzīja elektriskos divričus, kas ātrā tempā tuvojās. *Vai tad braucējam nav jāsignalizē?* Andrea aši pakāpās malā.

Taču braucamrīks nevis pavirzījās sānis, bet traucās viņai virsū. *Kaut kas neticams!* Kāds *tīšuprāt* stūrēja viņai virsū! Andrea iekliedzās, ieraudzīdama vīrieša motociklista ķiveres tonētajā aizsargstiklā savu atspulgu. Šausmu pārņemta, viņa pieķērās pie plaukteņa un, saņēmusi visus spēkus, pavilkās augšup, izvairīdamās no sadursmes. *Ak kungs!*

Elektriskie divriči nobremzēja, un vīrietis strauji no tiem nokāpa nost. Andrea metās skriet. Sasniegusi garā plaukteņa galu, viņa nogriezās pa kreisi un ienira citā bezgalīgā ejā, cerēdama, ka plauktu labirints viņu noslēps. Andrea izbiedēta brāzās no vienas ejas citā, uz labu laimi nogriezdamās un joņodama aizvien dziļāk plašajā, blāvi apgaismotajā, plauktiem pārpildītajā pazemē. Viņa skrēja, augsti cilādama ceļgalus, un viņas kurpju rievotās gumijas zoles pret betona grīdas segumu nočīkstēja tikai retumis. Beidzot, vēlēdamās atvilkt elpu, viņa noslīga uz grīdas aiz balsta kolonnas K sekcijas L rindā, kur tūdaļ – *sasodīts!* – iedegās halogēna lampas, pārplūdinādamas sekciju ar gaismu. Tas bija tāpat, ja viņai pie galvas būtu piestiprināta signāluguns. Caurlaides karte ieslēdza gaismu visur, kur viņa gāja. Ieklausījusies Andrea sadzirdēja elektrisko divriču kluso dūkoņu – vīrietis ar ķiveri galvā brauca viņai pa pēdām.

Viņa dzirdēja arī soļu dunu – varbūt divdesmit pēdu attālumā. Tātad šeit bija vēl kāds. Piesardzīgi palūkojusies gar plaukteņa stūri, viņa ievēroja pusmilitārā tērpā ģērbušos stāvu, kurš visticamāk bija bruņots un ieradies šeit ne jau tādēļ, lai viņai palīdzētu. Andrea nespēja ar to aprast – līdz šim viņas mūžā cilvēki ar ieročiem, policisti, allaž bija *viņas* pusē. Tie sargāja viņu un rūpējās par viņu. Tajā pašā laikā Andrea apzinājās, ka ne jau visiem ir tāda dzīves pieredze kā viņai. Šie bruņotie vīri darbojās pret viņu, apdraudēja viņu, un tāda atskārta bija pretrunā ar noteikumiem, kādi valdīja viņas līdzšinējā dzīvē. Karte. Viņa to sagrāba aiz aukliņas. Karte viņu nodod, tāpēc tā jāizmet. Vai ir kāds paņēmiens, kā to varētu izmantot savā labā?

Gluži kā bulta, Andrea aiztraucās līdz plauktu rindas galam un līkločiem izskrēja cauri vēl dažām sekcijām. Nu viņa atradās P rindā. Paslēpusi karti kādā dokumentu kastē, viņa reizē ar halogēna lampu iedegšanos uzrāpās augšā uz plaukteņa, kur bija saliktas metāla kastes ar filmu lentēm, un, kāpelēdama starp tām, lavījās uz priekšu, līdz nonāca tumšajā galā, kur gaisma nedega. Vai viņa bija kustējusies pietiekami klusu? Andrea pieplaka pie augšējā plaukta, cerēdama, ka nav saskatāma. Viņa pavilka vienu smago kasti sev tuvāk, lai redzētu, kas notiek lejā, uz grīdas, divpadsmit pēdu zemāk.

Pirmais viņas redzeslokā uzradās vīrietis pusmilitārajā tērpā. Andreu neredzēdams, viņš aši pārbaudīja ejas garā plaukteņa abās pusēs. Izskatīdamies vīlies, vīrietis, joprojām pārlūkodams plauktus, atgriezās apgaismotajā sekcijā. Nekur nebija ne sievietes, ne viņas kartes. Viņš pacēla pie mutes pārnēsājamo rāciju.

– Tā maita noņēmusi karti, – vīrietis čērkstošā balsī teica. – Ļoti riskanta situācija, velns parāvis! Vai novākšanas atļauju *Theta* mums jau devusi?

Runādams viņš gāja uz priekšu pa eju P rindā, tuvodamies Andreai. Abām rokām aptvērusi smago tērauda kasti, viņa gaidīja, ar pamirušu sirdi pūlēdamās noteikt īsto brīdi. Pēc mirkļa ēnainajā laukumiņā, kas pavērās viņas skatienam, ienāca vīrs ar rāciju. *Tagad!* Viņa izlaida kasti no rokām.

Atskanēja apslāpēts kliedziens un būkšķis. Aizturētu elpu palūkojusies lejup, Andrea ieraudzīja vīrieti izplestām rokām un kājām guļam zemē. Kaste bija satriekusi viņa galvaskausu.

Ak Dievs, Andrea! Ko tu esi izdarījusi? Ak Dievs...

Nelabums un pretīgums aizžņaudza rīkli. Tā nebija viņas pasaule. Tā nebija viņa, kura tā rīkojas.

Taču... vai patiešām uzbrucēji bija pārliecināti, ka viņa nepretosies ar ikvienu savas esības šķiedru? Tie nebija viņu pareizi novērtējuši. *Vai novākšanas atļauju* Theta *mums jau devusi?* Šis lietišķā tonī izrunātais teikums šaudījās Andreas prātā, modinādams naidu, kas pēkšņi viņā izpletās gluži kā salta arktiskā vēja elpa.

Sirds krūtīs dauzījās nikni, gluži kā dūre. *Nezinu, mērgli, kā ar* Theta, *bet man tāda atļauja ir.*

Andrea nolēca lejā, gluži kā atrastos vingrošanas zālē, gandrīz uzkrizdama virsū nekustīgajam vīrietim. Viņa vilcinādamās raudzījās uz plakano maksti pie viņa jostas, kur acīmredzot bija ierocis. Beidzot pistoli pagrābusi, viņa to aplūkoja attālo halogēno lampu gaismā.

Andrea pirmo reizi mūžā turēja rokās šaujamieroci. Cik grūti ir šaut uz cilvēku? Pagaidām viņa zināja tikai to, kurš pistoles gals jāvērš pret mērķi, un sākumam ar to pietika. Andrea atcerējās vērojusi videoklipus, kuros repa mūziķi šaujamos turēja sāniski.

303

Viņai nebija ne jausmas, kā tas varētu ietekmēt lodes trajektoriju. Filmās viņa bija redzējusi, ka šaujamierocis nedarbojas, jo nav pārslēgts drošinātājs. Vai šai pistolei drošinātājs ir? Vai tā vispār ir pielādēta?

Pie joda! Uz ieroča spala lietošanas pamācības, protams, nebija, turklāt viņai tik un tā nebūtu laika to izlasīt. Andreai nebija ne mazākās sajēgas, kas notiks, ja viņa nospiedīs mēlīti. Varbūt nekas. Varbūt tas vispirms jāuzvelk vai jāizdara kas tamlīdzīgs. Bet varbūt tas vīrietis ieroci šaušanai jau sagatavojis?

Turēdama pistoli rokās un kā sastingusi uz to raudzīdamās, Andrea nodomāja, ka tas viņai vairāk kaitēs nekā palīdzēs. Ja nu tips ar ķiveri galvā izdzirdēs, ka viņa nospiež mēlīti, bet šāviens nesekos? Tad vajātājs viņu nogalinās. Aiztraukusies līdz plaukteņa galam un piesardzīgi palūkojusies ap stūri, viņa satriekta ieraudzīja, ka vīrs ar ķiveri galvā, elektriskajiem divričiem klusi dūcot, tuvojas.

Braucējs spēji apstājās un nokāpa no sava transportlīdzekļa. Viņš paspēra soli aiz kolonnas un... *kur viņš palika?*

Pagāja pusminūte, un joprojām no viņa nebija ne miņas. Andrea iespiedās apakšējā plauktā, sarāvās čokurā, paslēpdamās, cik nu labi vien spēja, un ieklausījās.

Pēkšņi viņa pamira, ar ikvienu ķermeņa šūnu juzdama, ka vīrietis viņu atradis. Vilcinādamās pagriezusi galvu, Andrea redzēja, ka sajūtas viņu neviļ.

– Nāc pie papucīša, – lēni tuvodamies, vajātājs sacīja. Rokā viņš turēja melnu plastmasas ierīci, kuras galā ļauni dzirksteļoja elektrība. *Taser* šoka ierīce. Vīrietis pasvieda viņai plastmasas roku slēdžus. – Uzliec tos pati. Tā būs vienkāršāk.

Andrea nekustējās.

– Tu taču zini, ka es tevi redzu, – vīrietis ar ķiveri teica. Viņa balss skanēja nedaudz rotaļīgi. – Šeit neviena cita nav. Tikai tu un es. Un es nekur nesteidzos. – Nākdams aizvien tuvāk, viņš gaisā pacēla šoka ierīci ar mirgojošo galu, bet ar otru roku palaida vaļīgāk savu ādas siksnu un sāka masēt kājstarpi. – Sveika, mazā! Šefs apgalvo, ka dzīvē galvenais esot bauda. – Paspēris vēl pāris soļu, viņš turpināja: – Kāpēc gan tu, maita, šodien nevarētu sagādāt maksimālu baudu *man*?

Andrea, kam prātā nebija nevienas pašas domas, nospieda pistoles mēlīti, vienlaikus juzdamās pārsteigta par rībienu, no kura gandrīz aizkrita ausis. Vīrietis, neizdvesdams ne skaņu, apstājās, taču zemē negāzās. Vai viņa aizšāvusi garām?

Andrea spieda uz mēlītes atkal un atkal. Trešā lode sašķaidīja ķiveres aizsargstiklu, un vīrietis, atsprāgdams atpakaļ, nogāzās zemē kā bluķis.

Nolaidusi kājas uz grīdas, Andrea grīļodamās piecēlās un piegāja pie cilvēka, kuru bija nošāvusi. Tas bija pūtainais vīrietis, kura kopā saaugušās uzacis atgādināja sikspārņa spārnus. Viens no tiem, kas viņas mašīnu apstādināja Izpētes trijstūra parkā. *Vai novākšanas atļauju* Theta *mums jau devusi?* Andrea nodrebēja. Ieraudzījusi pie kājām guļošā vīrieša nedzīvās acis, viņa juta kāpjam augšā pa kaklu spēju nelabumu un, viduklī saliekusies, sāka rīstīties. Mute pieplūda ar skābu šķidrumu, kas nevaldāms izlauzās pār lūpām, uzšļākdamies uz mirušā vīrieša sejas. To ieraudzījusi, Andrea izvēmās vēlreiz.

Uz Igaunijas ministra vietnieka pleca uzgūla kāda mīksta roka.

– Andrus! – nodārdēja pārlieku sirsnīga balss, kas piederēja drukns, trokšņainam vīram ar tumšu neskūtas bārdas ēnu uz vaigiem. Viņa elpā bija jūtama populāra igauņu degvīna anīsa smarža. – Iesim, es iepazīstināšu tevi ar Stefāniju Bergeri. Viņa ir no *Polygram.* Interesējas par biznesa iespējām Tallinā. Varbūt vēlas atvērt šeit centru, kur tirgotu savas firmas izstrādājumus. – Aiz cieņas pret angliski runājošo ministra vietnieka sarunu biedru viņš arī izteicās angliski.

Pagriezies pret Belknepu, Andruss Pērts vainīgi pasmaidīja.

– Cik žēl! Jums vajadzēja mani pabrīdināt par savu braucienu uz Igauniju.

– Mani kolēģi, gluži pretēji, uzskata to par laimīgu sagadīšanos. To, ka esmu nokļuvis Tallinā mums tik izšķirīgā brīdī. Es uzsveru, laimīga sagadīšanās tā ir mums. – Belkneps apklusa, bet tad klusinātā balsī turpināja: – Bet varbūt arī jums?

Ministra vietnieks uzmeta viņam ziņkāru, bažīgu skatienu.

– Es tūlīt atgriezīšos, Rodžer...

– Delameina kungs, – Belkneps pabeidza.

Piegājis pie gara, ar baltu mežģīņu galdautu klāta galda, kura otrā pusē rosījās viesmīļi, steidzīgi izpildīdami daudzos dzeramo pasūtījumus, Belkneps ar acs kaktiņu vēroja Andrusu Pērtu. Ministra vietnieks, sparīgi mādams ar galvu, klausījās, ko viņam saka jauna sieviete, un ik pa laikam smaidā atsedza savus porcelāna zobus. Viņš apskāva trokšņaino vīru ap pleciem – tas neapšaubāmi bija kāds biznesmenis, varbūt pat viens no šā pasākuma sponsoriem, – tā pauzdams, ka saruna nav pabeigta un tiks turpināta. Belkneps ievēroja, ka viņš nemaz nesteidzas uzreiz atpakaļ. Pērts, izvilcis mobilo tālruni, nozuda blakustelpā. Pēc dažām minūtēm atgriezies, ministra vietnieks bija daudz labākā noskaņojumā nekā iepriekš.

– Rožē Delamēn, – viņš teica, izrunādams Belknepa nosaukto vārdu un uzvārdu tā, it kā viņš būtu francūzis, – pateicos jums par pacietību.

Tātad Pērts bija veicis ātru uzziņu, varbūt lūdzis palīgu pārbaudīt vārdu un tā sakarību ar starptautisko drošības firmu *Grinnell International.*

– Mani apmierina abi izrunas varianti, – Belkneps sacīja. – Saskardamies ar angļu valodas lietotājiem, es izrunāju savu vārdu vienā veidā un, kad tiekos ar frančiem, izrunāju to franciski. Zināju, ka jūs pārvaldāt angļu valodu. Es mēdzu piemēroties apstākļiem – gluži tāpat kā mans uzņēmums. Mūsu klientiem ir dažādas prasības. Naftas pārstrādes kompānijas apsardzībai vajadzīgas vienas iemaņas, bet, ja runa ir par prezidenta pili, jāliek lietā gluži citas prasmes. Ko lai dara – pasaule ir tik nestabila, ka mūsu pakalpojumus pieprasa aizvien biežāk.

– Mēdz teikt, ka brīvības cena ir mūžīga modrība.

– To pašu mēs teicām kalnrūpniecības kompānijas *Cuprex* vadītājiem, kad tie, reiz pamodušies, atklāja, ka Āfrikas vara rūdas šahtas apdraud dumpinieki, kuri sēj nāvi un postu un kurus vada Tā Kunga pretošanās armija. Mūžīga modrība un divpadsmit miljoni dolāru plus tiešie izdevumi – *tāda* ir brīvības ikgadējā cena.

– Esmu pārliecināts, ka bijusi arī kaulēšanās. – Ministra vietnieks no sudraba paplātes, kas šķita peldam caur drūzmu, paņēma mazu kanapē.

– Vaļsirdīgi sakot, tieši tāpēc vēlējos ar jums aprunāties. Jūs taču saprotat, ka runāju ar jums neoficiāli, vai ne? Patlaban esmu privātpersona, nevis kādas firmas reģistrēts aģents.

– Mēs abi kavējam laiku svinīgā pieņemšanā un ēdam mazus šķiņķa trīsstūrīšus, kas uzlikti uz tikpat maza grauzdiņa. Kas gan var būt vēl neoficiālāks?

– Es zināju, ka atradīsim kopīgu valodu, – Belkneps sazvērnieciski sacīja. – Mēs meklējam iespēju iegūt *paprāvu* vieglo bruņojumu.

– *Grinnell* taču katrā ziņā ir savi pastāvīgie piegādātāji. – Pērts rūpīgi pētīja savu maizīti.

– Pastāvīgie piegādātāji ne vienmēr spēj izpildīt neparedzētus pasūtījumus. Dažreiz man pārmet, ka izsakos neskaidri. Kas gan tur neskaidrs? Esmu īsts precizitātes iemiesojums. Kad es saku "paprāvu", tas nozīmē... pietiekami daudz, lai apbruņotu piecus tūkstošus vīru.

Ministra vietnieks samirkšķināja acis.

– Mūsu armijā ir piecpadsmit tūkstoši vīru.

– Tad jūs izprotat mūsu problēmu.

– Un kas viņiem būs jāaapsargā – komunikācijas, šahtas? – Melnās uzacis neticīgi saraucās.

Viņa pētīgo skatienu Belkneps izturēja, saglabādams laipnu sejas izteiksmi.

– Pērta kungs, lai es jums uzticētu noslēpumu, man jājūtas pilnīgi drošam, ka jūs to neizpaudīsiet. Runa ir gan par mani, gan manu firmu. Tāpat kā jums jābūt pārliecinātam, ka es spēju saglabāt jūsu noslēpumu. Drošības nozarē nevar gūt panākumus, ja neesi izpelnījies uzticama un piesardzīga partnera reputāciju – tāda partnera reputāciju, kurš prot glabāt svešus noslepumus. Es saprotu, ka jums ir jautājumi, taču ceru, ka neļaunosieties, ja atbildēt uz tiem atteikšos.

Ministra vietnieks uzmeta viņam bargu skatienu, kas pēc dažiem mirkļiem kļuva pielaidīgāks.

– Man ļoti gribētos tādu īpašību redzēt savos līdzpilsoņos. Diemžēl man jāteic, ka atšķirībā no jums, Rožē, daudzi nemāk turēt mēli aiz zobiem. – Palūkojies visapkārt, Andruss Pērts pārliecinājās, ka neviens viņus nedzird, un turpināja: – Jūs iepriekš izteicāties, ka es varētu jums kaut kā palīdzēt.

– Kāds cilvēks man jūs ieteica, apgalvodams, ka jūs varētu sekmēt mums tik svarīgā darījuma noslēgšanu. Protams, jāpiebilst, ka visas ieinteresētās puses tukšā nepaliks.

Belkneps pazina alkatības izteiksmi, kas pazibēja ministra vietnieka sejā. Gluži kā narkotiska viela, alkatība izplūda pa viņa dzīslām, padarīdama runas veidu steidzīgāku.

– Jūs teicāt, ka jums vajadzīgs paprāvs daudzums...

– Jā, paprāvs, – Belkneps apstiprināja. Andruss Pērts acīmredzot gribēja kaut ko dzirdēt par komisijas naudu. – No tā izriet, ka krietnu summu saņems arī... starpnieks.

– Mūsu valsts, protams, ir maza... – Vēlēdamies viņu pārbaudīt, Pērts vilka sarunu garumā.

– Maza, jā, taču, manuprāt, ar bagātām tradīcijām. Ja es maldos, ja jums nav pārdevēja, kādu mēs meklējam, pasakiet to uzreiz. Mēs dosimies citā virzienā. Man negribētos tērēt jūsu laiku. – Tas nozīmēja: netērē manu laiku!

Ministra vietnieks pamāja kādam paziņam zāles pretējā pusē. Viņš jau pārāk ilgu laiku pavadīja *Grinnell* direktora sabiedrībā, un tas varēja izskatīties aizdomīgi. Tas nu būtu pavisam nevietā.

– Rožē, es labprāt jums palīdzētu. Patiešām. Ļaujiet man dažas minūtes to apdomāt. Es drīz pie jums atgriezīšos. – To teicis, igaunis ienira koru vadītāju un mūzikas mīļotāju pūlī. Pēc mirkļa Belkneps dzirdēja viņu iesaucamies: – Festivāla labākie mirkļi kompaktdiskos – tā ir brīnišķīga ideja!

Zāli pāršalca mudinājumi ievērot klusumu. Uz pakāpieniem zāles vienā galā bija sapulcējies *Empire State* koris. Plati smaidīdami, baritoni sāka klikšķināt pirkstus un tad – dziedāt. Pēc pāris taktīm zālē iestājās klusums un bija saklausāmi dziesmas vārdi:

Nekas nav plašā pasaulē,
Ko tā var mīlēt dvēsele
Kā tevi, mana mīļotā,
Tu, dārgā Tēvija!

Belkneps juta, ka viņam kāds viegli piebiksta pie pleca, un pagriezies sev blakus ieraudzīja ministra vietnieku.

– Mūsu valsts himna, – Pērts nočukstēja ar stingu smaidu.

– Ceru, ka jūs lepojaties ar savu valsti, – Belkneps teica.

– Ko jūs ar to gribat teikt? – ministrs sakostiem zobiem nez kāpēc noprasīja.

– Neesiet tik aizdomīgs! Gluži vienkārši esmu mazliet nepacietīgs. Vai varam runāt par lietu? – Belkneps klusi nobubināja.

Pamājis ar galvu, ministra vietnieks pamāja uz durvīm zāles dziļumā. Viņu saruna ritēs tur, prom no svešām acīm.

– Atvainojiet... – klusā, paļāvīgā balsī igaunis sacīja. – Jūsu lūgums ir tik negaidīts. Un neikdienišķs.

– Tāds pats šis uzdevums ir man, – Belkneps paskaidroja. Ministra vietnieks izturējās nepārliecināti, tāpēc vajadzēja būt uzstājīgākam. – Šķiet, ka esmu jums radījis vairāk neērtību, nekā biju iedomājies. Varbūt mums patiešām vajadzētu papētīt citus kanālus, un man jums jāatvainojas par jums laupīto laiku. – Belkneps viegli palocījās.

– Jūs mani pārpratāt, – Pērts aizrādīja tonī, kurā jautās neatlaidība, taču ne izbīlis. Viņš saprata, ka *Grinnell* direktors rīkojas tāpat kā visi biznesmeņi – draud, ka ies prom, tādējādi vēlēdamies paātrināt darījuma noslēgšanu. – Es patiešām vēlos jums palīdzēt. Turklāt es to varētu.

– Jūs joprojām runājat pieļāvuma izteiksmē, – Belkneps sacīja ar vieglu pārmetumu. – Tāpēc es baidos, ka mēs velti tērējam viens otra laiku. – Tas nozīmēja: nu jau tev jādomā, kā mani noturēt.

– Rožē, jūs iepriekš uzsvērāt, cik svarīga ir uzticēšanās un māka glabāt noslēpumu. Jūs teicāt, ka šīs īpašības ir jūsu darbības pamatā. Gluži tāpat manas darbības pamatā ir piesardzība. Šajā ziņā jums pret mani jāizturas iecietīgi. Bijuši gadījumi, kad savai piesardzībai esmu pateicies.

No svinību zāles atskanēja trīsbalsīgs dziedājums: *Tev vienmēr būšu pateicīgs/Līdz nāves stundai uzticīgs...*

– Varbūt mums abiem jāizšķiras par kompromisu un mazliet jāpiekāpjas savos nesatricināmajos principos. Jūs jautājāt par pastāvīgajiem piegādātājiem. Nešaubos, ka jūs, cilvēks, kurš dzīvo līdzi pasaules norisēm, saprotat, ka šajā biznesā, tāpat kā visos citos, mēdz būt negaidīti pavērsieni. Esmu pārliecināts, ka esat dzirdējis par Halila Ansari nāvi. – Minēdams šo vārdu, Belkneps pētīja igauņa sejas izteiksmi. – Jūs droši vien saprotat, ka iedibināts izplatīšanas tīkls var pajukt, iekams jauni tīkli vēl tikai top.

Andruss Pērts izskatījās samulsis. Viņš ļoti labi zināja, par ko Belkneps runā, un saprata, ka šis nav pavirši apspriežams jautājums – ne tādam profesionālam politiķim kā viņš. Andruss Pērts lēsa, ka viņam jāokšķerē dziļāk, lai pārliecinātos par savu priekšnojautu, taču jāuzmanās, lai viņa rokas paliktu tīras.

– Es zinu, ka jūs esat cilvēks ar labu gaumi, – Belkneps teica, apsvērdams katru vārdu. – Esmu dzirdējis, ka jūsu lauku māja esot īsts brīnums.

– Nekas īpašs, taču sievai tā patīk.

– Varbūt viņai vēl vairāk patiks, ja jūs nopirksiet lielāku māju.

Andruss Pērts ilgi un domīgi vērās uz Belknepu. Šajā cilvēkā vienādiem spēkiem cīkstējās mantkārība un nedrošība.

– Varbūt es maldos un tā nepavisam nav. – Belkneps atkal tēloja, ka ir gatavs atkāpties. – Saruna ar jums man sagādāja prieku. Taču vēlreiz jāteic, ka nevēlos būt uzmācīgs. Iespējams, patiešām būs pareizāk, ja palūkošos citā virzienā. Kā jau jūs mani... brīdinājāt, Igaunija ir maza valsts. Manuprāt, jūs ar to gribējāt teikt, ka mazos dīķos reti iepeld lielas zivis. – Viegli palocījies, Belkneps paspēra soli uz durvju pusi, no kuras skanēja koristu spēcīgās balsis: *Tu, dārgā Tēvija!*

Klusumu pārtrauca aplausi, samērā šķidri, jo klausītājiem rokās bija glāze, salvete un kanapē maizīte.

Belknepu apturēja uz pleca uzgūlusi roka un čuksts pie auss.

– *Estotek*, – ministra vietnieks teica. – *Ravala Puiestee* ielā.

– Tik daudz es varētu uzzināt, ielūkodamies telefona grāmatā.

– Ticiet man, šā uzņēmuma īstais rūpals ir ļoti slepens. Jūs apgalvojāt, ka mākat glabāt noslēpumus.

– Nu protams, – Belkneps novilka.

– Priekšnieku sauc Lenhems.

– Savāds vārds igaunim.

– Taču ne tik savāds vārds amerikānim.

Amerikānis. Belkneps sarauca uzacis.

– Domāju, ka vajadzīgo saņemsiet, – Pērts turpināja. – Mēs esam mazs dīķis, taču dažas mūsu zivis ir visai pamatīgas.

– Iespaidīgi, – Belkneps vēsi noteica. – Es to saku par jūsu dzimto zemi. Vai man pasveicināt Lenhemu no jums?

Ministra vietnieks pēkšņi izskatījās satraukts.

– Dažreiz ir labāk, ja pat vistuvākās attiecības uztur no attāluma, – viņš teica. – Atklāti sakot, ar šo cilvēku personiski neesmu ticies. – Viņš saspringa, it kā apvaldīdams drebuļus. – Un man nemaz nav tādas vēlēšanās.

ASTOŅPADSMITĀ NODAĻA

Tallinas lietišķo darījumu rajons gandrīz nav minēts tūristu ceļvežos, taču daudzi tieši to uzskata par pilsētas sirdi. Galvenā šajā rajonā ir administratīvā ēka, kur izvietojies firmas *Estotek* birojs, – tā ir divdesmit stāvu augsta, mirdz spoguļstiklā un atrodas jūdzes attālumā no vecpilsētas, taču kaimiņos daudzām citām mūsdienu Tallinas zīmēm – viesnīcai *Reval Olümpia*, tirdzniecības centram *Stockmann*, kinoteātrim *Coca-Cola Plaza* un neonā mirdzošajam naktsklubam *Hollywood*. Lietišķo darījumu rajons Tallinā izskatās tieši tāds pats, kāds tas ir jebkurā citā Eiropas vai Amerikas pilsētā, tāpēc biznesmeņi no visas pasaules šeit jūtas mājīgi. Kafejnīcas, viesnīcas un bāri piedāvā pieeju ātram internetam. *Mēs esam mūsdienīgi, tādi paši kā jūs,* pauž Tallina, taču vēstījumā jaušams tāds kā izmisums, kas mazina ticamību. Vēlajā stundā spoži vizēja naktskluba *Bonnie and Clyde* neona apgaismojums. Tā bija vēl viena īpatnība Tallinas ielās – daudzie "naktsklubi", kā sevi dēvēja vai ikviena kaut cik atbilstoša iestāde. Blakus augstākajai viesnīcai iekārtojies *Audi* un *Volkswagen* autosalons. Vietējie neapšaubāmi varēja lepoties, ka izdevies vienkopus sapulcēt tik daudzveidīgas iestādes.

Klucim līdzīgā administratīvā celtne, kuras fasādes šķautnes bija apdarinātas ar gaišu tēraudu, grima tumsā. Ja šo ēku pārceltu uz jebkuru pilsētu, tā visur iederētos. Belkneps izkāpa no taksometra, kad līdz tai atlika krietns gabals, un devās uz priekšu kājām. Viņš gāja nedaudz līgodamies – ja nu viņu kāds novērotu –, tēlodams iereibušu biznesmeni, kurš pūlas atcerēties, kurā ēkā atrodas viņa viesnīca.

Šo adresi viņam pateica Genādijs Čakvetadze, kas dažas reizes diskrēti piezvanīja uz municipalitātes arhīvu. Lai gan šis vīrs pelnīti atpūtās, viņa ietekme vēl nebija gluži zudusi.

Šā uzņēmuma īstais rūpals ir ļoti slepens, bija teicis Andruss Pērts, un ministra vietnieks nemaz nepārspīlēja. Kā izrādījās, firma *Estotek* bija ārzonā reģistrēta Igaunijas korporācija. Oficiālajos reģistrācijas dokumentos bija minēti tikai aktīvi, kuri tai piederēja Igaunijā, un tie bija niecīgi. Firmas nodarbošanās veids nebija minēts, tā īrēja telpas biroju centra desmitajā stāvā, savlaicīgi maksāja nodokļus, bet visādi citādi bija īsts rēgs. Čaula, kas viltīgi izveidota, lai slēptu savu ārzonas filiāļu darbību.

Belkneps bija neizpratnē.

– Vai tad viņiem nekur nav jāiesniedz dibinātāju, savas valdes un vadītāju saraksts? – viņš Čakvetadzem jautāja.

Bijušo čekistu tāds jautājums uzjautrināja.

– Civilizētā pasaulē tas, protams, ir jādara. Taču Igaunijā vērtspapīru reglamentēšanas un finanšu likumi pieņemti nelielas bagātu cilvēku grupas interesēs. Pēc dokumentiem, galvenais akciju turētājs viņiem ir nevis konkrēts cilvēks, bet cits uzņēmums. Vai zināt, kas šo citu uzņēmumu vada? Varējāt nejautāt. Protams, *Estotek*. Kaut kas no M. K. Ešera grafikas fantāzijām, ko? Taču Igaunijā tādas ačgārnības ir absolūti atbilstošas likumam. – Atvaļinātais *KGB* aģents iespurcās. Doma, ka cilvēki ir negodīgi, viņu nomierināja.

Sargādamies no vēja brāzmām, kas traucās cauri stikla un tērauda kanjonam Tallinas centrā, Belkneps sacēla žaketes apkakli. Vakara krēslā biroju ēkas spoguļstikls kļuva caurredzams. Belkneps nespēja novērtēt, cik drošs var šeit justies. Ēkas stūros vairāku metru augstumā uzstādītās videonovērošanas kameras uzraudzīja apkaimi, apsargiem raidīdamas ietves attēlu ap ārdurvīm un gliemežvāka formas slēgtajā autostāvvietā, kas bija kopīga ar otru biroju ēku. Belknepam nebija ne jausmas, kādi drošības līdzekļi izmantoti iekšpusē. Skaidri viņš zināja tikai vienu – šī nakts ir labākā iespēja nemanāmam iekļūt *Estotek* birojā. Nākamajā dienā ministra vietniekam varēja iešauties prātā doma sazināties ar firmas pārstāvi un brīdināt par savu sarunu ar *Grinnell* rīkotājdirektoru. Ļoti iespējams, ka tad viņa krāpšanos atklātu un drošību ēkā pastiprinātu. Toties šajā brīdī Andruss Pērts nevienam nezvanīs, jo viņš klausās pasaules labāko koru koncertu. Viņš spiež viesiem roku un smaida, iztēlodamies savu jauno lauku māju un prātodams, kā lai šo pirkumu izskaidro draugiem un kolēģiem.

Šķērsojis ielu, Belkneps izvilka nelielu plakanu lauka tālskati un pielika pie acīm, cenzdamies ēkas vestibilā saskatīt sargu.

Brīdi viņš to neredzēja. Tad aiz kolonnas ieraudzīja gaisā vērpjamies dūmu strūkliņu. Jā, vestibilā bija sargs. Viņš smēķēja. Un izskatījās noguris.

Belkneps, ieskatījies spoguļstiklā, ātri novērtēja savu atspulgu. Tumšais uzvalks atbilda lomai, kas jātēlo. Melnais ādas portfelis – par to un tā saturu gādāja Genādijs – bija nedaudz apjomīgāks par ierastajiem ierēdņu portfeļiem, taču uzmanību pārāk nesaistīja. Dziļi ievilcis elpu, Belkneps piegāja pie ārdurvīm, nozibināja savu caurlaidi un sagatavojās iet iekšā.

Sargs, uzmetis viņam miegainu skatienu, piespieda pogu, un durvis atvērās. Viņa vidukļa apkārtmērs jau bija visai prāvs, kāds tas mēdz būt vīriešiem pēc trīsdesmit, ja uzturā lieto pārāk daudz cūkgaļas, speķa, pankūku un kartupeļu. Ievilcis pēdējo dūmu, sargs iemeta izsmēķi atkritumu grozā un atgriezās savā darba vietā aiz granīta letes.

– CeMines, – Belkneps teica. – CeMines Estonia. Vienpadsmitais stāvs.

Sargs flegmatiski pamāja ar galvu, un Belkneps nojauta, ko viņš domā. Vēl viens ārzemnieks. No tiem, kuri pārpludinājuši Tallinu. Protams, firmai CeMines, kas nodarbojās ar pētījumiem medicīnas laukā, apmeklētāji tik vēlā vakara stundā bija liels retums, taču Čakvetadze iepriekš bija piezvanījis apsardzes priekšniekam un savā lauzītajā igauņu valodā brīdinājis, ka vienu no sistēmām piemeklējusi tehniska kļūme un steidzami nepieciešama speciālista ierašanās.

– Sakarā ar remontu? – sargs jautāja stomīgā angļu valodā.

– Sensori norāda uz saldēšanas tinuma nepareizu darbību bioloģiskā materiāla glabātavā. Ko gan esmu nogrēkojies, ka nedod mieru pat vakarā? – Belkneps tērgāja ar pašapzinīgu smaidu.

Sarga sejā pavīdēja apjukums, kā mēdz gadīties, ja sarunas biedrs otra angļu valodas prasmi novērtē par augstu. Viņa domas bija lasāmas kā uz delnas – šķēršļu radīšana bagātam ārzemniekam neietilpst viņa dienesta pienākumos. Pēc mirkļa viņš aicināja apmeklētāju parakstīties žurnālā, ar īkšķi norādīja uz liftiem un aizsmēķēja jaunu cigareti.

Savukārt Belkneps juta, ka reizē ar augstumu, kādā pacēlās lifts, aug arī viņa satraukums. Priekšā bija smags uzdevums.

Džīna Treisija aizlika aiz auss melno matu sprogu.
– Notikusi kļūda, – viņa sacīja, vērsdamās pie pārējiem. – Patiešām nožēlojama, neticama kļūda. Vīri, ko mēs nosūtījām uz Dienvidameriku, nogalinājuši nepareizo Havjeru Solanasu. Vai spējat iedomāties? – Lai gan Dienvidamerika atradās ļoti tālu no grupas *Theta* mītnes ar lakotajām slānekļa grīdām un matstikla durvīm, tieši te pieņēma šim kontinentam izšķirīgus lēmumus. Reizēm Džīna Treisija jutās kā kosmosa lidojumu centra darbiniece, kas vada ceļojumus uz tālām planētām. – Viņiem bija jālikvidē Ekvadoras valdības tirdzniecības pārstāvis. – Sieviete ielūkojās steidzamā ziņojumā, kas nozibēja uz datora ekrāna. – Taču viņi noslepkavoja nekaitīgu rančo īpašnieku, tā pārstāvja vārdabrāli. Velns un elle!

Iestājās neveikls klusums, kurā bija dzirdams vienīgi gaisa kondicionēšanas sistēmas troksnis.

– Ak, neveiksme... – neapmierināts nomurmināja Hermanis Lībmanis, un viņa kakla krokas nodrebēja.

– Turklāt tie puiši bija vieni no labākajiem, – Džīna Treisija turpināja. – Atsauksmes tikai pozitīvas. Varbūt mums vajadzēja to darbu uzticēt kādam no vietējiem? Vajadzēja vērsties pie vietējiem talantiem, ko?

– Tā gadās, – izgrūda Džordžs Kolingvuds, izbraukdams ar pirkstiem caur īso, sprogaino, rūpīgi kopto bārdu. Reiz kāds bija izmetis, ka viņa bārda izskatoties pēc vagīnas apmatojuma, un Džīnai nāca smiekli, kad viņa, uz Kolingvudu palūkodamās, to iedomājās.

Kolingvuds nolieca galvu sāņus.

– Vai tev tas šķiet smieklīgi?

– Mani tas sarūgtina. Situācija melnās komēdijas garā, – Džīna atbildēja.

Viņas skatiens sastapās ar ūdeņaini bālajām Džona Bērdžesa acīm.

– Vai tev ir kādi ieteikumi? – viņš vaicāja.

Caur stikla jumtu plūstošā gaisma viņa gaišajos, gandrīz bezkrāsainajos matos izcēla ķemmes pēdas.

– Mums jādara viss, lai kaut kas tāds neatkārtotos, – Džīna sacīja. – Nevaru ciest, ka tā notiek.

– Mēs jau darām visu, – Kolingvuds noteica.

– Man acīmredzot jāiemācās uz to raudzīties filozofiski, – viņa nopūzdamās secināja. Kads viņus varēja uzskatīt par bezsirdīgiem tehnokrātiem, Džīna Treisija domāja, taču patiesībā viņi ļoti mīlēja savu darbu un bija spiesti sevi pārvarēt, lai neveiksmes neuztvertu pārāk jūtīgi. – Iespējams, Džordžam ir taisnība. Laiku pa laikam mēs paklupsim. Pievērsdami tam pārmērīgu uzmanību, varam zaudēt kopējo ainu. Tā sacītu Pols. – Viņa pagriezās pret zinātnieku. – Vai tā ir?

– Man žēl, ka tā noticis, – Pols Bānkrofts teica. – Ļoti žēl. Mēs esam pieļāvuši kļūdas pagātnē, un kļūdas neizbēgami būs arī nākotnē. Taču mums par mierinājumu varu atgādināt, ka mūsu kļūdu daudzums nepārsniedz tos parametrus, kādus esam sev noteikuši par pieņemamiem, turklāt šis kļūdu daudzums nepārtraukti samazinās. Tāda tendence iepriecina.

– Ak pat tā? – Lībmanis sabozies noņurdēja.

– Ir svarīgi samērot šo kļūmju nodarīto kaitējumu ar mūsu panākumiem, – Bānkrofts turpināja, – un raudzīties uz priekšu, nevis atpakaļ. Kā tu, Džīna, pareizi atzīmēji, no kļūdām mums jāmācās un jārod papildu garantijas, kas pasargātu no tamlīdzīgiem misēkļiem turpmāk. Riska aprēķini veido asimptotisku līkni. Tas nozīmē, ka vienmēr varam pilnveidoties.

– Vai tu domā, ka mums vajadzētu sūtīt tos puišus atpakaļ, lai viņi dabū rokā īsto? – Bērdžess jautāja.

– Aizmirsti, – Kolingvuds attrauca. – Būs pārāk daudz sakritību. Es negribu teikt, ka otra Havjera Solanasa nāvi kāds varētu saistīt ar pirmā Havjera Solanasa nāvi, taču riska izvērtējuma analīze katrā ziņā parādīs, ka patlaban jānogaida. Kas vēl noticis?

– Droši vien esat dzirdējuši par sievieti, kas Nigērijas ziemeļos līdz nāvei nomētāta ar akmeņiem, – Džīna Treisija sacīja.

– Ciema tiesa nolēmusi, ka viņa vainojama laulības pārkāpšanā. Es gribu vaicāt – kur viņi dzīvo? Vai viduslaikos?

Pols Bānkrofts sarauca pieri.

– Ceru, ka jūs paraudzīsieties uz šo notikumu plašāk, – viņš teica. – Varam pagaidīt apstiprinājumu no zinātniekiem, taču es prognozēju, ka šis gadījums, kas sīki iztirzāts plašsaziņas līdzekļos, palēninās *HIV* izplatīšanās tempu. Šo neizglītoto mullu viduslaiku likumi, iespējams, novērsīs tūkstošiem cilvēku saslimšanu ar *AIDS*, tātad no ilgas, mokošas un bezjēdzīgas nāves izglābs tūkstošiem cilvēku.

Kolingvuds piekrizdams pamāja ar galvu.

– Lai to saprastu, nav vajadzīgas ģēnija smadzenes, – viņš piebalsoja, pagriezdamies pret Treisiju. – Kā tu domā, kāpēc musulmaņu valstīs ir tik maz *AIDS* slimnieku? Tāpēc, ka tur par seksuālo neizvēlīgumu soda un uzspiež kauna zīmi. Tādos apstākļos slimības izplatība sarūk. Palūkojieties kartē! Senegālā ir viens no zemākajiem *HIV* izplatības rādītājiem ekvatoriālajā Āfrikā. Deviņdesmit divi procenti iedzīvotāju tur ir musulmaņi. Toties kaimiņos, Gvinejā-Bisavā, kur musulmaņu ir uz pusi mazāk, *HIV* rādītājs ir *piecas* reizes lielāks. Un es jautāju, ir vai nav jāizmanto akmeņi.

– Vai kontinentālajā sektorā ir vēl kas jauns? – Bānkrofts jautāja.

Bērdžess izpētīja monitora ekrānā redzamo sarakstu.

– Ko mēs domājam par Nigēras kalnrūpniecības un enerģētikas ministru? Vai tad viņš neliek šķēršļus svarīgām palīdzības programmām?

– Mēs to jau apspriedām. Vai neatceries? – Džīna Treisija izklausījās aizkaitināta. – Iespējamas tālejošas sekas. No kardināla risinājuma bija jāatsakās.

– Jūtos kā tādā spēlē, – Kolingvuds teica. – Visu rītu esmu kopā ar cilvēkiem no sistēmas.

– Situācijas kopsavilkums? Es izceltu dažus galvenos jautājumus. – Bērdžess brīdi klusēja, sakopodams domas. – Pirmkārt, ministrs Okvendo ir pārāk redzama figūra. Otrkārt, viņu droši vien aizstās finanšu ministrs Mahamadū. Tas ir jauki, taču tad jājautā, kas nāks pēc Mahamadū? Būtu lieliski, ja viņu aizstātu Sannu. Taču tikpat labi šo amatu var ieņemt Seini, un galu galā viss var kļūt vēl sliktāk. Tāpēc varbūt mums vajadzētu malā nobīdīt nevis kalnrūpniecības un enerģētikas ministru, bet gan Diori, ministra vietnieku, kurš atbild par jautājumiem, kas mūs interesē. Kā var spriest pēc mūsu izlūkošanas ziņām, Diori pēctecis pēc dabas ir samērā lēnīgs. Viņa tēvs bija valsts mantas izlaupītājs, tāpēc dēlam naudas ir pietiekami un viņš nav valdībā tādēļ, lai to saraustu vēl vairāk.

– Interesanti, – doktors Bānkrofts domīgi teica. – Izskatās, ka Diori patiešām ir stratēģiski labākā izvēle. Lai mēs varētu būt pārliecināti, apjautāsimies otras grupas zinātniekiem, vai viņu aprēķini sakrīt ar mūsējiem. Kā esam mācījušies no savas rūgtās pieredzes, neatkarīgam vērtējumam vienmēr ir liela nozīme. – Skatiens, ko viņš veltīja Lībmanim, liecināja, ka kļūdu pagātnē bijis ne mazums.

– Lai izstrādātu jaunu modeli, būs vajadzīgas vairākas dienas, – Bērdžess brīdināja.

– Nigēra ir valsts ar nelielu valdošo eliti, un tādas valstis ir ārkārtīgi jutīgas pret vissīkākajām variācijām ieguldījumos, un tas var beigties ar neparedzamām sekām. Labāk nodrošināsim sevi pret sekām nekā pēc tam nožēlosim kļūdas.

– Neviens pret to neiebilst, – Lībmanis noburkšķēja, atbalstījis zodu plankumainās rokās.

– Tad jau viss ir kārtībā, – Bānkrofts sacīja, veltīdams Bērdžesam stingru skatienu.

– Kas jauns Ansari tīkla pārņemšanā? – Lībmanis apjautājās.

– Ceru, ka mūsu pūliņi attaisnosies.

– Un tu vēl šaubies? Tas būs viens no ģeniālākajiem Pola darbiem, – Kolingvuds sacīja. – Protams, zināms laiks paies, iekams mēs visu apvienosim vienā veselā, taču tā notiek, ja iegādājas jebkuru uzņēmumu. Nav iemesla šaubīties, ka mums radīsies iespēja iegūt patiešām vērtīgu informāciju par tā klientiem. Zināšanas ir...

– Ierocis, lai darītu labu, – Bānkrofts pabeidza viņa iesākto teikumu. – Viss, ko mēs uzzinām, ir ieguldījums lielā lietā.

– Pareizi, – Kolingvuds piekrita, enerģiski mādams ar galvu. – Pasauli pārpludina bruņojums. Mūsdienās tas nonāk pie tiem, kas spējīgs vairāk maksāt. Ļaunākais, ka piedāvājums ir atvērts visiem, un pilsoņu karā abas puses bieži ir apbruņotas līdz zobiem. Trīsdesmit gadus kaut kas tāds turpinājās Angolā. Absolūti neracionāla pieeja. Toties mēs piegādāsim ieročus tām valstīm un grupējumiem, kam tie patiešām jāsaņem. Mēs iedibināsim mieru provincēs, kurās gadu desmitiem plosās savstarpēju ķildu ugunsgrēks, jo abas puses saņēmušas pietiekami daudz ieroču kara turpināšanai, taču ne tik daudz, lai tajā gūtu uzvaru. Tāda situācija allaž ir vissliktākā.

– Mūsu ģeopolitiskie analītiķi izsakās pilnīgi skaidri. Lielākajā daļā pilsoņu karu, – Bānkrofts teica, – ātra un izšķiroša vienas puses uzvara no humānā viedokļa ir vēlamāka nekā bezgalīgs konflikts. Turklāt nav svarīgi, kura puse gūst uzvaru. Iestigt savstarpēju apvainojumu un agresijas purvā, galu galā skaidrojot, kurš sāka pirmais, ir liela kļūda. Mēs apstrādāsim informāciju, izvēlēsimies uzvarētāju un nodrošināsim optimālo iznākumu. Padomājiet, cik neprātīgs bija Ansari tīkla solis atbalstīt kalniešu ciltis Birmā! Vieglie ieroči, otršķirīga artilērija – un par visu samaksāts ar narkotiku tirdzniecībā iegūtu naudu! Daudzus garus gadus tas ļāva dumpiniekiem karot ar Mjanmas oficiālās valdības spēkiem. It kā viņiem bija kādas cerības gūt panākumus! Tas ir nepareizi, pilnīgi nepareizi. Tika nodarīts kaitējums gan ciltij, gan valstij. Nevienam nepatīk represīvs autoritārs režīms, taču ilgstošs konflikts ir vēl ļaunāks. Pēc tam kad militāristi stabilizēs valstī kārtību, mēs ietekmēsim šo režīmu, lai tas nav tik represīvs un vairāk rūpējas par saviem pilsoņiem.

– Vai tu minēji, ka dumpinieciskie Ansari starpnieki grasās pieslieties pretējai nometnei? – Lībmanis jautāja.

– Kurš gan par karenu ieroču arsenāliem zina vairāk nekā viņu bijušie ieroču piegādātāji? Kurš gan labāk par viņiem zina, kā organizētas geriļļu bruņotās vienības? Taču mēs Mjanmas ģenerāļiem piešķirsim svarīgu izlūkošanas informāciju – un *NATO* līmenim atbilstošu bruņojuma kravu. Noteicošais ir pārspēks. Un mēs nepaspēsim aizskaitīt līdz trīs, kad būs panākts miers. Ja raugāmies no globālās perspektīvas, jāteic, ka pilsoņu karu laiks jau tikpat kā pagājis.

– Ja vien tas nebūs pilsoņu karš, kuru atbalstām *mēs*, – Lībmanis piebilda.

– Režīma gāšana, izmantojot tiešu bruņotu pretstāvi, ir galējs līdzeklis, – sparīgi mādams ar galvu, teica Kolingvuds. – Taču, ja citādi nav iespējams... ko lai dara, arī tas ir risinājums. Tātad... galveno ieroču piegādes tīklu pakļaušana mūsu pārvaldībai vēl nekādā ziņā nav pabeigta. Protams, Ansari biznesa pārņemšana grupai *Theta* sniedz arī tiešu labumu. Galu galā tiem, kas dara labu, sevi kaut kā jāaizsargā. – Viņš pagriezās pret Bānkroftu. – Tu taču tam piekrīti, vai ne?

– Dzeloņcūkai vajadzīgas adatas, – Bānkrofts atbildēja.

– Kad rodas draudi mūsu pašu drošībai – vienalga, ārzemēs vai savās mājās, – tie jākliedē.

– Visiem iespējamiem līdzekļiem, – zinātnieks piekrita.

Kolingvuds, saskatījies vispirms ar Bērdžesu, tad ar Treisiju, dziļi ievilka elpu.

– Tādā gadījumā, Pol, mums jāaprunājas par Andreu.

– Es klausos.

– Pol, tu šoreiz neesi objektīvs. Piedod man par tiešumu, taču mums jāpieņem lēmums. Tev jāļauj ar to nodarboties profesionāļiem. Diemžēl viņa ir kļuvusi par problēmu. Doties uz Rozendeilu! Tas nu patiešām bija par daudz! Tu cerēji, ka viņa kļūs prātīgāka. Tagad mēs zinām, ka tu esi viņu pārvērtējis.

– Vai arī neesmu novērtējis. – Bānkrofta balsī ieskanējās kas savāds.

– Tavs vērtējums bija subjektīvs.

– Tu vienmēr domā par cilvēkiem vislabāko, – teica Džīna Treisija. – Tas ir lielisks sākuma pieņēmums. Taču tu esi mūs iemācījis, ka reizēm uzskati par cilvēkiem jāmaina, ja šie cilvēki uzticību neattaisno.

Kliedētajā dienas gaismā Bānkrofts pēkšņi izskatījās vecāks nekā parasti.

– Vai jūs gribat, lai es uzticu jautājumu, kas saistīts ar manu brāļameitu, kādam citam?

– Tieši tāpēc. Tieši tāpēc, ka viņa ir jūsu radiniece, – Treisija uzstāja.

Bānkrofts skatiens bija vērsts tālumā.

– Nezinu, ko lai saka. – Vai Džīnai Treisijai tikai izlikās, vai filozofa balss patiešām nodrebēja? Kad Bānkrofts pievērsās pārējiem, viņš izskatījās pelnpelēks.

– Tad nesaki neko, – Bērdžess deva padomu, un viņa balsī jautās cieņa un līdzcietība. – Tu esi mūs labi skolojis. Atļauj šajā reizē daļu atbildības uzņemties mums... atstāj šo jautājumu mūsu ziņā.

– Kā tu mēdz teikt, darīt labus darbus ne vienmēr ir vienkārši, – piebilda Kolingvuds.

– Nomierināt sasodīto Kērka komisiju arī nebūs vienkārši, – Treisija iestarpināja.

– Tu esi pārāk jauna, lai atcerētos Čērča komisijas sēdes, – sacīja vecākais apspriedes dalībnieks Hermanis Lībmanis. – Taču mēs ar Polu neko neesam aizmirsuši. Viss notiek cikliski.

– Jā, daudzi notikumi ir neizbēgami gluži kā musons, – Kolingvuds drūmi novērtēja. – Vēsture atkārtojas.

– Pagātnes faktu zināšana ir spēks, – Bānkrofts teica, samiegdams acis. – Dievs zina, ka esam apvēluši otrādi daudzu senatoru pagātnes akmeņus. Kādas tik radības tur čumēja un mudžēja! Kāda aina vērojama šoreiz?

Pagriezies pret Džonu Bērdžesu, Kolingvuds ar skatienu aicināja viņu pastāstīt par pētījuma rezultātiem.

– Pārāk maz, – teica bijušais firmas *Kroll Associates* izmeklētājs Džons Bērdžess ar sāju smaidu. – Mūsu mērķim vajadzīgs kaut kas liels, taču neko tādu neesam uzgājuši. Patiesībā ar to, ko esam uzokšķerējuši, nepietiktu pat, lai savā pirmajā lappusē to aprakstītu provinciālā avīžele *South Bend Tribune*. Labvēlība pret galvenajiem ziedotājiem? Protams. Taču tas atbilst darbam vēlētāju labā. Vismaz tā politiķi to sauc. Netīra nauda? Nekā konkrēta. Četras reizes viņš cīnījies par posteni ar vairākiem visai dāsni finansētiem sāncenšiem. Viens pirms vairāk nekā desmit gadiem viņam izvirzīja apsūdzību, taču nianses bija tik samudžinātas, ka tiesu eksperti nespēja vienoties, vai viņa rīcība bijusi pieļaujama vai ne. Aizdomas izraisīja ziedojumi no divām firmām, kurās akciju kontrolpakete pieder Kalifornijas Valsts uzņēmumu ierēdņu pensiju fondam. Ja abas firmas patiešām ir viena uzņēmuma sastāvdaļas, ziedojumi pārsniedza likumā atļauto summu. – Runātājs blāvi pasmaidīja. – Kāds reportieris preses konferencē, gari un plaši izklāstīdams visas apsūdzības nianses, Benetam Kērkam par to pajautāja. Kērks atbildēja: "Piedodiet, vai jūs varētu atkārtot jautājumu vēlreiz?" – un visi aiz smiekliem gandrīz pārplīsa. Ar to viss beidzās. Kas vēl? Iespējams, pirms divdesmit gadiem viņam bijusi dēka ar kādu Rīno viesmīli, bet šī sieviete to noliedz, taču nedomāju, ka plašsaziņas līdzekļi ņemtos to iztirzāt, pat ja viņa nenoliegtu. Žurnālisti apvijuši Kērku ar oreolu. Lai kaut cik sašūpotu viņa pozīcijas, mums būtu jāpierāda, ka senators pastrādājis izvirtīgas darbības ar visiem Hārlemas zēnu kora puišeļiem.

– Turklāt viņu nav iespējams uzpirkt, – Kolingvuds papildināja savā svelpjošajā balsī. – Jūs jau zināt, kāds ir viņa veselības stāvoklis. Viņš to nevienam neatklāj, taču, pat ja tāda ziņa uzpeldētu, sabiedrība vienīgi justu viņam līdzi. Kērkam, jūtot mūžības elpu, acīmredzot svarīgs vairs ir tikai viens – kādu mantojumu viņš atstās. Viņš apzinās, ka nedzīvos tik ilgi, lai vēlreiz balotētos uz senatora posteni, taču pagaidām viņam vēl ir pietiekami daudz laika un spēka, lai mums sagādātu milzum daudz nepatikšanu.

– Gluži kā Samsons no svētajiem rakstiem, – Bērdžess novilka. – No Kērka slimības mums nekāda labuma nav. Viņam pietiks spēka, lai nogāztu kolonnas un sagrautu visu sasodīto dievnamu.

– Tu teici, ka zināšana esot spēks, – Kolingvuds uzmeta zīmīgu skatienu Bānkroftam. – Šoreiz nelaime ir tā, ka visu zina Kērka komisija. Senators kaut kādā ceļā ieguvis informāciju, kas viņa rīcībā gluži vienkārši nedrīkstēja nonākt. Tādējādi viņš mums kļuvis par reālu apdraudējumu.

– Un mums joprojām nav zināms, kā viņam tas izdevās? – Bānkrofta skatiens bija vērīgs, taču ne raižpilns.

Kolingvuds paraustīja plecus.

Džīna Treisija, kā parasti, bija nepacietīga.

– Es tomēr nesaprotu, kāpēc mēs to senatoru Kērku gluži vienkārši nevaram novākt. Izdarīt to, kas neizbēgami notiks pats no sevis. Izraut ērkšķi no savas ķepas mazliet ātrāk.

Bānkrofts drūmi papurināja galvu.

– Tu, Džīna, neesi šo jautājumu izpratusi.

– Vai tu vari iedomāties, kāds tracis sacelsies? – Kolingvuds nosodoši lūkojās uz Džīnu. – Iespējams, vēl bīstamāks nekā visa tā komisija.

– Bet mēs taču esam grupa *Theta*, velns lai parauj! – tumšmatainā sieviete aizsvilās. – *Theta... thanatos.* – Viņa palūkojās uz Bērdžesu. – "Nāve" grieķu valodā, vai ne?

– Es to labi zinu, Džīna, – Bērdžess atbildēja. – Taču tādas pašas riska izvērtēšanas programmas, kādas izmanto visā pasaulē, izmantojam arī mēs, un šie rezultāti mums jāņem vērā.

Treisija lūdzoši paskatījās uz Bānkroftu.

– *Kaut kam* taču jābūt, ko mēs varam izdarīt!

– Vari būt droša, ka es nepieļaušu, lai grupas *Theta* virzību no sliedēm nolaistu viens kukurūzas audzētājs no Indiānas, – Bānkrofts sacīja. – To es apsolu. Grupa *Theta*, šis labdarības bultas uzgalis, turpinās darbu.

– Ekstrēmā filantropija... – Bērdžess klusi iesmējās. – Gluži kā ekstrēms sporta veids.

– Lūdzu, nejoko par manu mūža darbu, – Bānkrofts rāmi noteica, taču viņa skatienā jautās pārmetums.

Iestājās ilgs klusuma brīdis, ko beidzot pārtrauca satrauktas balsis, kas atskanēja stāvu zemāk izvietotajā sakaru centrā. Augšā pa vītņu kāpnēm uznāca vīrietis ar neveselīgu sejas krāsu un, izskatīdamies nomākts, sasveicinājās ar priekšniecību.

– Pienācis vēl viens vēstījums no Ģenēzes.

– Vēl viens? – Treisija satriekta pārjautāja.

Sakaru centra darbinieks Polam Bānkroftam pasniedza papīra lapu.

– Puiši tur, lejā, ir satraukti, – viņš pārējiem paziņoja.

Bānkrofta acis, kad viņš ātri izlasīja papīra lapu, iepletās. Ne vārda neteikdams, viņš pasniedza lapu Kolingvudam.

– Man tas nepatīk, – nemēģinādams slēpt satraukumu, Kolingvuds nosēca. – Ko tu par to domā, Pol?

Filozofa sejā bija iegūlusi saspringta izteiksme. Nezinātājs tajā saskatītu intensīvas pārdomas vai pat bailes. Apspriedes dalībnieki saprata, ka tā vēsta krīzi.

– Nu, mani draugi, izskatās, ka mūs piemeklējušas lielākas likstas, nekā paredzējām, – Bānkrofts beidzot paziņoja. – Ģenēze draudus pastiprina.

– Mēs rīkosimies saskaņā ar pārbāzēšanās noteikumiem, – Kolingvuds, vēstījumu pārlasīdams, sacīja. – Uz laiku mums no šejienes jāaizvācas un jāpārceļas uz kādu no rezerves vietām. Iesaku apmesties mītnē, kas atrodas netālu no Batleras, Pensilvānijas štatā. Mēs to izdarīsim vienā naktī, nepārtraukdami darbu.

– Nevaru ciest domu, ka mums jāglābjas bēgot. – Lībmanis nopūtās.

– Tas jau tikai pagaidām, Hermani, – Bānkrofts viņu mierināja. – Nav vērts pievērst uzmanību īslaicīgām neērtībām, kādas mums jāpacieš, lai pēc tam ilgi justos drošībā.

– Kāpēc tas viss notiek tieši tagad? – Lībmanis gribēja zināt.

– Kad pārņemsim Ansari tīklu, – Bērdžess paskaidroja vecajam analītiķim, – neviens vairs nespēs mūs apturēt. Taču patlaban mums ir pārejas posms, kas nekad nemēdz būt viegls. Tas nozīmē, ka šajā laikā esam ievainojami. Kad to laimīgi pārlaidīsim, mēs būsim neuzvarami.

– Un visa pasaule pārvērtīsies par mūsu terāriju, – Kolingvuds piebilda.

Lībmanis joprojām māca šaubas.

– Bet ļaut, lai Ģenēze...

– Pirmo reizi "Inverbrass" gāja bojā tāpēc, ka pārvērtēja savus spēkus, – Bānkrofta balsī jautās spraigums. Zinātniekā bija atgriezusies pašapziņa un valdonīgums. – Ģenēze atkal gatavojas uz

322

to pašu. Mums jānoturas tikai dažas dienas, un Ģenēze būs pagalam.

Lībmanis nerada sevī tādu optimismu.

– Vai arī pagalam būsim mēs.

– Vai tu esi sācis šaubīties tāpat kā Toms Ģetzemanes dārzā? Vai esmu zaudējis tavu uzticību? – Bānkrofta seja bija neizdibināma.

– Svarīgu jautājumu izlemšanā tu nekad neesi kļūdījies, – Lībmanis sāpināts atbildēja.

– Priecājos par šo atbildi, – Bānkrofts salti attrauca.

Lībmanis klusēja, vilcinādamies sarunu turpināt. Taču cieņa pret šo īpašo cilvēku, ar kuru viņu vienoja daudzi desmiti uzticības un draudzības gadu, mudināja uz vaļsirdību. Viņš nokrekšķinājās, atbrīvodamies no kamola, kas bija iestrēdzis kaklā.

– Paklausies, Pol, – Lībmanis teica, – visam taču galu galā pienāk pirmā reize.

Kad liftā iedegās vienpadsmitā stāva atzīme, Belkneps izkāpa, iespējamām kamerām tēlodams pēc gariem pārlidojumiem nogurušu ceļotāju. *Estotek* atradās stāvu zemāk, bet vienpadsmitajā stāvā mitinājās *CeMine*. Kā bija paskaidrojis Genādijs, tā bija farmaceitiska firma, kas specializējās tā dēvēto "biomarķieru" izstrādē. Tās mērķis bija izgudrot analīžu veikšanas metodi, teiksim, vienkāršas asins analīzes metodi, kas ļautu atteikties no ķirurģiskas biopsijas dažu vēža paveidu diagnosticēšanā. Šī firma dižojās, ka darbojoties "kopsolī ar rūpniecību, akadēmisko zinātni un valdību". Daudz partneru – tātad daudz kabatu, no kurām smelt līdzekļus.

Belkneps šajā stāvā izvēlējās vienu no trim nelieliem kabinetiem. Nospriedis, ka tur veic mazāk svarīgus darbus, viņš cerēja, ka arī uzraudzība tajā būs vājāka. Firmas *CeMine* kabinetiem bija ar tērauda plātni apšūtas durvis.

Pārliecinājies, ka gaitenī drošības kameru nav, Belkneps sāka darboties ar mūķīzeri. Brīdi knibinājies, viņš saprata, ka tik viegli durvis nepadosies. Kā jau viņš paredzēja, tur bija divpusējā slēdzene. Izvilcis tievo mūķīzeri no atslēgas cauruma ārā, Belkneps pavērsa to otrādi un ievirzīja atslēgas caurumā no jauna. Pēc vairākām saspringtām minūtēm slēdzene beidzot padevās un durvis atvērās.

Trauksmes signāli neatskanēja. Kā jau viņš domāja, to kabinetu drošība, kuros glabājās firmas finanšu un juridiskie dokumenti, bija kopīgās ēkas apsardzes ziņā. Acīmredzot šeit nebija nekā tāda, kas interesētu zagļus. Ar parastajiem drošības līdzekļiem pilnīgi pietika.

Belkneps aizvēra durvis. Kabinetu vāji apgaismoja iekšsienās iestrādātas luminiscentas līnijas – dežūrgaisma, kas bija drošības norma visā pasaulē. Nogaidījis, iekams acis aprod ar puskrēslu, Belkneps piesardzīgi apstaigāja telpu, spīdinādams kabatas luktura gaismas staru un nopētīdams parastas atklāta plānojuma darba vietas. Tikai daži nelieli kabineti bija norobežoti no kopējās telpas. Uz grīdas pletās pelēks paklājs ar lielu rombu ornamentu. Pēc pāris minūšu ilgas pārbaudes Belkneps atrada vietu, kur pie grīdas kontaktligzdām bija pieslēgts telefons un dators. Tāpat kā lielākajā daļā administratīvo ēku, kas celtas pēdējos desmit gados, zem grīdas bija paslēpti optisko un koaksiālo kabeļu mezgli. Belkneps šeit ieraudzīja arī visur plaši izmantotās, divreiz divas pēdas lielās flīzes. Grīdas segums bija viegli paceļams, tādējādi varēja tikt klāt vadiem. Nometies uz vēdera, Belkneps pacēla flīzi, kas bija vistuvāk kontaktligzdām. Izrādījās, ka zem flīzes ir tērauda režģis un zem režģa – vadi. Cik biezs ir segums starp stāviem? No sava ādas portfeļa izvilcis mazu lauznīti, viņš sāka ātri uzlauzt grīdas flīzes.

Tad viņš nolaida lejup nelielu optisko šķiedru kameru, kura bija pieslēgta pie digitālās kameras, kas rādīja ņirbošu attēlu uz skatu meklētāja plakanā ekrāna. Ceturtdaļcollas platā čūskveida kamera, kas raidīja standarta *RCA* signālu, ļāva saņemt attēlu no sešdesmit grādu leņķa. Četrus jardus garais, melnā materiālā iestrādātais kabelis bija pievienots elektronikas kārbiņai, kur sīks pārveidotājs gaismu no tūkstošiem miniatūru šķiedru pārvērta vienotā attēlā. Kad čūskveida kamera palīda zem grīdas, ksenona spuldzīte kabeļa galā nodrošināja tai apgaismojumu. Belkneps stūma kabeli tālāk un tālāk, vadīdams garām šķēršļiem, līdz tas sasniedza baltu rievainu virsmu. Apakšējā stāva griestus.

Belkneps nospieda sprūdu uz melnās kārbiņas. No kabeļa gala, kur atradās kamera, izvirzījās miniatūrs tērauda urbis, kas sāka ātri griezties, atgādinādams urbšanu ar kniepadatu. Kad caurumiņš apakšējās telpas griestos bija izurbts, Belkneps iegrozīja tajā kameru.

Sākumā ekrāns lāsoja gluži kā muarē audums. Belkneps noregulēja ierīci tā, lai būtu pārskatāma *Estotek* telpa. Drīz vien attēlā bija redzami taisnstūra galdi, melni krēsli ar ovālu sēdekli un atzveltni, printeri, datori, telefoni un kastes ar saņemtajiem un nosūtītajiem dokumentiem. Belkneps atkal regulēja kameru, grozīdams to uz visām pusēm, līdz beidzot ieraudzīja to, ko meklēja.

Mazas plastmasas kārbiņas, kas atgādināja gaismas slēdžus. Infrasarkanie detektori, kas reaģēja uz kustību, bija piestiprināti vietās, kur dzīva satiksme, – pie durvju ailas, blakus loga aplodai, ejā starp darba vietu nodalījumiem. Kas šīs ierīces bija patiesībā, varēja pazīt vienīgi trenēta acs. Kustības detektori aktivējās tikai pēc darba laika beigām, kad kabineta durvis tiek aizslēgtas, un Belknepam tie bija īsts izaicinājums.

Belkneps šo modeli pazina. Tās bija pasīvas ierīces, kas reaģēja uz temperatūras maiņu. Kad ķermenis, no kura plūst infrasarkanais starojums, ienāk telpā, ierīce to "jūt". Pārtrauktā elektrības plūsma iedarbina signalizāciju.

Viņš vēlreiz paraudzījās uz detektoriem, kas izskatījās pēc gaismas slēdžiem. Nekā tāda, pie kā pakavētos nezinātāja skatiens. Objektīvs ar Frenela lēcu fokusēja infrasarkano radiāciju caur īpašu filtru. Sensoram bija divi uztveršanas elementi, kas reaģē uz saules gaismas, vibrācijas, bet vislabāk – uz temperatūras svarstībām. Ķermenis, kas pārvietotos pa telpu, iedarbotos gan uz vienu, gan otru elementu.

Neiedarbinot signalizāciju, nolaisties lejā nebija iespējams, taču Belkneps nemaz negrasījās to darīt.

No tērauda plāksnes, kas veidoja daļu no režģa posma, izskrūvējis sešpadsmit skrūves, viņš pacēla divus metrus garo plāksni augšup, atsegdams padziļinājumā ievietoto elektroinstalācijas vadu tīklveida pinumus. Drīz vien viņam blakus kaudzē gulēja grīdas flīzes, izlauztās restes un tērauda plāksne.

Ar asknaiblēm atbrīvojis vietu, Belkneps pastūma zem grīdas savu ādas portfeli, pēc tam garām vadu mudžeklim aizspiedās pats. Viņš aizkļuva līdz ventilācijas kārbai un mitruma uzturēšanas caurulēm, tad līda pa šauru platību zem grīdas seguma, apgaismodams ceļu ar mazo kabatas lukturi, iekams aizcīnījās līdz apakšstāva griestu metāla paneļiem, uz kuriem uzmanīgi nolaidās, vienādi izplezdams uz tiem ķermeni. Konstrukcija bija sastiprināta no dubultām T profila sijām, uzstūriem, krusteņiem un balstiekārtas stieplēm ar aprēķinu, lai tā izturētu cilvēka svaru, jo laiku pa laikam šeit strādāja remontdarbu veicēji. Savukārt citi paneļi, kas bija izgatavoti no porainām minerālu šķiedru plāksnēm, nodrošināja skaņas izolāciju, taču viņa svaru neizturētu. Ja viņš uzlīstu uz tāda, izkristu cauri.

Viņš pastiepās, izcēla no savas vietas kvadrātmetru lielu paneli – *Estotek* griestu paneli – un atvēra ādas portfeli. Nākamo darba posmu veiks grauzēji. Belkneps izņēma no portfeļa aizlocītu audekla maisu, un, kad atsaitēja auklu, kļuva dzirdama spalga pīkstēšana. Pagriezis maisu otrādi, pa caurumu, kas bija radies noņemtā paneļa vietā, viņš izkratīja četras baltas žurkas, kuras nokrita uz grīdas deviņas pēdas zemāk. Tad viņš nolika paneli vietā un, izmantodams miniatūro čūskveida kameru, vēroja, kas notiks.

Uz mazītiņā ekrāna viņš redzēja, ka pārbiedētie dzīvnieciņi haotiski skraida pa grīdu. Tad viņš pavērsa kameras objektīvu pret tuvāko kustības detektoru un ieraudzīja, ka blāvā zaļā uguntiņa zem kvadrātveida lēcas kļuvusi sarkana.

Iedarbojās signalizācijas sistēma.

Belkneps acis šaudījās no pulksteņa ciparnīcas uz digitālo skatu meklētāju. Pēc četrdesmit piecām sekundēm kabinetā ieskrēja sargs brūnā formas tērpā ar *Estotek* emblēmu, mazu pistoli vienā rokā un lielu lukturi otrā. Viņš sasprindzis raudzījās visapkārt, un pagāja krietns brīdis, iekams viņa uzmanību saistīja pīkstiens. Tad viņa acu priekšā pazibēja balts kamols. Cēlonis un sekas. Žurka iedarbinājusi kustības detektoru... un tad redzeslaukā pazibēja otra žurka. Sargs Belknepam nesaprotamā valodā kaut ko noburkšķēja, acīmredzot lamuvārdu. Viņš atcerējās kaut kur dzirdētu apgalvojumu, ka igauņu valoda esot bagāta lamuvārdiem. Tā kā pēdējās pāris stundās žurkas nebija ēdušas neko citu kā vienīgi ar šokolādi aplietas kafijas pupiņas, tās bija uzņēmušas kofeīnu, tāpēc bija enerģiskākas nekā parasti. Šiem laboratorijas eksemplāriem nebija attīstīts slēpšanās instinkts un prasmes, kādas piemita viņu savvaļas radiniecēm.

Viegli un ātri aizskrēja vēl viena žurka. Sargs metās tai pakaļ, mēģinādams uzkāpt dzīvnieciņam ar zābaku. Belknepam ienāca prātā aina, kā bērni pilsētas parkā cenšas notvert balodi, kas ir tik tuvu un tomēr nenotverams.

Nākamā ieceres daļa prasīja precizitāti. No aizsietā audekla maisa Belkneps izvilka vēl vienu žurku, pēdējo. Pacēlis griestu paneļa stūri, viņš iebāza spraugā grauzēja galvu. Žurka skaļi pīkstēja. Lai tā pīkstētu vēl skaļāk, Belkneps spieda tās asti. Galu galā viņš apsēja tai ap pakaļkāju maisa auklu un izkarināja ārā. Žurka izmisīgi spārdījās.

Sargs atlieca galvu un lūkojās augšup. Kad viņš ieraudzīja vaļīgu plākšņu spraugā karājamies žurku, viņa pelēcīgajā, tuklajā sejā atausa atskārta. Sargs bija pārliecināts, ka atminējis žurku pēkšņās uzrašanās mīklu – viņaprāt, baltie dzīvnieciņi, laboratorijas žurkas, izsprukuši no sprosta augšstāva medicīnas firmā un iekļuvuši *Estotek* kabinetā caur griestiem. Un šī viena, sev par nelaimi, sapinusies kādā auklā, kas savukārt aiz kaut kā aizķērusies.

Atskanēja nesaprotamu lamuvārdu straume. Lai gan to nozīmi Belkneps neapjēdza, dusmas un neapmierinātība sarga balsī šaubas neradīja. Taču trauksmi viņš necēla. Sargs acīmredzot izlēma, ka žurku neparastā aktivitāte nav viņa kompetencē, jo nekāds drošības pārkāpums nebija noticis. Uz pāris minūtēm nozudis, viņš atgriezās atpakaļ. Belkneps drošības priekšrakstus pārzināja labi, tāpēc pieņēma, ka sargs devies atslēgt centrālo signalizāciju. Tāda rīcība bija pieļaujama, jo igaunis zināja, ka papildus elektroniskajai aparatūrai objektu apsargā cilvēki. Signalizācija tādās reizēs brīdina sargu, kam ir piecas minūtes, lai noskaidrotu trauksmes iemeslu. Ja viņš secina, ka tā iedarbojusies kļūmes pēc – un tā notiek deviņdesmit procentos gadījumu –, viņš sistēmu atslēdz, tālāk trauksmes signālu nelaizdams. Ja sargs to neatslēgtu, par signalizācijas iedarbošanos kļūtu zināms galvenajā postenī. Šis sargs rīkojās kā īsts profesionālis. Izdibinājis viltus signāla iemeslu, viņš uz laiku atslēdza šā sektora detektorus, izlemdams tur kādu brīdi padežurēt. Grauzēju skraidelēšana draudus drošībai nerada, bet sanitāri epidemioloģiskās stacijas darbiniekus var izsaukt nākamajā rītā.

Belknepam kļuva skaidrs, ka naktī šeit dežurē tikai viens sargs. Ja būtu arī otrs, pirmais to pasauktu kaut vai tādēļ, lai kolēģis vismaz, kavēdams laiku, paskatītos uz žurkām.

Lai gan sargs bija drukns vīrs – acīmredzot vēl viens igauņu nacionālās virtuves upuris –, viņš kustējās ar apskaužamu veiklību. Dažas sekundes pētījis gaisā neganti lēkājošo grauzēju, viņš pieņēma lēmumu palēkties un iesist žurkai ar pistoli. Belkneps, ar kreiso roku satvēris griestu paneli, labajā turēja pasmagu uzgriežņu atslēgu, sagatavojies raidīt spēju sitienu. Palēkdamies sargs pēkšņi manīja, ka griestu panelis paceļas augšup, un pustumsā ieraudzīja cilvēku. Uz sekundes desmitdaļu abu skatieni sastapās – sarga sejā pavīdēja pārsteigums, izmisums un nolemtība... un nākamajā mirklī uzgriežņu atslēga ar dobju skaņu triecās pret viņa pakausi, vīru apdullinādama. Sargs saļima uz paklāja.

Nometis zemē ādas portfeli, Belkneps brīdi pakarājās pie krusteņa, iešūpojās un uzlēca uz galda, kas atradās mazliet sāņus, un tad – uz grīdas. Vispirms viņš izpētīja tuvāko detektoru. Atcerējies tā īpatnības, Belkneps nosprieda, ka tas noregulēts uz piecu minūšu gaidīšanas režīmu. No šīm piecām minūtēm divas jau bija pagājušas.

Ar ierastām kustībām viņš noņēma no sensora baltu plastmasas vāciņu, kas viegli padevās. Ja tā būtu vecā parauga sistēma, viņš varētu ar kaut ko nobloķēt lēcu, varbūt ar kartona gabalu, tādējādi novēršdams sensora aktivēšanos, kad barošana sāktos no jauna. Taču jaunākie modeļi bija apgādāti ar bloķēšanas detektoru – tiklīdz lēcas priekšā ir šķērslis, tāds sensors uzreiz signalizē. Tāpēc Belkneps izvilka nelielu skrūvgriezi un ķērās pie darba. Atskrūvējis sānu skrūves, viņš noņēma plāksnīti ar komparatora un signāla pastiprinātāja mikroshēmām. Zem tās atradās četri tievi vadiņi. Divi no tiem bija trauksmes ķēdes vadiņi, kam uz izolācijas bija redzams sīks marķējums *12VDC* – vienvirziena spriegums. Belknepam bija vajadzīgi divi citi vadiņi. Noplēsis izolāciju, viņš tos savija kopā, ielika atpakaļ sensorā un aiztaisīja to ciet. Pēc tam to pašu izdarīja ar vēl diviem detektoriem. Kad ierīces saņems komandu pāriet darba režīmā, tās ieslēgsies, bet ne uz ko nereaģēs.

Arhīvi! Genādijs bija aptuveni paskaidrojis, kas jāmeklē. Taču vispirms tie jāatrod! Ja, protams, arhīvi atrodas šeit.

Sensoros nozibsnīja gaismas diode, signalizēdama, ka signalizācijas sistēma atkal ieslēgusies. Belkneps nervozi pakustināja roku detektora priekšā un atviegloti uzelpoja, redzēdams, ka ierīcē joprojām deg zaļā gaisma. Deaktivācija bija izdevusies.

Viņam vajadzīgie arhīvi droši vien atradās slēgtā telpā bez logiem ēkas dziļumā. Piesardzīgi piegājis pie durvīm, viņš vērīgi tās aplūkoja. Šaubu nebija. Viņa priekšā bija šis tas no modernāko telpu apsardzes signalizācijas sistēmu arsenāla. Pirmām kārtām – nelielais gumijas paklājiņš pie durvīm. Svara ziņā tas bija līdzvērtīgs pamatīgam tepiķim, jo bija iespaidīgi aprīkots. Sākumā Belkneps to nepamanīja, nolēmis, ka tas gluži vienkārši

328

domāts lielā paklāja pasargāšanai, taču vērīgāka apskate lieci-
nāja, ka tajā paslēpti sensori, kas reaģē uz spiedienu. Starp di-
vām plastmasas kārtām bija nostiprinātas metāla sloksnes, kas
vienādā atstatumā bija atdalītas ar porainu materiālu. Ja kāds
uz tāda paklājiņa uzkāpj, metāla sloksnes saskaras, radot kon-
taktu. Belkneps, spīdinādams ar lukturīti, sameklēja divus tie-
vos vadiņus. Vienu pārkozdams, viņš padarīja paklājiņa senso-
rus nekaitīgus.

Daudz sarežģītāka ierīce bija kontaktslēdzis. Magnēts, kas bi-
ja iestrādāts durvju augšdaļā, iedarbodamies uz slēdzi palodā,
turēja to slēgtā pozīcijā. Tiklīdz kāds durvis no palodas attālinā-
ja, kontakti bez magnētiskā lauka atslāba, iedarbinādami aizsar-
dzības ķēdi. Belkneps piebīdīja pie durvīm krēslu, uzkāpa uz tā
augšā un sāka glaudīt ar pirkstgaliem gludo palodu, līdz krāso-
tajā metāla virsmā sataustīja vieglu uzkalniņu. Pabungojis pa to
ar nagu, viņš pārliecinājās, ka metālā ir dobums. No piederumu
komplekta izņēmis acetona baloniņu un šķīdinātāju, viņš mazo
laukumiņu saslapināja, ar skrūvgriezi nokasīja izšķīdušo krāsu,
līdz ieraudzīja plakanas skrūvju galviņas. Ierīce bija meistarīgi
paslēpta zem špakteles, lakas un krāsas.

Rūpīgi noņēmis tērauda plāksnīti, kas aizsargāja signalizāci-
jas ierīci, viņš ieraudzīja mazu sarkanu slēdzīti un divas elastīga
metāla sloksnītes, kas bija iekapsulētas hermētiskā stikla caurulī-
tē, kuru turēja ciet durvju magnēta iedarbība. Belkneps ar asknaib-
lēm ātri pāršķēla ampulu un abas metāla mēlītes saspieda kopā,
pēc tam aptina ap abām izolācijas lentes gabaliņu, tās sastipri-
nādams. Tiklīdz viņš grasījās pievērsties durvju slēdzenei, viņam
prātā iešāvās pēkšņa doma. Ja nu tādas ierīces šeit ir vairākas?
Belkneps vēlreiz aptaustīja palodu, viscaur piedauzīdams ar
nagu. Un uzgāja vēl vienu sensoru.

Sasodīts! Viņš izlamāja dievus un sevi, pateikdamies par glā-
biņu savai zemapziņai. Kā gan viņš varēja būt tik paviršs? Pada-
rījis nederīgu otru sensoru, viņš pārbaudīja ne vien palodu, bet
arī abas stenderes un tikai tad pievērsās slēdzenei, atkal likdams
lietā mūķīzeri.

Pēc piecām minūtēm durvis bija vaļā. Belknepa skatienam
pavērās aptuveni piecpadsmit kvadrātpēdu liela, ar dokumen-
tu skapju rindām pieblīvēta bezgaisa telpa. Pretējā sienā bija
vēl vienas durvis. Iespējams, tur bija vēl kāda telpa, bet varbūt –
kāpnes.

Belkneps ieskatījās pulkstenī. Līdz šim ielaušanās birojā pēc darba laika beigām bija ritējusi visai gludi, bet šī doma Belknepu nevis nomierināja, bet gluži otrādi – aizkaitināja. Pārlieka pašpaļāvība var būt liktenīga – īstenībā neviena operācija nenorit absolūti gludi. Ja viss sokas pārāk labi, jāsāk minēt, kurā brīdī uz galvas uzkritīs ķieģelis.

Tērauda skapju slēdzenēs bija āķa un bultas mehānisms, kas Belknepa neatlaidībai spēja pretoties pavisam neilgi. Izvilcis atvilktnes, viņš paņēma papīru kaudzīti un sāka lasīt, taču drīz vien jutās izmisis – šajos jautājumos viņš nebija lietpratējs, viņš nezināja, kas jāmeklē. Belkneps vēlējās, lai šeit būtu Andrea, kas palīdzētu orientēties šajā papīru jūklī. Citu pēc citas uz labu laimi atvērdams atvilktnes, viņš beidzot uzdūrās mapei, uz kuras bija rakstīts: R. S. LENHEMS.

Mape bija tukša. Uzvārds, kas neko neizteica, un tukša mape – šķita, ka tas ir strupceļš, kur cerības jāapglabā. Dzinējsuns dzinās pakaļ savai astei.

Vēl divdesmit minūtes šķirstījis mapes, Belkneps juta, ka viņu pārņem garlaicība. Jā, šeit bija nepieciešama Andreas Bānkroftas palīdzība – uzņēmumu dokumentācija bija viņas darbalauks, kur viņa ar uzdevumu tiktu galā ātri un lietpratīgi. Taču Belkneps nepadevās, piespiezdams sevi lasīt dokumentus. Atvēris mapi ar nosaukumu KOPIJAS, viņš atrada to, ko meklēja. Tur bija kādas ārzonas firmas pārskati, un Belkneps tos pāršķirstīja tik ātri, ka vārdu jūklī uzreiz nepamanīja pazīstamu vārdu. Īstu vārdu, nevis pieņemtu. Tas bija viņa acu priekšā – Nikoss Stavross.

Belkneps klusi to izrunāja. Kipras magnāta vārds. Grieķis Nikoss Stavross bija noslēgts cilvēks, leģenda, kuram īpašumi atradās visās pasaules malās.

Belkneps redzēja, ka starp tiem ir četrdesmit deviņu procentu liela īpašuma daļa arī uzņēmumā *Estotek*.

Vai Stavross ir Çenēze? Vai Lenhems ir viņa segvārds? Taču Andruss Pērts teica, ka viņš esot amerikānis. Kam pieder otra uzņēmuma puse – un ar ko īsti *Estotek* nodarbojas? Belkneps pētīgi vērās lappusē PARTNERĪBA, pūlēdamies apjēgt, kas ar to domāts. Pielēcis kājās, viņš parāva tālāko durvju rokturi – vismaz tās nebija aizslēgtas. Viņš ieslēdza griestu apgaismojumu un, kad dienasgaismas lampas beidza mirkšķināties, ieraudzīja jaunas dokumentu skapju rindas. Pamazām Belkneps sāka aptvert šā uzņēmuma – par *Estotek* nodēvētā aisberga – sarežģītību.

Nākamajā mirklī viņš izdzirdēja gaitenī sargu soļus.

Mezdamies ārā no iekšējās istabas gluži kā zaķis no migas, viņš, sirdij stājoties, ievēroja, ka tās durvju malā ierīkots pazīstamais signalizācijas sensors. Pirms brīža viņš pagrieza šo rokturi un durvis atvērās. Viņš nebija aptvēris, ka tās aprīkotas ar beztrokšņa signalizācijas sistēmu. Belknepam nepietika sulīgu izteicienu, lai pienācīgi paustu dusmas uz sevi.

Un nu viņš atradās aci pret aci ar četriem labi apbruņotiem sargiem. Tie neatgādināja ne apaļīgo vīreli vestibilā, ne nakts dežurantu brūnajā formas tērpā. Šie četri, kas turēja pret viņu pavērstus ieročus, bija profesionāļi.

Vairākās valodās tie izkliedza pavēli. Belknepa saprata, ka viņš nedrīkst kustēties, un saprata, ka jāpaceļ augšup rokas.

Viņš saprata, ka spēle beigusies.

Sargs, kas runāja angliski, pienāca viņam tuvāk. Āda uz vīra stūrainajiem vaibstiem bija pergamenta krāsā. Viņa skatiens apstājās pie mapēm, kas bija izsvaidītas ap skapjiem.

Sarga sejā iepletās triumfa pilns smaids.

– Mēs saņēmām ziņojumu par žurkām, – viņš teica ar vieglu akcentu. – Nu esam to noķēruši. Žurku, kas skrubina mūsu sieru.

Pagriezies pret jaunāko kolēģi, gadus divdesmit vecu puisi ar īsiem dzelteniem matiem un stiegrainām svarcēlāja rokām, uz kurām izspiedās resnas vēnas, viņš tam kaut ko teica kādā slāvu valodā. Belkneps uztvēra tikai izplatītu serbu uzvārdu Drakulovičs.

– Korporāciju vēsture... arhīvi ir mans vaļasprieks, – neskanīgā balsī sacīja Belkneps. Viņš ievēroja, ka sargam, kurš mācēja angļu valodu, rokā ir *Gjurza Vektor SR-1*, Krievijas ražojuma pistole, kas caururbj bruņu vesti. No tā raidīta lode ar tērauda serdeni izurbjas cauri sešdesmit kevlara slāņiem un neizraisa rikošetu. Tā izskrien cauri cilvēka ķermenim gluži kā olis dūmakai. – Paklausieties, tas nav tā, kā izskatās, – Belkneps piebilda.

Ne vārda neteicis, sargs iesita viņam pa seju.

Sitiens atgādināja mūļa spērienu. Belkneps nolēma izlikties, ka tas bijis vēl stiprāks nekā īstenībā. Bezpalīdzīgi iepletis rokas, viņš atstreipuļoja tālu atpakaļ. Sargs nicīgi pasmīnēja, ne mirkli Belknepa spēlei nenoticēdams. Belknepu ķēra otrs sitiens – pa to pašu vaigu, kā to dara profesionālis. Belkneps pakrita, bet drebošiem ceļgaliem piecēlās kājās, intuitīvi juzdams, ka nav īstais laiks, lai pretotos. Sargs tikai demonstrēja savu meistarību, nevis

331

grasījās piekaut viņu līdz nemaņai. Galu galā viņš taču būs jāno-
pratina.
– Nekusties! – vīrs čērkstošā balsī nokomandēja. – Stāvi rāmi
kā manekens!
Belkneps mēmi pamāja ar galvu.
Viens no sargiem, klusi smiedamies, kaut ko pateica puisim ar
dzeltenajiem matiem. Belkneps dzirdēja vārdu Pāvels – acīm-
redzot tā sauca jauno vīrieti. Puisis piegāja Belknepam klāt un
sāka to pārmeklēt, lai pārliecinātos, vai viņš nav bruņots. Izvilcis
no Belknepa bikšu pakaļējās kabatas metāla mērlenti, viņš no-
svieda to malā.
– Stāsti, ko tu šeit dari! – rupjais vīrietis, acīmredzot viņu gal-
venais, uzkliedza tādā tonī kā cilvēks, kurš zina, ka neizbēgami
sastapsies ar nepakļaušanos, tāpēc būs iegansts par to sodīt.
Belkneps, drudžaini domādams, klusēja.
Sargs ar stūraino seju pienāca tuvāk, un Belkneps saoda viņa
skābo elpu.
– Vai kurls esi? – sargs prasīja. Gluži kā rotaļlaukuma kauslis
viņš centās gūstekni izprovocēt, lai varētu iegāzt tam pa seju.
Pēkšņi Belkneps pacirta galvu sāņus un ielūkojās acīs jaunā-
kajam sargam.
– Pāvel! – viņš iesaucās, balss tonī ielikdams gan lūgumu, gan
pārmetumu. – Nu, pasaki taču viņiem!
Galvenais piemiedza acis. Viņa sejā atspoguļojās neizpratne
un aizdomas. Pāvels, no kura Belkneps nenovērsa skatienu, iz-
skatījās samulsis un izbrīnījies.
– Tu taču man apsolīji, Pāvel! Tu man apsolīji, ka nekā tāda
nebūs!
Stūrainais sargs greizi palūkojās uz dzeltenmataino kultūris-
tu. Zem puiša kreisās acs sāka raustīties dzīsla, un tas liecināja
par spriedzi, kas šādā situācija bija saprotama, taču tiem, kuri
viņu vēroja, tas šķita aizdomīgi.
Pāvels nomurmināja kaut ko tādu, ko Belkneps saprata bez tul-
košanas. "Es nezinu, par ko viņš runā."
– Ak, *lūdzu!* – Belkneps, tēlodams sašutumu, iekliedzās.
Viņš atcerējās Džereda Rainharta padomu. *Aizdomas ir kā
upe, dārgo Kastor, – vienīgais veids, kā izvairīties no straumes, ir
pavērst to uz citu pusi.* Atmiņas Belknepam deva spēku. Viņš iz-
slēja galvu, iztaisnoja plecus, izskatīdamies nevis vainīgs, bet
sarūgtināts.

Galvenā sarga balss bija draudīga. Nebija gan skaidrs, kuru viņš tajā brīdī apdraud.

– Vai tu pazīsti šo cilvēku? – viņš jautāja Belknepam.

– Drakuloviču? – Belkneps atmeta. – Biju domājis, ka pazīstu, bet izrādās, esmu kļūdījies. – Belkneps pievērsa jaunajam vīrietim niknu skatienu. – Kādu spēli tu spēlē? Vai tu domā, ka mans boss šos melus tev piedos?

Belkneps drudžaini improvizēja, pūlēdamies uzburt ainu, kas sargus ieinteresētu, taču būtu viņiem neizprotama. Gluži vienkārši vajadzēja iegūt laiku.

Kad Pāvels Drakulovičs enerģiski sāka visu noliegt un protestēt, Belkneps teatrāli izbolīja acis. Puiša dusmas bija patiesas, taču viņš centās sevi aizstāvēt, tāpēc, iespējams, viņa sašutums vērotājiem šķita neīsts. Belkneps manīja, ka divi pārējie sargi pakāpjas no viņa pāris soļu tālāk, nostādamies tuvāk galvenajam vīram. Drakulovičs nu bija apšaubāms lielums, un neviens nevēlējās būt ar viņu saistīts, vismaz līdz brīdim, kad jautājums būs atrisināts un iegūta skaidrība.

Drakulovičs izmisīgi protestēja, līdz galvenais sargs viņu aprāva ar īsu un asu frāzi. Belknepam nebija grūti nojaust teiktā jēgu. "Ne vārda vairāk. Vēlāk visu noskaidrosim."

Belkneps nolēma sēt vēl lielāku apjukumu, minēdams kādu vārdu.

– Es tikai gribu jūs, puiši, brīdināt, ka Lenhems ar jums apmierināts nebūs. Pēdējo reizi es viņam izlīdzu, patiešām.

– Ko tu teici? – noprasīja sargs ar melnām acīm, pēkšņi izskatīdamies domīgs.

Belkneps dziļi ievilka elpu un lēni izelpoja. Domas prātā joņoja.

R. S. Lenhems. Andruss Pērts teica, ka viņš esot amerikānis. "R" varēja nozīmēt daudz ko – Ronalds, Ričards, Rorijs, Ralfs. Taču visticamākais šķita "Roberts", kas Amerikas Savienotajās Valstīs bija viens no izplatītākajiem vārdiem. Tomēr Robertu arī var dēvēt gan par Robu, gan Bertu, gan vēl kādā citā pamazināmā vārdā. Galu galā Belkneps nolēma, ka visdrošāk ir likt uz vārdu Bobs.

– Ja jūs pazīstat Bobu Lenhemu tikpat labi, cik es, – Belkneps teica, – jūs sapratīsiet, ka viņš tādus jociņus neatzīst.

Melnacainais sargs, vēl brīdi ziņkāri uz viņu lūkojies, nospieda pogu uz mazas sarunu ierīces, pateica dažus vārdus un tad pagriezās pret Belknepu.

– Boss tūlīt būs klāt.

Boss. Nevis Nikoss Stavross. Tātad otrs īpašnieks. Īstais saimnieks. Cilvēks, kura segvārds ir Lenhems.

Belkneps atcerējās, ko teica Andruss Pērts. *Ar šo cilvēku personiski neesmu ticies. Un man nemaz nav tādas vēlēšanās.*

Galvenais sargs, pamezdams ātru skatienu uz Belknepu, klusā balsī sarunājās ar jauno kolēģi. Acīmredzot mierināja. Tomēr melnacainais vīrs paņēma Drakuloviča ieroci un ielika sev kabatā. Pagaidām šim puisim viņi neuzticējās, tāpēc rīkojās atbilstoši, ievērodami piesardzību. Drakulovičs no jauna gribēja iebilst, taču galu galā padevās liktenim un nomākts sēdēja uz ķebļa telpas stūrī.

Belkneps nopētīja pārējos sargus. Rokās tiem bija ieroči šaušanas gatavībā, bet sejā – vienaldzīgs profesionālisms. Belknepa skatiens šaudījās, tāpat kā domas viņa prātā. *Jātiek prom no šejienes.* Jābūt kādai iespējai.

Gaitenī atskanēja soļi. *Boss.* Belkneps izdzirdēja ātru igauņu valodu – kā viņam šķita, ar amerikāņu akcentu.

Tad ārējās durvis atvērās un divu jaunu, gaišmatainu bruņotu vīru pavadībā ienāca cilvēks, kurš vadīja *Estotek.*

Griestu apgaismojumā viņa melnie, krāsotie mati spīdēja. Bakurētainajā sejā vīdēja dziļas ēnas. Mazās piķa melnās acis ļauni mirdzēja. Šim cilvēkam bija ārkārtīgi plānas lūpas, tāpēc mute atgādināja ar nazi grieztu brūci.

Belkneps nespēja atraut skatienu no divas collas garās rētas, kas izlocījās uz ienācēja pieres, izskatīdamās pēc otras kreisās uzacs. Belknepam šķita, ka grīda zem kājām salīgojas, it kā to būtu sakustinājis varens pazemes ūdens vilnis. Viņam sareiba galva. Halucinācijas?

Viņš aizmiedza acis un atkal atvēra. *Tas nevarēja būt!*

Tomēr tā bija. Belkneps šo noslēpumaino Igaunijā dzīvojošo magnātu, cilvēku, kurš pārņēmis Ansari tīklu, pazina. Pirms daudziem gadiem viņi bija tikušies kādā Kārļa Marksa alejas dzīvoklī Austrumberlīnē.

Belknepa atmiņā atgriezās pagātnes ainas, izraisīdamas fizisku nelabumu. Turku paklājs uz grīdas. Spogulis ziloņkaula ietvarā, liels bīdermeiera stila rakstāmgalds. Divi pistoles stobra caurumi, gluži kā acis.

Ričards Lagners. Cilvēks, kuru tajā dienā nogalināja. Belkneps pats savām acīm redzēja viņu mirstam. Taču Lagners bija šeit, viņa acu priekšā.

– Tas nav iespējams! – Belknepam izlauzās kluss čuksts.

Lagnera viltīgās lapsas acis nedaudz iepletās. Viņš atcerējās Belknepu.

– Vai tu esi ar mieru likt ķīlā savu dzīvību, ka redzēji mani nomirstam? – viņš jautāja līdz riebumam pazīstamā, nazālā balsī. Kreisajā rokā viņam bija liela pistole.

– Bet es patiešām to redzēju!

DEVIŅPADSMITĀ NODAĻA

– Tu patiešām redzēji mani mirstam? – Ķirzakas mēle nozibēja pār lūpām, it kā ķerdama mušu. – Tad jau būs taisnīgi, ja tagad *es* redzēšu mirstam *tevi*. Taču šoreiz nekādu teatrālu efektu nebūs. Vai zini, uz vecumu esmu kļuvis reālists. Vecs, toties prātīgs. Atšķirībā no tevis, Belknep. Kad tikāmies pēdējo reizi, tu biji zaļš zeņķis. Tomēr par vecu, lai tevi izdrāztu. – Viņš sausi, pretīgi iesmējās.

Belkneps ievilka plaušās gaisu. Viņš pazina pistoli, ko Lagners turēja rokā. Matēts melns agregāts ar aizslēgu, rievainu, šķēlei līdzīgu spalu un pagaru stobru. Deviņu milimetru *Steyr SPP*. Pēdu gara mašīnpistole.

– Pagājis tik daudz gadu... – Lagners turpināja. – Baidos, ka esi zaudējis jauko jaunības naivumu un kļuvis daudz raupjāks. Vecāks un raupjāks. – Viņš paspēra soli Belknepam tuvāk. – Dziļas poras sejas ādā, izspiedušās vēnas, asi vaibsti – tas viss liecina par raupjumu. Ar gadiem tava miesa nobriedusi, bet gars ne. Vairāk ķermeņa, mazāk dvēseles.

– Es nesaprotu...

– Nekas pievilcīgs četru miljardu gadu garajā evolūcijā nav izveidojies, vai ne? – Ričards Lagners palūkojās uz bruņotajiem sargiem. – Kungi, pievērsiet uzmanību nolemtības izteiksmei šā cilvēka acīs! – Viņš pagriezās pret Belknepu. – Tu esi gluži kā dzīvnieks slazdā. Sākumā šis dzīvnieks – ūdele vai lapsa, zebiekste vai sermulis – mežonīgi cīnās. Tas triecas pret tērauda restēm, mēģina tās pārgrauzt, kārpās un smilkst, un plosās. Paiet diena, bet mednieks, kas izlicis slazdu, nenāk. Dzīvnieks paplosās pa slazdu un pieklust. Paplosās un pieklust. Paiet vēl viena diena un vēl viena... No ūdens trūkuma tas novārgst. Iespiežas būra stūrī un gaida nāvi. Kad mednieks ierodas, dzīvnieks cerību ir zaudējis. Tas atver acis, bet prom neraujas. Jo ir apradis ar domu par nāvi. Pat ja mednieks to palaidīs brīvībā, tas ir nolēmis sevi nāvei. Atzinis savu sakāvi. Un atpakaļceļa vairs nav.

– Vai tu atnāci, lai palaistu mani brīvībā?

Lagnera seja sašķobījās sadistiskā smīnā.

– Es atnācu, lai palaistu brīvībā tavu *garu*. Nāve gaida ikvienu, tāds ir cilvēka liktenis. Es palīdzēšu tev pabeigt savas zemes gaitas ātrāk, nekā, iespējams, liktenis būtu lēmis, ja es neiejauktos. Neviens tev nevar vairs palīdzēt. Tavi darba devēji, kā esmu dzirdējis, no tevis esot novērsušies. Tavi bijušie kolēģi tevi uzskata par atkritēju. Pie kā, tavuprāt, tu varētu griezties – pie kāda āriškīga senatora no Vidējiem Rietumiem, kuram patīk izrādīties? Pie kāda miglaina bubuļa, ko neviens nav redzējis? Varbūt pie Dieva? Drīzāk pie sātana. – Lagners griezīgi iesmējās. – Pienācis laiks atmest visas šīs bērnišķības un paraudzīties ar cieņu acīs liktenim. – Lagners pagriezās pret galveno sargu. – Es atļauju šim kungam atstāt šo ēku.

Sargs izbrīnījies uzrauca augšup uzacis.

– Līķu maisā, – Lagners paskaidroja, savilcis spraugai līdzīgo muti ļaunā smīnā.

– Iespējams, vajadzēs vairāk nekā vienu maisu, – Belkneps rāmi noteica.

– Ja gribi, varam tevi iebāzt divos maisos.

Belkneps piespieda sevi iesmieties – skaļi un bezrūpīgi.

– Priecājos, ka tu novērtēji manu asprātību, – Lagners sacīja.

– Un es priecājos, ka tu uzskati sevi par asprātīgu cilvēku. – Belkneps iespurcās. – Taču jāsmejas būs visiem. Es jūs neesmu izraudzījies par ceļabiedriem savā pēdējā ceļojumā, taču, cik saprotu, tas nav nekas tāds, ko var izvēlēties. Jā, es no šejienes dzīvs neiziešu. Tā nu tas ir. Taču gandrīz piemirsu jūs brīdināt – no šīs ēkas dzīvs neizies neviens. Jā gan, triacetona triperoksīds ir brīniškīga manta. Īsts smadzeņu šķaidītājs. – Belkneps pasmaidīja tik plati, ka viņu nepārspētu pat Kelvina Gārta koristi.

– Ak, neliec man klausīties savā muldēšanā! – Lagners nicīgi novilka, saviebis plāno muti īgnā grimasē. – Tu nespēj pateikt neko oriģinālu!

– Gan jau redzēsim, cik oriģināls esmu. Ēkā esmu ievietojis triacetona spridzekļus. Ar pulksteņa mehānismu. Kā saprotat, es cerēju, ka jau sen būšu prom. Diemžēl esmu aizturēts. Tā nu liktenis izspēlēs pēdējo kārti. – Belkneps nolaida roku un ielūkojās pulkstenī. – Taču man ir mierinājums. Es zinu, ka iešu bojā, bet tevi sagaida tas pats. Tas nozīmē, ka miršu gandarīts. Nāve, kas paņem līdzi tevi, nav velta.

337

– Mani patiešām aizvaino tas, ka tu melo tik nemākulīgi. Būtu vismaz pacenties izdomāt ko ticamu!

– Tu ceri, ka es meloju. Tu esi tik patmīlīgs, ka nepieļauj domu par iekļūšanu slazdā. – Belknepa balss bija līksma, gandrīz vai neprātīga. – Ha! Vai tu patiešām noticēji, ka es trauksmes sensoru iedarbināju netīšām? Vai tu mani uzskati par iesācēju, bakurētainais muļķi?

– Tu nevienu šeit neapmānīsi, – Lagners palika pie sava.

– Tu acīmredzot nesaproti, ka man ir vienalga. – Belkneps teica ar nāvei nolemtā jautrību. – Es nepūlos tevi ne par ko pārliecināt. Gluži vienkārši pabrīdināju. Veco laiku vārdā. Tātad tu saproti darījumu. Gribu, lai mirdams tu to saprastu.

– Un ja nu es tagad ņemtu un aizietu? Tāpat vien, lai paspēlētu pēc šā absurdā scenārija.

– Lifts ir pirmā stāva vestibilā, – Belkneps lēni sacīja, uzsvērdams katru vārdu. – Sešdesmit sekundes, lai izkļūtu no šejienes laukā, vēl vismaz trīsdesmit sekundes, līdz pacelsies lifts... piedod. Tev ar tavu klibo kāju nepietiks laika. Sargi... nu, viņiem šeit patiesībā nevajadzēja būt, jo rēķinus kārtojam tikai mēs. Taču nedomāju, ka viņi tik labi saprot angliski, lai mestos bēgt, glābdami savu ādu. Turklāt, ja šie vīri patiešām ir uzticīgi savam bosam, iespējams, viņi vēlēsies pārvērsties putekļos kopā ar tevi. Gluži kā Indijā, kur sieva metas iekšā vīra bēru sārtā. *Sati* paraža igauņu gaumē. Taču mēs šeit runājam par triacetona triperoksīdu, pērkona dieva nektāru. Vai jūti smaku? Līdzīgs nagu lakas noņēmēja aromātam. Taču tu jau pats to zini. – Belkneps pagājās Lagneram tuvāk. – Varbūt sāksim skaitīt atlikušās sekundes skaļā balsī?

Kamēr Belkneps runāja, Lagnera skatiens kļuva aizvien saspringtāks. Gaišmatainais sargs bija nobālējis. Belkneps viņam viegli pamāja atvadu sveicienu, un jaunais vīrietis pēkšņi paspēra dažus soļus, mezdamies bēgt. Otrs sargs grasījās viņam sekot, taču Lagners zibenīgi iešāva tam galvā. Lai gan šāviena troksnis bija spēcīgs, noslēgtajā telpā rībiena atbalss neatskanēja. Pārējie, sastinguši aiz bailēm, vērās uz Lagneru.

Ir laiks! Belkneps pieklupa pie jaunā, satriektā sarga, kurš blenza nogalinātā biedra asiņainajā sejā, izgrieza viņam roku, izrāva pistoli un izšāva divas īsas kārtas, notriekdams zemē galveno sargu un otru gaišmati. Lagners apcirtās, taču Belkneps paspēja ienirt aiz masīva tērauda skapja. Lode caururba izturīgo plāksni un, papīru kalnos zaudējusi ātrumu, iestrēga sienā. Belkneps ieraudzīja uz grīdas savu mērlenti. *Varēsi noņemt mēru zārkam.*

Domā! Puisis ar dzeltenajiem matiem un dzīslainajām rokām droši vien cenšas sameklēt sev šaujamo, kam galvenais sargs, iespējams, uzgāzies virsū, tāpēc tas jādabū nost. *Iztēlojies, kur viņš varētu būt un ko dara!* Belkneps pabāza roku gar skapja malu un divas reizes nospieda mēlīti, šaudams bez mērķēšanas uz to pusi, kur, viņaprāt, pavirzījies sargs. Sāpju kliedziens vēstīja, ka vismaz viena lode to ķērusi. Puisis strauji elsoja, gluži kā ievainots dzīvnieks, un aizsmakusī gārgšana liecināja, ka gaiss pa lodes caurumu piepilda pleiras dobumu.

Atlika Lagners. Viņš bija viltīgāks par citiem. Belkneps piespieda sevi koncentrēties. *Kā rīkotos es?* Viņš nebūtu izturējies pārdroši, drīzāk ieņemtu aizsardzības pozīciju, iespējams, notuptos, lai sevi padarītu par grūtāku mērķi. Viņš mēģinātu izkļūt no telpas ārā un aizslēgtu durvis, lai – pieņemot, ka biedēšana ar spridzekļiem bijusi tukšu salmu kulšana, – izrēķinātos ar pretinieku vēlāk, nesteigdamies. Viņš klusi rāpotu uz durvju pusi – būtu jau aizrāpojis. Viņš mēģinātu kaut kā maldināt pretinieku, lai tas nenojaustu viņa īstās darbības.

Sekundes vilkās kā stundas. Izdzirdējis kreisajā pusē skaņu, Belkneps juta vēlēšanos apsviesties un izšaut. Taču nē, tur nekustējās cilvēks – Lagners acīmredzot bija savīkstījis papīru lodītē un aizsviedis to pāri telpai, cerēdams saistīt viņa uzmanību, kamēr pats...

Belkneps strauji piecēlās un, pavērsis pistoli lejup, it kā gribēdams trāpīt bēgošam kaķim, nemērķēdams izšāva durvju virzienā. Acumirklī ierāvies atpakaļ, drošībā aiz skapja, viņš domās uzbūra ainu, ko bija redzējis. Viņam bija taisnība – Lagners atradās tieši tur, kur viņš bija paredzējis! Taču – vai viņš trāpīja? Nebija ne kliedziena, ne elsu.

Pēc dažām klusuma sekundēm atskanēja Lagnera mierīgā, nosvērtā balss.

– Tu esi vājš spēlētājs, – viņš teica. – Dzimis zaudētājs.

Balss tonis vēstīja, ka šis cilvēks pilnīgi pārvalda situāciju. Tomēr... kāpēc viņš nodod savu atrašanās vietu? Lagners taču caurcaurēm bija viltīgs. Belknepam modās vāras aizdomas. Lagnera balss bija *pārāk* nosvērta, pārāk savaldīga. Vai tikai viņš nebija ievainots? Varbūt pat nāvējoši? Tātad viņš gribēja izmānīt Belknepu no aizsega, lai raidītu likteņīgo šāvienu no šaušanai paceltā ieroča. Pēc brīža Belkneps dzirdēja, ka Lagners sper smagu soli... vēl vienu. Tie bija mirstoša cilvēka soļi, un tā iet mirstošs cilvēks ar priekšā notēmētu pistoli rokā.

Belkneps uz metāla mērlentes, ko bija pacēlis no grīdas, uzlika savu adīto melno cepuri un, pacēlis augstāk, pabāza gar skapja malu. Tas bija vecs paņēmiens – cepure vai ķivere uz nūjas, lai izsauktu snaipera uguni.

Taču Lagners bija pārāk gudrs, lai uz tā uzķertos, – un Belkneps to paredzēja. Pretinieks mērķēja zemu, gaidīdams, ka viņš strauji izvelsies no slēptuves ārā. Taču Belkneps, gluži kā atspere, palēcās augšup un iznira gandrīz tādā pašā augstumā, kur bija atradies viņa muļķīgais māneklis. Nospiezdams *Vektor SR-1* mēlīti, viņš redzēja izteiksmi, kas pavīdēja Lagnera sadistiskajā sejā. Tā bija šausmu izteiksme, šausmu, ko nelietīgais aģents bieži bija iedvesis citiem, bet nebija izjutis pats.

– Es neesmu zaudētājs, – Belkneps teica.

– Ej ellē, nolād...

Pirmā lode caururba Lagnera kaklu, pārplēsdama balseni un apraudama viņa pēdējos vārdus. Šāviņš reizē ar asiņu šalti ietriecās ar tēraudu apdarinātajās, balti krāsotajās durvīs, kas atradās Lagneram aiz muguras. Otra lode, kas bija raidīta nedaudz augstāk, ieurbās viņam smadzenēs, saplosīdama seju. Nāve iestājās acumirklī.

Pēc desmit minūtēm Belkneps ātrā gaitā iesoļoja Igaunijas nakts tumsā. Viņš bija atbraucis uz Tallinu, cerēdams par daudz ko tikt skaidrībā, taču neskaidrību kļuva aizvien vairāk.

Nikoss Stavross. Kāda nozīme tajā visā ir viņam?

Ričards Lagners, arī Lenhems. Vai viņš bija Ģenēze? Vai arī tikai vēl viens Ģenēzes bandinieks? Kas patiesībā notika tajā 1987. gada dienā, kad Belkneps un Rainharts sastapās Lagnera dzīvoklī Kārļa Marksa alejā?

Skaidrs bija tikai viens – nekas šajā Austrumberlīnes epizodē nebija risinājies tā, kā izskatījās. Vai iestudējuma dramaturgs bija Lagners viens pats?

Belkneps norija kaklā iesprūdušo kamolu. Vai Džeredu Rainhartu toreiz apmānīja tāpat kā viņu? Ja nu Džereds arī – šī doma apdedzināja Belknepu, izplezdamās viņam krūtīs gluži kā kodīga skābe, – piedalījās maldināšanā? Džereds, negaidīti uzrazdamies kritiskajā brīdī, savu uzdevumu paveica bez pūlēm, pat bezrūpīgi. Taču – kādēļ viņš tur uzradās? Lai glābtu viņa, Belknepa, dzīvību? Vai arī lai palīdzētu bēgt Lagneram, iepriekš nospēlējot izrādi, kas nodrošināja šā cilvēka meklēšanas partraukšanu?

Ietve Belknepam zem kājām līgojās. Tas nevarēja būt. Tas nedrīkstēja būt. Belknepam reiba galva.

Viņa labākais draugs. Viņa uzticamais sabiedrotais.

Džereds Rainharts.

Belkneps mēģināja sev iestāstīt, ka viņa acis kļuvušas miklas no brāzmainā vēja. Viņš gribēja domāt par visu ko citu, tikai ne par to, par ko bija spiests domāt.

Vai bija vēl kādas operācijas, kurās Džereds Rainharts viņu apmānīja? Cik bieži viņš noticēja krāpšanai un *kāpēc* viņu krāpa?

Vai tomēr upuri viņi bija abi?

Džereds Rainharts. Viņa Pollukss. Klints. Vienīgais cilvēks, uz kuru varēja paļauties. Vienīgais cilvēks, kurš viņu nekad nebija pievīlis. Belkneps iztēlojās Džeredu Rainhartu tik dzīvi, it kā viņš ietu tepat līdzās. Rainhartā bija viss – atturīga sirsnība, ass prāts, takta un humora izjūta, savaldība, apņēmība un nesatricināma uzticība. Draugs labos un sliktos laikos. Ieroču biedrs. Sargeņģelis.

Belkneps citu pēc cita atcerējās pagātnes notikumus. Apšaude Kārļa Marksa alejas istabā, apšaude Kali nomalē – tās bija tikai pāris reizes no neskaitāmām, kad Džereda iejaukšanās bija izšķirīga. *Domā saprātīgi*, Belkneps sev atgādināja.

Rainharts bija varonis, glābējs, draugs.

Vai arī melis, manipulators, kādas tik zemiskas un neiedomājamas sazvērestības dalībnieks, kādu viņš nespēj ne iztēloties?

Kurš no šiem tēliem ir patiess? Domā saprātīgi!

Belkneps atcerējās, ko bija teicis Andreai Bānkroftai.

Patiesību bieži vien ir grūti argumentēt.

Šajā brīdī viņš vēlējās sabrukt uz ietves, nokrist uz ceļgaliem, vēlējās kliegt, lai apklusinātu pretīgo domu, kas aizvien uzmācīgāk lauzās prātā, vēlējās aizspiest ausis, lai nedzirdētu sevi izrunājam to skaļi, vēlējās kaukt pret debesīm kā suns uz mēnesi. Taču tā būtu greznība, un Belkneps sev tādu emociju izvirdumu aizliedza. Atgriezies gruzīna namā pie ezera, viņš piespieda sevi no šīm izjūtām izlobīt loģiskus secinājumus, uzdot sev jautājumus, kas izrietēja no pagātnes ainām, un paraudzīties uz tām citādām acīm. Viņš jutās tā, it kā rītu stikla lauskas.

Kas patiesībā ir Džereds Rainharts?

TREŠĀ DAĻA

DIVDESMITĀ NODAĻA

Lidojums no Tallinas uz Larnakas starptautisko lidostu Kiprā noritēja bez starpgadījumiem – negaisi bija plosījušies pirms tam. Kelvins Gārts nejutās priecīgs, kad Belkneps viņam paziņoja, ka viņam ar čarterreisa lidmašīnu jālido uz Kipru, taču galu galā samierinājās. Bija jāpārplāno lidojums, jālemj par degvielu un apkalpošanu. Belkneps atsaucās uz senām skolas gadu saitēm. Genādijs Čakvetadze, kam joprojām Igaunijas Satiksmes ministrijā bija savi cilvēki, pēc nelielas pukošanās nokārtoja papīrus, un neiespējamais kļuva iespējams.

Kad Belkneps piezvanīja Andreai Bānkroftai, abu sarunas laikā negaisa mākoņi no jauna sabiezēja.

– Es nevēlos par to šobrīd runāt, – viņa atbildēja uz Belknepa jautājumu par Rozendeilas arhīva apmeklējumu. – Man šis tas ir, bet neesmu tikusi ar to skaidrībā. – Viņas balss skanēja citādi, it kā viņa būtu pārcietusi kādu emocionālu satricinājumu.

Belkneps apsvēra domu pastāstīt par Džeredu, par savām bažām, taču apvaldīja sevi. Tie bija viņa sarežģījumi, un Andreu tajos iepīt nevajadzēja. Taču par Nikosu Stavrosu Belkneps viņai pastāstīja, saprazdams, ka viņas pieredze uzņēmumu finanšu dokumentācijas analīzē būs noderīga. Nolikusi klausuli, Andrea atzvanīja viņam pēc desmit minūtēm un sniedza īsas ziņas par tiem šā vīra avuāriem un pēdējiem darījumiem, kas bija minēti pieejamos avotos.

Belknepu atkal bažīgu darīja viņas balss trauslums.

– Vēl viens jautājums, – viņš sacīja. – Ceru, ka pēc Rozendeilas arhīva apmeklējuma varēsi uz to atbildēt. Pasaki man vienu – vai fondam ir intereses Igaunijā?

– Deviņdesmito gadu sākumā tas piedalījās zīdaiņu mirstības novēršanas un pirmsdzemdību aprūpes programmās. Tas arī viss.

– Tik aizdomīgi maz?

– Nekā aizdomīga tur nav. Ar to pašu fonds nodarbojās kaimiņvalstīs Latvijā un Lietuvā. Piedod.

– Vai vēl kas ievērības cienīgs?

– Es jau teicu, ka neesmu vēl tikusi skaidrībā... – Andreas balss patiešām nodrebēja, viņš bija par to pārliecināts.

– Andrea, kas atgadījies?

– Man tikai... Man vajag tevi redzēt.

– Es drīz atgriezīšos. Rīt.

– Tu teici, ka lido uz Kipru, vai ne? Uz Larnaku? No Kenedija lidostas uz turieni ir tiešie reisi.

– Tu domā doties ceļā? Andrea, tu nespēj iedomāties, ar kādu risku tas var būt saistīts.

– Es būšu piesardzīga. Es *esmu* piesardzīga. Izmantošu savu kredītkarti, lai rezervētu lidmašīnas biļeti no Ņuarkas uz Sanfrancisko, jo iespējams, ka manu kontu novēro. Tad palūgšu kādu draugu, lai rezervē divas vietas lidmašīnā uz Parīzi, no Kenedija lidostas uz Orlī. Viņš izmantos savu kredītkarti, bet es būšu līdzbraucēja. Mans vārds parādīsies pasažieru sarakstos, taču ne finanšu dokumentos. Tā es nokļūšu tajā pašā starptautiskajā terminālī, no kurienes var izlidot uz Larnaku – šis reiss nebūs izpārdots. Četrdesmit minūtes pirms izlidošanas pieiešu pie letes ar pasi un skaidru naudu un nopirkšu biļeti. Cilvēki pastāvīgi izlido pēdējā brīdī – vai nu nomirst kāds ģimenes loceklis, vai jāpaspēj uz steidzamu lietišķo tikšanos, atgadās visādi. – Viņa brīdi klusēja. – Gribu teikt, ka esmu to labi pārdomājusi. Es varu to izdarīt. Un izdarīšu.

– Sasodīts, Andrea... Tas ir *bīstami*. – Belknepu nomāca doma, ka pasaulē, ja viņa bažas par Džeredu Rainhartu ir pamatotas, nav nevienas drošas vietas. – Larnakā būs jo sevišķi bīstami. Tu nokļūsi valstībā, pie kuras nepiederi.

– Pasaki man, *pie kuras* tad es piederu. Pasaki man, kur *nav* bīstami, kur ir droši. Es gribētu to zināt. – Šķita, ka viņa ir tuvu asarām. – Vai nu tev tas patīk, vai ne, es izlidošu, lai satiktos ar tevi.

– Lūdzu, Andrea, – Belkneps joprojām iebilda, – esi saprātīga. – Tie nebija īstie vārdi. Ne viņa tos vēlējās dzirdēt, ne viņš sacīt.

– Tiksimies rīt pēcpusdienā, – Andrea noteica, un viņas balsī Belkneps saklausīja apņēmību.

Doma, ka viņš redzēs Andreu, viņu gan iepriecināja, gan biedēja. Andrea bija nepieredzējusi jauna sieviete, bet Larnaka – *viņa* Larnaka – varēja pārvērsties nāves laukā, vēl jo vairāk, ja viņam būs jātiekas ar Ģenēzi. Kad Belkneps iedomājās, ka ar Andreu varētu notikt kas slikts, viņam pār muguru pārskrēja saltas tirpas. *Ja tevi nepazītu labāk, Kastor, es teiktu, ka tu nes nelaimi.*

Atgāzies sēdeklī, Belkneps ļāva klīst domām, kas virpuļoja viņa prātā gluži kā viesuļa saceltas smilšu vērpetes.

Nikoss Stavross. Retajās intervijās viņš teica, ka pēc vidusskolas beigšanas sācis strādāt Kipras tirdzniecības flotē, un neaizmirsa pastāstīt par savu visu mūžu smagi strādājušo tēvu, zvejnieku. Viņš spilgti aprakstīja zvejošanu tumšās naktīs bez mēness, kad pie ūdens virsmas nolaista piecsimt vatu spuldze un tīklos ievilināts skumbriju bars. To, ka tēvam piederēja Kipras lielākā zvejas kuģu flotile, viņš neminēja. Tāpat kā nepakavējās pie fakta, ka paša uzņēmums *Stavros Maritime* lielu daļu ieņēmumu gūst no jēlnaftas transportēšanas lielāko naftas firmu vajadzībām. No sāncenšiem, kam bija iespaidīgāka flotile, Stavross atšķīrās ar spēju paredzēt vietu, kur būs lielākais naftas pieprasījums. Viņa tankkuģi spēja uzņemt divdesmit piecus miljonus barelu jēlnaftas, taču kravas cena stipri svārstījās atkarībā no Naftas eksportētājvalstu organizācijas iegribām un pārmaiņām pasaules tirgū. Stavrosam piedēvēja ģeniālu spēju šo haotisko svārstību prognozēšanā, un viņa bagātība bija augusi tā iemesla pēc, ka viņam piemita īpašība, kāda parasti asociējas ar izmanīgiem Volstrīta darboņiem. Viņa avuāru vērtība bija noslēpums, taču zināmās aprindās valdīja uzskats, ka viņam pieder iespaidīgas kontrolpaketes privātās līgumsabiedrībās un slepenās kompānijās, kuras ar savu darbību neplātījās. Tas viss izraisīja ziņkāri – kas viņam īsti pieder?

Tu kļūdījies, nepazīdams Džeredu Rainhartu. Kur vēl tu esi kļūdījies? Šis jautājums Belknepam nedeva mieru. Varbūt viņa ceļš īstenībā nemaz nebija viņa izvēlēts, varbūt viņš visu laiku cita cilvēka ietekmē devies pa melu labirintu. Belknepam šķita, ka viņš vairs nedrīkst sev uzticēties, viņš bija zaudējis ticību sev, jo tā bija satriekta drumslās. Pēdējā laikā viņu uz priekšu, gluži kā degviela, dzina dusmas par to, kas noticis ar Džeredu. Viņš bija paklājis sevi riskam Džereda dēļ, viņš pat dzīvību būtu atdevis par Džeredu.

Un ko tagad?

Pēc visa, ko viņš bija uzzinājis, Džereds Rainharts varēja būt arī Ģenēze. Vai tad tas nebija viņš, kurš allaž bija klāt īstajā vietā, īstajā brīdī? Viltība, slepenība, mahināciju meistarība – Džeredam piemita iezīmes, kas vajadzīgas tādam tumsas valdniekam. Viņš bija noraidījis paaugstinājumu, jo tad vajadzētu atstāt operatīvo darbu un viņa mobilitāte būtu ierobežota, jo trūktu iespēju netraucēti ceļot. Un visu šo laiku viņš veidoja ēnām un nostāstiem apvītu šausmu valstību.

Baiļu valstību, kas aptver zemeslodi un kuras radītāju neviens nepazīst un neviens nav redzējis. Gluži kā Mēness neredzamo pusi.

Vai Rainharts bija spējīgs pastrādāt drausmīgus noziegumus? Sirds dziļumos Belkneps tādu iespēju nepieļāva. Tomēr nevarēja arī to pilnīgi noraidīt.

Beidzot Belknepa domās starp tēliem, informācijas druskām un neskaidru jautājumu gūzmu ielauzās skaņa, kas liecināja, ka lidmašīna izlaidusi šasiju. Viņš bija ieradies.

Kipras Republikas teritorija ir tik liela, cik trīs Masačūsetsas štati. Turcijas karaspēks 1974. gadā ar ieganstu, ka jāaizsargā turku intereses, okupēja Kipras ziemeļu daļu, kur joprojām ne īpaši veiksmīgi saimnieko turki, toties dienvidos Kipras grieķi dzīvo labklājībā, gūdami ienākumus no tūrisma, finansu pakalpojumiem un kuģniecības. Kipras Republikā, Grieķijas satelītvalstī, ir sešas lieliskas ostas un tirdzniecības flote ar vairāk nekā tūkstoti prāvu konteinerkuģu, kā arī vēl otrs tūkstotis kuģu, kas dodas jūrā zem ārvalstu karogiem. Tā kā salā ir arī divdesmit lidostu, tā neizbēgami kļuvusi par heroīna tranzīta punktu ceļā starp Turciju un Eiropu. Reģions, kur noziedzīgi iegūtas naudas legalizēšana notiek samērā brīvi. Šo salu iecienījuši amerikāņu tūristi, bet ne mazāk regulāri to apmeklē ASV Narkotisko vielu apkarošanas biroja darbinieki.

Larnakas vārds grieķiski nozīmē "sarkofāgs" – tā it kā nosaukta par godu nāvei. Larnaka ir viena no Kipras nepievilcīgākajām pilsētām. Tās ielas ir samudžinātas grūti izprotamā labirintā, kurā orientējas tikai ilggadēji vietējie iedzīvotāji, bet pat viņi nespēj sekot biežajai ielu pārdēvēšanai. Netīros pilsētas ziemeļu kvartālus pārpildījuši imigranti no Libānas. Apkārt Larnakai plešas izkaltusi, neauglīga zeme. Vietējos restorānus no aprites izspieduši starptautiski pazīstami zīmoli *KFC*, *McDonald's*, *Pizza*

Hut. Larnaka atgādina Amerikas Bridžportas daļu, kas pārcelta uz tuksnesi. Atpūtniekus no pundurpriežu ieskautām pludmalēm aizbiedē smilšu mušas. Taču neskaitāmām garām, zīmuļiem līdzīgām kuģu piestātnēm aprīkotā osta pārpildīta jahtām un preču kuģiem, no kuriem ne viens vien bija leģendārā kuģniecības magnāta Nikosa Stavrosa īpašums.

Pēc neilgas kavēšanās pie lidmašīnas piebrauca alumīnija traps, durvis atvērās, un Belkneps ievilka plaušās Kipras rīta gaisu. Augstu virs galvas pletās dzidri zilas debesis. Pasu pārbaude bija pavirša. Neuzdrošinādamies atkal izmantot Tailera Kūpera pasi, Belkneps uzrādīja Genādija Čakvetadzes sarūpētos dokumentus. Atvaļinātais spiegs apgalvoja, ka uz tiem droši varot paļauties. Belkneps pārliecinājās, ka tas atbilst patiesībai. Brauciens ar taksometru līdz pilsētai prasīja piecpadsmit minūtes, bet daudz ilgāku laiku vajadzēja, lai pārbaudītu, vai viņam neseko nelūgti ceļabiedri.

Belkneps, nespēdams aprast ar žilbinošo Kipras sauli, miedza acis. Nedabiski spilgtajos staros vēl vairāk izcēlās pilsētas un tās apkaimes neglītums. Līdz Andreas lidmašīnas ielidošanai bija septiņas stundas. Lielāko daļu šā laika Belkneps bija nolēmis veltīt Nikosa Stavrosa rezidences izlūkošanai.

Vai viņam kāds seko? Lai gan nekas uz to nenorādīja, Belkneps ziedoja laiku piesardzībai. Veselu stundu viņš klīda pa veikaliem un tirgotavām senā turku kvartālā, iedams tajos iekšā un ārā un divas reizes nomainīdams apģērbu. Vispirms viņš ietērpās lētā kaftānā, tad pārģērbās par Rietumu tūristu, uzvilkdams kokvilnas kreklu ar īsām piedurknēm, sānu kabatām un ielocēm priekšā un haki krāsas bikses.

Viņam bija adrese, Lefkara avēnija 500. Kā izrādījās, tā bija pareiza, lai gan neviens nemācēja pateikt, uz kuru pusi jādodas, lai tur nonāktu. Beigu beigās viņš noskaidroja, ka Nikosam Stavrosam īstenībā pieder pakalna nogāze un tai pieguļošā pludmale pašā Larnakas nomalē. Mājoklis, no kura pavērās skats uz jūru, bija īsta citadele. To ieskāva augsts, nepārvarams mūris, kam augšpusē vijās dzeloņstieples, ik pēc desmit jardiem bija izvietotas drošības kameras. No jūras puses boju ķēdes norādīja, ka drošībai izmantoti aizsargtīkli un perimetra kabelis. Pa šo objektu varēja trāpīt no lidmašīnas nomesta bumba – citādi iekļūt tajā bija sarežģīti.

No blakus uzkalna akmeņainās, krūmiem apaugušās virsotnes Belkneps, izmantodams tālskati, nopētīja smaragdzaļu mauriņu, kura košums acīmredzot bija panākts ar intensīvu apūdeņošanu. Stavrosam piederēja plaša trīsstāvu Levantes stila savrupmāja ar baltām ģipša sienām, glītiem balkoniem un dekoratīviem frontoniem. Celtnei bija neskaitāmi izvirzījumi, kas gluži kā milzu jūraszvaigznes taustekļi stiepās uz visām pusēm. Uz brīdi ēka Belknepam atgādināja japāņu origami – sarežģīti salocītu papīra modeli, kura simetriju iespējams uztvert tikai pēc ilgākas vērošanas. Apkārtējais zemes gabals bija apmēram četrdesmit akru liels. Mājai piekļāvās kopts puķu dārzs, dekoratīvi krūmi, starp kuriem vīdēja no ģeometriski precīzi apgrieztām cipresēm veidoti dzīvo radību tēli. Belkneps aplūkoja palīgbūves – staļļus, peldbaseinu, tenisa kortu. Aiz horizontālas terases atradās vairāki zemi veidojumi, kas no savrupmājas puses nebija redzami, – bez šaubām, tās bija sargsuņu būdas. Naktī suņi ir neaizstājami sargi, jo to spēcīgie žokļi ir tikpat bīstami kā lode. Pa teritoriju staigāja formas tērpos ģērbušies sargi. Palielinājis tālskata izšķirtspēju, Belkneps redzēja, ka viņi bruņoti ar automātiem.

Viņš sadrūmis nolaida tālskati, atcerēdamies, ko Genādijs stāstīja par suņiem pēddziņiem un suņiem uzbrucējiem. Vai patiešām viņš iecerējis ko tādu, kas viņam nav pa spēkam? Vai viņš grib pārspēt pats sevi? Īpašumu sargāja ne vien modernas novērošanas un drošības iekārtas, bet arī vesela armija sargu. Belknepam uzmācās bezspēcības izjūta.

Situācija ir nopietna, taču nav bezcerīga, mēdza teikt Džereds Rainharts. Iztēlodamies Džereda balsi, Belkneps juta krūtīs gluži vai fiziskas sāpes, it kā viņam augšā pa rīkli virzītos sārms. Tā nevar būt patiesība. Tā ir patiesība. Tā nevar būt patiesība. Tā ir patiesība. Relejs, kas viņā ieslēdza un izslēdza šaubas un pārliecību, atzīšanu un noliegumu, laupīja koncentrēšanās spējas un izsmēla spēkus.

Kādēļ viņš te atradās? Pēdējās deviņas dienas viņš bija dzīvojis un darbojies ar mērķi izglābt – vai atriebt – Džeredu Rainhartu. Viņu virzīja pārliecība, kas iepriekšējā vakarā bija sabirzusi pelnos. Taču Dzinējsuns, lai gan jutās apjucis, pievilts un izmisis, turpināja ceļu, jo viņam vajadzēja panākt kaut ko ļoti svarīgu – viņam vajadzēja uzzināt patiesību.

Pasaki man, kur ir droši, Andrea viņam teica.

Ēnu valstība, kas aptver pasauli.

Nekur nav droši. Un nebūs droši – līdz brīdim, kad Belkneps panāks, lai ir droši. Vai arī ies bojā, pēc tā tiekdamies.

Dienvidus saule no neaprakstāmi zilajām Vidusjūras debesīm lēja spožu gaismu uz zemes un ūdeņiem, taču Belknepa dvēselē valdīja melna tumsa. Viņš allaž bija lepojies ar savu spēju pazīt maldināšanu un blēdības, taču lielu daļu dzīves bija apkrāpts pats. Viņš bija savas uzticības upuris. Belkneps juta, ka iekšas no jauna savelkas krampjos. Varbūt pienācis laiks atzīt savu pūliņu veltīgumu? *Un ļaut Ģenēzei, lai turpina savus baisos darbus?*

Dvēseles sāpes atjaunoja apņēmību. Jā, Stavrosa īpašums bija ideāli nodrošināts pret ielaušanos. Taču visā ideālajā mēdz būt kāds trūkums, kāda vājā vieta. Ar gribasspēku izkliedējis miglu savā prātā, Belkneps pūlējās domāt asi un skaidri. Nez no kurienes uzniris, ausīs atskanēja vēl viens Džereda teiciens: *Kad nav pilnīgi nekādas iespējas tikt iekšā, pamēģini ieiet pa durvīm.*

Pēc pusstundas piebraucis pie īpašuma ar noīrētu *Land Rover*, Belkneps sargam, kurš nekustīgu seju stāvēja pie attālākajiem vārtiem, nodeva vēstījumu, kas pa ķēdi tika nodots tālāk un tālāk. Pēc brīža, kad Belkneps un viņa automašīna bija rūpīgi pārmeklēta, viņam atļāva braukt uz priekšu. Viņš novietoja mašīnu vietā, ko viņam ierādīja, – ar granti nobērtā ēnainā laukumā, kas bija nogrābts tik līdzeni kā japāņu smilšu dārzs. Pie parādes durvīm viņš atkārtoja savu vēstījumu apkalpotājam formas tērpā. Tas bija skaidrs un iedarbīgs: "Pasakiet Stavrosa kungam, ka mani sūta Ģenēze."

Un atkal ceļš viņa priekšā bija brīvs. Apkalpotājs, gadus sešdesmit vecs, kalsns vīrs ar dzeltenīgu sejas krāsu un tumšiem lokiem zem brūnajām acīm, nepiedāvāja Belknepam dzērienu, ne arī citādi pauda laipnību. Viņš runāja angliski ar tikko jaušamu levantiešu akcentu, un viņa kustības bija stīvas, gandrīz vai manierīgas – droši vien mantojums no tiem laikiem, kad sala vēl bija kolonija. Priekštelpai bija bagātiem griezumiem rotāti sarkankoka griesti un ozolkoka paneļiem apšūtas koraļļkrāsas sienas.

– Viņš jūs pieņems bibliotēkā, – apkalpotājs paziņoja. Kad viņš pagriezās, Belkneps paspēja zem viņa melnās žaketes ievērot mazu tēraudkrāsas *Luger* pistoli. Belkneps saprata, ka ierocis viņam parādīts ar nolūku.

Bibliotēkas sienas arī bija apdarinātas ar ozolkoka paneļiem. Sarežģīta kristāla lustra pie griestiem izskatījās pēc tādas, kas būtu paņemta no kādas Venēcijas pils, un droši vien tā arī bija. Šī vieta, kā izrādījās, bija tieši tāda, kādu Belkneps to bija iztēlojies. Sākot ar pavaldonības laika mēbelēm līdz otršķirīgiem vecmeistaru darbiem.

Toties Nikoss Stavross izskatījās citāds, nekā Belkneps bija iedomājies. Belkneps bija iztēlojies veselīgu vīrieti ar platiem pleciem un kvadrātveida zodu, caururbjošu skatienu un spēcīgu rokasspiedienu, kāds piedienas kuģniecības magnātam, kurš iemācījies ne vien novērtēt skaistas lietas, bet vajadzības reizē tiek galā ar kravas ostā radušos jucekli.

Vīrs, kurš uztrausās kājās un pastiepa ļenganu, miklu roku, atstāja nevarīga un neizteiksmīga cilvēka iespaidu. Viņa skatiens bija blāvs un izklaidīgs, miesas būve vāja – iekritušas krūtis, tievas plaukstu locītavas. Viņš izskatījās tāds kā izstīdzējis. Retie, bezkrāsainie mati, gluži kā pielīmēti, plānos kumšķos klāja sviedraino, kailo galvvidu.

– Nikoss Stavross? – Belkneps viņu cieši nopētīja.

Stavross ar mazā pirkstiņa garo nagu paurbināja ausi.

– Kaj, atstāj mūs vienus, – viņš sacīja kalsnajam apkalpotājam. – Mēs aprunāsimies divatā. Viss kārtībā. – Viņa balss tonis vārdiem neatbilda. Stavross bija acīmredzami nobijies. – Tātad... kā varu jums palīdzēt? – viņš pievērsās Belknepam. – Es izklausos pēc pārdevējas, vai ne? – Īsi un sausi iesmējies, viņš nervozi aplaizīja lūpas. – Jokus pie malas. Gribu teikt, ka visa mana karjera balstīta uz sadarbību. – Viņš saņēma rokas kopā, lai tās nedrebētu.

Belkneps, paskatījies atpakaļ, ieraudzīja, ka apkalpotājs joprojām stāv bibliotēkas durvīs. Brīdi lūkojies Belknepam pretim, viņš beidzot durvis klusi aizvēra – iekšpusē tās bija apsistas ar mīkstu ādu.

Belkneps paspēra platu soli Stavrosam tuvāk. Vecais vīrs sarāvās.

Belkneps bija neizpratnē – kāpēc tas vispār bija ielaidis viņu savā namā? Acīmredzot tāpēc, ka izvēles nebija. Nikoss Stavross neuzdrošinājās modināt Ģenēzes dusmas.

– Sadarbība ir viens, – Belkneps drūmi teica. – Kolaboracionisms ir pavisam kas cits.

– Es saprotu, – Stavross atbildēja, lai gan skaidri bija redzams, ka nesaprot. Šis ārkārtīgi bagātais cilvēks drebēja no bailēm. Belkneps, to redzēdams, bija pārsteigts. – Es vienmēr esmu atbalstījis kolaboracionismu.

– Kolaboracionismu? – Belkneps sarauca pieri. – Sadarbību ar ienaidniekiem?

Nē! – Stavross iesaucās. – To gan ne! To nekad!

– Lēmumiem jābūt stratēģiski pareiziem. Par to, kādas operācijas veicamas. Kādas filiāles izveidojamas. Kuras filiāles slēdzamas. – Belkneps izteicās neskaidri, miglaini un draudīgi, gribēdams sarunas biedru gan samulsināt, gan ar viņu saprasties.

Stavross drudžaini purināja galvu.

– Pareizi vārdi, patiešām.

Belkneps izlikās muļķīgo atbildi nedzirdam.

– Parunāsim par firmu *Estotek*, – viņš sacīja. Lai gan viņš bija spiests virzīties uz priekšu taustīdamies, nedrīkstēja pieļaut, lai Stavross viņa nenoteiktību un šaubas pamana. Viņam jāiztur prasīgi, jānoskaidro viss, ko viņš vēlas uzzināt, un, ja vajadzīgs, jāimprovizē.

– *Estotek*, – Stavross atkārtoja, norīdams kaklā iesprūdušo kamolu. – Izklausās pēc pretapaugļošanās līdzekļa. – Viņš samocīti pasmaidīja, atkal nervozi aplaizīdams lūpas, kas izskatījās vējā saspēgājušas. Mutes kreisajā kaktiņā krājās siekalas. Līdz nāvei pārbijies, Belkneps nodomāja.

Belkneps paspēra vēl vienu draudīgu soli Kipras kuģu īpašniekam tuvāk.

– Vai tev tas šķiet smieklīgi? Vai tu domā, ka esmu šeit ieradies, lai mēs kopā nobaudītu saldējumu? – Belkneps sagrāba magnātu aiz baltā zīda krekla priekšas un pierāva sev klāt, ar šo brutālo kustību ļaudams viņam nojaust, kas viņu gaida, ja nepakļausies.

– Atvainojiet, – Stavross teica. – Kāds bija jautājums?

– Jautājums ir tāds – vai tu gribētu nodzīvot atlikušo mūžu neizturamās sāpēs, bez iespējas pārvietoties, līdz riebumam sakropļots?

– Ļaujiet man padomāt... labi? – Stavross sāka neganti klepot. Kad viņš no jauna pagriezās pret Belknepu, viņa seja bija pietvīkusi. – *Estotek*? Tā taču ir tā fiktīvā firma, vai ne? Tukša čaula. Tā mēs tās lietas darām. Jūs taču to zināt.

– Runa nav par to, ko es zinu. Runa ir par tavu rīcību.

– Protams. Es saprotu. – Stavross pagriezās pret vairākām stipro dzērienu pudelēm un drebošām rokām ielēja divās glāzēs dzeramo. – Ak, es pilnīgi esmu aizmirsis pieklājību! – viņš

noteica. – Man jau sen bija jāpiedāvā jums glāze atspirdzinā-
juma. – Viņš pasniedza Belknepam smagu kristāla glāzi ar
dzērienu.

Belkneps to paņēma un acumirklī iešļāca tās saturu Stavrosam
sejā. Stiprais dzēriens koda kiprietim acis, un viņš sāka mirkšķi-
nāt. Acis asaroja. Tāda izturēšanās bija izaicinoša, taču Belkneps
intuitīvi juta, ka viņam jāpārbauda, cik pacietīgs ir šis vīrs. Galu
galā tikai tāds, kurš jūtas pasargāts varena spēka paspārnē,
iedrošinātos tā izrīkoties ar magnātu.

– Kāpēc jūs tā? – Kiprietis saviebās.

– Aizveries, sasodītais ķēms! – Belkneps noņurdēja. – No te-
vis nav nekādas jēgas.

Stavross samirkšķināja acis.

– Jūs nākat no...

– Taisnā ceļā no Lenhema.

– Nesaprotu.

– Izveidota apvienība. Noslēgts darījums, – Belkneps pamāco-
šā tonī teica, it kā runātu ar mazu bērnu. – Tagad tu esi daļa no
mums.

Stavross atvēra muti, taču nedabūja ārā ne skaņu.

– Nemelo man! – Belkneps nodārdināja. – Tu pieļāvi kļūdu.
Tu peldēji pa straumi.

– Lūdzu, ticiet man, es viņiem neko nepateicu! Es zvēru!

Tas jau bija kaut kas.

– Kurš?

– Viņi neko no manis neizdabūja. Es neko nepateicu.

– Pastāsti ko vairāk!

– Man nav ko stāstīt.

– Ko tu, sasodīts, slēp?

– Es taču teicu, ka tie Vašingtonas izdzimteņi brūnajos uzval-
kos neko no manis neizdzirdēja. Ar mani kopā bija advokāts, ko
man ieteica Lagners. Džons Maktagerts. Varat viņam pajautāt. Kā
jau noprotat, tie Kērka komisijas nejēgas sacēla briesmīgu brēku.
Taču mēs savus noslēpumus nosargājām.

– Taču tā nebija jūsu vienīgā tikšanās. Vai ne?

– Protams, vienīgā! – Stavross sašutis iekliedzās. – Jums man
jātic!

– Ak tu gribi mācīt, kas jādara *mums*?

– Nē! Es to negribu! Nepārprotiet mani!

– Atkal tu māci mani! – *Jāizved viņš no pacietības.*

354

– Ak, lūdzu! Man nav ne jausmas, kā Kērka komisija uzzinājusi to, ko tā zina, taču es droši varu teikt, ka no manis tā neuzzināja neko. Kāda velna pēc man būtu jānopludina informācija? Kāda man no tā jēga? Mana galva pirmā nonāktu cilpā. Viņi teica, ka anulēšot manas uzņēmējdarbības licenci, ja es ar cieņu neizturēšoties pret ASV Kongresu. Uz to es atbildēju, ka esmu Kipras pilsonis! Viņi turpināja vervelēt par maniem Amerikas meitasuzņēmumiem. Viņi paši neko nezināja, un tā es viņiem pateicu.

– Jā gan, tava galva pirmā nonāks cilpā, – Belkneps teica.
– Klāj vaļā! Un ātri. Gluži vienkārši mēs to visu gribam dzirdēt no tevis.

– Jūs neesat mani pareizi sapratis. Es turēju muti ciet. Paklausieties, es esmu kiprietis un zinu, kā jārīkojas. Ja nekas netiks iekšā, nekas netiks ārā. Lūdzu... Maktagerts galvos par mani. Jums ir... lūdzu, ticiet man.

Belkneps brīdi klusēja.

– Nav jau svarīgi, vai es tev ticu, vai neticu, – viņš sacīja un čukstus pabeidza: – Svarīgi ir, vai tev tic Ģenēze.

Izdzirdējis šo vārdu, magnāts nobālēja.

Belkneps turpināja pratināšanu, paļaudamies uz intuīciju un izmantodams pretinieka bailes. Kā bija licis noprast korpulentais Omānas Princītis, Ģenēzes varenību galvenokārt noteica fakts, ka neviens skaidri nezināja, kas viņš ir un kurš slepeni varētu kalpot viņa dienestā.

– Lūdzu, – kiprietis šņukstēja, satraukti šaudīdams skatienu uz visām pusēm. – Man jāaiziet uz tualeti, – viņš beidzot izdvesa. – Tūdaļ būšu atpakaļ. – Iesteidzies blakus telpā, viņš iemetās iekšā pa nelielām durvīm.

Kas viņam prātā? Pasaukt palīgā savu bruņoto apkalpotāju viņš varētu, nospiezdams pogu. Tātad kaut kas cits.

Belkneps saprata. *Viņš zvana savam partnerim uz Tallinu.*

Kad Stavross pēc brīža atgriezās, viņa skatienā jautās aizdomas. Šaubas bija izdzinušas savus mazos asniņus gluži kā pēc lietusgāzes.

– Ričards Lagners ir...

– Miris, – Belkneps pabeidza. – Tā ir. Zini, viņš sadomāja pārskatīt vienošanos ar Ģenēzi. Lai šis notikums kalpo tev par mācību.

Stavrosa jau tā bālā seja kļuva vēl bālāka. Viņš nekustīgi stāvēja, un viņa baltā, ar viskiju aplietā krekla padusēs pletās tumši sviedru plankumi. Kad Belkneps uz viņu palūkojās, viņš nodrebēja.

– Viņš... viņš...

– Viņam laimējās. Viss norisinājās ātri. Ar tevi tā nebūs. Visu labu! – Pirms Belkneps aizvēra smagās durvis, viņš veltīja Stavrosam klusa nicinājuma pilnu skatienu. Triumfa izjūtas acumirklī pagaisa, un viņu no jauna pārņēma nedrošība un šaubas. Prātā ienāca pārbaudīta patiesība, ka ievainots zvērs ir bīstams.

Braucot īrētajā *Land Rover* pa smilšaino nogāzi un piekrastes ceļu, Belkneps intensīvi domāja. Tikšanās ar Stavrosu bija sniegusi informāciju, ko Stavross nenovērtēja, bet Belkneps vēl nebija aptvēris. Viens bija skaidrs – Stavrosam Ģenēze ir ienaidnieks, no kura viņš baidās, ienaidnieks, kura dusmas nedrīkst izraisīt un kuram jāizdabā. Lagners bija nevis Ģenēzes rokaspuisis, bet pretinieks. Tas pārsteidza Belknepu. Vai izdosies ienaidniekus uzrīdīt vienu otram?

Viņš negribīgi bija spiests atzīt, ka ar prieku pieņems Andreas Bānkroftas palīdzību un pieredzi... iespējams, bez tās viņš pat nevarēs iztikt. Turklāt ne tikai palīdzību. Viņas aso prātu. Prasmi loģiski spriest. Spēju analizēt un salīdzināt pretrunīgus viedokļus. Taču bija vēl kas. Lai cik pārliecinoši viņš centās atrunāt Andreu no došanās ceļā, sirds dziļumos viņš priecājās, ka Andrea palika pie sava. Viņi bija norunājuši tikties viesnīcā *Livadhiotis* Nikolasa Rosa ielā. Ja lidmašīna ielidos paredzētajā laikā, viņa tur būs pēc stundas.

Automašīnas atpakaļskata spogulī viņš ieraudzīja automobili, kas brauca pa šauro, kalnaino ceļu, kas veda ārā no Stavrosa īpašuma. Vai tas bija Stavross? Mašīna nogriezās uz piestātnes pusi, un Belkneps, saglabādams apdomīgu distanci, tai sekoja. Caur retajām priedēm viņš redzēja, ka no automobiļa kāds izkāpj – tas nebija Stavross – un sparīgiem, pārliecinošiem soļiem dodas uz krasta pusi. Belkneps piebrauca tuvāk.

Tas bija slaids gara auguma vīrietis, un viņa atsperīgajā gaitā bija kaut kas no leoparda. Pārmijis pāris vārdu ar vīru piestātnes sardzes būdā, vīrietis pagriezās, lai dotos atpakaļ uz mašīnu. Belkneps sajuta pakrūtē grūdienu, it kā pa turieni kāds būtu iesitis.

Nē, tas nevar būt!

Vīrietim bija īsi tumši mati, garas kājas un rokas, acis aizslēptas aiz saulesbrillēm. Taču Belkneps zināja, ka šīs acis ir pelēkzaļas, un pazina to skatienu. Viņš pazina šo cilvēku.

Džereds Rainharts.

Viņa draugs? Vai ienaidnieks. Kas īsti? Tas bija jānoskaidro. Belkneps izleca no mašīnas un skrēja – traucās, lidoja –, pirms pats aptvēra, ko dara.

– Džered! – viņš iekliedzās. – Dže-red!

Garais vīrietis atskatījās, norāva saulesbrilles, un Belkneps viņa acīs ieraudzīja... *bailes*.

Rainharts metās prom, skriedams tā, it kā no tā būtu atkarīga viņa dzīvība.

– Pagaidi! – Belkneps sauca. – Pagaidi! Mums jāaprunājas!

Tāds aicinājums izklausījās gandrīz vai komisks. Belknepam tik daudz kas bija jāsaka un jājautā šim cilvēkam! Krūtīs bangoja neskaitāmas izjūtas, no kurām viena bija cerība, ka Rainharts spēs visu paskaidrot, no jauna piešķirs jēgu viņa dzīvei, aizlipinās plaisas ar viņam piemītošo prāta skaidrību un loģiku. Par spīti visam, tas notiks. *Lūdzu, apstājies!* Taču Rainharts metās prom tādā ātrumā, it kā Belkneps viņam radītu nāves briesmas. Viņš brāzās pa garo piestātni, pēdām tik tikko skardams dēļu segumu. Belkneps, tverdams gaisu, dzinās viņam pakaļ. Redzēdams, ka piestātne iestiepjas ūdenī, viņš nedaudz palēnināja tempu. *Kur gan, Dieva dēļ, Pollukss var aizbēgt?*

Atbilde uz šo muļķīgo jautājumu sekoja pēc pāris mirkļiem, kad Rainharts ieklupa netālu novietotā kuterī. Pēc piestātnes noteikumiem atslēga bija aizdedzē, un dažas sekundes vēlāk viņš jau joņoja pa Larnakas līča zaļajiem ūdeņiem.

Nē! Šā cilvēka meklējumos viņš bija pavadījis pēdējās divsimt stundas, Belkneps satriekts nodomāja. Tagad, kad bija to atradis, viņš nepadosies.

Ne mirkli nedomādams, Belkneps ielēca citā nelielā kuterī. Tas bija *Riva Aquarama*, skaists modelis, gluži kā augstākās klases sporta automobilis, ar tumša pulēta koka kajīti un stiklplasta korpusu. Belkneps palaida vaļā virves, kas kuteri turēja pie piestātnes pāļiem, pacēla motora pārsegu un pagrieza atslēgu. Motors rūkdams iedarbojās.

Vadības pults arī atgādināja sporta automobiļa instrumentu paneli. Gludā, spīdīgā kokā bija iebūvētas lielas, apaļas skalas ar gaišziliem burtiem uz melna fona, bet stūresrats bija balts ar hromētiem stieņiem. Belkneps iespieda gāzes pedāli līdz galam. Motora rūkoņa pieņēmās spēkā, un to pavadīja troksnis, ko radīja dzenskrūves, kuldamas ūdeni. Oranžā eļļas spiediena mērītāja bultiņa tuvojās sarkanajai josliņai, bet ampērmetra adata jau lēkāja pāri galējai atzīmei. Kuteris, priekšgalu izslējis virs ūdens, traucās arvien ātrāk. Bet kur ir Rainharts?

Belkneps, acis samiedzis, pūlējās kaut ko saskatīt caur ūdens šļakatām. Spožie saules stari, spoguļodamies uz ūdens virsmas, padarīja to žilbinošu. Brīdi Belkneps jutās tā, it kā raudzītos metināmā aparāta dzirkstelēs. No krasta ūdens klajs bija izskatījies mānīgi rāms, taču patiesībā viļņi bija spēcīgi un jūra bangoja kā varens briesmonis, kas nespēj atelsties. Jo tālāk no krasta, jo viļņi bija augstāki. Pēkšņi sev labajā pusē Belkneps ieraudzīja Rainhartu – viņa lokanais, kalsnais stāvs slējās virs kutera, kura priekšgala un pakaļgala dzinekļi kūla baltas putas, – izskatījās, ka Rainharts grasās veikt kādu manevru. Belkneps kutera motors strādāja ar pilnu jaudu. Fizikas jautājums, viņam ienāca prātā. Rainhartam bija lielāks kuteris, *Galia*, ar virsizmēra dzenskrūvēm, kas radīja platu putu sliedi. Tas bija lielāks un jaudīgāks, taču ne ātrāks. Atšķirība bija tāda pati kā starp daudzas tonnas smagu treileri ar astoņpadsmit riteņiem un sedanu. Varena ūdens šalts, uztriekusies gaisā, aizsedza Belknepam skatu. Līdz krastam būs kāda pusotra jūdze, viņš nodomāja, un tajā brīdī Rainharts pagrieza savu *Galia* pa loku, kas viņam atviegloja uzdevumu to panākt.

Belkneps, sirdij neprātīgi dauzoties, cieši sagrāba kutera vadības sviru. Viņš tuvojās Rainhartam. Vēl... vēl mazliet...

Viņš jau saskatīja Rainharta sejas profilu, augstos vaigu kaulus un ēnas zem tiem.

Nebēdz no manis!

– Džered! – Belkneps ieaurojās.

Rainharts neatbildēja un nepagriezās. Vai caur motora rēkoņu un putu šņākoņu viņš maz kliedzienu dzirdēja?

– *Džered! Lūdzu!*

Kliegšana nelīdzēja. Rainharts stāvēja taisns un nekustīgs, skatienu pavērsis uz priekšu.

– *Kāpēc, Džered? Kāpēc...?* – Belknepa izmisuma pilnais kliedziens pagaisa, saplūzdams ar okeāna auriem.

Galia motora troksnis pastiprinājās, līdz pēkšņi savijās ar citu, dobju skaņu. Zemā tonī taurēja kuģa sirēna.

Tajā pašā mirklī Rainharta kuteris uzņēma ātrumu. Uzrāvis priekšgalu gaisā, tas brāzās uz kuģa pusi, palielinādams attālumu, kas to šķīra no Belknepa.

No jūras puses, no Akrotiri līča, kas atradās rietumos, tuvojās liels kravas kuģis ar melnu korpusu. Mastā plīvoja Libērijas karogs. Tas bija milzenis, ko neievērot nebija iespējams, un atklātā jūrā no jebkāda attāluma tādi paceļas virs apvāršņa ainavas. Rainharts stūrēja savu kuteri apkārt kuģa priekšgalam. *Kāds neprāts!* Traukties tik tuvu milzeņa priekšgalam! Nākamajā mirklī šļakatas atkal aizsedza Belknepam redzeslauku. Viņam prātā pazibēja doma, ka Džereds nolēmis izdarīt pašnāvību. Kad vilnis noplaka, Belkneps aptvēra, kas Rainhartam bijis padomā.

Nekādu kutera atlūzu. Nekāda vraka. Vispār nekā. Rainharts bija izdarījis to, ko gribēja, – nokļuvis preču kuģa otrā pusē.

Belkneps pietiekami labi apzinājās savu kuģošanas prasmi, lai nemēģinātu tuvoties kravas kuģim vai tā bīstamajam ķīļūdenim. Viņš virzīja kuteri tam garām, lai gūtu iespēju palūkoties aiz tā korpusa. Belkneps grieza mašīnas stūrei līdzīgo stūresratu pa labi, vērīgi raudzīdamies pār vējstiklu, pret kuru triecās šļakatas.

Beidzot viņš bija kuģim otrā pusē. Viņš ievēroja, ka libēriešu milzenis ir balkeris, kuģis beztaras kravas pārvadāšanai, – tas varēja vest rūdu vai apelsīnu sulu, minerālmēslus vai degvielu. Visi konteineri, kuros krava iepildīta, bija vienādi. Kuģa kravnesība bija ne mazāk kā četrdesmit tūkstoši tonnu, garums – vismaz piecsimt pēdu. Belkneps pētīja ūdens zilgmi, kas mirdzēja un laistījās saule gluži ka tuksneša smiltis, bet krūtīs viņam pletās ledains saltums.

Džereds Rainharts – viņa draugs vai viņa ienaidnieks? – bija pazudis.

Kad Belkneps atgriezās piestātnē, mokošas domas viņa prātā bangoja gluži kā viļņi okeānā. Vai Rainharts vispār bijis nolaupīts? Vai arī tā bijusi rūpīgi sagatavota viltība?

Aizdomas Belknepu beidza vai nost. Atlika iztēloties, ka viņa labākais draugs un dvēseles radinieks, kas Polukss bija Kastoram, ir *nodevējs*, turklāt nodevis ne tikai viņu vien, un viņš jutās tā, it kā mugurā būtu ietriekts nazis. Tūkstošo reizi Belkneps meklēja citu izskaidrojumu. Viņš atsauca atmiņā Rainharta baiļpilno seju. Tāda seja varētu būt cilvēkam, kuru Belkneps apdraudētu. Kāpēc tāda bija Rainhartam? Vai tāpēc, ka Belkneps neticētu viņa atrunām? Vai bija cits iemesls? Šie jautājumi neatbildēti šaudījās Belknepa prātā, pildīdami viņu ar nelabumu, kas mocīja gluži kā jūras slimība.

Šajā drūmajā virpulī bija tikai viens mierinājums – doma, ka līdzās ir Andrea. To viņš atcerējās, paraudzījies pulkstenī. Viņa profesijā bija maz draudzīguma un daudz savrupības. Tas bija viens no iemesliem, kāpēc Pollukss viņam bija kļuvis tik svarīgs. Operatīvajiem aģentiem ieteica nevienā vietā neiesakņoties un nevienam īpaši nepieķerties. Tie, kas nespēja pierast pie vientulības, galu galā bija spiesti aiziet. Jebkuru nosacījumu var paciest, bet reiz pienāk brīdis, kad vajadzīga atelpa. Tieši pēc tās Belkneps šajā brīdī ilgojās – pēc neliela pārtraukuma. Viņš atkal paskatījās pulkstenī.

Andrea jau būs numurā un gaidīs viņu. Viņš vairs nebūs viens.

Braucot uz viesnīcu *Livadhiotis* Nikolasa Rosa ielā, Belkneps bija spiests saņemties, lai pievērstu uzmanību ceļam, satiksmei, citiem transportlīdzekļiem. Viņa braukšanas ātrumu noteica nevis ceļa zīmes, bet gan citi autovadītāji, un šis ātrums bija daudz ātrāks par atļauto. Viesnīca bija izraudzīta nevis tās ērtību dēļ, bet gan tāpēc, ka tā atradās tuvu galvenajiem ceļiem. Belkneps vēroja kravas automobiļus un furgonus, kas brauca vai nu uz ostu, vai lidostu. Šeit bija dzeltensarkans *DHL* mikroautobuss, kura šoferis izbāza pa logu spalvainu roku un uzlika to uz jumta, it kā gribēdams to pieturēt. Baltzaļa cilindriska autocisterna, kas pārvadāja šķidro propānu. Cementa mašīna ar lēni rotējošu tvertni. Balts furgons bez logiem ar produktu piegādes dienesta *Sky Café* emblēmu.

Belkneps, juzdams pakausī skraidām skudriņas, atkal palūkojās pulkstenī. Nebija pareizi, ka viņš ļāva Andreai braukt šurp – vajadzēja atrunāt viņu uzstājīgāk. Viņš to nedarīja, jo Andrea jau bija izlēmusi. Varbūt viņš neatrunāja Andreu dedzīgāk, tāpēc ka sirds dziļumos gribēja, lai viņa atbrauc?

Virs viesnīcas *Livadhiotis* ārdurvīm bija liela brūna markīze ar tās nosaukumu un acīmredzot nejauši izvēlētu deviņu valstu karogi, kas ne pārāk veiksmīgi demonstrēja viesnīcas starptautisko statusu. Virs pirmā stāva pacēlās vēl trīs stāvi ar lokveidīgiem, pusapaļiem logiem. Katrā numurā bija neliela virtuve, kas tos ļāva dēvēt par "apartamentiem". Ēkā valdīja noturīgs lietotu sūkļu smārds, kāds nereti jūtams lētos mājokļos zemēs, kur valda karstums. Belknepu ar skaļu sveicienu sagaidīja vīrietis motorizētā braucamkrēslā. Viņa spīdīgā seja, ko klāja sīku dzīsliņu tīkls, Belknepam atgādināja kāda tropu auga lapu. Muskuļotajām rokām bija strupi, mezglaini pirksti. Invalīda aizplīvurotais skatiens bija reizē agresīvs un zaglīgs.

Belkneps parak steidzas, lai pieverstu īpašu uzmanību invalīdam, kas pildīja administratora pienākumus, un viņa smīnā saviebtajai mutei. Paņēmis atslēgu, kas, pēc vecas Eiropas tradīcijas, bija kopā ar gumijas atsvariņu un, atstājot ēku, bija jānodod, viņš devās uz otro stāvu, kur atradās šajā rītā noīrētais numurs. Lifta mazā kabīne ar grūtībām spraucās augšup. Kad viņš izkāpa, gaitenī valdīja puskrēsla. Belkneps atcerējās, ka gaismekļus iedarbina taimers – taupības nolūkos. Numurā veco sūkļu smaka bija vēl stiprāka. Belkneps aizvēra durvis. Ieraudzījis uz grīdas līdzās skapim Andreas somas, viņš juta, ka sirds aiz prieka salecas. Andrea viņa domās iezagās biežāk, nekā būtu izskaidrojams ar abu kopīgajiem meklējumiem. Viņas mati, maigā, caurspīdīgā āda, viņas aromāts – pat pārlidojis pāri Atlantijas okeānam, Belkneps reizēm to sajuta.

– Andrea! – viņš pasauca.

Vannas istabas durvis bija pavērtas, taču iekšā valdīja tumsa. Kur viņa ir? Droši vien nogājusi lejup iedzert tasi kafijas tuvējā kafejnīcā – un aprast ar laika joslu maiņu. Gultas pārklājs bija saburzīts, it kā viņa būtu apgūlusies, lai nosnaustos. Piepeši Belknepam, pirms viņa apziņa formulēja baisu domu, aizžņaudzās kakls. Uz naktsgaldiņa pie gultas bija salocīta papīra lapiņa. Zīmīte.

To pagrābis, Belkneps ar acīm pārskrēja rindiņām, kas tur bija, un viņa sirds aiz bailēm un niknuma pagura. Viņš piespieda sevi izlasīt zīmīti vēlreiz – lēni un uzmanīgi.

Briesmu sajūta auga. Šie pāris teikumi bija uzrakstīti ar zīmuli uz viesnīcas veidlapas. Abi apstākļi kavētu tiesu medicīnas ekspertīzi. Turklāt vēstījumā nebija nekā tāda, ko parasti raksta cilvēku nolaupītāji. *Mēs paņēmām vienu piederumu no komplekta,* bija teikts zīmītē. *Novēlam patīkami pavadīt laiku.* Asinīm dzīslās sastingt lika paraksts: ĢENĒZE.

DIVDESMIT PIRMĀ NODAĻA

Ak Dievs! Vai Džereds Rainharts uzradās tīšām, lai novērstu viņa uzmanību, kamēr kāds nolaupīja Andreu? Šausmas, kas bija pārņēmušas Belknepu, pārvērtās nevaldāmās dusmās – pirmām kārtām uz sevi. Tas bija *viņš*, kurš pieļāva, ka tas notiek ar Andreu! Taču viņa ciešanas, viņa nomācošā vainas apziņa atkal bija greznība, ko viņš nedrīkstēja atļauties – ko viņš nedrīkstēja atļauties viņas dēļ.

Domā, velns parāvis! Belkneps sev pavēlēja.

Nolaupīšana notikusi nesen – tas nozīmē, ka svarīga ir katra minūte. Jo ilgāks laiks paies, jo mazākas būs viņa izredzes Andreu atgūt.

Kipras sala gadu desmitiem bijusi gluži kā nolādēta, nesaskaņu un konfliktu, korupcijas un intrigu plosīta. Taču galu galā tā bija sala. Belkneps neskaidri nojauta, ka šis apstāklis varētu būt izšķirošs. Andreas nolaupītāju pirmais uzdevums būs aizvest viņu no salas prom. Larnaka nebija Kipras dzīvākā osta, toties šeit ir salas lielākā starptautiskā lidosta. *Kā rīkotos tu?* Belkneps iegrūda pirkstus matos, cieši satverdams galvu un pūlēdamies iztēloties sevi par Andreas nolaupītāju. Svarīgs būtu ātrums. Andreu droši vien sasies un ienesīs lidmašīnā. Zobus griezdams, Belkneps ierāva plaušās gaisu. Caur pelējuma un tabakas dūmu smaku numurā joprojām bija jūtams citrusu un bergamotes aromāts. Andrea šeit bijusi pavisam nesen. Viņa joprojām ir salā. Viņam jāpaļaujas uz savu nojautu un jārīkojas ar to saskaņā, cik apņēmīgi un ātri vien iespējams.

Belkneps aizvēra acis, un pēkšņi viņam atausa atskārta. Kopējā ainā neiederējās furgons. Furgons bez logiem ar *Sky Café* emblēmu. Pārtikas produktus un gatavos ēdienus lidostai vienmēr piegādāja agri no rīta, pirms sākās regulārie reisi. Šis furgons pa šoseju uz lidostas pusi brauca dziļā pēcpusdienā. Tam nevajadzēja tur būt – tāpat kā *FedEx* kurjerpasta automašīnai toreiz pretim kafejnīcai Manhetenā. Belkneps atcerējās, ka pakausī juta durstīgas adatiņas, zemapziņai konstatējot šo nepareizību. Viņu pārņēma drūma nojauta.

Andrea bija furgonā bez logiem.

Līdz Larnakas starptautiskajai lidostai bija tikai dažas jūdzes rietumu virzienā. Viņam tur jānokļūst, cik ātri vien iespējams. Izšķirīgas var būt pat sekundes, tāpēc nedrīkst zaudēt ne mirkli.

Belkneps skrēja pa kāpnēm, lēkdams pa trim četriem pakāpieniem reizē, un izjoņoja cauri tukšajam vestibilam. Kā jau viņš domāja, no invalīda braucamkrēslā vairs nebija ne miņas. Ieklupis *Land Rover*, Belkneps to iedarbināja, pirms bija aizcirtis automašīnas durvis. Riepām kaucot, viņš nogriezās uz šosejas, kas veda uz lidostu, un, nepievērsdams uzmanību ceļa zīmēm, kas ierobežoja braukšanas ātrumu līdz astoņdesmit kilometriem stundā, traucās uz priekšu, manevrēdams starp lēni braucošajām automašīnām. Larnakas lidostā salīdzinājumā ar citām pasaules starptautiskajām lidostām gaisā paceļas visvairāk privāto lidaparātu, nevis regulāro pasažieru reisu lidmašīnas. Šis fakts Belknepam pateica priekšā to, kas viņam bija jāzina. Aizjoņojis garām sālsūdens atsāļošanas punktam, kur bija redzamas zilas cisternas un rūpnieciskās destilēšanas baltās caurules, viņš nogriezās uz iebrauktuvi lidostā, pēc tam, apliecis līkumu ap lidojumu vadības centra ēku, nokļuva pie augstas tonēta stikla un pelēkbrūna akmens būves, virs kuras durvīm lieliem ziliem burtiem mirdzēja uzraksts LARNAKA. Lidosta apkalpoja trīsdesmit regulāro reisu starptautiskās gaisa līnijas un trīsdesmit čartera gaisa trases, taču Belknepu tas šoreiz neinteresēja. Viņam bija jāpabrauc garām galvenajai ēkai un jātiek līdz ceturtajam terminālim. Beidzot, bremzēm nočīkstot, *Land Rover* apstājās pie nelielas celtnes un Belkneps ieskrēja tajā iekšā. Viņa mokasīnkurpes ar gumijas zolēm švīkstēja, skardamas gludās, pārmērīgi nopulētās smilškrāsas un koraļļkrāsas grīdas akmens flīzes. Patraucies garām parastajiem beznodokļu veikaliem, kur vārdu "beznodokļu" no abām pusēm ietvēra lidostas piramīdveida emblēma un spožā lampu gaismā atmirdzēja vīna pudeles, un kolonnām, kas bija apdarinātas ar mazām zilām kvadrātveida flīzītēm, viņš ieraudzīja reģistrācijas leti un nedaudz tālāk – vārtiņus, pa kuriem pasažieri devās uz lidmašīnām. Formas tērpos ģērbušies drošības kontroles darbinieki viņā noraudzījās vienaldzīgi, jo skrejošs cilvēks viņu ikdienā nebija nekas īpašs – allaž kāds brāzās uz lidmašīnu

363

pēdējā brīdī. Palūkojies caur uzgaidāmās zāles stikla sienu, Belkneps uz skrejceļa ieraudzīja *Gulfstream G550*. Privāta lidmašīna, kas acīmredzami bija spējīga veikt tālu lidojumu. Uz astes vīdēja pazīstamā *Stavros Maritime* emblēma – triju tirkīzkrāsas apļu ielokā dzeltena zvaigzne. Lidmašīna, kam jau darbojās dzinēji, gatavojās izbraukt uz starta joslas un pacelties gaisā.

Andrea ir tur iekšā. Šī doma bija kā sitiens pakrūtē.

Belkneps apsviedās, apmetās ap zilajām flīzītēm apdarināto kolonnu un ietriecās krūtīs drošības kontroles darbiniekam.

– Piedodiet! – Belkneps izgrūda un piespieda roku pie krūtīm, tā pauzdams atvainošanos. Drošības kontroles vīrs izskatījās aizkaitināts, tajā pašā laikā labi saprazdams, ka nedrīkst izturēties īgni pret svarīgām personām, kas bieži izmanto šā termināļa pakalpojumus. Tā kā dusmas paturēt sevī nebija vēlams, viņš vismaz izlamāja amerikāni savā dzimtajā grieķu valodā, neievērodams, ka palicis bez rācijas – raidītāja un uztvērēja –, kas bija karājusies pie viņa neilona jostas.

Joprojām aizelsies, Belkneps piegāja pie taksofona, kas atradās pretim reģistrācijas letei. Uzgriezis lidostas numuru, viņš lūdza savienojumu ar lidojumu dispečeriem.

– Lidmašīnā, kas atrodas uz skrejceļa pie ceturtā termināļa, ir bumba, – zemā rīkles balsī viņš sacīja vīrietim, kas beidzot atbildēja. – Fugass. Spridzeklis saslēgts ar altimetru. Gaidiet turpmākus ziņojumus. – Viņš nolika klausuli.

Tad viņš piezvanīja uz ASV Narkotisko vielu apkarošanas biroja nodaļu Kipras galvaspilsētā Nikosijā, kas bija pasaulē pēdējā sadalītā galvaspilsēta, un nodeva savu svarīgo paziņojumu, rūpīgi izvēlēdamies vārdus un lietodams profesionālus saīsinājumus. Lidmašīnā *Gulfstream*, kas tūdaļ izlidos no Larnakas, atrodas liela Turcijas heroīna krava, ko paredzēts nogādāt Amerikas Savienotajās Valstīs.

Belkneps nezināja, kurš reaģēs ātrāk – kiprieši vai amerikāņu birojs, taču bija pārliecināts, ka gan viens, gan otrs nekavējoties aizliegs lidmašīnai pacelties gaisā. Lai gan ASV Narkotisko vielu apkarošanas biroja nodaļa atradās galvaspilsētā, viņš zināja, ka tās darbinieki pastāvīgi dežurē arī Larnakas lidostā. *Pēc cik ilga laika viņi sāks rīkoties,* Belkneps drudžaini domāja, izvilkdams mutautu un nemanāmi noslaucīdams telefona klausuli.

Pametis skatienu uz *Gulfstream*, viņš redzēja, ka dzinēju karstā gaisa strūklas, kuru trīsuļošana iepriekš bija skaidri redzama, vājinājušās. Pilots bija saņēmis rīkojumu izslēgt dzinējus. Pagāja divas minūtes. Trīs. Pie lidmašīnas strauji piebrauca furgons ar saliekamu trapu uz jumta, un tam nekavējoties pievienojās vēl viens. Nākamajā mirklī piebrāzās neliels, ar brezenta jumtu segts kravas automobilis, kurā bija Kipras militārie policisti. Pēdējā atbrauca mašīna, no kuras izkāpa ASV Narkotisko vielu apkarošanas biroja Kipras nodaļas darbinieki. Kipras varas iestādes bija noslēgušas līgumu ar Amerikas Savienotajām Valstīm par aktīvu sadarbību narkotisko vielu tranzīta jautājumos, par ko salu valsts saņēma no Amerikas dāsnu militāro un finanšu palīdzību. Izskatījās, ka Kipra cenšas pildīt saistības.

Pieskrējis pie metāla aizsargbarjeras, aiz kuras ceļš veda uz skrejceļu, Belkneps piegrūda sargam pie acīm savu apliecību.

– Narkotiku apkarošanas birojs, – viņš noburkšķēja, ar īkšķi norādīdams uz aplenkto lidmašīnu.

Atgrūdis barjeru, viņš izsteidzās pie amatpersonām, kas drūzmējās ap *Gulfstream*. Lai gan Belkneps šeit bija uzskatāms par nepiederīgu, viņš no pieredzes zināja, ka notikuma vietām, kur sapulcējušies vairāki dienesti – kā tas notika šeit –, ir viegli piekļūt. Tas ir gluži tāpat, kā nelūgtam ierasties kāzās – visi domā, ka tu piederi pie otras ģimenes. Turklāt nevienam šeit neradās aizdomas, ka starp vilkiem varētu būt kāda aita, – bruņotu un formas tērpos ģērbušos varas iestāžu darbinieku pārpilnība it kā pati par sevi nodrošināja to, ka neviena nepiederīga persona neuzdrīkstēsies šeit rādīties.

Belkneps piegāja pie vīra, kas, viņaprāt, izskatījās pēc Narkotisko vielu apkarošanas biroja darbinieka.

– Bouerss, no departamenta, – Belkneps teica. Tas nozīmēja, ka viņš ir ASV Valsts departamenta darbinieks vai amerikāņu operatīvais aģents, kurš darbojas Valsts departamenta paspārnē. Nebija svarīgi, kuru no šiem pieņēmumiem par pareizu izvēlējās šis vīrs, kas bija ģērbies haki krāsas kreklā ar apaļu uzšuvi uz pleca – ASV IEKŠLIETU MINISTRIJA. NARKOTISKO VIELU APKAROŠANAS BIROJS. Emblēmas centrā bija stilizēts ērglis uz zilu debesu fona virs zaļa pakalna. Uzšuve uz piedurknes vēstīja, ka viņš ir īpašais aģents.

– Šis putniņš pieder Nikosam Stavrosam, vai ne? – Belkneps sacīja.

Amerikānis paraustīja plecus, ar galvu pamādams uz citu vīru, acīmredzot savu priekšnieku.

– Bouerss, – Belkneps atkārtoja. – Departaments. Mēs saņēmām ziņu reizē ar jums. Divdesmit, trīs, pieci. – Tas bija steidzama izsaukuma apzīmējums, ko lietoja tiesību aizsardzības iestādēs. – Esmu ieradies, lai pavērotu.

– Makgijs. Kiprieši ieņēma to pirms minūtes. – Amerikānim bija gaiši, pieglausti mati, mazas ausis un sarkana josla pār pieri – tā saulē iedeg cilvēks, kurš daudz uzturas ārā. – Viņi saņēma ziņojumu par sprāgstvielām. Lādiņš esot savienots ar altimetru. – No kravas mašīnas kabīnes atskanēja suņa rejas. Pie lidmašīnas salona atvērtajām durvīm jau bija pielikts saliekamais traps.

– Mums teica, ka tur esot heroīna tranzītkrava. – Belkneps izskatījās garlaikots, nelaipns. Viņš zināja, ka nekas tā nemodina aizdomas kā draudzīguma tēlošana un pieglaimīga sejas izteiksme. Iekšlietu darbinieki nereti nodeva sevi ar pārlieku sirsnību.

– Droši vien kādi pāris kilogrami draņķa, – gaišmatainais amerikānis minēja, nedaudz stiepdams vārdus kā dienvidnieks. – Paskatīsimies... – viņš noteica.

– Jā, paskatieties, – Belkneps atbildēja. – Es negrasos šeit kvernēt visu pēcpusdienu. Vai esat ko noskaidrojuši par lidmašīnas reģistrāciju?

Vīrs pirms atbildes brīdi klusēja.

– Tas nav apspriežams.

– Nav apspriežams? – Belkneps izbrīnījies paskatījās uz viņu. Gaišmatis iesmējās.

– Nu, nav jau nekāds lielais noslēpums, vai ne?

– Es pajautāju tikai tādēļ, lai jūs apstiprinātu, ka tas lidaparāts patiešām pieder Stavrosam. Un vai tas ir viņa pilots.

– Pilots strādā pie Stavrosa pilnu darba laiku. – Narkotisko vielu apkarotājs piekrizdams pamāja ar galvu. – Tur jau viņš nāk.

Divu apbruņotu Kipras policistu pavadībā pilots, skaļi protestēdams, nāca lejā pa alumīnija kāpnēm.

Belkneps pacēla pie mutes rāciju.

– Te Bouerss, – viņš teica. – Apstiprinu, ka pilots strādā pie Stavrosa. – Lai jau tiek Makgijam neliela izrāde.

Gaišmatainais Narkotisko vielu apkarošanas biroja darbinieks pārmija pāris vārdu ar vienu no kipriešiem, tad pagriezās pret Belknepu.

– Pagaidām narkotiskās vielas nav atrastas. Toties ir sazāļota pasažiere.

Belkneps, pacēlis skatienu, ieraudzīja, ka divi policisti, no abām pusēm balstīdami, ved jaunu sievieti pusnemaņā.

Tā bija Andrea.

Paldies Dievam! Pirmajā acu uzmetienā viņas sejā fiziskas vardarbības pēdas nemanīja. Nokārtā galva un ļenganie locekļi vēstīja, ka viņa saindēta ar opiju saturošiem preparātiem. Novājināts organisms, taču tas ir ātri izārstējams, Belkneps klusībā sprieda.

Pilots, kurš stāvēja uz asfalta pie zaļas militārās policijas mašīnas, tēloja apjukumu un pauda neizpratni. Belkneps nešaubījās, ka viņš rīkojies pēc Nikosa Stavrosa norādījumiem.

Un Nikoss Stavross savukārt bija pildījis vēl kāda cita pavēli.

– Interesanti, kas tā tāda, – Makgijs novilka, noraudzīdamies uz apdullināto Andreu.

– Jūs nezināt? Mēs gan zinām. Amerikāniete no Konektikutas. Mums viņa jānopratina. Pilots ir jūsu ziņā.

– Cik var līst mums priekšā... – Makgijs nopukojās. Tas izklausījās pēc piekāpšanās.

Neko viņam neatbildējis, Belkneps atkal pacēla pie mutes rāciju.

– Savācu meiteni. Pēc tam viņu nodosim narkomānijas apkarošanas puišiem Nikosijā, – viņš sacīja un apklusa, izlikdamies, ka klausās atbildi. – Nekas sevišķs, – viņš turpināja. – Parādīsim birojam, cik efektīvi protam strādāt. Jā, iespējams, būs vajadzīgs ārsts.

Izmantodams brīdi, Belkneps strauji piegāja pie Andreas un, satvēris jauno sievieti zem pleciem, pārliecinošām, profesionālām kustībām atņēma to Kipras policistiem. Pārējie narkotiku apkarotāji, nedaudz izbrīnījušies, paraudzījās uz Makgiju, bet kipriešiem bija dota pavēle operācijas gaitā piekāpties amerikāņiem.

– Kad izpildīsim astoņdesmit trešo F veidlapu, es jums piezvanīšu, – Belkneps teica Makgijam aiz piepūles nedaudz pārvērstā balsī. – Ja būs kādas pretrunas, dators tās acumirklī uzrādīs.

Viņš Andreu gluži vai nesa. Pievedis viņu pie segtā kravas automobiļa, ar kuru bija atbraukuši Kipras policisti, viņš iesēdināja Andreu kabīnē blakus šoferim, kiprietim ar truliem sejas vaibstiem. Ietrausies iekšā un apsēdies Andreai līdzās, Belkneps lika braukt uz stāvvietu, kur bija atstājis savu automašīnu. Šoferis īsu brīdi pētīja Belknepu, it kā gribēdams viņa bargajā, neizteiksmīgajā sejā kaut ko ieraudzīt. Tad, acīmredzot meklēto saskatījis, iedarbināja automobili un viņi lēni izkustējās no vietas.

Belkneps pārbaudīja Andreas pulsu un konstatēja, ka tas ir lēns. Jaunā sieviete elpoja sekli, taču vienmērīgi. Viņa bija sazāļota, bet ne noindēta.

Kad kiprietis piebrauca pie melnā *Land Rover*, Belkneps aicināja viņu palīgā iecelt Andreu automašīnas pakaļējā sēdeklī. Pēc tam ar nevērīgu rokas mājienu šoferim pateicies, viņš ļāva tam braukt prom.

Beidzot palicis ar Andreu viens, Belkneps pārbaudīja viņas acu zīlītes, kas bija sašaurinājušās. Viņa klusi kunkstēja, un šīs skaņas atgādināja gan murmināšanu, gan šņukstus – vēl viena pazīme, ka organisms saindēts ar opiātu. Belkneps steigšus devās no lidostas prom un, apstājies pie pirmā moteļa, kas gadījās pa ceļam, noīrēja tur istabu. Neglītā vienstāva būve no sinepju krāsas izdedžu blokiem bija nodēvēta par "Amerikāņu namiņu". Viņš ienesa tajā Andreu un vēlreiz pārbaudīja viņas pulsu. Nekādu uzlabojuma pazīmju nebija. Nekādu pazīmju, ka viņa sāktu atgūties.

Noguldījis Andreu šaurā gultā, Belkneps iztaustīja caur trikotāžas blūzi viņas ķermeni. Viņa aizdomas apstiprinājās. Zem Andreas kreisās krūts bija piestiprināta *Duragesic* uzlīme – kvadrātveida plāksteris, kas piesūcināts ar zemādas iedarbības fentanila preparātu. Plāksteris bija paredzēts vēža slimniekiem un citiem sirdzējiem, kas cieš no pastāvīgām sāpēm, un efektīvo sintētisko opiātu tas ievadīja asinīs pa piecdesmit mikrogramiem stundā. Belkneps, manīdams, kādā stāvoklī Andrea ir, sprieda, ka uz viņas ķermeņa jābūt vismaz vēl vienam šādam plāksterim, kas nodrošina nemaņu. Viegli samulsis no šīs nepieciešamības, Belkneps pārbaudīja viņas augumu un uzgāja otru plāksteri augšstilba iekšpusē. Vai tas bija viss?

Viņš nedrīkstēja riskēt. Belkneps novilka Andreai visas drēbes, arī apakšveļu, un uzmanīgi nopētīja viņas kailo ķermeni.

Augšstilba labajā pusē viņš ievēroja mazu tumšu zilumu, ovālu zemādas hematomu. Ieskatījies vērīgāk, viņš saskatīja punktveida brūci, it kā tur būtu iedurts ar resnu adatu. Droši vien tā bija nolauzta, kad Andrea pretojās viesnīcas numurā, no kura viņu nolaupīja. Vai tā bija ātras iedarbības miega zāļu injekcija? Savāda injekcijas vieta. *Tik viegli viņi ar tevi galā netika, vai ne?* Belkneps ar apbrīnu nodomāja.

Viņš turpināja Andreas apskati. Vēl divi plāksteri bija piestiprināti uz sēžamvietas. Ar četriem *Duragesic* plāksteriem pietika, lai nomāktu viņas apziņu.

Kas gan to izdarījis?

Fentanils vēl kādu laiku izplatīsies no epidermas, lai gan plāksteri bija noņemti. Belkneps ielaida vannā ūdeni un, iecēlis tajā Andreu, sāka sparīgi ar ziepēm berzt viņas ķermeņa vietas, no kurām bija noņēmis plāksterus. Joprojām apmulsis, viņš apzinājās, ka viņa darbība ir ne vien ārstnieciska, bet arī intīma. Šādu plāksteru izmantošana gūstekņu pakļaušanai nebija nekas jauns. Taču Belknepu satrauca doma, kāds nolūks Andreas nolaupītājiem īsti bijis. Viņš atcerējās stāstu par vīrieti, ko Ģenēze, intravenozi barodams, turējis pie dzīvības divus gadus un kurš, nespēdams kustēties, gulējis dzelzs sarkofāgā. Rūta Robinsa, to stāstīdama, ieminējās, ka vajadzīga tāda iztēle kā Edgaram Po, lai kaut ko tādu izdomātu. Belkneps nodrebinājās.

Pēc pāris stundām šķita, ka Andrea sāk atjēgties. No viņas saraustītās murmināšanas varēja izlobīt vienu otru sakarīgu vārdu. Brīdi viņā paklausījies, Belkneps saprata, ka viņa neatceras, kas ar viņu noticis pēc ieiešanas viesnīcas numurā. Par to viņš nebrīnījās. Efektīvā narkotiskā viela izraisīja īslaicīgu atmiņas zudumu, izdzēsdama no apziņas notikumus, kas risinājušies tieši pirms nolaupīšanas un pēc tam. Andrea ieslīga miegā. Viņas organisms alka miera, lai attīrītos no indēm.

Belkneps sprieda, ka dažādās varas iestādēs saceltā trauksme piespiedīs viņa pretiniekus uz laiku ieņemt aizsardzības pozīcijas. Tātad Andreai pagaidām nekas nedraud.

Taču Nikosam Stavrosam gan. Atstājis Andreu rāmi guļam moteļa šaurajā gultā, Belkneps iekāpa Land Rover un traucās atpakaļ uz Stavrosa savrupnamu. Līkumaino ceļu viņš atcerējās labi, taču, piebraucis pie vārtiem, apjuka, redzēdams, ka tie ir līdz galam vaļā.

Pie lielā nama, kura jumta keramikas kārniņi rietošās saules gaismā mirdzēja, viņš ieraudzīja trīs policijas mašīnas. Apkalpotājs Kajs, ko viņš bija saticis iepriekš, izskatījās pelnpelēks. Ar Kipras policistiem sarunājās cilvēks, ar kuru Belkneps bija iepazinies lidostā, – Makgijs.

Belkneps ar savu melno Land Rover piebrauca pie lieveņa un, aši pamājis Narkotisko vielu apkarošanas biroja darbiniekam, iegāja ēkā.

Bibliotēkā viņš ieraudzīja Nikosa Stavrosa ložu sacaurumotās mirstīgās atliekas. Viņš izskatījās vēl mazāks nekā tad, kad bija dzīvs, bet viņa rokas un kājas – vēl vairāk izstīdzējušas. Viņam apkārt pletās asiņu peļķe, un viņa atvērtajās acīs bija sastindzis nedzīvs skatiens.

Belkneps nopētīja istabu. Ozolkoka paneļos vīdēja ložu caurumi. Viņš pacēla deformētu svina lodi, kas bija pāršķēlusi koka krēslu, un pasvārstīja to plaukstā, novērtēdams tās svaru un lielumu. Tā nebija militārā munīcija, tās bija lodes ar vara apvalku un dobu galu, kādas izmantoja ASV izlūkdienesti savās īpašajās operācijās. Belkneps arī tādas bija iecienījis. Šķita, ka tas bija mēģinājums šajā slepkavībā iejaukt viņu.

Pa atvērto logu viņš dzirdēja, ka Makgijs pa mobilo tālruni sarunājas ar savu priekšniecību, ziņodams par tehniskām niansēm, ballistiku un nozieguma vietu. Pēkšņi viņš balsi pieklusināja.

– Viņš ir šeit, – Makgijs teica un apklusa. Pēc brīža viņš turpināja: – Nē, es redzēju viņa fotogrāfiju. Kad es jums saku, viņš pašlaik ir šeit.

Kad Belkneps izgāja no savrupmājas un devās pie *Land Rover*, Makgijs pagriezās un smaidīdams māja viņam ar roku.

– Paklausieties! – Makgijs uzsauca. – Es vēlējos ar jums aprunāties. – Viņa balss bija pieglaimīga.

Belkneps pieskrēja pie mašīnas, iekāpa tajā un, to iedarbinājis, pilnā gaitā brāzās prom.

Atpakaļskata spogulī viņš redzēja, ka vīri izskatās apjukuši. Viņi katrā ziņā zvanīs priekšniecībai un jautās, kā lai rīkojas – vai dzīties pakaļ? Kad tie saņems pavēli traukties viņam pa pēdām, būs jau par vēlu.

Belknepa gara acu priekšā uznira Stavrosa izbīļa pilnā seja, kad viņš magnātu pirms vairākām stundām apmeklēja. Šķita, ka bagātais vīrs bija pārliecināts, ka viņa personā ieradusies nāve.

Kāds vēlējās, lai patiešām tā izskatītos.

DIVDESMIT OTRĀ NODAĻA

Amarilo, Teksasas štats

– Vai tas verķis joprojām ieraksta? – raženais teksasietis smaidīdams apjautājās.

Viņš nežēloja spēkus, aizstāvēdamies pret saviem kritiķiem, un bija gandarīts, ka reportieris – vai viņš bija no *Forbes* vai *Fortune*? – viņa runas plūdus nepārtrauca. Sienu viņam aiz muguras no vienas vietas klāja fotogrāfijas – viņš medī, viņš zvejo, viņš slēpo. Taču kāds nozares žurnāls viņu bija pasludinājis par "avantūristu", uzrakstīdams to tieši uz vāka.

– Neuztraucieties, – atbildēja bārdains neliela auguma vīrs, kurš sēdēja apmeklētāja krēslā, kas bija piestumts teksasieša sarkankoka rakstāmgalda priekšā. – Es vienmēr ņemu līdzi rezerves baterijas.

– Tas labi. Kad es aizrunājos, mani apturēt ir grūti.

– Manuprāt, cilvēks nevar būt direktors vienā no valsts lielākajām liellopu gaļas ražotnēm, ja viņš neprot izskaidrot, kā līdz tam nonācis. – Reportiera acis aiz biezajiem briļļu stikliem spoži spīdēja, un viņš savam sarunu biedram šad tad uzsmaidīja. *Nepavisam nav tāds kā lielākā daļa sava amata brāļu*, teksasietis no savas pieredzes secināja.

– Kā mēdza teikt mans tēvs, – raženais vīrs turpināja, – patiesība ir daiļrunīga. Ko varu teikt par baumām, ka es ļaunprātīgi izlietojot darbinieku pensiju fondu? Varu teikt tikai vienu – tās patiešām ir tikai baumas. Mans piedāvājums pilnīgi atbilst akcionāru interesēm. Vai tad akcionāri nav cilvēki? Parēķiniet paši! Visus uztrauc tikai sirmas vecenītes, kuru ir milzum daudz. Vai jūs kādreiz esat dzirdējis, ka sabiedrība uztrauktos arī par akcionāriem?

Vīrietis ar diktofonu sparīgi papurināja galvu.

– Mūsu lasītāji vēlēsies par to uzzināt ko vairāk. Taču tagad, kamēr aiz loga vēl ir gaišs, fotogrāfs grib jūs iemūžināt pāris attēlos. Vai neiebilstat?

Teksasietis veltīja reportierim žilbinošu smaidu.

– Sauciet, lai nāk iekšā! Man viņam jāpastāsta, ka profilā no kreisās puses es izskatos vislabāk.

Reportieris izgāja no teksasieša stūra kabineta un atgriezās kopā ar spēcīgas miesas būves vīru, kam bija stūraina galva un īsi gaišbrūni mati, par kuriem uzreiz nevarēja pateikt, ka tā ir parūka. Fotogrāfs nesa aparatūras somu un tādu kā trijkāji pārvalkā.

Direktors pastiepa roku sveicienam.

– Eiverijs Haskins, – viņš nosauca savu vārdu. – Lai gan jūs to zināt. Es teicu jūsu kolēģim Džonsam, ka no kreisās puses es izskatos vislabāk.

– Es esmu Smits, – fotogrāfs sacīja. – Visu izdarīšu, cik ātri vien spēšu. Vai jums nav nekas pretim, ja es jūs uzņemšu tā, sēžam pie rakstāmgalda?

– Šeit jūs esat boss, – Haskins atbildēja. – Tomēr... nē, boss šeit esmu *es*.

– Jautrs vīrs, – Smits noteica. Stāvēdams *Haskell Beef* direktora priekšā, viņš attina savu iesaiņoto "trijkāji" un pacēla pneimatisko pistoli.

Kad teksasietis ieraudzīja, ko Smits tur rokās, viņa smaids acumirklī pagaisa.

– Kas, pie velna...

– Ak jūs to pazināt? Nu tas bija sagaidāms. Ja nemaldos, ar šo jūsu lopkautuvēs nogalina govis?

– *Sasodīts*...

– Ja kustēsieties, tā būs liela kļūda, – Smits viņu pārtrauca. – Kaut gan kļūda būs arī tā, ja nekustēsieties.

– Paklausieties... Vai jūs, puiši, esat dzīvnieku tiesību aizstāvji? Jums jāsaprot, ka mana nāve neko nemainīs.

– Tā saglabās pensiju uzkrājumus piecpadsmit tūkstošiem jūsu uzņēmuma strādnieku, – Džonss bezrūpīgi noteica, ar pirkstiem spēlēdamies ap savām mākslīgajām ūsām. – Viņu ir piecpadsmit tūkstoši, bet jūs esat viens. Parēķiniet!

– Man patīk, – Smits sacīja, – ka jūs mūs uzskatāt par dzīvnieku tiesību aizstāvjiem. Mēs patiešām tādi varētu būt, ja jau liellopu gaļas ražošanas uzņēmuma šefu novācam ar tādu pašu ieroci, kādu lieto kautuvē. Tas katrā ziņā novirzīs izmeklētājus uz nepareizām sliedēm.

– Vai atceries to politiķi, ko mēs pērn nolaidām no kātiem Kalmikijā? – Džonss saskatījās ar Smitu. – Valdība ataicināja pat toksikologu no Austrijas. Neviens nevarēja saprast, kas ar viņu noticis. Beigu beigās izlēma, ka viņš saindējies ar jūras produktiem.

– Varu derēt, ka mūsu draugs Eiverijs ar jūras veltēm pārāk neaizraujas, – Smits atbildēja. – Eiverij, jūs taču esat orgānu donors?

– Ko? – Teksasietim uz pieres izspiedās sviedru lāses. – Ko jūs teicāt?

– Viņš ir donors, – Džonss pastāstīja savam pāriniekam. – Es jau vairāk nekā pirms nedēļas viņa vārdā izpildīju visas veidlapas.

Tad ķersimies pie darba, – teica Smits, paceldams augstāk ieroci. – Zibens spēriens no skaidrām debesīm, vai ne? Savāds veids, kā liellopu gaļas ražotnes direktors šķiras no dzīves.

– Jums liekas, tas ir smieklīgi? Ak Dievs, lūdzu, ak kungs...

– Protams, reiz mēs atskatīsimies pagātnē un pasmiesimies, – teica vīrs ar šaujamo, uztverdams Džonsa skatienu.

– Pasmiesimies? Jūs esat nojūgušies! – Eiverija Haskina balss bija niknuma pilna.

– Ak, ne jau *jūs* pasmiesieties... – Smits novilka, raidīdams Haskina smadzenēs šāviņu.

Teksasietis acumirklī zaudēja samaņu, taču nervu šķiedru josla un iegarenās smadzenes, kas atbild par elpošanu un sirdsdarbību, palika neskartas. Slimnīcā elektrokardiogramma apstiprinās, ka vīra smadzenes atmirušas. Pēc tam sāksies orgānu izņemšana.

Augstākās kategorijas gaļa, Smits nodomāja. Piemērots liktenis liellopu gaļas ražošanas uzņēmuma direktoram – avantūristam.

Ņujorka

Belkneps no pieredzes zināja, ka lielas pilsētas apjož pamesti rūpniecības objekti, un Ņujorka nebija izņēmums. Braukdams viņš abās pusēs ceļam redzēja tukšus šķidrās dabas gāzes rezervuārus un sarkanu ķieģeļu fabrikas, kas pussabrukušas un aizmirstas slējās pret debesīm kā mamutu skeleti.

Rūpnīcas nomainīja drūmas noliktavas, kam sekoja nepabeigtas, pamestas dzīvojamās mājas. Uzradās cilvēka klātbūtnes liecības – ar līdzi ņemamā ēdiena kārbām piemētātas ceļmalas un zaļa un brūna pudeļu stikla lauskām nosēts asfalts. Ja *tu būtu bezpajumtnieks, tu būtu jau mājās*, Belkneps skumji nodomāja. Iebraucis citā joslā, viņš strauji parāva stūri. Vajadzēja kaut kā aizgainīt miegu, tāpēc, grozīdams stūri, viņš brīdi ļāva mašīnai mest līkločus pa tukšo autoceļu.

Andrea Bānkrofta, kas snauduļoja viņam līdzās, atvēra acis un nožāvājās.

– Kā jūties? – Belkneps apjautājās. Kad viņa uzreiz neatbildēja, Belkneps maigi uzlika savu plaukstu uz viņas rokas. – Vai viss kārtībā?

– Joprojām zvana ausīs no lidojuma, – viņa atbildēja. Viņi bija atlidojuši no Larnakas uz Kenedija starptautisko lidostu, taču ne jau pasažieru lidmašīnā. Abi iekārtojās *DHL* lidmašīnas kravas salonā bez logiem. Ar pilotu Belkneps bija pazīstams jau daudzus gadus. Viņi īstenībā lidoja kā bezbiļetnieki. Čartera lidmašīna *DC-8* bija atgriezusies Tallinā, un viņš nezināja, kādi uzvārdi pievienoti to aizdomīgo personu sarakstā, kuru pārvietošanās jāuzrauga komerciālajām lidsabiedrībām. Lidojums ar kravas lidmašīnu atrisināja vairākas problēmas, taču tā nebija domāta pasažieriem. Ārpus kabīnes pie starpsienas bija piestiprināti nolaižami sēdekļi apkalpei, taču skaņas izolācijai, tāpat kā apsildei, uzmanība nebija pievērsta.

– Piedod par šo lidojumu, – Belkneps teica. – Taču tā šķita labākā alternatīva.

– Es nesūdzos. Turklāt es vairs nevemju.

– Tavs organisms centās dabūt laukā fentanilu.

– Es jūtos neveikli, ka tev tajā bija jānoskatās. Ne pārāk romantiski.

– Tie nelieši varēja tevi nogalināt vai izdarīt vēl ko ļaunāku.

– Jā. Es patiešām nezinu, kā lai tev pateicos. Turklāt tā vemšana... Es kādu laiku muti ciet nemaz nevēru, vai ne?

– Tas īsināja laiku. – Belknepa acis smaidīja.

– Joprojām jūtos kā izspiests citrons.

– Četri *Duragesic* plāksteri. Ar diviem pietiktu, lai iemidzinātu ziloni.

– Tātad četri.

– Es jau tev teicu. Divi uz dibena, viens... priekšpusē un viens augšstilba iekšpusē. No tiem visiem tavās asinīs ieplūda narkotiska viela. Turklāt vēl tas pretīgais zilums uz otra stilba.

– Un tu pats norāvi tos plāksterus? – Andrea pietvīka.

– Un kā tu domā? Medicīnas māsas tuvumā nebija.

– Skaidrs...

– Respiratorā depresija organismam par labu nenāk! Vai tu man nepiekrīti? Kas gan cits man bija jādara?

– Es nesūdzos. Ak kungs! Esmu pateicīga.

– Tu esi samulsusi. Un tas ir muļķīgi.

– Es zinu, ka tas ir muļķīgi. Gluži vienkārši tas ir nedaudz... vairāk, nekā es atļaujos pirmajās tikšanās reizēs.

Belkneps vēroja ceļu un neatbildēja.

– Vai tu joprojām neatceries, kā tevi nolaupīja? – pēc brīža viņš vaicāja.

– Es atceros, kā atlidoju uz Larnaku, atceros, kā reģistrējos viesnīcā Nikolasa Rosa ielā. Pēc tam... bieza migla. Droši vien narkotisko vielu iedarbības dēļ. Ilgs posms, par kuru nespēju neko atcerēties. Tikai zibšņi un fragmenti. Man šķita, ka tu ilgi turēji manu roku. Vairākas stundas. Vai tā bija?

Belkneps paraustīja plecus.

– Es biju nobijies.

– Par mani?

– Zini, tas nav nekas labs. Īsts aģents ir tas, kurš neko nejūt, – Belkneps skarbi atbildēja, taču, atcerēdamies neziņas pilnos mirkļus, juta kaklā nez no kurienes uzradušos kamolu. – Tā mēdza teikt Džereds.

– Kā tu domā – vai Stavross nojauta, kas viņu sagaida?

– Grūti pateikt. Stavross raustīja aukliņas, taču pats arī bija leļļu meistaru aukliņu galā, un tie raustīja viņu. Šoreiz paraustīja par stipru.

– Viņi jūtas apdraudēti.

– Mēs balansējām uz nostieptas virves, – Belkneps teica. – Mums bija jāuzkrīt uz klavierēm.

– Un man vajadzēja rakņāties Rozendeilas arhīvos.

Viņš uzmeta skatienu atpakaļskata spogulim, pētīdams mašīnas, kas bija uzradušās aiz muguras, un paļaudamies, ka intuīcija brīdinās par sekotājiem. Belkneps paraudzījās uz sievieti ceļmalā, kas bija noliekusies pār iepirkumu ratiņiem ar pudelēm.

Vai tā bija vērotāja? Nē, bezpajumtniece, viņš secināja, ieraudzījis netīros matus, kas nebija kopti vairākas nedēļas.

– Jā, par Rozendeilu. Neļaujies, lai tas nomoka tevi.

– Vai tas, ko es izdarīju... vai tas mani pārvērta? Vai kaut kas tāds pārvērš cilvēku? – Andrea tikko dzirdami jautāja.

– Tikai tad, ja cilvēks ļauj sevi pārvērst.

Viņa aizvēra acis.

– Kad tas notika, es jutos tā, it kā būtu iekritusi ellē. It kā būtu pārkāpusi kādu robežu un nonākusi tur, no kurienes nekad nevarēšu atgriezties. Bet pēc Larnakas notikumiem es vairs tā nejūtos. Tāpēc ka eksistē ļaunums bez noteikumiem... – Andrea atvēra acis, un tajās bija jaušama spītība. – Es nonākšu ellē tikai tad, ja mani tur ieraus ar raušanu. Bet es spārdīšos un kliegšu.

Belkneps drūmi palūkojās uz viņu. *Tu nogalināji divus cilvēkus*, viņš domāja. *Divus cilvēkus, kuri grasījās nogalināt tevi. Laipni lūgta mūsu klubā!*

– Tu izdarīji to, kas tev bija jāizdara. Ne vairāk, ne mazāk, – viņš sacīja. – Viņi domāja, ka tu esi vāja. Viņi kļūdījās. Paldies Dievam.

Belkneps saprata, ka viņi abi ir ievainoti, un viņu ievainojumi ir dziļi un neredzami. Viņš saprata arī, ka laiks dziedēt brūces vēl nav pienācis. Taču tas pienāks, tikai vēlāk.

– Kas notiks turpmāk? – Andrea neskanīgi vaicāja. – Kāda ir aina, ko mēs redzam?

– Mēs redzam sasodītu zirnekļa tīklu. – Krustojumā Belkneps nogriezās uz federālo šoseju I-95, kas veda uz dienvidiem. – Vai zini, ka cieši savīta zirnekļa tīkla tuvumā allaž slēpjas liels, trekns zirneklis? – Viņš pagriezās pret Andreu un cieši to nopētīja. Zem viņas acīm, gluži kā dzelteнīgi zilumi, bija loki. Andrea bija novārgusi. Taču bailes, kādas nereti pārņem cilvēku pēc baisa pārdzīvojuma, viņas skatienā nebija. Satricinošais pārbaudījums nebija viņu salauzis.

– Vai tu dusmojies, ka es atlidoju uz Kipru? – Rīta gaismā viņas gaišbrūnās acis mirdzēja.

– Gan dusmojos, gan priecājos. Kad tajā dienā aizbraucu uz Stavrosa savrupmāju, saule žilbināja acis, bet man dvēselē valdīja tumsa. Un tevis tur nebija. Es jutos kā naktī.

– Tumsa dienas vidū, – Andrea novilka, tikko manāmi pasmaidīdama. – Gluži vai romāna nosaukums.

– Kā, lūdzu?

– Nekas. Muļķīga doma. Par ko mēs runājām?

– Tu iepriekš teici, ka viņi jūtas apdraudēti. Mēs neesam īstais draudu avots. Kaut kas cits viņus biedē daudz vairāk. Kaut kas vai kāds. Stavross bija pārbijies – bet ne jau no manis. Viņš baidījās no tā, ko, viņaprāt, es pārstāvēju, – no Ģenēzes. Taču viņš baidījās arī no senatora Beneta Kērka, no Kērka komisijas. Viņa prātā tie bija saistīti.

– Ģenēze saistīts ar Kērka komisiju? – Andrea brīnījās, purinādama galvu. – Jēziņ! Amerikas Savienoto Valstu senators jukuša maniaka pavadā? Jā... ir ko palauzīt galvu.

– Es nezinu, vai Kērks ir kāda pavadā. Varbūt Ģenēze viņu izmanto. Varbūt otrādi. Varbūt piegādā viņam informāciju.

– Bet tas taču ir neprāts!

Belkneps iebrauca citā joslā un palielināja ātrumu, lai pārbaudītu, vai viņiem sekos kāds automobilis.

– Es gribu teikt, ka senators ir viens no galvenajiem spēlētājiem. Iespējams, pats to neapjauzdams. Atceros arī, ko teica Lagners. Viņš minēja kādu senatoru no Vidējiem Rietumiem, kuram patīkot izrādīties. Esmu daudz domājis par viņa vārdiem, un man ienāca prātā versija, ka Ģenēze izmanto Kērka komisiju, ka viņš – vai viņa – to kaut kā iesaistījis savu mērķu sasniegšanā.

– Viņš vai viņa... – Andrea domīgi atkārtoja un tad pagriezās pret Belknepu. – Vai tāpēc mēs braucam uz Vašingtonu?

– Priecājos, ka tu esi pietiekami vērīga, lai pamanītu ceļa zīmes.

– Mani pārņem drebuļi gluži kā Bībeles pravieti Danielu, kad to iemeta lauvu bedrē. Vai esi pārliecināts, ka tas ir droši?

– Gluži pretēji. Esmu pārliecināts, ka droši nebūs. Vai tu gribi, lai es nerīkojos tikai tāpēc, ka tas ir bīstami?

– Pie velna, nē! – viņa nevilcinādamās atbildēja. – Es gribu, lai uzvarētu taisnība. Es neesmu radīta dzīvei mūžīgās bailēs. Neesmu tam radīta, un cauri. Slēpties kaut kādā alā – tas nav mans stils.

– Mans arī ne. Vai zini, no tevis iznāktu satriecošs valdības aģents. Alga nav liela, taču var neuztraukties par neatļautā vietā atstātu mašīnu. – Runādams Belkneps atkal pameta skatienu atpakaļskata spogulī. Nebija nekādu pazīmju, ka viņiem sekotu. Ziemeļaustrumu šoseja I-95 ir ļoti noslogota autostrāde, un satiksmes līdzekļu pārpilnība savā ziņā bija viņu aizsegs.

– Turklāt tā būtu iespēja apceļot pasauli. – Andrea izstaipījās.
– Vai mums ir kāda galvenā versija? Pārspriedīsim vēlreiz visu, kas mums zināms. Vai mēs pieļaujam, ka Pols Bānkrofts ir Ģenēze?
– Kā tu domā?
– Pols Bānkrofts ir neparasti gudrs cilvēks, domātājs, ideālists... un bīstams. – Viņa lēni nogrozīja galvu. – Par briesmoni viņu padara ekstremālais pasaules redzējums. Taču viņu nevada iedomība. Viņš nedzenas pēc personiskas varas un naudas.
– Cilvēks, kurš pasaulei cenšas uztiept savu morāli. Es teiktu...
– Vai nav tā, ka ik dienas mēs cenšamies kādam uztiept savu patiesību? Vai atceries, ko Orvela romānā "1984" teica Vinstons Smits? Ka brīvība esot brīvība pateikt, ka divi plus divi ir četri. Ja tas atļauts, apgalvošot arī visu pārējo.
– Divi plus divi ir četri. Tā ir.
– Vai patiešām? Vai tava brīvība ir brīvība apstiprināt to, ko *es* uzskatu par pareizu? Atliek iedomāties, kas no tā izriet. Ir tik daudz cilvēku, kuri par savu morāles principu pareizību ir tikpat pārliecināti kā par faktu, ka divi plus divi ir četri. Ja nu viņi kļūdās?
– Nevar vienmēr par sevi šaubīties. Strīdā, Andrea, savs viedoklis ir jāaizstāv.
– Jā, Tod, nevar vienmēr par sevi šaubīties. Tam es piekrītu. Taču, ja kāds grasītos uzvilkt manas brīvības kontūras, es to ļautu darīt tam, kurš nav absolūti pārliecināts par savu taisnību, tam, kuru šad tad māc šaubas. Jo šaubas disciplinē. Runa ir nevis par nedrošību vai neizlēmīgumu, bet par apjēgu, ka mēs neesam tādi, kas nekļūdās. Lai vienmēr būtu vieta iespējai, ka mūsu spriedumi nav galīgi un negrozāmi.
– Tu esi liela domātāja brāļameita, un pati arī izklausies pēc lielas domātājas. Varbūt *tu* esi Ģenēze.
Andrea iespurcās.
– Varbūt!
– Ja pieņemam, ka tas nav Džereds Rainharts, – Belkneps drūmi piebilda.
– Vai tu patiešām domā, ka tas varētu būt viņš? – Andrea lūkojās uz ceļu, kas pletās viņu priekšā kā bezgalīga pelēka upe.
– Varbūt.

– Kad tu stāstīji, kā viņš bēga no tevis, kā skatījās... es atcerējos, ko man reiz teica Pols Bānkrofts. Viņš teica, ka veselais saprāts esot ne tikai speja redzēt, kas ir tavu acu prickšā. Svarīgāka esot spēja redzēt, kas ir otra cilvēka acu priekšā.

– Ko tu ar to gribi teikt?

– Tu domā, ka Ģenēze varētu būt Džereds Rainharts. – Viņa pagriezās pret Belknepu. – Varbūt Džereds Rainharts domā, ka tas esi tu.

Viesnīca *Comfort Inn*, kas atrodas Trīspadsmitajā ielā, Vašingtonas komerciālajā centrā, viņus sagaidīja ar ierasti dzeltenzaļām markīzēm, kas apēnoja sarkano ķieģeļu ēkas pirmā stāva logus un ārdurvis. Belkneps bija rezervējis istabu ar divām gultām ēkas dziļumā. Kā izrādījās, tā bija pašaura un krēslaina – visi logi bija vērsti pret ķieģeļu sienām. Tieši tādu patvērumu Belkneps bija vēlējies. Tas garantēja drošību. Tuvējā kafejnīcā viņi ieturēja vienkāršu maltīti, un pirms došanās uz numuru Andrea iegāja kādā kopētavā, kur bija pieejams internets. Lēmumu par apmešanos vienā istabā viņi neapsprieda. Gluži vienkārši tā notika. Ne viens, ne otrs nevēlējās nakšņot atsevišķi – pēc tā, ko bija pieredzējuši.

Belkneps juta, ka Andreu kaut kas satrauc, un uzmanīgi viņu vēroja, mēģinādams saskatīt kādas novēlotas reakcijas pazīmes uz psiholoģisko traumu.

– Vai gribi parunāties par Rozendeilu? – viņš beidzot sacīja, kad abi bija iztīrījuši zobus. Belkneps vēlējās, lai Andrea zina, ka šīs durvis ir atvērtas, taču negrasījās mudināt, lai viņa nāk pa tām iekšā.

– Tas... kas notika, ir viens, – viņa vilcinādamās atbildēja. – Otrs ir tas, ko es uzzināju.

– Jā, – Belkneps vienkārši noteica.

– Es vēlos tev pastāstīt, ko uzzināju.

– Es labprāt klausīšos.

Andrea ātri pamāja ar galvu. Belkneps vēroja, ar kādu piepūli viņa koncentrējas.

– Darbā ar vērtspapīriem ir tāds termins – jēldati. Tieši līdz tiem esmu tikusi.

Dzeltenīgajā lētās lampas gaismā viņa izskatījās skaista.

– Vai es varu cerēt, ka ieraudzīšu galu galā šo pētījumu sastiprinātu ar spirāli un iesietu spīdīgos vākos?

Andrea viegli pasmaidīja, taču acis bija nopietnas.

– Es uzgāju maksājumu orderus. No visām pasaules malām. Sliecos domāt, ka veiktas manipulācijas vajadzīgā vēlēšanu rezultāta panākšanai.

– Balsojuma ietekmēšana? Vēlamā kandidāta iedabūšana amatā?

– Tie ir tikai netieši pierādījumi, taču, manuprāt, runa ir par to. Acīmredzot *Partido por la Democracia* liktenis nebija atstājams vienkāršo pilsoņu rokās.

– Nesteidzies, Andrea. Paskaidro sīkāk.

– Kad lasīju dokumentus par atkārtotu lielu naudas summu konvertēšanu, man radās jautājumi. Nianses nav būtiskas. Galvenais ir tas, ka Bānkrofta fonds dažādos laikos ieplūdinājis ārvalstu bankās miljoniem dolāru. Grieķijā, Filipīnās, Nepālā, pat Ganā. Starp citu, izrādās, ka vietas un gadi nav izraudzīti nejauši. Tūkstoš deviņsimt piecdesmit sestajā gadā miljoniem dolāru konvertēti somu markās, un tūlīt pēc tam Somija ieguva jaunu prezidentu. Pretendenti mina viens otram uz papēžiem. Šis vīrs pārspēja sāncensi tikai ar divu balsu pārākumu, taču bija pie varas ceturtdaļgadsimtu. Kā var spriest pēc dolāru konvertēšanas jenās, arī Japānas Liberāli demokrātiskā partija saņēmusi no fonda dāsnu ziedojumu. Tātad arī tur vēlēšanu iznākumu lielā mērā noteikusi Bānkrofta fonda nauda. Un Eduardo Freija Montalvo ievēlēšana Čīlē tūkstoš deviņsimt sešdesmit ceturtajā gadā? Toreiz fonds krietni palielinājis Čīles peso rezerves.

– Kā tev to visu izdevās noskaidrot?

– Kā jau teicu, ir dokumentāras liecības par daudzām valūtas konvertēšanas operācijām. Fonds pārskaitījis desmitiem miljonu dolāru citu valstu valūtā, lai gan tajos laikos tas nebija tik bagāts, kāds kļuva vēlāk. Tūkstoš deviņsimt sešdesmit devītajā gadā lielas summas pārvērstas Ganas sedi. Es ielūkojos fonda oficiālajos pārskatos, un tolaik tam nav bijis nekādu projektu Ganā. Taču tieši tajā laikā premjera posteni ieņēma Progresa partijas priekšsēdētājs Kofi Abrefa Busia. Esmu pārliecināta, ka šis cilvēks Polam Bānkroftam iepatikās.

Belkneps palūkojās uz Andreu.

– Kāpēc tu tā domā?

– Šis vīrs savulaik aizstāvēja filozofijas zinātņu doktora disertāciju Oksfordas universitātē un bija socioloģijas profesors Leidenes universitātē Nīderlandē. Varu derēt, ka Bānkrofta ļaudis bija pārliecināti, ka viņš ir īstais cilvēks, kurš viņiem vajadzīgs, –

kosmopolīts, kas uzticīgs vispārējas labklājības ideāliem. Šķiet, ka viņš tomēr pievīla savus balstītājus, jo pēc diviem gadiem amatu zaudēja. Vēl pēc dažiem gadiem viņš nomira

– Un tu domā, ka Bānkrofta fonds...

– Varbut tāpēc, ka tas viss risinājās Āfrikas rietumos un neviens tam īpašu uzmanību nepievērsa, viņi kļuva mazliet pavirši. Es izpētīju vairākas valūtas operācijas, kas risinājušās tā paša gada martā, un man radās iespaids, ka Ganas valsti Busia lietošanai Bānkrofts nopirka par divdesmit miljoniem dolāru. Izskatās, ka to pašu viņi mēģina izdarīt tagad ar Venecuēlu. Fonds ir gluži kā aisbergs. Redzams tikai daļēji, lielākoties iegrimis ūdenī. Izrādās, ka viņi kontrolē Nacionālo kustību par demokrātiju, un oficiāls ziņojums liecina par ziedojumiem dažādiem politiskiem Venecuēlas grupējumiem. – Andrea izņēma no somas kādu papīru un parādīja Belknepam.

Fondam "Tautas laiks" – $64 000
Preses un sabiedrības institūtam – $44 500
Sabiedrības rīcības centram – $65 000
Zemnieku asociācijai – $58 000
Sabiedriskajai taisnīguma asociācijai – $14 412
Alternatīvā taisnīguma sabiedriskajai asociācijai – $14 107

Belkneps ar acīm pārskrēja papīra lapai ar ziņām, ko Andrea pirms došanās prom no arhīva bija pievienojusi tīklam un pirms brīža kopētavā izdrukājusi.

– Sīkiem izdevumiem, – viņš novilka. – Graši.

– Tie ir tikai oficiālie ziedojumi. Viņi vispirms nopērk svarīgākās amatpersonas. Ja spriež pēc ziņām par valūtas konvertēšanu, pārvedumu summas ir simtiem reižu lielākas.

– Jēziņ! Viņi nopērk jaunu valsts valdību.

– Viņi iedomājas, ka tauta nav pietiekami gudra, lai izlemtu pareizi. – Andrea papurināja galvu. – Galvenie darījumi tiek veikti, izmantojot datortīklu. Man ir kāds paziņa, Volters Sačs, īsts moderno tehnoloģiju dižgars. Viņš strādā tajā pašā firmā, kur agrāk strādāju es. Savādnieks, taču ar ģeniālu galvu.

– Vai tu man stāsti par datoru puisi no sava darba?

– Es saprotu, ka tev tas šķiet dīvaini. Viņš ar izcilību pabeidza Masačūsetsas Tehnoloģisko institūtu. Viņam darbs firmā ir veids, kā nestrādāt. Tāda galda spēle. Tas nozīmē, ka viņš lielāko dienas daļu pavada niekodamies. Viņš ir kaut kas īpašs, taču viņam absolūti trūkst godkāres.

– Andrea, tev piesardzīgāk jāizraugās cilvēki, ar kuriem tu runā un kuriem uzticies, – Belkneps asi aizrādīja. – Gan viņu, gan sevis dēļ.

– Es saprotu. – Viņa nopūtās. – Taču tas nav viegli. Mēs joprojām zinām ļoti maz. *Theta*. Ģenēze. Pols Bānkrofts. Džereds Rainharts. Roma. Tallina. Ieroču darījumi. Politiskā manipulēšana. Man rodas iespaids, ka tie visi ir taustekļi, bet mums nav ne jausmas, kas ir šis astoņkājis.

Vēl brīdi viņi pārsprieda faktus, kas bija zināmi, taču gudrāki netika. Galu galā abi juta, ka domāšana vairs nevedas, it kā smadzenes ietītu bieza migla. Fiziskais nogurums un garīgo spēku izsīkums prasīja savu, un abi bija vienisprātis, ka laiks doties pie miera. Belkneps izraudzījās gultu pie loga. Kopēja istaba ar divām gultām – tas nozīmēja gan tuvību, gan atturību, ko abi vēlējās saglabāt, juzdami, ka tā būs labāk.

Miegam bija jānāk ātri, taču tas kavējās. Belkneps vairākas reizes naktī pamodās, gara acu priekšā redzēdams Ričarda Lagnera nīsto seju. Kādu brīdi viņa iztēles gaiteņos, mirdzēdams kā citplanētietis, ielauzās Džereds Rainharts.

Zini, es vienmēr būšu tev blakus. Tā Rainharts teica Belknepa sievas bērēs.

Es esmu ar tevi kopā, draugs. Tā Rainharts teica pa tālruni dažas stundas pēc tam, kad Belkneps uzzināja par Lūizes nāvi Belfāstas operācijā.

Viņa nepastāvīgajā dzīvē Džereds Rainharts bija vienīgais pastāvīgais lielums. Rainharta nosvērtais intelekts, nesatricināmā uzticība, ātrais, viltīgais prāts. Viņš bija draugs, sabiedrotais un vadzvaigzne. Kad vien bija vajadzīgs, Rainharts negaidīti uzradās, gluži kā sestā prāta vadīts.

Kāda ir patiesība? Ja viņš kļūdījās, uzticēdamies Rainhartam, – kam gan vēl lai tic? Ja viņš tik ļoti kļūdījās, novērtēdams šo cilvēku, – vai viņš drīkst ticēt sev? Šie jautājumi mocīja Belknepu. Tīdamies no sviedriem miklajos palagos, viņš grozījās un svaidījās gultā un, kā viņam šķita, veselu stundu raudzījās griestos.

Viņš dzirdēja tālumā automašīnu troksni un Andreas elpu tepat blakus. Sākumā viņa elpoja dziļi, vienmērīgi, tad pēkšņi kādā brīdī elpa kļuva saraustīta. Viņš dzirdēja, ka Andrea miegā vairākas reizes ievaidas. Palūkojies uz viņas pusi, Belkneps redzēja, ka viņa izmisīgi mētā galvu, it kā vairīdamās no neredzamiem uzbrucējiem.

Belkneps piecēlās, piegāja pie Andreas gultas un maigi pieskārās viņai pie vaiga.

– Andrea, – viņš nočukstēja.

Murgu satraukta, viņa sakustināja rokas, un Belkneps tās satvēra.

– Andrea, – viņš atkārtoja.

Viņa spēji atvēra acis un mirkšķinādama vērās Belknepā. Viņas elpa bija smaga, it kā viņa būtu skrējusi.

– Viss kārtībā, – Belkneps teica. – Tas bija tikai murgs.

– Murgs, – viņa atkārtoja miegainā balsī.

– Tagad tu esi pamodusies. Tu esi kopā ar mani. Viss ir labi. – Blāvajā gaismā, kas ielauzās telpā gar žalūziju stūriem, viņš tik tikko saskatīja viņas vaigu kaulus, maigo ādu, lūpas.

Apjēgusi mierinošos melus, viņa cieši vērās Belknepā.

– Apskauj mani, – Andrea čukstus teica.

Maigi atglaudis mitros matus no viņas pieres, Belkneps viņu saņēma savās rokās. Andreas siltais ķermenis viņam šķita gan trausls, gan vijīgi stingrs.

– Andrea... – Belkneps, dziļi ievilkdams elpu, tikko dzirdami izrunāja viņas vārdu. Andreas smarža, viņas siltā, gludā āda... viņas tuvums Belknepu reibināja. Viņas seja pustumsā blāzmoja kā porcelāns.

– Tas jau vēl nav beidzies, vai ne? – Andrea nočukstēja. – Tas murgs.

Belkneps satvēra viņu ciešāk, un viņa piekļāvās tam klāt – liegi, mazliet pat bikli. Belknepam aizrāvās elpa no šā maiguma.

Pieliecis galvu pavisam klāt Andreas sejai, viņš lūkojās tai acīs.

– Andrea... – Belkneps atkārtoja, kā izgaršodams viņas vārdu.

Viņa piekļāva lūpas Belknepa mutei, un tajā pašā mirklī Belknepā ielija spēja kaisles šalts. Šā piepešā tuvuma apskurbināti, viņi trīsēdami tiecās viens otram pretim, nepacietīgām kustībām savīdami savus lokanos ķermeņus un alkdami būt kopā aizvien ciešāk, aizvien dziļāk... Tas bija viņu noraidījums vardarbības un nāves pasaulei, kādā viņi dzīvoja, viņi noliedza šo pasauli, pateikdami viens otram "jā".

DIVDESMIT TREŠĀ NODAĻA

Neviens tā nealkst popularitātes kā senators, kurš tikko par tādu kļuvis. Tieši tāpēc jaunievēlētais Nebraskas senators Kenets Kahils ideāli atbilda Belknepa nodomam. Kampaņas laikā Kahila vārds nenozuda no vietējo laikrakstu lappusēm, toties, kad vēlēšanas bija aiz muguras, viņu un viņa palīgus tracināja klusums, kādā ritēja viņu ikdiena. Tos, kas kandidē uz publisku amatu, reti sajūsmina klusums.

Viss notika bērnišķīgi viegli. Kad "Džons Mailzs" no aģentūras *Associated Press* piezvanīja uz Kahila biroju, lūgdams interviju sakarā ar "svarīgu nosacījumu", ko Kahils bija atbalstījis iekšlietu resora asignējumu likumprojektā par pusmiljonu dolāru piešķiršanu Litltonas ūdens attīrīšanas iekārtu rekonstrukcijai un lietusūdeņu savākšanas tīkla izveidei Džefersonas apgabalā, senators atbildēja tieši tā, kā Belkneps bija gaidījis. Kahila līdzstrādnieki, pat īsti nenoklausījušies viņā līdz galam, apsolīja aizsūtīt pēc viņa automašīnu.

Izvēle nodēvēt sevi par šīs lielās Ņurjorkas informācijas aģentūras reportieri nebija nejauša. Viņš zināja, ka *Associated Press* reportieri pārsvarā strādā anonīmi, turklāt tas nozīmēja, ka viņš nav Vašingtonas reportieris, tāpēc neviens neiedomāsies, ka viņu pazīst. *Associated Press* divsimt piecdesmit birojos nodarbināti gandrīz četri tūkstoši līdzstrādnieku, tāpēc pavēstīt, ka esi no *Associated Press*, nozīmēja to pašu, ko paziņot, ka esi ņujorkietis. Pat žurnālists no šīs aģentūras nepateiktu, ka Belkneps tur nestrādā. Turklāt Kahila birojā neviens viņa personu sīki nepārbaudīs. Jaunam senatoram popularitāte ir gluži kā skābeklis, un Kahils, kurš bija otrs jaunākais dalībnieks dižciltīgo sapulcē, kam tikko bija piebiedrojies, bija pēc popularitātes izslāpis. "Mailzs" vienojās par interviju pulksten trijos dienā.

Belkneps ieradās Hārta ēkas vestibilā piecas minūtes pirms norunātā laika. Ap kaklu dzeltenā aukliņā viņam bija plastmasas kartc ar magnētisku joslu. Vārds "prese" lieliem burtiem bija lasāms virs Džona Mailza vārda. Zemāk bija profesionālās jomas kods, darbavietas nosaukums, viņa tautība un fotogrāfija. Labi pagatavots dokuments. Sargs bija maza auguma vīrs, ar grumbainu, tādu kā sagumzītu seju un smagiem plakstiņiem. Par spīti aizdomu pilnajam skatienam, ar kādu sargs Belknepu nomērīja, tas nebija daudz bīstamāks par kucēnu, kas tikko atšķirts no mātes. Licis viesim ierakstīt savu vārdu un parakstīties apmeklētāju grāmatā, viņš pamāja ar roku, atļaudams iet iekšā. Belkneps bija ģērbies žaketē, apsējis kaklasaiti un uzlicis uz acīm brilles raga ietvarā. Viņa portfelis ātri izripoja cauri metāla detektoram, un neviens to nelūdza atvērt.

Viņam apkārt uz visām pusēm steidzās cilvēki, kuri acīmredzot bija Hārta ēkas pastāvīgie apmeklētāji aizkulišu aģitatori no K ielas, senāta tehniskie darbinieki, reportieri un kurjeri. Belkneps iekāpa liftā un brauca uz septīto stāvu.

Izgājis no lifta, viņš piezvanīja Nebraskas štata senatora preses sekretāram, brīdinādams, ka nedaudz kavēsies – temata sarežģītības pēc ievilkusies cita intervija, taču viņš būs klāt, tiklīdz atbrīvosies.

Tad Belkneps, nogriezies uz kreiso pusi, nonāca garā vestibilā ar daudziem logiem – tā bija senatora Kerka iespaidīgā divstāvu luksusa biroja uzgaidāmā telpa. Kērkam bija viss, kā trūka Kahilam, un viņš to izmantoja ar pārsteidzošu efektivitāti. Belkneps zināja, ka Kērks būs savā kabinetā, jo pirms stundas bija beigusies komisijas sēde un nākamajai bija jāsākas pēc četrdesmit piecām minūtēm.

– Esmu ieradies pie senatora Kērka, – Belkneps sacīja blondīnei, kura sēdēja pie apmeklētāju pieņemšanas galda. Glīti ģērbusies tumšzaļā žaketē un blūzē ar augstu apkakli, viņa nez kāpēc atgādināja bargu skolotāju, nevis senatora palīdzi. Lai gan viņas ārienē nebija nekā nekaunīga, nekā pārspīlēta – matus bija nokrāsojusi tumša medus tonī –, tik un tā viņa izskatījās draudīga.

– Senatora dienas gaitā jūsu vārds nav minēts. Pasakiet, lūdzu, vēlreiz – kā jūs sauc?

Belkneps brīdi klusēja. Kāpēc tas bija tik sarežģīti? *Rīkojies pēc sava plāna*, viņš domās mudināja sevi. *Met kauliņus vai arī stājies laukā no spēles!*

– Mani sauc, – viņš atbildēja, norīdams siekalas, – Tods Belkneps.

– Tods Belkneps, – viņa atkārtoja. Šis vārds viņai neko neizteica. – Senators ir ļoti aizņemts, tāpēc es jums ieteiktu, pirms nākšanas šurp pierakstīties...

– Es vēlos, lai jūs senatoram kaut ko pasakāt, – Belkneps viņu pārtrauca. – Pasakiet viņam manu vārdu. Pasakiet – ceru, ka šī ziņa neaizklīdīs ārpus biroja sienām, – ka esmu Konsulāro operāciju nodaļas slepenais aģents. Un vēl pasakiet viņam, ka vēlos runāt par Ģenēzi.

Izskatījās, ka palīdze apjūk. Vai šis cilvēks ir reliģiozs fanātiķis vai patiešām izlūkdienesta darbinieks?

– Es katrā ziņā senatoram to pateikšu, – viņa nepārliecinoši novilka.

Pamājusi uz brūniem ādas krēsliem, kas bija novietoti pie sienas līdzās durvīm, un pagaidījusi, kamēr viņš apsēžas, palīdze pacēla klausuli un kaut ko klusā balsī tajā teica. Belkneps bija pārliecināts, ka viņa runā nevis ar senatoru, bet ar politiķa vecāko palīgu. Tad viņa atskatījās uz durvīm, kas atradās viņai aiz muguras. Aiz šīm durvīm bija telpas, kur ritēja senatora biroja darbs.

Pēc nepilnas minūtes pa šīm durvīm iznāca neliela auguma vīrietis ar kailu galvvidu. Viņa sejā, kuras krāsa atgādināja zivs vēderu, bija sastindzis nevērīgs smaids – tikai viegls plakstiņa tiks nodeva viņa saspringumu, ko viņš centās slēpt.

– Es esmu Filips Satons, – vīrietis teica, – senatora biroja vadītājs. Kā varu jums palīdzēt? – viņš klusi vaicāja.

– Vai zināt, kas es esmu?

– Tods Bellers? Vai Belkners... šķiet, ka tādu vārdu jūs nosaucāt Džīnai?

– Netērēsim velti laiku. – Belknepa balss pauda vienīgi vēlēšanos ieviest skaidrību. – Jūs tikko datorā pārbaudījāt informāciju par mani – citādi nemaz nebūtu ar mani runājis. Esmu pārliecināts, ka pieprasījāt Valsts departamenta datu bāzi. Ko jūs tur izlasījāt?

Cits sejas nervs noraustījās Satona vaigā. Pirms atbildes viņš brīdi klusēja.

– Jūs taču zināt, ka senatoru sargā slepenais dienests, vai ne?

– Es priecājos, to dzirdot.

– Kopš komisija sākusi savu izmeklēšanu, mēs pastāvīgi saņemam draudus. – Satons vairs nesmaidīja.

– Kad ienācu ēkā, es izgāju cauri metāla detektoriem. Ja vēlaties, varat mani pārmeklēt.

Satona acīs zalgoja neuzticība.

– Taču nav neviena rakstiska apstiprinājuma, ka jūs šajā ēkā būtu ienācis, – viņš sacīja.

– Vai jūs vēlētos, lai tāds būtu?

Satons mirkli raudzījās viņam acīs.

– Nezinu.

– Vai senators mani pieņems?

– Nemāku pateikt.

– Jūs gribat sacīt, ka neesat izlēmis.

– Jā, – palīgs apstiprināja. Viņa bālās acis bija modras un pētīgas. – Tieši to es gribēju sacīt.

– Ja esat pārliecināts, ka mums vairs nav par ko runāt, ņemiet un to pasakiet. Es aiziešu un neatgriezīšos. Taču jūs izdarīsiet kļūdu.

Atkal iestājās ilgs klusuma brīdis.

– Paklausieties, kāpēc gan jūs nevarētu nākt man līdzi? Parunāsimies manā kabinetā, – Satons sacīja un skaļākā balsī turpināja: – Redziet, daudzi senatora uzskatus par lauksaimniecības subsidēšanu saprot nepareizi. Esmu gandarīts, ka man radusies iespēja tos izskaidrot.

Seju pazīšanas sistēma senāta ēkā bija uzstādīta bez lielas kņadas, pat bez oficiāla paziņojuma. To joprojām uzskatīja par eksperimentālu, lai gan testi apstiprināja tās 90 procentu precizitati. Drošības kameras bija savienotas gan ar lokālu, gan attālu datu bāzi, un informāciju apstrādāja daudzpakāpju algoritms. Ikviena kamera zemas izšķirtspējas režīmā ātri identificēja objektu, kas atgādināja galvu, un tad automātiski pārslēdzās uz augstu izšķirtspēju. Tiklīdz seja bija vērsta pret kameras objektīvu vismaz par trīsdesmit pieciem grādiem, kamera spēja attēlu automātiski apstrādāt – pagriezt un palielināt vai samazināt vajadzīgajā lielumā, lai to salīdzinātu ar sejām datu bāzē. Videoattēlu uztvēra astoņdesmit četru baitu kods – digitāls sejas nospiedums, kas veidots, pamatojoties uz sešpadsmit sejas pamatpunktiem, – un salīdzināja ar simtiem tūkstošu saglabāto paraugu. Sistēma spēja desmit sekundēs apstrādāt līdz desmit miljoniem seju, turklāt katra salīdzinājuma rezultāta vērtību izteica ciparu valodā. Ja šī vērtība bija pietiekami augsta, kamera pieņēma lēmumu par provizorisku sakritību un pārslēdzās uz visaugstāko izšķirtspēju. Ja arī tad sakritība apstiprinājās, sekoja ziņojums operatoriem. Tikai pēc tam cilvēks abus attēlus salīdzināja un papildināja sejas vaibstu matemātisko analīzi ar savu spriedumu, kas radās, izmantojot mūžseno metodi – attēlu apskatīšanu ar acīm.

Tieši tas pašlaik norisinājās – analītiķi noskatījās videoierakstu un salīdzināja to ar fotogrāfiju. Šaubu tikpat kā nebija. Brilles un dažādas ūsas un bārdas datoru nespēja maldināt – tas analizēja lielumus, ko mainīt tik viegli nebija iespējams: degunu, acis, pieri, zodu, attālumu starp acu zīlītēm.

– Absolūta sakritība, – teica resnvēderains operators, kurš lielāko dienas daļu pavadīja pustumšā telpā, kur nereti vairākas stundas pēc kārtas ēda kukurūzas pārslas, ritmiskām kustībām likdams tās mutē. Viņš valkāja havajiešu stila kreklu bez ielocēm un aizsargkrāsas bikses.

– Tad uzklikšķini uz sarkanā kvadrāta, un cauri.

– Tad visi būs apziņoti?

– Būs apziņoti tie, kas jāapziņo. Viss atkarīgs no tā, kas ir šis tips. Parasti izrādās, ka tā ir informācija vestibila sargiem vai Vašingtonas policijai. Taču dažreiz tas ir kāds ārzemnieks, par kuru CIP vai FIB negrib, ka objektu brīdina par tā atklāšanu. Lai rīkojas, kā vēlas. Ne jau mums tas jāizlemj.

– Tādā gadījumā es nospiežu sarkano kvadrātu. – Resnvēderis iebēra pārslu sauju atpakaļ kārbā un pievērsās ekrānam.

– Pareizi. Gluži vienkārši nospied sarkano kvadrātu. Lieliski, vai ne? Nospied, lai citi rūpējas par pārējo.

Vīrietis, sēdēdams automobilī *Stratus*, izdzēra pēdējo kafijas malku un pirkstos saburzīja papīra glāzi, uz kuras ziliem burtiem bija rakstīts: "Mēs priecājamies jūs apkalpot." Saspiedis glāzi pikucī, viņš to iebāza spraugā starp sēdekļiem. Nomātās mašīnas viņš vienmēr atstāja pēc iespējas netīrākas – dažreiz sēdekļus nobārstīja pat ar smiltīm vai cigarešu pelniem. Tad nomātava bija spiesta automobili rūpīgi tīrīt ar putekļsūcēju un izslaucīt, un tur palika mazāk *viņa* pēdu.

Viņš vēroja, kā no moteļa iziet sieviete, tīksminādamies par nesaderību – dārgs putniņš dodas prom no lētas ligzdas. Sieviete nebija lietojusi kosmētiku, un šķita, ka izraudzījusies apģērbu, kas slēpj, nevis izceļ viņas augumu, taču tik un tā bija redzams, ka viņa ir glīta. Džastins Kolberts juta, ka viņa sejā atplaukst smaids. Taču par to nevarēja būt ne runas. Darbu un izpriecu jaukt nedrīkstēja. Viņš to nekad neatļāvās.

Ar šo sievieti saistītais uzdevums bija īpašs. Lai gan to paveikt būs sarežģīti, kļūme atgadīties nedrīkstēja. Vienu reizi tas bija noticis, un vairs nedrīkstēja atkārtoties.

Tāpēc bija ataicināts labākais. Tāpēc bija ataicināts Džastins Kolberts.

Šofera pusē nolaidis loga stiklu, viņš pavicināja ceļu karti.

– Atvainojiet, kundze, – Džastins sacīja. – Vai jūs man nepalīdzētu? Man jātiek atpakaļ uz četrsimt deviņdesmit piekto šoseju, taču esmu apjucis... – Vīrietis nevarīgi paraustīja plecus.

Sieviete satraukti palūkojās apkārt, taču nespēja atteikt Džastina lūgumam pēc palīdzības. Viņa piegāja pie automobiļa.

– Jums jāizbrauc uz Sešdesmit sesto ielu, – viņa paskaidroja. – Pāris kvartālu uz ziemeļiem.

– Uz kuru pusi ir ziemeļi? – Džastins vaicāja. Brīdis bija piemērots – neviens viņus nevēroja. Vīrieša plaukstas locītava it kā netīši aizķēra viņas apakšdelmu.

– Ai! – viņa iesaucās.

– Mana pulksteņa sprādze... atvainojiet!

Sieviete savādi uz viņu palūkojās. Viņas acīs pazibsnīja mulsums un neizpratne, ko nomainīja aizdomas... Viņa juta, ka zaudē samaņu.

Es priecājos tevi apkalpot, Džastins nodomāja, sevī pasmīnēdams.

Kad sieviete sagrīļojās, Kolberts jau bija izkāpis no mašīnas un satvēra viņu zem padusēm. Pēc pāris sekundēm viņš jauno sievieti iecēla savas automašīnas bagāžniekā un to uzmanīgi aizcirta. Izklātais celofāns pasargās bagāžas nodalījuma mīksto segumu no cilvēka ķermeņa izdalījumiem. Pēc piecām minūtēm Džastins bija uz maģistrāles, kas veda no Baltimoras uz Vašingtonu. Pēc stundas viņš pārbaudīs, kā sieviete jūtas. Skābeklim, lai viņa brauciena laikā nenosmaktu, vajadzētu pietikt.

Andrea Bānkrofta bija vērtīgāka dzīva nekā mirusi. Vismaz pašlaik.

DIVDESMIT CETURTĀ NODAĻA

Hārta ēkas septītajā stāvā divi vīri sēdēja pie galda viens pretim otram un centās viens otru novērtēt.

Citas alternatīvas nebija. Senatora Kērka biroja vadītājs vēlējās noskaidrot, vai Belknepam var uzticēties. Viņš nevarēja zināt, cik ļoti Belknepu nodarbina jautājums, vai var uzticēties Kērkam. Slepenais aģents bija izpētījis *Nexis* datu bāzi, izlasījis standarta raksturojumus un biogrāfiskus materiālus un mēģināja domās izveidot viņa tēlu. Bez piekļuves Konsulāro operāciju nodaļas arhīviem viņš bija kā bez rokām. Viņa rīcībā bija tikai nedaudzi fakti. Kērks bija dzimis turīga zemkopja ģimenē Sautbendā, mācījies privātskolā, kur bijis skolēnu padomes prezidents, spēlējis hokeju un futbolu, studējis Perdjū universitātē, Čikāgas universitātē ieguvis grādu jurisprudencē. Kādu laiku strādājis federālā apgabala tiesā, tad atgriezies Indiānā un kļuvis par pasniedzēju Sautbendas juridiskajā koledžā. Pēc četriem gadiem ievēlēts par valsts sekretāru Indiānas štata valdībā, pēc tam par gubernatoru, tad iesaistījies cīņā par vietu senātā. Pirmais termiņš senatora amatā viņam bija veiksmīgs. Viņš darbojās banku lietu, dzīvokļu fonda un pilsētas lietu komisijā, starptautiskās tirdzniecības un finanšu apakškomisijā, bruņoto spēku komisijā un kopš pēdējā termiņa sākuma vadīja speciālo izmeklēšanas komisiju.

Vai viņa sākotnējā karjerā kaut kas ļāva domāt, ka viņš ar tādu degsmi nodosies darbam senāta rīkotajā izmeklēšanā? Belkneps tādas pazīmes meklēja velti. Tāpat kā vairākums senatoru no Vidējiem Rietumiem, viņš cīnījās par likumprojektiem, kas paredzēja stimulēt etilspirta lietošanu, nevis benzīnu, jo etilspirtu ieguva no lauksaimniecības izejvielām, no graudiem, ko ieguva šā reģiona plašajos labības laukos. Viņš nedarīja neko pretēju pārtikas preču giganta *ConAgra* vai patēriņa preču milža *Cargill* interesēm. Viņš godam kalpoja vēlētājiem, cenzdamies būt tiem noderīgs, un bija laipns pret galvenajiem velešanu kampaņas ziedotājiem, taču kopumā viņa veikums bija mērens, pragmatisks. Iespējams, sākumā viņš kaut kādā ziņā piekāpās, panākdams, ka viņa piedāvātos ieteikumus iekļauj likumā. Taču padomdevējā orgānā, kas kļuva aizvien vairāk polarizēts, viņš ieguva autoritāti. Nebija nevienas liecības, ka viņam piederētu neizskaidrojama nezināmas izcelsmes bagātība. Belkneps izlēma paļauties uz intuīciju, kas viņu mudināja domāt, ka šis cilvēks nav blēdis un nav noziedznieks. Viņš ir tas, pēc kā izskatās. Protams, tas bija risks, taču Belkneps vēlējās riskēt. Turklāt, ja būtu iespējama aizkulišu piekļuve Kērka komisijai, kāds jau to būtu izmantojis.

Tāpēc Tods Belkneps nolēma darīt to, ko izdarīt varēja vienīgi viņš, – pastāstīt patiesību. Un ēkā iekšā viņš atkal iegāja pa parādes durvīm.

Filips Satons paliecās uz priekšu pār apkrauto rakstāmgaldu.

– Viss, ko jūs līdz šim teicāt, atbilst patiesībai, es pārbaudīju. Jūs mēģina izstumt no amata. Saskaņā ar dokumentiem esat aizgājis atvaļinājumā. Savervēšanas laiks, dienesta ilgums – viss sakrīt.

– Protams, sakrīt, – Belkneps sacīja. – Es zināju, ka jūs man neuzticēsieties. Tāpēc nolēmu, ka jūsu uzticību iespējams iegūt tikai vienā ceļā. Ja ļaušu jums pārliecināties, ka godīgi stāstu patiesību, pārbaudāmu patiesību.

Satons sāji pasmaidīja.

– Godīgi? Esmu politiķis. Godīgumu mēs piesaucam tikai retu reizi. Tas ir īpaši negodīgs triks.

– Izmisuma pilns laiks prasa izšķirties par izmisīgiem līdzekļiem, – Belkneps atbildēja. – Vai jūs uzziņu meklējumos sastapāt norādi par "apturēšanu"?

Satona sejas izteiksme bija pietiekami daiļrunīga.

– Jūs zināt, ko tas nozīmē, vai ne? – Belkneps turpināja.

– Nojaušu. Vai jūs par to stāstāt, lai pierādītu savu pilnīgo vaļsirdību?

– Jūs esat sapratis pareizi. Lai to pierādītu.

Satona tikko jaušamais profesionālais draudzīgums pagaisa, un viņš ar skatienu ieurbās Belknepā.

– Pastāstiet man par Ģenēzi.

– Darīšu to ar prieku, ja vien senators atļaus, – Belkneps atbildēja.

Satons piecēlās un savam augumam neatbilstošā vieglā gaitā šķērsoja telpu un izgāja pa sava kabineta durvīm. Drīz vien atgriezies, viņš pavēzēja roku, aicinādams Belknepu sev līdzi.

– Senators jūs gaida.

Belkneps izgāja pa durvīm, nokļūdams īsā gaitenī, kas veda uz vairākiem nelieliem kabinetiem. Gaiteņa galā atradās Beneta Kērka kabinets. Tā bija plaša telpa ar tumša koka mēbelēm, kas neapšaubāmi bija saglabājušās senātā kopš labajiem laikiem, kuri iestājās pēc pilsoņu kara, un atšķirībā no administratīvo palīgu kabinetiem šai telpai bija divreiz augstāki griesti. Caur gaišajiem, plānajiem aizkariem plūda maiga saules gaisma.

Senators Benets Kērks, gara auguma vīrs platiem pleciem un pagariem sirmiem matiem, Belknepu gaidīdams, stāvēja pie sava galda un, kad tas iegāja iekšā, nomērīja ienācēju ar ātru un asu pieredzējuša politiķa skatienu. Belkneps gluži vai fiziski juta šo pelēko acu uzmetienu, kas vērtēdams pārskrēja pār viņa seju. Šajās acīs pavīdēja kaut kas tāds, ko Belkneps īsti nesaprata, – vai tas bija apstiprinājums kādām Kērka domām? Senatora rokasspiediens bija stingrs, bez āriškības.

– Priecājos, ka mani pieņemat, senatora kungs, – Belkneps teica. Kērka savaldības pilnajos vaibstos viņš saskatīja nogurumu, turklāt viņam šķita, ka Kērks pūlas šo nogurumu slēpt.

– Ko jūs man vēlaties pastāstīt, Belknepa kungs? Es uzmanīgi klausos, – senators sacīja, pamājis viesim, lai apsēžas, un apsēzdamies arī pats.

Belkneps, šā cilvēka vienkāršā runas veida savaldzināts, neviļus pasmaidīja, par spīti savas ierašanās iemesla svarīgumam.

– Nemānīsim viens otru. Jūs zināt, ka mana maģiskā formula bija "Ģenēze". Šis vārds atvēra man durvis.

– Diemžēl man nav ne jausmas, par ko jūs runājat.

– Mums nav laika paslēpēm, – Belkneps aprauti sacīja. – Ne jau tādēļ es šeit ierados.

Kērka skatiens bija piesardzīgs.

– Palūkosimies, ar kādām kārtīm esat ieradies.

– Jauki. Man ir pamatots iemesls satraukumam, ka bīstams spēks ar segvārdu Ģenēze apdraud pasauli. Ģenēze – lai arī kas būtu šā vārda lietotājs – jūs apdraud. Tāpat kā mani un daudzus citus. Jums jāuzmanās, lai šis cilvēks jūs neizmantotu saviem mērķiem.

Senators un viņa biroja vadītājs saskatījās. Viņu sejas izteiksme it kā pauda: "Es taču teicu," – taču Belkneps nesaprata, kurš kuram ko teicis.

– Turpiniet, – politiķis saspringtā balsī teica. – Ko jūs par viņu zināt?

Belkneps, iztaisnojis muguru, sāka stāstīt nostāstus, ko bija dzirdējis.

Pēc dažam minūtēm senators Kērks viņu pārtrauca.

– Gatavie briesmu stāsti, vai ne? Diez kurš tos sacerējis? – viņš sacīja.

– Jūs nebūtu mani pieņēmis, ja tā domātu.

– Patiesībā mēs arī esam šos stāstus dzirdējuši... vismaz dažus. Taču informācija ir visai pieticīga.

– Piekrītu.

– Jūs teicāt, ka Ģenēze apdraudot arī jūs. Kā?

Kas iesākts, tas jāpabeidz, Belkneps nodomāja. Nopūties viņš īsi pastāstīja, kas bija noticis Kiprā.

– Es paļaujos uz to, ka mūsu saruna nekļūs zināma ārpus šīm sienām, – Belkneps uzsvēra.

– Tas ir skaidrs bez teikšanas.

– Labāk ir, ja to pasaka.

– Es jūs saprotu, – Benets Kērks noteica, pasmaidījis tikai ar lūpu kaktiņiem. – Pastāstiet, ko jūs pats zināt par šo Ģenēzi.

– Es jau daudz esmu pateicis, – Belkneps vilcinādamies atbildēja. – Varbūt pastāstīsiet, ko par viņu zināt *jūs*?

Kērks pagriezās pret palīgu.

– Ka tu domā, Fil? Vai ir pienācis laiks klāt vaļā to, ko mēs zinām? – Viņa balss tonis bija zobgalīgs, taču tajā bija dzirdamas bažas.

Satons paraustīja plecus.

– Vai jūs gribētu uzzināt viņa vārdu, adresi un sociālās apdrošināšanas numuru? – senators pavaicāja.

Belkneps cieši raudzījās uz viņu.

– Jā.

– Mēs arī. – Majestātiskais senators un viņa apaļīgais, plikgalvainais biroja vadītājs atkal apmainījās ilgiem, domīgiem skatieniem. – Belknep, intuīcija saka man, ka esat krietns puisis. Taču datu bāzes ierakstos ir runa par jūsu darbības apturēšanu. Tas nozīmē, ka jūsu pielaide valsts noslēpumiem ir anulēta.

– Jūs to zinājāt, pirms mēs sākām sarunu.

– Jūs man to atgādinājāt, uzsvērdams mūsu sarunas konfidencialitāti. Taču jūs varētu uzticēties man kā senāta izmeklēšanas komisijas vadītājam. Es varu uzticēties jums kā cilvēkam un amerikānim. Vai es to varu? – Viņš apklusa, gaidīdams atbildi.

– Atklātība pret atklātību. Patiesībā, senatora kungs, es zinu tik daudz šīs valsts noslēpumu, ka runas par kaut kādu pielaidi ir absurdas. Neveltīsim tam visam tik lielu uzmanību. Es *pats* esmu viens no šiem noslēpumiem. Savas karjeras laikā esmu bijis ar tiem pastāvīgā saskarē.

Satons greizi palūkojās uz senatoru.

– Vārds vietā, – biroja vadītājs noteica.

– Fakts ir tāds, – Kērks iesāka, – ka saziņa ar Ģenēzi bijusi vienīgi elektroniska. Viņa elektroniskā pasta ziņas nav iespējams izsekot... vai vismaz tā man apgalvo. Tajās ir paraksts un kaut kādas informācijas drumslas. Taču šis jautājums nekad manā darbā nav bijis galvenais. Kaut kas otršķirīgs, jā. Jūs mani brīdināt, ka mani varētu ļaunprātīgi izmantot. Ko lai uz to atbild? Man jāteic, ka mūsu slepenajam informatoram ir ārkārtīgi plašas zināšanas par ārkārtīgi plašu jautājumu loku. Protams, eksistē dezinformācijas draudi, taču mēs nemitīgi pārbaudām, vai informācija atbilst īstenībai vai neatbilst. Citas iespējas? Rēķinu kārtošana? Protams. Ikvienas izmeklēšanas laikā uzrodas cilvēki, kuri savu egoistisko mērķu vārdā aplej ienaidniekus ar samazgām. Kas gan šeit jauns? Sabiedrības interese? Tā neietekmē izmeklēšanas atklājumu svarīgumu. – Viņa loģika bija sausa un grūti apstrīdama.

– Vai jūs neuztrauc doma, ka nezināt, kas ir jūsu galvenais informators?

– Protams, uztrauc, – Satons noburkšķēja. – Taču ne jau tas ir galvenais. Nevar pasūtīt to, kas nav ierakstīts ēdienkartē.

– Vai jūs nebaidāties, ka ielaižaties darījumos ar pašu nelabo?

– Ar nelabo, ko neviens nav ne redzējis, ne pazinis? – Satons sarauca uzacis. – Jūs visu pārāk dramatizējat. Pacentieties izteikties konkrētāk.

– Labi, pacentīšos, – Belkneps caur sakniebtām lūpām izspieda. – Vai jums nav ienācis prātā, ka Ģenēze varētu būt Pola Bānkrofta segvārds?

Senators ar sava biroja vadītāju atkal saskatījās.

– Ja jūs tā domājat, – Kērks lēni teica, – jūs stipri kļūdāties.

– Jūs jaucat kaķi ar peli, – Satons piebilda. – Ģenēze ir Bānkrofta lielākais ienaidnieks.

Belkneps apmulsināts brīdi klusēja.

– Vai jums ir zināms par grupas *Theta* darbību? – viņš taustījās tālāk.

– Ak jūs zināt arī par to... – senators novilka. – Mūsu iegūtā aina ir provizoriska. Taču Ģenēze vāc informāciju. Pēc pāris dienām mums tās būs pietiekami, lai sāktu rīkoties.

– Nav vērts bez apdoma saķerties ar vareno un cēlo organizāciju, ko sauc par Bānkrofta fondu, – Satons piezīmēja, – ja vien uz abiem pleciem nav vismaz pa vienai patronsomai.

– Es saprotu.

– Priecājos, ka vismaz viens no mums kaut ko saprot, – senators Kērks noteica.

No jauna iestājās klusums. Abas sarunas biedru puses, vēlēdamās atklāt pēc iespējas mazāk, toties vairāk uzzināt, cītīgi pūlējās saglabāt šo trauslo līdzsvaru.

– Jūs sacījāt, ka viņa sūtījumus neesot iespējams izsekot, – Belkneps pēc brīža ieminējās.

– Jā, nav iespējams, – Satons steidzīgi apstiprināja. – Tā tas patiešām ir. Un, lūdzu, nestāstiet mums par slazdu likšanu un pēdu dzīšanu – tas viss jau ir izmēģināts. Ziņojumi nāk caur anonīmo serveri – īpašu ierīci, kas attīra elektronisko vēstuli no identifikācijas kodiem, no visiem cipariem un simboliem, ko pievieno interneta pakalpojumu sniedzējs un tā tālāk. Neko izsekot nav iespējams. Pati modernākā aizsardzība. Ideāla.

– Parādiet, – Belkneps vienkārši sacīja.

– Ko lai parādām? Elektronisko vēstuli no Ģenēzes? – Satons paraustīja plecus. – Lai arī kāda reiz bijusi jūsu pielaides pakāpe, komisijas darbība ir slepena. Gluži kā apjumta ar gaisnecaurlaidīgu apvalku. Labi, es izdrukāšu paraugu. Taču jūs neko no tā nesapratīsiet. – Viņš piecēlās un piegāja pie datora, kas atradās uz senatora galda, ievadīja paroli, veica vēl dažas darbības, un mirkli vēlāk no lāzerprintera dūkdama iznāca papīra lapa. Satons pasniedza to Belknepam.

Tās augšējā daļā bija vairākas rindas.

```
1.222.3.01.2.33.04
105.ATM2-0.XR2.NYC1.ALTER.NET (146.188.177.158) 164
ms 123 ms 142 ms
Kam: Benetam _ Kērkam@ussenate.gov
No: Ģenēzes
```

Finansu informācija par iepriekš minēto subjektu pienāks nedēļas beigās.

ĢENĒZE

– Zēns patiešām nav no runīgajiem, – Belkneps noņurdēja.
– Vai jūs zināt, kas ir vienkāršais pasta pārsūtīšanas protokols? – Satons jautāja. – Pirms tas viss sākās, es nezināju. Taču kopš tā laika šo to esmu apguvis.
– Man tā ir ķīniešu ābece, – senators, tikko jaušami pasmaidījis, sacīja. Viņš piegāja pie loga, bet Satons nokrekšķinājās, sagatavodamies sniegt Belknepam izsmeļošus paskaidrojumus.
– Tas ir sistēmas elements elektroniskā pasta pārsūtīšanai, – biroja vadītājs iesāka. – Parasti tas uzrāda sūtītāja adresi. Taču šis ziņojums acīmredzot pārsūtīts caur kādu anonīmu serveri Karību salās, un šeit stāsts beidzas. No kurienes tas atnācis uz anonīmo pārsūtīšanas serveri? Varam vienīgi minēt. Pat ja mēs visus šos ciparus pabāztu zem sasodīta elektroniskā mikroskopa, tik un tā no tā jēgas nebūtu. Šā dokumenta informatīvais saturs ir tik minimāls... diez vai iepriekš jūs ar tādu esat saskāries.
Papīra lapu salocījis, Belkneps iebāza to kabatā.
– Ceru, ka neiebildīsiet, ja paņemšu to līdzi.
– Tas būs labas gribas žests, – Satons teica. – Mūs aizkustināja jūsu vaļsirdība. Jūsu izmisums. Sauciet to, kā jums tīk.
Belkneps saprata, ka īstenībā Satons vēlas noskaidrot, kas ir šis informators, tikpat karsti kā viņš pats.
Belkneps pagriezās pret senatoru Kērku.
– Vai drīkstu jums ko jautāt? Kā tas viss sākās? Šī Kērka komisija, sniega bumba, kas veļas no kalna. Tas ir netīrs un ellišķīgs darbs. Ko jūs no tā iegūstat?
– Vai jums šķiet, ka šī jezga nav gluži tas, ar ko būtu jānodarbojas vecīgam politiķim, kas grasās noiet no skatuves? – Senatora kalsnajā sejā ieplētās smaids. – Esmu tikai parasts valstsvīrs no Sautbendas, vai ne? Politiķi nemitīgi piesauc kalpošanu savai zemei, kalpošanu sabiedrībai. Jā, tā ir retorika, taču ne visi no mums melo, reizēm kāds to saka patiesi, no sirds. Kongresā lielākoties nokļūst godkārīgi cilvēki. Viņi alkst varas, jo viņiem patīk gūt uzvaras, turklāt sabiedrības acu priekšā. Tie ir aktīvi ļaudis, kas pēc vidusskolas, kur vadījuši Skolēnu padomi un apbrīnoti futbollaukumā, sāk meklēt paņēmienus, kā mērķtiecīgi virzīties tuvāk varai. Viņi ir emocionāli nepacietīgi un nevēlas, zobus

sakoduši, desmit vai piecpadsmit gadu veltīt tam, lai gūtu panākumus finansēs vai jurisprudencē. Viņi dodas politikā. Tur nokļuvuši, viņi vēl neapzinās, ka šī profesija cilvēku pārverš. Vai nu uz labu, vai ļaunu.

– Biežāk uz ļaunu.

– Diemžēl tā nereti notiek. – Senators krēslā sagrozījās, un Belknepam šķita, ka viņa sejā pavīd skumjas. – Taču to, ar ko mēs nodarbojamies, un galu galā to, kas mēs esam, nosaka ne tik daudz mūsu rakstura īpašības, cik apstākļi. Bija laiks, kad es šim viedoklim nepiekritu, bet tagad es tā domāju. Vinstons Čērčils bija izcils cilvēks. Viņš katrā ziņā būtu realizējis savus lielos talantus neatkarīgi no tā, kurā laikā dzīvotu. Taču izcils viņš kļuva tāpēc, ka apstākļi pieprasīja no viņa to, kas viņam bagātīgi piemita. Čērčils pareizi novērtēja Vāciju. Taču Indiju – ne. Viņš tā arī nespēja saprast, ka britu koloniju iedzīvotāji vēlas kļūt par britu impērijas pilntiesīgiem pilsoņiem. Tas pats cilvēks, kurš pieņēma gudru lēmumu, izšķirošā brīdī atteikdamies no nogaidīšanas politikas, nepieļāva taisnīgus un saprātīgus kompromisus citā reizē, kad bija vajadzīga piekāpšanās. Ak, lūdzu, atvainojiet... Šķiet, ka aizrāvies sāku teikt runu.

– Jums tas padodas labi.

– Profesijas slimība, lūk, kas tas ir. Paklausieties, var strīdēties par to, vai šī izlūkošanas dienestu reforma ir mana Vācija vai mana Indija, taču es nepretendēju uz godu būt līdzīgs Vinstonam. Taču nevar nepiekrist, ka augonis šajā sistēmā ir nobriedis. Daudzi no izlūkdienestu darbības pārraugiem nolaiduši rokas, kļuvuši par savējiem un skatās caur pirkstiem, kad vajadzētu iejaukties. Ar mani tas nav noticis. Jo vairāk es uzzinu, jo lielāku nemieru tas manī vieš. Es redzu, ka būvkokus sabojājuši mizgrauži un tajos iemetusies puve. Māju var krāsot un pārkrāsot, taču, ja mēs nepacelsim grīdas dēļus, ja nepalūkosimies aiz sienu apšuvuma, nepārbaudīsim katru siju, nekas neuzlabosies.

– Un tomēr... kāpēc tieši jūs? – Belkneps nerimās.

Arī Satons nogaidoši raudzījās uz senatoru, acīmredzot prātodams, kāda būs atbilde.

Benets Kērks smaidīja, taču viņa acis joprojām bija nopietnas.

– Un kāpēc ne? Kurš gan cits?

Belkneps izgāja no senatora biroja un, šķērsodams vestibilu, devās uz liftiem, kad pēkšņi aptvēra, ka kaut kas ir aplam. Šī saasinātā uztvere bija gan īpašas apmācības, gan pieredzes nopelns, un sajūtu, ko acumirklī radīja daudzajos darba gados attīstītie maņu orgāni, viņš nevienam nespētu izskaidrot.

Pametis skatienu uz iekšējā pagalma pusi, kam visapkārt bija liftu šahtas un vītņu kāpnes, un brīdi ar skatienu pakavējies pie Aleksandra Koldera konstrukcijas no tērauda un alumīnija, viņš negaidīti jutās tā, it kā ar pirkstiem būtu nobraucis pa zināmu gludu virsmu un sajutis izciļņus.

Lejas vestibilā nu bija nevis divi formas tērpos ģērbušies nacionālās gvardes kareivji, bet gan četri. Belkneps, pacēlis skatienu, redzēja, ka arī citos stāvos pie kāpņu margām, no kurienes pavērās skats uz iekšējo pagalmu, stāvēja vīrieši, ko pirmajā acu uzmetienā varēja noturēt par apmeklētājiem, bet kas īstenībā bija civilās drēbēs tērpušies operatīvie darbinieki. Pārāk vaļīgas žaketes, pārāk modri skatieni, pārāk "dabiska" izturēšanās. Senāta apmeklētāji, kuri no kāpņu laukumiem apbrīno Koldera konstrukciju – apbrīno pārāk ilgi, lai tas izskatītos dabiski.

Belknepam pārskrēja salts baiļu vilnis. Viņš redzēja, kā divi civilās drēbēs ģērbušies vīrieši atgrūž galvenās virpuļdurvis. Parasti cilvēki tā neiet, Belkneps nodomāja, – viņi gāja soli solī. Dokumentus sargam ne viens, ne otrs neuzrādīja, un ne viens, ne otrs uz liftiem nedevās. Tie nebija apmeklētāji, tie skaidri zināja, kādas pozīcijas jāieņem.

Tas bija ķērāju tīkls, kurā ķērāji vēl tikai izvietojās.

Vai senators Kērks un viņa biroja vadītājs būtu sacēluši trauksmi? Belkneps nespēja tam noticēt. Viņos nebija jaušams ne mazākais satraukums, tāpat kā pārējos senatora biroja darbiniekos. Tātad šai rosībai ir cits izskaidrojums. Belkneps pieņēma, ka viņu nodevusi vizuālā identifikācija, taču, uz kuru stāvu viņš devies, ķērājiem nebija ne jausmas. Tātad viņš bija atklāts lejas vestibilā, un gūstītājiem bija zināms tikai viens – ka viņš ir šajā ēkā. Tas jāizmanto, Belkneps sprieda. Varbūt viņam ir izredzes izslīdēt no tīkla.

Vajadzēja rīkoties ātri, jo ar katru minūti situācija kļuva draudīgāka. Viņš apsvēra savu atrašanās vietu, gluži kā raudzīdamies aerofotogrāfijā. Viņš atradās senāta ēkas septītajā stāvā. Ielas pretējā, ziemeļu pusē bija plaša autostāvvieta. Dienvidos – administratīvo ēku stūris, kas stiepjas pret Mērilendas avēniju, rietumos – liels parks un masīvas dzīvojamās mājas, austrumos, kur atradās veikali un privātmājas, apbūve bija zemāka. *Ak, ja varētu uz muguras piestiprināt reaktīvo dzinēju un aizlidot...*

Belkneps pārdomāja savas iespējas. Vai viņš varētu, nospiezdams ugunsgrēka trauksmes pogu, izprovocēt ēkas evakuāciju? Vai piezvanīt pa tālruni par ēkā ievietotu spridzekli? Vai aizdedzināt atkritumu tvertni un izgaist panikas pārņemtā pūlī? Tieši uz tādu rīcību viņa gūstītāji bija sagatavojušies. Evakuācijas durvis ārpusē katrā ziņā apsargā, un modernas drošības ierīces iedarbinās trauksmes signālu visā ēkā.

Pavisam nesagatavots Belkneps tomēr nejutās. Pagriezies atpakaļ, viņš devās uz vīriešu un sieviešu tualetēm, kuru durvis rotāja ierastās vienādsānu trijstūra piktogrammas. Viņš ieslēdzās kabīnē, atvēra portfeli un ātri pārģērbās līdzi paņemtās, rūpīgi salocītās drēbēs. Brilles un kurpes ielicis portfelī, viņš iznāca no kabīnes, ģērbies nacionālās gvardes kamuflāžas formas tērpā. Tā ģērbušos gvardu valdības ēkā allaž bija daudz. Bikses un jaka ar zaļganbrūniem plankumiem bija īstas, vienīgi kājās Belknepam bija nevis augstie armijas saišu zābaki, bet vieglāki apavi, ko varēja pamanīt, ja labi ieskatās. Arī mati bija mazliet par gariem, taču viņš cerēja, ka neviens to neievēros.

Bija jātiek vaļā no portfeļa, kas labi papildināja viņu, kad mugurā bija lietišķs uzvalks, bet pie pašreizējā tēla absolūti neiederējās. Belkneps ātri izgāja no kabīnes un, neskatīdamies spoguļos, kas rindā bija izvietoti virs izlietnēm, devās ārā no tualetes. Pie apaļas atkritumu tvertnes viņš paraudzījās apkārt un, pārliecinājies, ka neviens viņu nevēro, tur iemeta portfeli, ko piesedza papīra dvieļu gabaliem. Tuvākajā laikā neviens šo portfeli neatradīs.

Tad viņš svarīgā gaitā izgāja gaitenī – cilvēks, kurš visu acu priekšā bez steigas pilda dienesta pienākumus, – un devās lejā pa rietumu puses kāpnēm gar sienu, kas piekļāvās senāta Dirksena ēkai. Šīm kāpnēm nepiemita nekas no iekšējā pagalma modernisma stila kāpņu majestātiskuma, taču, kā jau ugunsdrošības noteikumi to prasīja, tās bija platas. Ceturtā stāva kāpņu laukumā viņš ieraudzīja dežurējam vēl vienu sargu. Tas bija afroamerikānis ar pagaišu ādu un gludi skūtu galvu, kas gan nenoslēpa viņa plikgalvību. Vīram pie jostas bija masīva kaujas pistole un pleca siksnā karājās pusautomātiskais ierocis *M16A2* ar plastmasas laidi. Belkneps ievēroja, ka sargs uzstādījis uguns pārslēdzēju uz īsām kārtām. Ja nospiestu mēlīti, viņš raidītu trīs šāvienus.

Belkneps aši pamāja ar galvu, ielūkodamies afroamerikānim acīs, taču nesākdams sarunu. Viņš impulsīvi pacēla pie mutes portatīvu rāciju izturīgā plastmasas ietvarā, kas atgādināja armijas modeli, un sāka tajā runāt.

– Ātri apstaigāju sesto, mūsu puiša nekur nav, – Belkneps sacīja gurdenā profesionāļa balsī. Ievērojis sarga vienības numuru, viņš turpināja: – Vai esam saskaņojuši darbību ar 171-B? Manuprāt, šeit sadzīts vesels lērums ļaužu. Sasodīta drūzma!

Saproti, kā gribi, Belkneps domāja, iedams zemāk uz nākamo kāpņu laukumu. Un tad jau klāt bija arī pēdējais kāpņu posms, kas veda uz pirmo stāvu. Tur varēja nokļūt pa platām durvīm, kam priekšā bija aizbīdīta bulta.

Tās bija ugunsdzēsēju durvis. Neaizslēgtas. Taču aprīkotas ar signalizāciju. Sarkana taisnstūra plāksnīte ar baltiem burtiem brīdināja: NENOSPROSTOT. IZMANTOT TIKAI UGUNSNELAIMES UN CITOS ĀRKĀRTĒJOS GADĪJUMOS. IESLĒGSIES TRAUKSMES SIGNĀLS.

Sasodīts! Krūtīs modās izmisums. Belkneps apsviedās un devās atpakaļ. Garām pagāja vismaz trīs, varbūt četri operatīvie darbinieki civildrēbēs. Neviens uz viņu neatskatījās. Viņu redzēja, bet neievēroja. Plankumainais tērps viņu labi maskēja, nodrošinādams piederību pie cilvēkiem formas tērpos. Taču neredzams viņš nebija.

Neliels pulciņš ļaužu kāpa liftā, kas devās uz pirmo stāvu. Ļaujoties mirkļa impulsam, Belkneps tajā iemetās sekundi pirms durvju aizvēršanās, nostādamies blakus jaunai sievietei, kas klusi sarunājās ar savu draudzeni.

– Un es viņam teicu: "Kādēļ tad mēs vispār tiekamies, ja tev ir tādi uzskati?" – jaunā sieviete stāstīja.

– Vai patiešām tu tā pateici? – draudzene brīnījās.

Kāds pavecs vīrs tērzēja ar jaunāku kolēģi. Šķiet, viņi bija juristi un sprieda, ka "tas jāaptur pirms izlīguma".

Belkneps manīja, ka cilvēki viņu nopēta, turklāt viņš juta, ka vismaz viens no vīriem, kas brauc lifta kabīnē, maskējas, ietērpies civilā apģērbā. Tas bija liela auguma vīrietis ar kultūrista muskuļiem, tāpēc krekls viņam mugurā izskatījās uzspīlēts. Viņam bija īsi rudi mati un sejas krāsa gandrīz tādā pašā tonī, tādējādi no attāluma viņš izskatījās plikgalvains. Belkneps klusībā sprieda, ka kreklu, kurā viņš bija iespīlējies, vīrs valkā reti – apkaklīte resnajam kaklam bija par šauru, tāpēc, par spīti kaklasaitei, augšējā poga bija atsprukusi vaļā. Belknepam bija skaidrs, ka šis vīrs, kurš stāvēja, raudzīdamies taisni sev priekšā, ir kolēģis operatīvais aģents. Zelēdams košļājamo gumiju, tas nevainojamā, vienmērīgā ritmā kustināja žokļus. Belkneps, nostājies rudmatim aiz muguras, lifta nerūsējošā tērauda durvīs redzēja viņa atspulgu. Belkneps turēja galvu pieliektu, zinādams, ka lifti savienoti ar ēkas video novērošanas sistēmu un visu lifta kabīņu griestos ir kamera ar platleņķa objektīvu. Vajadzēja uzmanīties, lai nepagrieztos pret to ar seju.

Domās jau atgriezies vestibilā, viņš iztēlojās tā plānojumu. Cik tālu no lifta ir galvenās durvis? Soļus trīsdesmit, varbūt nedaudz vairāk vai mazāk. Viņš tos varētu noiet.

Ieklausīdamies klusinātajā jauno sieviešu sarunā, Belkneps skaitīja atlikušās sekundes un pūlējās saglabāt mieru. Beidzot atskanēja elektroniskais zvaniņš. Uz paneļa ar stāvu numuru pogām spuldzītes sarkano gaismu, kas norādīja uz virzienu lejup, nomainīja zaļā, liecinādama, ka lifts dosies augšup.

Durvis atvērās, un visi izkāpa Hārta ēkas vestibilā, kur grīdu klāja pulētas akmens flīzes. Brauciens ar liftu prasīja ne vairāk kā piecpadsmit sekunžu. Belknepa dzīvē bija dienas, kurās laiks ritēja ātrāk.

Belkneps pagaidīja, kamēr visi izkāpj, nevēlēdamies, lai muskuļainajam operatīvajam darbiniekam rastos iespēja viņu nopētīt. Pietiktu ar nejaušu domu, ar šaubu zibsni, ko varēja izraisīt mati, apavi, neprecizitāte formas tērpā, brauciens liftā, un spēle būtu beigusies. Taču rudmatainais vīrietis nostājās pie telefona automāta, un Belknepam tik un tā vajadzēja iet viņam garām.

Belkneps, raudzīdamies uz priekšu, it kā grasītos šķērsot vestibilu, lai dotos uz pretējo ēkas spārnu, turpināja ceļu. Zābaki ar biezajām zolēm klusi būkšķēja pret pulēto grīdu. Viņš zināja, ka visus, kuri atstāj ēku, pārbauda, un pūlējās neatklāt savu plānu līdz pēdējam brīdim.

Piecpadsmit soļu. Astoņpadsmit. Formas tērpa aizsargāts, viņš pagāja garām vēl pāris vīriem civiltērpā, bet tad kāds vīrietis brūnā uzvalkā pēkšņi iekliedzās:

– Tas ir viņš!

Vīrs rādīja ar pirkstu uz Belknepu, un viņa samiegtajās acīs bija lasāma pārliecība.

401

– Kur? – Belkneps dzirdēja iesaucamies citu parupju balsi.

– Kurš? – pacēlis ieroci, noprasīja gvardes vīrs.

Belkneps apsviedās.

– Kur? – viņš iekliedzās, pievienodamies satrauktajām balsīm un grozīdams galvu, it kā vīrietis uzvalkā būtu rādījis nevis uz viņu, bet kādu citu, kas ietu viņam aiz muguras. – Kur? – Belkneps atkārtoja.

Primitīvā viltība ļāva iegūt tikai sekundes, taču, ja sekundes bija viss, ko viņš varēja iegūt, viņš tās izmantos. Līdz sargam pie ārdurvīm atlika vairs tikai daži jardi. Iestāde aiz augstprātības vai paviršības, iespējams, sargu nemaz nav informējusi par šo operāciju, Belkneps ar cerībām sprieda. To varētu izmantot. Viņš tuvojās sargam ar sagumzīto seju un smagajiem plakstiņiem, kurš joprojām sēdēja pie saviem sarakstiem un mazajiem video-ekrāniem.

– Mums ir ārkārtēja situācija, – Belkneps sacīja, rādīdams uz brūnā uzvalkā ģērbušos vīrieti. – Kā šis cilvēks te iekļuva? – viņš prasīgā tonī jautāja.

Vestibila sargs centās izskatīties pēc personas, kas pārvalda situāciju. Kopš Belknepa iekrišanas bija pagājušas septiņas sekundes. Ieroča viņam nebija – to nebija iespējams ienest metāla detektora pārbaudes dēļ –, un viņa vienīgā iespēja bija sēt pēc iespējas lielāku apjukumu. Taktikas rokasgrāmatās šādas darbības bija aprakstītas nodaļā "Sabiedrības uzvedības manipulācija". Nodoma īstenošanu Belknepam traucēja fakts, ka daudzi viņa pretinieki bija izglītojušies pēc tām pašām rokasgrāmatām. Brūnajā uzvalkā ģērbies vīrietis, ko Belknepa viltība necik nebija samulsinājusi, rīkojās ātri un izveicīgi. Pametis uz viņu skatienu, Belkneps redzēja, ka viņš izvilcis pistoli, kas neapšaubāmi bija noslēpta zem žaketes. Nebija grūti uzminēt, ko viņš domā. Ja Belkneps, redzēdams operatīvā darbinieka rokā ieroci, atteiksies pildīt viņa pavēles, viņš drīkstēs šaut. Taču nedrīkstēs to darīt, ja Belkneps neapzināsies, ka viņam ir ierocis. Belkneps, joprojām lūkodamies uz vestibila sargu, devās vīrietim brūnajā uzvalkā pretim – pretim cilvēkam ar ieroci, kas bija pavērsts pret viņu. Šajā brīdī Belknepa galvenais ierocis bija fakts, ka viņam ieroča nebija – tā neattaisnota lietošana viena vai vairāku aculiecinieku priekšā radītu sarežģījumus pat "speciālā" dienesta darbinieka karjerā.

Beidzot Belkneps pagriezās pret vīru brūnajā uzvalkā.

402

– Kas tev lēcies, cilvēk? – viņš autoritatīvā, izbrīna pilnā balsī noprasīja.

– Turi rokas tā, lai es tās redzētu! – vīrietis uzkliedza, pamādams kādam, kurš atradās Belknepam aiz muguras. Pagriezis galvu, Belkneps ieraudzīja rudmati no lifta. Platiem soļiem tas steidzīgi tuvojās. Trīs formas tērpos ģērbušies sargi, kuru sejās bija lasāma neizpratne, turēja ieročus šaušanas gatavībā. Viss notika ļoti strauji, un viņi joprojām nesaprata, uz kuru īsti viņiem jātēmē. Pacelt rokas augšup nozīmētu darīt viņiem to zināmu. Belkneps nolēma pavēlei neklausīt.

Domās viņš drudžaini risināja ģeometrijas uzdevumu. Divi operatīvie darbinieki. Trīs nacionālās gvardes vīri. Viens formas tērpā ģērbies neapbruņots sargs. Apmēram desmit citu cilvēku, galvenokārt apmeklētāji, kuru lielākā daļa sāka aptvert, ka šeit risinās kas nelāgs.

Belkneps iztaisnoja plecus un iesprieda rokas sānos, izskatīdamies kareivīgs, bet ne draudīgs – ieroča rokās viņam nebija, turklāt rokas nebija pat sažņaugtas dūrēs. Viņš stāvēja, iepletis kājas plecu platumā, un šī poza pauda, ka viņš te ir galvenais. Tādus paņēmienus mācīja arī policistiem, lai vajadzības reizē tie psiholoģiski ietekmētu likumpārkāpēju.

Lai gan Belkneps šeit nebija nekāds atbildīgais, viņa izturēšanās apkārtējos samulsināja. Turklāt viņš nevienu neapdraudēja. Vērotāji, arī trīs nacionālās gvardes vīri, nekur neredzēja noziedznieku, kurš viņiem, likuma sargiem, būtu jāaiztur. Viņi redzēja vīrieti formas tērpā, turklāt izskatījās, ka tas ir priekšnieks operatīvajam darbiniekam brūnajā uzvalkā. Aina šķita gaužām neloģiska, un tas kavēja ātru reaģēšanu tik mainīgajā situācijā – un tieši to Belknepam vajadzēja.

Raudzīdamies operatīvajam darbiniekam acīs un nepievērsdams uzmanību ierocim, Belkneps devās viņam tuvāk. Aiz muguras viņš dzirdēja muskuļainā vīra soļus – attālums starp viņiem strauji samazinājās. *Rudmatis pieļauj kļūdu*, Belkneps nodomāja. Visi trīs vīri nu atradās rindā uz vienas taisnes, tāpēc jaudīgo pistoli, ko rudmatis droši vien jau turēja šaušanas gatavībā, šajā brīdī izmantot nevarēja, jo iespaidīgais kalibrs garantēja, ka uz Belknepu raidīta lode ar lielu sākuma ātrumu izskries viņam cauri un ietrieksies operatīvajā darbiniekā. Aptvēris, ka vismaz pāris sekunžu rudmatainais vīrietis viņam nav bīstams, Belkneps paspēra vēl vienu soli pretim vīrietim brūnajā uzvalkā. Kā jau

Belkneps gaidīja, tas nekustējās no vietas – bruņots cilvēks nevar paust savu vājumu atkāpdamies. Abi stāvēja apmēram divu soļu attālumā viens no otra.

– Es prasu – kas tev lēcies? – Belkneps aizkaitinātā tonī atkārtoja, nicīgi papletis rokas, atliecis plecus un izriezis gurnus, ar visu savu būtni pauzdams sašutumu. Brūnajā uzvalkā ģērbies operatīvais aģents piespieda pistoles, lielkalibra *Beretta Cougar*, stobru pie Belknepa sasprindzinātā vēdera. Belkneps zināja, ka tajā ir astoņu ložu aptvere, no kuras puse collas bija izvirzījusies no spala apakšas. Operatīvais aģents droši vien labprāt šautu, bet Belkneps nedeva tam ieganstu, turklāt deviņu milimetru lode trāpītu arī rudmataino kolēģi.

Vajadzēja rīkoties, lai nosacītas drošības logs neaizvērtos ciet. Belkneps, spēji pagrūdies uz priekšu, ar pieri iebelza pretim stāvošajam vīram pa virsdeguni, zinādams, ka tikai plāns, porains galvaskausa kauls atdala smadzenes no deguna dobuma un spēcīgā sitiena spēks izplatīsies caur sietiņkaulu līdz cietajam smadzeņu apvalkam.

– Stāvi! – redzēdams, ka operatīvais aģents sabrūk uz grīdas, rudmatainais vīrietis ieaurojās. Belkneps dzirdēja pistoles klikšķi – lode ielādēta patrontelpā.

Nākamās trīs četras sekundes būs tikpat izšķirīgas kā iepriekšējās, Belknepam pazibēja prātā. Uz saļimušā vīrieša lūpām viņš ievēroja spīdīgu, bezkrāsainu vielu un saprata, ka tas ir mugurkaula smadzeņu šķidrums. No šā brīža neviens vairs neuzskatīja, ka Belkneps ir nekaitīgs, tāpēc palikt bez ieroča nebija jēgas. Viņš nokrita pār guļošā vīra kājām, it kā viņu būtu ķēris neredzams sitiens, un izrāva no tā ļenganajiem pirkstiem pistoli. Pārvēlies uz sāniem, viņš kabatā paslēpa *8045 Cougar* aptveri. Kad Belkneps pacēla skatienu uz rudmataino kultūristu, viņam rokās bija *Beretta*.

Tas bija strupceļš – divi cilvēki viens pret otru pavērsuši šaušanai sagatavotus ieročus. Belkneps veikli pieslējās kājās.

– Meksikāņu duelis, – viņš sacīja.

Vestibilā bija iestājies bailpilns klusums. Pēdējās sešās sekundēs ikviens šeit bija sapratis, ka norisinās kaut kas neparasts, kaut kas baiss. Ļaudis kā sastinguši stāvēja, neuzdrošinādamies pakustēties.

– Apdomā vēlreiz, ko tu dari, – rudmatis nošņāca.

Divpadsmit sekundes, trīspadsmit, četrpadsmit...

Belkneps paskatījās uz gvardes vīru, kas atradās viņa redzeslaukā.

– Apcietini šo cilvēku! – viņš uzkliedza.

Operatīvie darbinieki acumirklī bija klāt, lai pavērstu pret mērķi šaujamos un nacionālās gvardes vīri to varētu aizturēt. Pret kuru? Tā kā viņiem tas nebija skaidrs, viņu automātiskie ieroči bija nolaisti.

– Gribu tev ko jautāt, – Belkneps uzsauca rudmatainajam operatīvajam darbiniekam. – Vai tava reakcija ir ātra? Ķer! – Viņš pasvieda muskuļotajam vīram *Cougar*... tas reaģēja tieši tā, kā Belkneps cerēja. Nolaidis pistoli zemāk, vīrs pastiepa augšup otru roku un saķēra pamesto *Beretta*. Pusotru sekundi garais mirklis bija jāizmanto. Lēkdams gluži kā kobra, Belkneps sagrāba aiz garā stobra otra vīra pistoli un zibenīgi izrāva to no viņa tvēriena. *Glock 357* bija Belknepam rokā. Tikpat zibenīgi viņš iegrūda pistoli savas kamuflāžas jakas kabatā, lai tā nebūtu redzama, bet no tās varētu izšaut.

Rudmatis, acis mirkšķinādams, apjucis tēmēja ar *Cougar* uz Belknepu. Tas bija pametis viņam savu ieroci un izrāvis no rokas *Glock* – kāda tam jēga? Vīrietis bija pietiekami attapīgs, lai sāktu bažīties.

– Klausies uzmanīgi, ko es tev teikšu! – Belkneps pārliecinātā, klusā balsī sacīja. – Ja izpildīsi visus manus norādījumus, ar tevi nekas nenotiks.

– Vai tev vajadzīgas brilles? – rudmatis nodārdināja, pavicinādams gaisā šaujamo. – Vai pēdējo vēlēšanos tu, nejēga, esi jau izdomājis?

– Vai nejūti, ka tavs *Cougar* ir pārāk viegls? – Belkneps tikpat klusi pavaicāja. Viņa sejai pārskrēja ātrs smaids.

Operatīvā darbinieka sārtā seja nobālēja.

– Vai tagad apjēdzi? Vai arī tev vajadzīgs citāds skaidrojums? Varu nospiest mēlīti, un caur tavu glīto ķermeni svelpdams izlidos svina gabaliņš. Tu redzi pistoles stobru izspiežamies manā jakā, un tu redzi, uz ko tas notēmēts. Tu patiešām esi veltījis daudz laika savam ķermenim. Pat man būtu žēl, ja tu uz diviem trim gadiem nonāktu fiziskās rehabilitācijas centrā. Ko tu šorīt salādēji savā verķī? Vai hidrošoka lodes – tās pretīgās sprāgstošās lodes ar dobo galu? Vari sākt iztēloties, kā tās briesmones sadragās tavus orgānus un saraus nervus. – Belknepa balss tonis joprojām bija kluss, gluži vai mierinošs. – Man gan šķiet, ka tu vēlētos saglabāt savu ķermeni neskartu. Tu to vari. – Viņš ar skatienu ieurbās rudmatim acīs, uzsvērdams savu pārākumu. – Izved mani ārā no šejienes. No malas izskatīsies, ka tu man tēmē galvā un manas rokas saslēgtas roku dzelžos zem drēbēm, gluži kā karagūsteknim. Tagad tev skaļā balsī, lai visi dzird, jānokliedzas, ka tu esi mani aizturējis, ka esmu tavās rokās. Pēc tam, cieši iedams man līdzās, izvedīsi mani no ēkas ārā.

– Tu esi jucis, – operatīvais aģents nošņāca. Taču balsi vairs nepaaugstināja.

– Vai gribi padomu? Ja es ietriekšu tevī šajā pistolē ievietoto pilnapvalka lodi, tu saņemsi labu pensiju. Ja paveiksies, tā neskars mugurkaulu vai kādu svarīgu nervu mezglu. Taču – ja nu tu esi pielādējis pistoli ar sprāgstošajām patronām ar lielu apstādinošu spēku? – Belkneps saprata, ka pistolē ielādētas tieši tās. – Tad visu atlikušo mūžu tu sev jautāsi, kāpēc toreiz nerīkojies saprātīgi. Izlem tūlīt. Vai arī izlemšu es.

Rudmatainais operatīvais darbinieks saraustīti ierāva elpu.

– Viņš ir man rokā! Aizturēts! – viņš kliedza. – Atbrīvojiet ceļu! – Vīrs vēlreiz ievilka elpu. Viņa seju izķēmoja bailes, varbūt pat nelabums, kas pa gabalu izskatījās pēc satraukuma un dusmu grimases. – Sasodīts, atbrīvojiet ceļu!

Belkneps savukārt izskatījās nomākts un salauzts. To notēlot nebija grūti.

Laukumā ēkas priekšā atskanēja izkliegtas pavēles. Belkneps gāja nodurtām acīm, tikai paretam uzmezdams ātru skatienu ap barjerām apvilktajai virvei un drūmajiem gvardiem, kas mērķēja uz viņu paceltiem ieročiem.

Rudmatainais vīrietis tēloja labi, jo viņa vienīgais uzdevums bija izturēties kā profesionālim, un tāds viņš bija. Viss notika ļoti ātri, nepilnā minūtē, un Belkneps rudmatī nebija kļūdījies. Kad operatīvais aģents, Dillers, kā viņu kāds iekliegdamies pasauca, Belknepu pieveda pie mašīnas, grūtākais bija aiz muguras.

Kad rudmatis piesēdās pie stūres, Belkneps no pakaļējā sēdekļa nošņāca pavēli, un mašīna strauji izkustējās no vietas brīdī, kad tajā grasījās iekāpt vēl viens bruņots vīrs. Mērilendas avēnijā pie luksofora, kur automašīna apstājās, Belkneps pastiepās uz priekšu un iebelza ar pistoli rudmatim pa deniņiem, atstādams viņu bezsamaņā. Iztrausies ārā, viņš pēc simt pēdām nozuda metro tunelī. Drīz vajāšana turpināsies, taču viņš jau būs gabalā.

Iekāpis metrovilcienā, Belkneps drošības pēc nostājās telpā starp vagoniem, kur pamats zem kājām gan nebija visai stabils. Cenzdamies saglabāt līdzsvaru, viņš novilka jaku un to izmeta ārā. Tad ar asu kabatas nazi viscaur pārgrieza kamuflāžas bikses, uzmanīdamies, lai nesabojātu drānas, kas bija tām apakšā, un nekaitētu kabatu saturam.

Pirms brīža metrovilcienā bija iekāpis vīrs ar nacionālās gvardes formas tērpu mugurā. Likumsargi bieži pārvietojās ar sabiedrisko transportu, tas nebija nekas neparasts. Nedaudz vēlāk blakus vagonā iegāja vīrietis, ģērbies zaļā teniskreklā un neilona treniņbiksēs, acīmredzot skrējējs. Tas arī nebija nekas neparasts.

Vilciens traucās pa apakšzemes sliedēm, un Belkneps aptaustīja salocīto papīra lapu, ko bija ielicis kabatā.

Ģenēze. *Skriet tu māki*, viņš nodomāja par Rainhartu. *Paskatīsimies, vai māki slēpties.*

DIVDESMIT PIEKTĀ NODAĻA

Pacel klausuli, Belkneps domās lūdzās jau kuro reizi. *Lūdzu, atbildi!* Saite starp viņiem joprojām bija vārīga. Andreai bija viņa mobilā tālruņa numurs, un viņam bija Andreas numurs. Viņš jau tuvojās Filadelfijai, taču Andrea joprojām neatbildēja. Viņiem jāizraugās droša satikšanās vieta. Konsulāro operāciju nodaļa neliksies mierā, iekams nebūs viņu aizturējusi.

Atbildi, Andrea, lūdzu, atbildi!

Viņam tik daudz kas bija stāstāms. Braukdams pa 95. šoseju uz ziemeļiem, Belkneps domās pastāvīgi atgriezās pie sirdi plosošās bēgšanas no senāta ēkas. Viņš nejutās izbrīnījies, dzirdēdams vietējā radio ziņu diktoru stāstām par valdības rīkotām "mācībām" dažās senāta ēkās un analizējam atklājušos trūkumus. "Vairāki tūristi un apmeklētāji senāta biroju ēkā jutās pārsteigti, kļuvuši par nacionālās gvardes un slepenā dienesta kopīgi rīkoto mācību pēkšņiem lieciniekiem," mundrā balsī diktors teica, piebilzdams, ka "viņi bija tam pilnīgi nesagatavojušies". *Kārtējie no tūkstošiem oficiālu melu*, Belkneps nodomāja, *kurus pakalpīgi akceptē un atvemj ceturtā vara, kas kļūst aizvien kūtrāka.*

Viņš iegrieza automašīnu stāvvietā un nospieda numura atkārtošanas taustiņu. Beidzot regulārie signāli aprāvās, un atskanēja savienojuma klikšķis.

– Andrea! – Belkneps iesaucās, un vārdi paši vēlās pār lūpām. – Kur tu esi? Es tik ļoti uztraucos par tevi!

– Uztraukumam nav iemesla, – viņam atbildēja nepazīstama balss, vīrieša balss.

Belkneps jutās tā, it kā būtu norijis ledus gabalu.

– Ar ko es runāju?

– Mēs uzraugām Andreu. – Viņa izruna bija savādi nenoteikta. Tas nebija ne amerikāņu, ne angļu, ne arī kādas Belknepam pazīstamas ārzemju valodas akcents.

– Ko jūs, sasodīts, ar viņu esat izdarījuši?

– Neko. Pagaidam neko.

Tikai ne atkal!

Kā viņi Andreu atraduši? Neviens viņiem nesekoja – Belkneps par to bija pārliecināts. Neviens pat nemēģināja...

Tāpēc, ka nebija vajadzības.

Viņš atcerējās savādo zilumu uz Andreas augšstilba, sarkano, cieto hematomu, injekcijas pēdas. Belkneps izlamāja sevi, ka nepiešķīra tam pienācīgu vērību. Nolaupītāji injekciju bija izdarījuši prasmīgi, lai arī kā Andrea pretojās. Kāpēc gan viņš nebija pievērsis vērību tam, ka šķidruma ievadīšanai tik rupja adata nebūtu vajadzīga?

Izskaidrojums bija acīmredzams – viņi kaut ko implantējuši Andreas augšstilbā zem ādas. Droši vien niecīgas kapsulas lieluma raidītāju. Miniatūru atrašanās vietas noteikšanas ierīci.

– Dieva dēļ, saki kaut ko! – Belkneps iekliedzās. – Kādēļ jūs to darāt? Kas jums no viņas vajadzīgs?

– Tu esi nepiesardzīgs. Ģenēze izlēma, ka pienācis laiks uzņemties uzraudzību. Tu maisies pa kājām. Tāpat kā viņa.

– Pasaki man, ka viņa ir dzīva!

– Viņa ir dzīva. Taču drīz vēlēsies, lai tā nebūtu. Pēc dažām dienām mēs būsim uzzinājuši no viņas visu, kas mums vajadzīgs.

Fonā pēkšņi atskanēja vēl kāda balss.

– *Tod! Tod!* – kliedza baiļu pārņemta sieviete.

Andrea.

Kliedzieni aprāvās.

– Nepieskarieties viņai, es jūs lūdzu! Nenodariet viņai pāri! – Bezspēcība Belknepā izraisīja spējas dusmas. – Lai Dievs jums stāv klāt, ja jūs piedursiet viņai pirkstu...

– Pietiek šo tukšo draudu! – balss viņu pārtrauca. – Tu nekad neatradīsi Ģenēzi, tātad neatradīsi meiteni arī. Iesaku tev doties uz kādu klusu vietu un pārdomāt savu augstprātību. Varbūt uz kādu kapavietu Anakostijas upes krastā. Bez šaubām, tu jūties nelaimīgs savas mīlestības dēļ. Taču atceries, mister Belknep, ka cilvēks pats ir savas laimes kalējs.

– *Kas* jūs tādi esat? – Belknepam trūka gaisa, it kā krūtis spiestu neizturams smagums. – Ko jūs gribat?

Atskanēja aizsmakuši, neskanīgi smiekli.

409

– Iemācīt Dzinējsuni sekot pa pēdām.

– *Ko?*

– Iespējams, mēs ar tevi sazināsimies, lai nodotu tālākus rīkojumus.

– Paklausieties, – Belkneps izgrūda, smagi elpodams. – Es jūs *atradīšu.* Es jūs trenkāšu tik ilgi, kamēr notveršu, un jūs atbildēsiet par visu, ko esat pastrādājuši. Atcerieties to!

– Atkal jau draudi! Vai zini ko? Kaķa lāsti debesīs nekāpj. Tu joprojām neko neesi sapratis. Šī ir Ģenēzes pasaule. Un tu gluži vienkārši tajā dzīvo. – Brīdi klusējis, runātājs piebilda: – Pagaidām.

Ar šiem vārdiem viņš sarunu beidza.

Andrea ar pūlēm atvēra lipīgos plakstiņus un raudzījās baltumā. Galva dunēja. Mute bija izkaltusi.

Kur viņa atrodas?

Viņa redzēja tikai baltumu. Pēc krietna brīža mākonim līdzīgais baltums šķita mazāk ēterisks un atgādināja kaut ko plakanu, cietu un neaizsniedzamu. Kur viņa atrodas?

Pirms tam viņa bija Vašingtonā, devās uz avīžu un kafijas pārdotavu un tad... Andrea mēģināja saprast, kas ir viņai apkārt.

Viņai pāri pletās balti griesti ar padziļinājumos ievietotām dienasgaismas lampām, kas meta vienaldzīgu, saltu blāzmu. Viņa atradās tādā kā slimnīcas gultā – gultā, kurā sazāļota bija gulējusi, un viņai mugurā bija slimnīcas krekls. Andrea gribēja izkļūt no šīs gultas ārā. Bet kā? Viņa vairākas reizes domās atkārtoja, kādas kustības jāveic, lai pieceltos no gultas, – jāpagriežas, jāizstiepj kājas. Darbības, ko ik dienas bija veikusi bez domāšanas, nu šķita sarežģītas un grūtas. Andrea atcerējās, kā bērnībā gāja uz jāšanas nodarbībām, kur mācījās nokāpt no zirga, un viņai tas izdevās viegli un nepiespiesti. Vai viņai ir traumētas smadzenes? Varbūt viņu tā iespaido kāds nomierinošs līdzeklis? Andrea jutās iztukšota. Viņa vēlējās atmest visam ar roku.

Nē, viņa nepadosies.

Izkļuvusi no gultas, viņa noliecās un nopētīja vēso grīdu, ko juta zem basajām pēdām. Tā bija dēļu grīda – dēļi šķita ļoti biezi, tādi, ko izmanto kuģu korpusam, – un apstrādāta ar baltu, cietu pārklājumu. Kad Andrea padauzīja pa to ar papēdi, neatskanēja nekāda skaņa – zem koka droši vien bija betona slānis. Šķita, ka sienas ir no līdzīga materiāla un pārklātas ar tādu pašu baltu vielu. Tā atgādināja epoksīdkrāsu, ko izmanto kuģubūvē un grīdu krāsošanai rūpnīcās un kas veido blīvu, izturīgu segumu. Viņa krietni nomocītos, ja mēģinātu izkalt to ar skrūvgriezi. Turklāt tāda instrumenta viņai nemaz nebija, viņai bija tikai savu pirkstu nagi.

Saņemies, Andrea! Viņa piegāja pie aizslēgtām, eņģēs iekārtām durvīm, kam augšpusē bija neliels lodziņš ar aizvaru. Virs durvīm bija vēl viens apgaismes objekts – gaišs aplis, no kura telpā lija dienasgaisma. Kam tas bija domāts – drošībai vai psiholoģiskai ietekmēšanai?

Uz kurieni viņa bija atvesta?

Andrea stāvēja divdesmit reiz divdesmit pēdu lielā kvadrātveida telpā ar nišu, kur atradās krāns, veca emaljēta čuguna vanna un skapītis no nerūsējoša tērauda. Tādu ainu Andrea bija redzējusi filmās par cietumu. Nedaudz atžilbusi, viņa vēlreiz nopētīja gultu. Vienkāršs cauruļveida tērauda rāmis, ar bremzēm fiksēti skrituļi. Skaidrs, ka izurbtie caurumi domāti, lai izvilktu tiem cauri intravenozo šķīdumu caurulītes. Tātad patiešām slimnīcas gulta.

Andrea izdzirdēja troksni pie durvīm. Aizvaru, kas aizsedza lodziņu, kāds pabīdīja malā. Spraugai līdzīgajā atverē parādījās vīrieša acis. Andrea vēroja, kā atveras durvis, kā sargs izņem atslēgu no durvju atslēgas cauruma, kā pagriež durvju rokturi. Viņas skatienam pavērās gaitenis ar sarkanu ķieģeļu sienām. Ikviens sīkums var noderēt, viņa domās sev atgādināja.

Kad vīrietis ienāca iekšā un durvis aizvēra, rokturis ar metālisku atsperes troksni atgriezās horizontālā stāvoklī. Andrea necik daudz no slēdzenēm nesaprata, taču apjēdza, ka tā ir visai droša ierīce. Ja ieslodzītais kaut kā slēdzenē iedabūtu mūķīzeri, durvis tik un tā neatvērtos, ja vienlaikus nenospiestu rokturi. Uz abiem aizslēgiem, lai pārvarētu atsperu spiedienu, jāiedarbojas reizē.

Sargam bija bāla sejas āda, boksera deguns, mazs zods ar bedrīti un tālu viena no otras izvietotas bālzaļas acis, kas laikam nekad nemirkšķinājās. Andreai ienāca prātā līdaka. Viņš bija ģērbies ar biezu siksnu apjoztā militārā olīvkrāsas formas tērpā.

– Nostāties pie tālākās sienas! – viņš pavēlēja, turēdams roku uz melnas ierīces – acīmredzot tas bija kaut kāds šoka ierocis. Viņa izruna izklausījās kā dienvidniekam, kurš lielu daļu dzīves aizvadījis Ziemeļos.

Andrea darīja, kā viņai lika, un nostājās pie sienas ar skatienu pret durvīm. Ātri palūkojies zem gultas, sargs piegāja pie vannas un to verīgi aplūkoja.

– Viss kārtībā, – viņš beidzot sacīja. – Izlauzties no šejienes nav iespējams, tāpēc izdariet mums pakalpojumu un neko šeit nesabojājiet.

– Kur es atrodos? Kas šī ir par vietu? Un kas jūs tāds esat? – Andrea beidzot ierunājās. Viņas balss skanēja stingrāk, nekā viņa bija domājusi.

Sargs papurināja galvu. Viņa acīs bija lasāms nicinājums un izsmiekls.

– Vai kāds man iedos drēbes?

– Iespējams, – sargs atbildēja. Tātad viņš nav šeit priekšnieks, ir citi, kuru pavēles viņš pilda, Andrea nodomāja. – Lai gan... kādēļ?

– Tātad rīt vai parīt jūs ļausiet man iet prom? – Andrea mēģināja ieskatīties viņa rokas pulkstenī.

– Protams. Tā vai citādi. – Izskatījās, ka sargs uzjautrinās. – Es jums, jaunkundz, iesaku noslēgt mieru ar Dievu.

– Pasakiet, lūdzu, – Andrea teica, – kā jūs sauc? – Ja viņai izdotos nodibināt ar sargu kaut kādas cilvēciskas attiecības, viņa varētu uzzināt no viņa ko vairāk un sargs varbūt vairs neraudzītos uz viņu kā uz lietu.

– Jaunkundz, šeit nav saviesīgs vakars, ko sarīkojusi baznīca, – vīrietis atbildēja, truli uz viņu blenzdams. – To es jums skaidri pasaku.

Andrea apsēdās uz gultas malas, ar roku sažņaugdama segu.

– Piedodiet, ka gultas veļa ir vienkārša, – sargs turpināja. – Izturīgs neilons, apdarināts ar stipru brezentu – to sauc par pašnāvnieku segu. Viss, kas mums bija pie rokas.

– No kurienes jūs esat? Es gribēju teikt... kur esat dzimis? – Andrea mēģināja vēlreiz. Viņa nedrīkstēja zaudēt drosmi.

Sarga sejā iepletās gauss smaids.

– Es zinu, uz ko jūs tēmējat. Es esmu dienvidnieks, taču tas nenozīmē, ka esmu muļķis. Pēc pāris stundām kāds jums atnesīs ēdienu.

– Lūdzu...

– Aiz-ve-riet žau-nas, – sargs lēni un uzsvērti sacīja un smaidīdams noņēma cepuri. – Jaunkundz, tikai profesionālisms mani attur no jūsu izvarošanas līdz nemaņai un vēl kādu collu tālāk. – Viņš uzlika cepuri galvā. – Visu labu, jaunkundz.

Vīrs devās uz durvīm.

– Cik ilgi jūs mani šeit turēsiet? – satriektā Andrea vēl pajautāja.

– Jūs gribat zināt, cik laika jums atlicis, vai ne? Pavisam maz.

Cenzdamies saglabāt balss tonī kaut nedaudz dzīvesprieka, Belkneps piezvanīja Andreas draugam Volteram Sačam, kurš strādāja *Coventry Equity Group*. Galvenais bija viņu nenobiedēt. Andrea viņam uzticējās, un Belkneps arī nolēma uzticēties.

Abi vienojās tikties vietā, ko ieteica Sačs, – izrādījās, tā bija veģetāriešu kafejnīca Griničā, Konektikutas štatā. Apmeklētāju tajā nebija daudz, un, ieņēmis vietu zāles beigās, Belkneps ar acīm meklēja vīrieti zaļā linu žaketē.

Beidzot viņš to ieraudzīja – kārnu cilvēku ar garenu, stūrainu seju. Pelēkbrūnie mati galvas sānos bija īsi apgriezti, atsedzot bālganu ādu. Sača iekritušās krūtis un tievais viduklis nesaderēja ar apņēmīgo seju un pārējo ķermeni. Belkneps viņam pamāja ar roku, un Sačs apsēdās galdiņa otrā pusē. Viņam bija apsarkušas, stiklainas acis kā marihuānas smēķētājam, lai gan viņš pēc "zālītes" nesmaržoja.

– Esmu Volts, – viņš stādījās priekšā.

– Tods, – Belkneps sacīja.

– Tātad, – Volters Sačs teica, izlocīdams roku pirkstus, – spiegu spēles turpinās. Tiek norunātas neplānotas tikšanās ar svešiniekiem. Starp citu, kā klājas Andreai?

– Viss ir labi. Es ar jums tiekos, jo zinu, ka viņa jums uzticas. – Pienāca viesmīle un nolika uz galda paplāti.

– Tas jums no mūsu iestādes, – viņa paziņoja. – Firmas ēdiens. Ceratonijas cepumi.

– Kas ir ceratonija? – Volts apjautājās Belknepam. Varbūt viņš mēģināja panākt, lai tas jūtas atraisīts.

– Es nezinu, – Belkneps, valdīdams nepacietību, atbildēja.

Volts palūkojās uz viesmīli.

– Vai zināt, vienmēr esmu vēlējies noskaidrot, kas ir ceratonija.

Oficiante, ģērbusies nebalinātas kokvilnas teniskreklā un maisveida biksēs no rupja linu auduma, mundri pasmaidīja.

– Ceratonijas pākstis izmanto uzturā. Tajās nav taukvielu, tās satur daudz šķiedru un proteīna, nav alerģiskas un nesatur skābeņskābi. Garšo gandrīz tāpat kā šokolāde.

– Nevar būt! – Volts veltīja viņai neticības pilnu skatienu.

413

– Garša ir līdzīga. Daudzi to ēd labprātāk nekā šokolādi.
– Nosauciet man vienu, kurš to ēd!
– Viņi apgalvo, ka tā ir veselīgākā viela, ko daba radījusi.
– Kas ir tie "viņi"?
– Viņi tā saka, un ar to arī beigsim, labi? – Smaids no viesmīles sejas nenozuda.

Sačs ar pirkstu pieklauvēja pie saukļa, kas kursīvā bija uzdrukāts uz ēdienkartes vāka.

– Šeit rakstīts: "Apšaubīt – tas nozīmē augt."
– Atnesiet viņam tasi nomierinošās *Kava Kava*, – Belkneps teica.

Viņa izmisums un panika auga, taču viņš nevarēja atļauties šo cilvēku biedēt vai steidzināt. Viņam bija jāizskatās mierīgam un jārisina saruna.

– Es labāk ņemšu zāļu tēju "Klusums". – Sačs nervozi pakasīja auss ļipiņu, kur reiz bijis auskars.

– Man to pašu, – Belkneps teica viesmīlei.

– Tātad... kur ir Andrea? – Volts jautāja. – Manuprāt, es šeit nesēžu tāpēc, ka salūzis jūsu datora cietais disks, vai ne?

– Vai jūs kādam teicāt, uz kurieni ejat? Ka tiekaties ar mani? – Belkneps satraukts noprasīja.

– Norādījumi šajā sakarā bija ļoti skaidri, veco zēn Tod.

– Tātad ne?

– Tātad ne. Loģiskais ventilis – atvērts.

No krūškabatas izvilcis senatora Kērka palīga izdrukāto papīra lapu, Belkneps, ne vārda neteicis, pastiepa to Sačam.

Datortehnoloģiju ģēnijs, lapu gaisā papurinādams, to atlocīja.

– Kas tad tas? – viņš novilka. – Kā jūs to iznesāt? Iebāzāt pakaļā, ko?

Belkneps uzmeta viņam dzedru skatienu.

– Mēs tērējam laiku, – slepenais aģents teica. – Es jūs netraucētu, ja mans lūgums nebūtu tik svarīgs. – Paklusējis viņš piebilda: – Ļoti svarīgs.

Raudzīdamies papīra lapā, datoru eksperts svinīgā balsī uzaicināja:

– Nogaršojiet ceratonijas cepumus.

– Šis ziņojums saņemts pa elektronisko pastu. Vai pirmkods jums ko izsaka?

– Mans viedoklis ir tāds, ka šie ceratonijas cepumi nevienam negaršo, – Sačs runāja savu. – Var jau gadīties, ka mani secinājumi ir pāragri, jo es nevaru spriest par vēl nedzimušo paaudžu ēšanas paradumiem.

– Volt, lūdzu, koncentrējieties. Vai no tās lapas pilnīgi neko nevar izlobīt? Strupceļš?

Datoru lietpratējs nospurcās.

– Kā lai to skaidrāk pasaka? Tas ir strupceļš aklās ieliņas galā, un aiz šā strupceļa ir vēl viena aklā ieliņa, kas ieved strupceļā. – Izvilcis no kabatas zīmuli, viņš apvilka ciparus. – Aiz strupceļa strupceļš nemēdz būt. Vai zināt, kas ir anonīmais pārsūtītājs?

– Vispārējs priekšstats man ir. Varbūt jūs varat pastāstīt par to sīkāk?

Sačs klusēdams brīdi uz viņu raudzījās.

– Elektroniskais pasts ir līdzīgs parastajam pastam. Vēstule ceļo no vienas pasta nodaļas uz otru, iespējams, nonāk lielā šķirošanas centrā, pēc tam virzās uz saņēmēja pasta nodaļu. Viens sūtījums ceļā no nosūtītāja līdz saņēmējam piestāj vidēji piecpadsmit, divdesmit pieturās. Visur, kur tas nonāk, tas atstāj daļiņu no sevis, tādas kā maizes drupatas, un savukārt, gluži kā kodu, saņem pasta zīmogu, kas apstiprina, ka vēstule tur nonākusi. Teiksim, jūs atrodaties Kopenhāgenā un vēlaties izmantot informācijas tehnoloģiju tīklu, lai nosūtītu ziņojumu uz Stokholmu. Jūsu elektroniskā vēstule šaudās šurpu turpu un kādā brīdī, iespējams, virzās caur Šombergu, Ilinoisas štatā, un tad nonāk citos tīklos, iekams galu galā parādās jūsu drauga datorā Zviedrijā. Un tas viss ilgst dažas sekundes.

– Ļoti sarežģīts process, – Belkneps iestarpināja.

– Es patiesībā to vienkāršoju. Viens elektroniskā pasta ziņojums netiek pārsūtīts kā viens ziņojums. Sistēma to sarausta gabalos – daudzos mazos sūtījumos, lai tie aizņemtu mazāk vietas un tos varētu īsākā laikā pārsūtīt adresātam. Atcerieties, ka ik dienas tīmeklis pārsūta miljardiem ziņojumu. Katram fragmentam tiek piešķirts savs identifikācijas numurs, lai galapunktā tos varētu savienot. Lielākajai daļai cilvēku neinteresē visa šī sākuma informācija, tāpēc elektroniskā pasta programmas to parasti nerāda. Taču tā ierodas kopā ar elektronisko vēstuli. Lai to apskatītu, vajadzīga vienkārša programma, ko iedarbinot iespējams aplūkot ziņojumu trases maršrutus.

– Vai tāda programma ir pieejama?

– Izmantojot standarta interneta pakalpojumu sniedzējus? Hakeriem patīk jokot, ka ISP, interneta pakalpojumu sniedzējs, īsenībā nozīmējot "interneta spiegošanas projekts". Tas ir visvājāk aizsargātais sakaru veids. Nešifrētu ziņojumu, ko sūta pa elektronisko pastu, var uzskatīt par pasta atklātni. Vai saprotat? – Sačs pastiepās pēc viena cepuma, pārlauza to un tad katru gabaliņu sadalīja vēl mazākos. – Katram datoram ir savs ciparparaksts, ievadizvades pamatsistēmas *BIOS* identifikators, tas pats, kas ikvienam automobilim valsts numura zīme. Interneta pakalpojumu sniedzēja adreses izsekošana ir tikai sākums. Ir daudz meklētājprogrammu, kas automātiski caurlūko informācijas plūsmas, meklēdamas noteiktas zīmju virknes, kuru secība norāda uz vienotu veselumu. Sabiedrība nav informēta par meklēšanas un atklāšanas tehnoloģijām, ko lieto valdības resori, bet privātajā sektorā izmantotās ir daudzreiz jaudīgākas. Es gribu vaicāt, kur lai strādā cilvēks, ja viņš ir izcils kodētājs. Vai Nacionālās drošības pārvaldes labā, ja lielākais, ko tā maksā, ir piecciparu alga gadā? Nu redziet! Apstākļos, kad savos *Porsche* visur lodā vervētāji no *Cisco* vai *Oracle*, vai *Microsoft*, piedāvādami milzu naudu, akcijas biržā un bezmaksas *kapučino*, tas gluži vienkārši nav iespējams.

– Jūs runājāt par...

– Jā, par okšķeriem. Saprotiet, galu galā visas elektroniskā pasta sistēmas darbojas līdzīgi. *SMTP* ir vienkāršais pasta pārsūtītājs, bet *POP*, kam ir pasta nodaļas funkcija, vada serverus. Taču labākie anonīmie pārsūtītāji ir ārkārtīgi labi aizsargāti. Gluži kā aiz vairoga.

– Aiz vairoga, – Belkneps atkārtoja. – Tātad jūs stāstāt par pārsūtītāju, kas automātiski dzēš ziņojumiem rindiņas, pēc kurām varētu identificēt sūtītāju.

– Tā ir tikai medaļas viena puse. – Sačs sparīgi papurināja galvu. – Ar nosvītrošanu vien nekas nebūtu atrisināts. Multivides portāls *Big Brother* datu plūsmu tik un tā izsekotu. Ja runa ir tikai par šifrēšanu... tā nu ir joma, kurā Nacionālās drošības pārvalde patiešām kaut ko sajēdz. Tāpēc efektīva anonīmā pārsūtītāja rīcībā jābūt veselam tīklam. Šis tīklam jāspēj jūsu ziņojumu, ko jūs nosūtāt, izmantodams kādu vietējo programmu, teiksim, *Mixmaster*, sakult tādā putrā, ka, pienācis pa daļām, tas izskatīsies tāds, it kā jūs patskaņus būtu nosūtījis septiņas sekundes pēc līdzskaņu nosūtīšanas. Pēc tam pārsūtītājs nosūta citu ziņojumu ar pārveidošanas norādījumiem. Tādā gadījumā informācijas plūsma nav

416

izsekojama. Svarīgs jautājums ir par to, kā nodrošināt atbildes funkciju. Izdzēst dažas augšējās rindiņas nav grūti, tas ir tikpat viegli, cik aizkrāsot uz aploksnes atpakaļadresi. Taču saglabāt atpakaļceļu, turklāt tā, lai neviens to nespētu atklāt, – jā, tā ir māksla.

– Un anonīmie pārsūtītāji to spēj?

– Šis spēj, – Sačs atbildēja. Viņa balsī jautās profesionāla apbrīna. Viņš piebikstīja ar pirkstu pie pēdējās ciparu grupas. – Šis ziņojums pārsūtīts, izmantojot *Privex*, un tas ir viens no labākajiem šajā nozarē. Kāds krievu datoru zinātnieks pirms pāris gadiem to izveidoja Dominikā. Valsts Karību jūras austrumu daļā.

– Es zinu, kur atrodas Dominika, – Belkneps noteica. – Nodokļu paradīze.

– Un to apkalpo liels, resns zemūdens optiskais kabelis. Dominika ir pilna ar vadiem. Atrast anonīmo pārsūtītāju Amerikas Savienotajās Valstīs nav reāli. Neviens negrib nonākt saskarē ar mūsu sūrajiem likumiem.

– Un kā tad var izsekot šo elektronisko ziņojumu?

– Es taču tikko paskaidroju, – Sačs, izklausīdamies viegli aizvainots, atbildēja. – To *nevar* izsekot. Tas nav iespējams. Ceļā ir milzu šķērskoks ar uzrakstu *Privex*. *Privex* maskē tavu intertīkla adresi ar savu intertīkla adresi. Aiz tās neko nevar saskatīt. Ieeja aizliegta.

– Nu, tikai nevajag... Andrea man stāstīja, ko tik visu jūs spējat, – Belkneps sacīja, mēģinādams Saču piedabūt, lai tas iedziļinās uzdevumā. – Esmu pārliecināts, ka jūs zināt, kas jādara.

– Jūs man vēl neesat pateicis, kur viņa ir. – Saksa balsī ieskanējās nemiers.

Belkneps noliecās uz priekšu.

– Jūs varētu man pastāstīt, kā grasāties uzlauzt *Privex* sistēmu.

– Jūs gribat no manis dzirdēt, ka Zobu feja patiešām eksistē un Santaklauss Ziemassvētku naktī nolaižas pa skursteni un izkāpj no kamīna? Es labprāt pateiktu, ka tā notiek, pieņemdams, ka tā ir. Es, protams, par to šaubītos, tātad nebūtu absolūti un pilnīgi par to pārliecināts. Tādu lietu, par ko esmu pārliecināts absolūti un pilnīgi, pasaulē ir ļoti maz. Un šī ir viena no tām. *Privex* apstrādā daudzus miljonus ziņojumu, un pagaidām nevienam nav izdevies pārvarēt tā aizsardzību. Nekad. Nevienam. Ja kādam tas būtu izdevies, es zinātu. Taču mēģināts ir. Izmantotas

417

sarežģītas statistiskas programmas, kas seko saņemtajām un nosūtītajām plūsmām, laisti darbā fantastiski algoritmi. Nemaz neceriet. *Privex* gādā, lai katrs ziņojums tiktu pārklāts un sajaukts, lai statistiski būtu grūti atšķirams no citiem. Tas izmanto adrešu rotāciju, tunelēšanu, īpaškanālu serverus. Turklāt *Privex* pakalpojumus izmanto pat *valdības*! Tie vis nav joki.

Belkneps ilgi klusēja. Šo to no Sača skaidrojuma viņš bija sapratis, šo to ne. Kaut kur dziļi viņa smadzenēs – gluži kā sīka spīdoša zivtele, kas pazib zemūdens alā, – uzplaiksnīja kāda doma.

– Jūs sacījāt, ka Privex atrodas Dominikā.

– Jā, serveris ir tur.

– Un neviens to nevar uzlauzt.

– Nevar.

– Lieliski, – Belkneps, vēl brīdi klusējis, noteica. – Tad mēs to izdarīsim.

– Man rodas iespaids, ka jūs neesat bijis šeit klāt, ka esmu sarunājies ar sevi. Es taču tikko paskaidroju, ka to nevar ne atvērt, ne uzlauzt. Nekādu pavedienu. Neviens nav noteicis viņu ziņojumu pārraides maršrutu. *Privex* ir īsts virtuālais cietoksnis.

– Tieši tāpēc mums tajā jāiekļūst.

– Kā jau teicu...

– Es runāju par fizisku ielaušanos. Par iekļūšanu iestādē.

– Fizisku... – Sačs apmulsis apklusa. – Es nesaprotu.

Belknepu Sača apjukums neizbrīnīja. Viņš un Volters Sačs dzīvoja pilnīgi dažādās pasaulēs. Belkneps dzīvoja starp reālām lietām, reāliem cilvēkiem un reāliem objektiem, bet Sača pasaule bija virtuāla – ap viņu plūda elektroniski procesi, vēlās nuļļu un ciparu kaskādes, virtuāli aģenti rīkojās, sasniegdami virtuālus mērķus. Lai atrastu Andreu Bānkroftu, šīs pasaules bija jāapvieno.

– Iespējams, *Privex* patiešām ir virtuāls cietoksnis, – Belkneps teica, – un ceratonija ir virtuālā šokolāde. Taču kaut kur Dominikā ir bunkurs, kurā atrodas daudz magnētisko disku, vai ne?

– Jā, protams.

– Tad viss būs kārtībā.

– Vai jūs zināt, ka šie ļaudis nemēdz atstāt savas ārdurvis plati vaļā, lai jūs tur valsētu iekšā?

– Vai nekad neesat dzirdējis, ka cilvēki vajadzības reizē kaut kur iekļūst bez uzaicinājuma?

– Protams, esmu. Ar to nodarbojas hakeri. Viņi pārvar ugunsmūrus un atver virtuālas slēdzenes, atšifrē pieejas kodus un ierīko digitālas novērošanas sistēmas. Tas notiek visās interneta kafejnīcas.

– Neizliecieties par muļķi. – Tas bija viss, ko Belkneps spēja atbildēt. Viņam gribējās uzbliezt ar dūri pa nestabilā galdiņa laminātā virsmu.

– Tā kā ar izcilību esmu beidzis Masačūsetsas Tehnoloģisko institūtu, bet joprojām strādāju par vienkāršu tehniķi, var uzskatīt, ka patiešām esmu gatavais muļķis. – To teicis, Sačs nospurcās.

– Pieņemsim, ka jūs taisnā ceļā kāds nogādātu šajā ne īpaši laipnajā salā, konkrēti Privex ēkā. Vai tur kādā serverī vai atmiņas krātuvē glabātos šīs elektroniskā pasta vēstules kopija, kurā nebūtu nekas izdzēsts?

– Tas atkarīgs no izsūtīšanas laika, – Sačs atbildēja. – Parasti datnes, kas vecākas par septiņdesmit divām stundām, tiek automātiski izdzēstas. Tas ir "atbildes" logs. Šajā intervālā serverim jāsaglabā oriģināla kopija, lai tas varētu apstrādāt atbildes. Droši vien tur ir daudzu terabaitu glabāšanas sistēma.

Belkneps atgāzās pret krēsla atzveltni.

– Vai zināt ko, Volt? Tā kā jūsu seja ir diezgan bāla, jums par labu nāktu mazliet saules. Vai nedomājat, ka pārāk daudz laika pavadāt, spēlēdams videospēles? Tādas, kur par katru nošauto ienaidnieku dod papildu dzīvības.

– Bez regulāriem treniņiem nav sasniedzams labs rezultāts, – Sačs apstiprināja.

– Saulainās Karību jūras zemes jūs aicināt aicina, – Belkneps turpināja savu domu.

– Jūs esat jucis! – Sačs izgrūda. – Jūs esat jucis, ja kaut uz sekundi pieļaujat domu, ka es iesaistīšos tamlīdzīgā avantūrā! Vai jums ir kāda nojausma par to, cik šīs valsts likumu un starptautisko likumu jūs pārkāpsiet? Vai varat tos saskaitīt, kareivi Džo?

– Vai jūs negribēsiet mazbērniem pastāstīt par sevi ko sevišķu? – Belkneps blēdīgi pasmaidīja. Viņš labi pazina šādus cilvēkus. Voltera Sača iebildumi pirmām kārtām bija adresēti sev. – Varu derēt, ka darba vietā jūs jau gaida neskaitāmas izklājlapas ar sabojātiem sektoriem. Atrotiet piedurknes, Volt, un ķerieties klāt! Varbūt drīz jūsu pateicīgā firma jums izsniegs polisi, lai jūs bez maksas varētu salabot zobus. Kādēļ gan glābt pasauli, ja var bez maksas labot zobus?

– Uz Dominiku droši vien nav pat tiešo reisu, – Sačs pārtrauca Belknepa runas plūdus. – Kāpēc gan es vispār to saku? Tas ir *neprāts*! Man tas nav vajadzīgs. – Mirkli cieši raudzījies uz vienīgo pelēkbrūno cepumu, kas bija atlicis uz māla šķīvja, viņš ar pirkstu paurbināja drupatas blakus cepumam. – Vai tas būtu... bīstami?

– Volt, esiet vaļsirdīgs un pasakiet man, – Belkneps teica, – vai jūs cerat, ka es atbildēšu "nē" vai "jā"?

– Nav svarīgi, ko jūs atbildēsiet. – Tehniķis sabozās. – Jo es tik un tā nepiekritīšu. Neceriet.

– Žēl. Man tas cilvēks, kurš nosūtījis šo elektronisko vēstuli, katrā ziņā jāatrod.

– Kāpēc?

– Ir daudz iemeslu. – Belkneps, brīdi lūkojies uz Saču, pieņēma lēmumu. – Un viens no tiem... – viņš turpināja, cenzdamies runāt mierīgi. – Apgalvodams, ka ar Andreu viss ir kārtībā, es meloju.

– Ko jūs ar to gribat teikt?

– Nekas ar viņu nav kārtībā. Andrea ir nolaupīta. Un šis, – viņš pamāja uz papīra lapu, – iespējams, ir vienīgais ceļš, kā viņu atgūt. – Belkneps zināja, ka šī informācija vai nu pavisam aizbiedēs Saču, vai mudinās viņu uz sadarbību. *Met kauliņu vai arī stājies no spēles laukā!*

– Ak Dievs! – Neviltotas bažas datoru lietpratējā cīnījās ar bailēm un pašsaglabāšanās instinktu. Viņa apsārtušās acis piesarka vēl vairāk. – Tātad viss notiek pa īstam.

– Volt, – Belkneps sacīja. – Jums jāizdara izvēle. Viss, ko varu jums pateikt, ir tas, ka jūs esat viņai vajadzīgs.

– Kā viss notiks? Vai varat man to pateikt? Mēs atšķetinām šo mezglu, atgūstam Andreu, un viss beidzas laimīgi? – Drebošiem pirkstiem paņēmis ceratonijas cepumu, viņš to nolika atpakaļ uz šķīvja.

– Daudz kas atkarīgs no jums, – Belkneps atbildēja. – Vai jūs piedalāties?

Rolanda Makgrūdera dzīvoklis, kas atradās piektajā stāvā ēkā bez lifta Ņujorkas rietumu Četrdesmit ceturtajā ielā – šo rajonu savulaik saukāja par Elles Ķēķi, pirms nekustamā īpašuma pārdošanas aģenti izlēma, ka tā dēvēšanai par Klintona rajonu ir daudz lielākas priekšrocības, kad runa ir par pārdošanu, – bija piebāzts un nekopts, it kā negribēdams kontrastēt ar šaurajām telpām, kur Makgrūders, likdams lietā savas teātrī apgūtās prasmes, radīja brīnumus. Kā Makgrūders nereti atvainojās draugiem, viņš taču neesot nekāds dekorators.

Šīs vietas lepnums bija *Tony* balvas medaljons labākajam teātra grima māksliniekam. Tam blakus bija novietots ietvars ar fotogrāfiju, kurā bija redzama Nora Norvuda, viņaprāt, jaukākā māksliniece tūlīt pēc Etelas Mermanes. *Manam dārgajam Rolandam*, Nora bija uzrakstījusi savā cilpām bagātīgajā, apaļajā rokrakstā, *kurš man palīdz izskatīties tā, kā es jūtos. Esmu bezgala pateicīga!* Mazliet tālāk stāvēja Eleinas Stričas fotogrāfija ar tādu pašu eksaltētu vēstījumu. Tāds bija vecās skolas aktieru nerakstīts likums – draudzējies ar grimētāju, un tu allaž izskatīsies lieliski. Daudzas jaunās dīvas bija gluži vienkārši neizturamas. Augstprātīgas, dzedras, pat rupjas. Pret Rolandu viņas izturējās kā pret puisi, kas strādā ar slotu. Tieši tādas attieksmes dēļ viņš bija pametis darbu kinostudijā.

Kā dzied vecā dziesmā, nav citu tādu cilvēku, kādi ir aktieri. Taču Rolands līdztekus darbam ar aktieriem bija pieņēmis arī ļaudis, kas nebūt nebija saistīti ar skatuvi vai kino un neatstāja fotogrāfijas ar autogrāfiem. Viņi lika Rolandam parakstīt draudzīgus līgumus par neizpaušanu, un viņiem bija citi atzinības izteikšanas paņēmieni. Pirmām kārtām tās bija naudas summas, kas patiešām bija ļoti dāsnas salīdzinājumā ar laiku, kādu Rolands viņiem veltīja. Viss sākās pirms daudziem gadiem, kad viņu uzaicināja sniegt dažas grima meistarības stundas vairākiem valdības izlūkdienesta aģentiem, lai tiem izskaidrotu pārtapšanas pamatpaņēmienus. Lai gan Rolands prata turēt mēli aiz zobiem un bija piesardzīgs, acīmredzot viņa vārds izlūku aprindās bija izplatījies. Kopš tiem laikiem reizi pa reizei pie viņa ieradās negaidīti klienti ar dīvainiem lūgumiem un biezām aploksnēm ar skaidru naudu. Starp šiem cilvēkiem bija tādi, kas nāca pie viņa regulāri.

Gluži kā tas tips, ap kuru Rolands šajā brīdī darbojās. Sešas pēdas garš, pareiziem sejas vaibstiem, pelēkām acīm. Pēc Rolanda profesionālā vērtējuma, – tīra papīra lapa.

– Ar vasku un īpašiem ieliktņiem es varu palielināt augšējās smaganas un pavirzīt virslūpu augstāk, – Rolands teica. – Man gan būs žēl izķēmot tik simpātisku vīrieti, taču sejas kontūras pārvērtīsies līdz nepazīšanai. Un ko jūs teiktu par zilām acīm?

Vīrietis viņam parādīja pasi. Tur bija norādīts, ka tās īpašniekam Henrijam Džailzam ir brūnas acis.

– Lai būtu tā, kā rakstīts, – klients noteica.

– Nu labi. Ja brūnas, tad brūnas. Ap acīm varu uzlikt plānu lateksa kārtiņu – izskatīsies dabiski, taču padara vecāku. Vēl mēs varētu piestrādāt pie lūpu kaktiņiem un varbūt mazliet palielināt degunu. Taču jābūt mēra sajūtai, pārcensties nedrīkst. Jūs taču nevēlaties, lai apkārtējie jūsmotu par jūsu grima māksliniekа darbu, vai ne?

– Es vēlos, lai neviens nepakavētos pie manis ar skatienu, – apmeklētājs paskaidroja.

– Būs labāk, ja jūs vairīsieties no tiešas saules gaismas, – Rolands brīdināja. – Ir ļoti grūti radīt uz ādas tādu slāni, kas dažādos apgaismojumos izskatītos vienādi dabiski. – Viņš vēlreiz uzmanīgi nopētīja klienta seju. – Vajadzētu mazliet mainīt arī zobu sakodienu. Uzlikt ortodontisko cementu ir ļoti viegli, taču neceriet, ka būs ērti. Runādams esiet piesardzīgs.

– Es vienmēr esmu piesardzīgs.

– Domāju, ka jūsu arodā citādi nemaz nevar būt.

Klients piemiedza grima māksliniekam ar aci.

– Jūs esat lielisks puisis, Makgrūder. Esmu jums ļoti pateicīgs, un ne jau pirmo reizi.

– Jūs esat pārāk laipns. Daru tikai to, par ko man maksā. – Viņš pasmaidīja. – Kā tur īsti bija? Vai cilvēks ir laimīgs tad, ja dara tādu darbu, ko vēlas darīt, vai tad, ja vēlas darīt darbu, ko dara? Joprojām neesmu to ielāgojis. Tāpat kā daudz ko citu. – Viņš ielika mikroviļņu krāsnī divus ortodontiskā cementa gabaliņus. – Vēl mazliet, un viss būs galā, – viņš mierināja klientu.

– Es protu novērtēt jūsu pūles. Patiešām.

– Kā jau teicu, es daru to, par ko man maksā.

Stundu pēc apmeklētāja aiziešanas Makgrūders pagatavoja sev kokteili no degvīna un dzērveņu sulas un izdarīja vēl ko tādu, par ko viņam maksāja. Viņš pacēla telefona klausuli un uzgrieza numuru. Kaut kur Vašingtonā, Kolumbijas apgabalā, iezvanījās telefons. Rolands atbildētāja balsi pazina.

– Jūs lūdzāt pavēstīt, ja mums abiem zināmais cilvēks iegrie-
zīsies pie manis. – Rolands iemalkoja kokteili. – Iedomājieties
tikai, es tikko beidzu ar viņu strādāt. Tātad – ko jūs vēlaties uz-
zināt?

DIVDESMIT SESTĀ NODAĻA

Bija dzirdama aizbīdņa slīdēšanas skaņa. Tas pats sargs, ar vienu roku atslēdzis durvis un otru uzlicis uz durvju roktura, atvēra virās iestiprinātās masīvās durvis. Andrea Bānkrofta, negaidīdama pavēli, nostājās pie tālākās sienas. Šajā reizē sargs nebija viens. Kopā ar viņu telpā ienāca vēl viens vīrietis – augumā garāks, kalsnāks un vecāks. Viņi pusbalsī apmainījās pāris vārdiem, un tad sargs izgāja ārā, acīmredzot palikdams pie durvīm ārpusē.

Garais vīrietis paspēra dažus soļus Andreai tuvāk un vērtēdams viņu uzlūkoja. Par spīti vīrieša slaidajam augumam, viņa kustības atgādināja kaķa kluso, vijīgo gaitu. Viņš izskatās elegants, Andreai ienāca prātā, kaut kādā ziņā pārāk elegants. Vīrieša pelēkzaļās acis urbās viņā gluži vai ar fizisku spēku.

– Rozendeilas glabātavā nogalināti divi cilvēki, – viņš pēkšņi sacīja, it kā ieriedamies. – Jūs tur bijāt. Kas notika?

– Manuprāt, jūs to zināt, – Andrea atbildēja.

– Ko jūs ar viņiem izdarījāt? – Viņa balss bija skaļa, taču neskanīga, un viņš novērsās no Andreas. – Man vajadzīgas atbildes.

– Pasakiet, kur es atrodos! – Andrea izgrūda. – Sasodīts...

Kalsnā vīrieša skatiens pārslīdēja pār telpas sienām, it kā kaut ko meklēdams.

– Kāpēc jūs lidojāt uz Kipru? – viņš jautāja. Andreai nez kāpēc šķita, ka jautājums uzdots kādam citam, nevis viņai. – Klusēt vairs nav jēgas. – Viņš pēkšņi apgrieza segu uz viņas gultas otrādi un aptaustīja stingro segas malu.

– Kāda velna pēc...

Vīrietis pagriezās pret viņu un, izskatīdamies noraizējies un izmisis, pielika pirkstu pie lūpām.

– Ja jūs ar viņiem nesadarbosieties, – lūkodamies sāņus, vīrietis sacīja, nedaudz pārvērtis balsi, – nebūs iemesla jums saglabāt dzīvību. Viņi nemēdz būt augstsirdīgi un iespēju laboties nedod. Es jums iesaku runāt, jo tas ir jūsu labā.

Šķita, ka viņš vēršas nevis pie Andreas, bet pie kāda neredzama klausītāja.

Viņa garie pirksti sataustīja vadu, kas bija paslēpts segas vīlē. Spēcīgi parāvis, viņš izvilka gandrīz jardu garu, tievu sudrabkrāsas stiepli, kam galā bija maza lodveida ierīce.

– Lieliski, – viņš teica. – Apsēdieties un stāstiet. Ja melosiet, es to uzreiz zināšu. Es zinu par jums gandrīz visu. – Viņš saspieda melno plastmasas ierīci, un tā nokrakšķēja. – Mums ir maz laika, – pievērsies Andreai, vīrietis klusi un steidzīgi sacīja. – Pamanījuši, ka ieraksts beidzies, viņi nospriedīs, ka atgadījusies kļūme. Taču iespējams, kāds šo problēmu ievēros agrāk, nevis vēlāk.

– Kas jūs esat?

Vīrietis ielūkojās viņai acīs. Viņa sejā bija sastingušas bailes.

– Gūsteknis. Tāpat kā jūs.

– Nesaprotu.

– Es apsolīju, ka spēšu no jums izdabūt informāciju. Es teicu, ka zinu jūsu vājo vietu. Tikai tāpēc mūs saveda kopā.

– Bet kādēļ...

– Droši vien viss atkarīgs no tā, kas esat jūs un kas esmu es. Mums abiem ir kas kopējs. – Viņš tramīgi palūkojās apkārt. – Esmu Toda draugs.

Andrea iepleta acis.

– Ak Dievs! Jūs esat Džereds Rainharts.

Vašingtona, Kolumbijas apgabals

Vils Gerisons sēdēja kabineta klusumā, nikni raudzīdamies uz datora monitoru. Uz darbvirsmas bija parādījies brīdinājums, ka pienācis starpresoru ziņojums, ko nekavējoties translēja Konsulāro operāciju nodaļas iekštīkls. Vārds, ko nosauca informators Ņujorkā, bija pievienots Federālās civilās aviācijas pārvaldes uzraudzības sarakstam, un nu pienāca signāls, ka "Henrijs Džailzs" sakustējies. *Tu katrā ziņā nedomāji, ka mēs tevi pieķersim tik ātri, veco zēn Tod.*

Kad Gerisons ieradās ar šo ziņu pie Gereta Drekera, tas negaidīti sāka svārstīties. Acis aiz taisnstūra briļļu stikliem šķita nevarīgi šaudāmies uz visām pusēm. Viņš stāvēja, pagriezies pret žalūzijām, it kā nevēlētos sastapties ar Gerisona skatienu. Pēcpusdienas gaismā pret logu iezīmējās viņa slaidais stāvs.

– Vil, būs mēsli, es to jūtu, – skaļi ievilkdams elpu, Drekers sacīja, – bet es pat nezinu, kas tos taisa.

– Nolādēts, turklāt tādā brīdī, kad nevaram neko iesākt! – Gerisons aizsvilās. – Taču mums kaut kas jādara. Nekavējoties!

– Visā vainīga šī sasodītā Kērka komisija, – Drekers teica. – Pēc izgāšanās Hārta ēkā jūtos kā muļķis. Taču visam savs laiks. Laiks nokrist ar degunu dubļos un laiks piecelties. Ja izgāzīsies vēl viena mūsu operācija, visus nākamos divpadsmit mēnešus mums vajadzēs atbildēt uz jautājumiem. To man saka politiķa nojauta.

– Tu taču nesūtīsi uz turieni vēl vienu apturēšanas grupu?

– Man par to jāpadomā. Oukšots teica, ka Kērka puišiem radušās siltas jūtas pret mūsu negantnieku. Tā viņam esot teikts. Oukšotam ir labas attiecības ar Kapitolija zēniem. Aizej un parunājies ar viņu.

– Lai Oukšots lasās pie velna! – Gerisons izgrūda. – Kas tas par darījumu ar Kērku? Vai Kastors viņu kaut kā šantažē? Vai viņš iztēlo sevi par sasodītu ziņu piegādātāju?

Operāciju direktors saknieba lūpas.

– To mēs nezinām. Pieņemsim, ka viņš pārliecinājis šos Dieva aizmirstos izmeklētājus, ka ir noderīgs informators. Tad uzrodamies mēs un nikni brūkam zelta gabaliņam virsū. Kā tas izskatās?

– Kā tas *izskatās*? Bet kā izskatīsies, ja mēs ļausim šim no ķēdes pasprukušajam trakajam radīt vēl lielāku jucekli? Viņš ir trauceklis, un jūs to zināt tikpat labi kā es. Jūs izlasījāt iekšējai lietošanai domāto ziņojumu no Larnakas. Šis nejēga nogalinājis pazīstamu biznesmeni, ko ne reizi vien mēs izmantojām par savu slepeno informatoru. Belkneps nav valdāms, viņš no dusmām sajucis prātā un apdraud ikvienu, ar ko sastopas. Rūta Robinsa tika noslepkavota pirms sasodītām četrām dienām!

– Izmeklētāji apgalvo, ka šeit Kastors nav vainīgs. Robinsu nogalinājusi snaipera lode, bet viņš nav snaiperis. Larnakas notikumi izskatās sarežģītāki, nekā mēs domājām. Tajā pašā laikā radušies jautājumi par Polluksu. Iespējams, mūs gaida pārsteigumi.

Šajā dzīvesstāstā ir daudz melno caurumu, un mēs nezinām, kas tajos ir iekšā. Iespējams, kaut kas vairāk par dažām golfa bumbiņām. Es to nojaušu.

– Pie velna! Vaukšķi saceļ gaisā putekļus! Man šis nolāpītais Kastora kults ir līdz kaklam. Jaunie, kuriem nav smadzeņu, kuri atsakās redzēt to, kas viņiem ir degungalā, vienmēr mēģinājuši izcelties ar oriģinalitāti. Gluži kā tas puišelis Gomess. Vai nu viņš jāatlaiž, vai jāsūta uz Moldovu!

– Jūs runājat par jaunāko analītiķi Gomesu? Taisnība, viņš uzdod jautājumus. Taču ne jau viņš viens. Kaut kas tur nav kārtībā, tev jātic.

– Par to es nestrīdos. Kaut kas tur patiešām nav kārtībā. – *Un nebūs, iekams es šo kārtību neieviesīšu.*

Kad Gerisons devās uz priekšu pa gaiteni un ielūkojās jaunākā nodaļas darbinieka kabinetā, viņš bija mazliet nomierinājies.

Drukns vīrietis ar brūniem matiem un izplūdušiem sejas pantiem pagriezās, lai viņu uzlūkotu. Tas bija O'Braiens, Gerisona aizbilstamais. Viņa rakstāmgalds bija pārblīvēts ar ģimenes fotogrāfijām un spraudnei pievienotu klēpjdatoru, kas šeit atradās pretēji instrukcijai. Viņš nebija ne kārtības, ne precizitātes mīļotājs, taču Gerisons zināja, ka uz viņu var paļauties.

– Kas lēcies, Vil?

– Kā klājas mazajiem, Denij? – Gerisons apklusa, cenzdamies atcerēties viņu vārdus. – Betijai, Leinam? Vai viss kārtībā?

– Viņiem klājas labi, Vil. Kas noticis?

– Man vajadzīga reaktīvā lidmašīna.

– Pasūti.

– Man vajag, lai to izdarītu tu.

– Tu nevēlies parakstīties dokumentos?

– Tieši tā.

O'Braiens norija kamolu, kas spiedās kaklā.

– Vai es varu iekulties nepatikšanās?

– Tu pārāk uztraucies.

– Kā teiktu juristi, tā nav atbilde pēc būtības.

– Mums nav laika spēlēm smilšu kastē. Operācija jau ir sākusies.

– Vai tā ir daļa no Kastora apturēšanas?

O'Braiens bija lēnais divplāksnis, taču muļķis nebija.

– Vai zini, Denij, – Gerisons rāmi atbildēja, – mēs jau mēģinājām viņu apturēt, vai ne? Šoreiz viss būs citādi. Viens pats augstākās klases operatīvais darbinieks, gluži kā labi nomērķēta bulta.

– Kurš? – O'Braiens jautāja. – Kurš būs pasažieris tajā lidmašīnā?

Gerisona mīkstajos vaigos iegūla smaids.

– Es.

Viņš nebūt nevēlējās uzsvērt savu neaizstājamību. Pēc ilgām pārdomām Gerisons bija secinājis, ka lielākas izredzes notvert Belknepu ir vienam. Pieredzējis slepenais aģents viegli spēj atklāt vairāku cilvēku grupu, kas viņam seko, turklāt tādu operāciju apgrūtina koordinācijas problēmas. Gerisons atcerējās, kā savulaik Belkneps viens bija arestējis kādu nelieti, saprazdams, ka vairāku cilvēku ierašanās "garausi aizbaidīs". Drekera nepatika pret Belknepu viņam labi noderēs.

– Tu? – O'Braiena acis iepletās. – Vai drīkstu ko jautāt, Vil? Tu savulaik biji leģendārs operatīvais darbinieks – to zina visi. Taču tu esi uzkārpījies pašā sasodītā kalna virsotnē... Vai patiešām nav neviena cita, ko sūtīt? Kāda jēga, pie velna, tavam augstajam amatam, ja tu nevari sēdēt sava kabineta drošībā?

Gerisons noklakšķināja mēli.

– Vai zini teicienu? Ja gribi, lai darbs būtu padarīts tev pa prātam, padari to pats.

– Nudien, tagad vairs tādi kā tu nedzimst. – O'Braiens nogrozīja galvu. – Un labi vien ir. Tātad tu dosies... ar pilnu ekipējumu?

Gerisons pamāja ar galvu.

– Vai tev nepieciešams ko sagatavot? Vai par visu parūpēsies tu pats?

– Karavīrs vienmēr pats sakravā savas mantas, Denij.

– Tu runā tā, it kā dotos karā.

– Es aizeju, lai *uzvarētu*, Denij.

Tajā dienā Vašingtonā viņi mērķim bija tik tuvu, tik tuvu, ka uzdevums būtu izpildīts, ja notikumu vietā ierastos Gerisons pats. Kastors bija viltīgs maita, taču apspēlēt Gerisonu viņš nespētu. Gerisons ir ļoti pieredzējis, apguvis visus sasodītos trikus, māņu kustības un izlocīšanās veidus, kādi vien izgudroti. Tādus kā Belkneps "neaptur". Tas tikai nozīmētu jaunas nepatikšanas. Vienīgais ceļš, kā varēja panākt, lai viņš vairs nepastrādātu nevienu nelietību, bija ielaist viņam galvā lodi. Kādam galu galā bija jāuzraksta BEIGAS, nevis TURPMĀK VĒL, un to

428

Gerisons bija apņēmības pilns izdarīt. Kad stāsts beidzies, tas patiešām ir beidzies. Nekāda turpinājuma. Nekādas mēles kulstīšanas. Karā kā jau karā.

– Uz kurieni?

– Uz Dominiku. Piecdesmit kilometru uz dienvidiem no Gvadelupas. Pēc stundas man jāsēžas lidmašīnā. Kusties, mazais!

– Kas Dominikā notiek? – O'Braiens jau sniedzās pēc telefona.

– Nezinu, – Gerisons nomurmināja, daļēji atbildēdams pats sev. – Taču nojaušu, kas.

Džereds Rainharts apsēdās viņai tuvāk.

– Es tik daudz ko vēlētos paskaidrot.

– Kas šī ir par vietu? Kur mēs esam?

– Manuprāt, kaut kur Ņujorkas štata ziemeļos. Nomaļā lauku nostūrī, varbūt klosterī. Taču vienlaikus ļoti tuvu Ņujorkai.

– Man šķiet, ka tas viss ir murgs, no kura es drīz pamodīšos.

– Protams, tas ir murgs, – Rainharts sacīja. – Paklausieties, mums nav daudz laika, tāpēc jārunā par Ģenēzi. Tods ir uz pēdām, vai ne?

Andrea pamāja ar galvu.

– Man jāzina, ko viņš noskaidrojis. Kur, viņaprāt, Ģenēze atrodas?

Viņa norija siekalas, pūlēdamās sakopot domas.

– Pēdējais, ko es par viņu zinu, ir tas, ka viņš tikās ar senatoru Kērku.

– Jā, mēs to zinām. Taču viņam ir priekšstati, aizdomas, nojautas. Lūdzu, Andrea, tas ir ļoti svarīgi! Viņš katrā ziņā jums kaut ko teica.

– Viņš apgrieza otrādi visu, ko vien spēja. Pārbaudīja versijas. Pat prātoja, vai Ģenēze neesat jūs.

Rainharts izskatījās aizvainots.

– Vai arī Pols Bānkrofts, vai... galu galā, man šķiet, Belkneps nosprieda, ka tas ir kāds, kuru mēs pat neiedomājamies. Manuprāt, viņš nolēma, ka tas ir pavisam kāds cits.

– Tas ir par maz. Jums jāmēģina atcerēties. Viņš jums uzticējās, vai ne?

– Mēs uzticējāmies viens otram.

– Viņš taču noteikti ieminējās par to kaut vai pusvārdos.

– Ko jūs no manis gribat? Vai domājat, ka viņš zināja, kas ir Ģenēze, bet centās to paturēt noslēpumā? Tā nebija. – Andrea cieši lūkojās blakussēdētājam acīs, juzdama, ka sirds strauji dauzās. – Citādi viņš nebūtu devies pie senatora.

Jā, mēs to zinām.

Kas ir tie "mēs", un kā viņi to var zināt?

– Džered, – Andrea teica, – piedodiet manu apjukumu, taču es neko nesaprotu.

– Viņi var atnākt jebkuru brīdi, – viņš atgādināja. – Lūdzu, koncentrējieties.

– Vai mēs esam Ģenēzes gūstā?

– Ko jūs runājat!

Andrea saprata.

– Tie ir citi, kas vēlas uzzināt par Ģenēzi, vai ne? Un jūs viņiem palīdzat.

– Jūs esat jukusi!

Jā, mēs to zinām.

– Jūs mēģināt noskaidrot, vai Belkneps jau min jums uz papēžiem, vai ne? Draudu novērtējums – vai tā jūs to saucat?

Nenovaldījusies Andrea metās Rainhartam virsū, taču viņš to sāpīgi sagrāba aiz plaukstas locītavas un nogrūda zemē uz grīdas. Andrea lēni piecēlās kājās.

Rainharts stāvēja viņas priekšā, lūkodamies uz viņu ar neslēptu naidu. No tēlotās laipnības viņa sejā vairs nebija ne miņas. Toties tur bija nicinājums.

– Tu esi glīta sieviete, – viņš beidzot sacīja. – Piedod par šejienes apgaismojumu, kas neglaimo.

– Apgaismojums mani uztrauc vismazāk.

Rainharts viltīgi pasmaidīja. Lūša smaids, Andrea nodomāja. Viņš atgādināja tēlu no Pontormo vai cita sešpadsmitā gadsimta Florences skolas pārstāvja gleznas. Tāds kā izstiepts, taču ar saspiestas atsperes spēku.

– Mums katram šajā spēlē iedalīta sava loma. Jāteic, ka tavējā ir izšķirīga. – Viņš cieši vērās Andreā, ar savu magnētisko skatienu gluži vai vilkdams ārā Andreas dvēseli. – Apsēdies, lūdzu. – Viņš pamāja uz gultu. – Lai tev turpmāk nenāktu prātā muļķīgas domas, atceries uz visiem laikiem, ka esmu profesionālis. – Gluži kā burvju māksliniekam, viņam rokā pēkšņi uzradās stieples gals. – Ja vēlētos, es varēju tev to ietriekt kaklā starp otro un trešo skriemeli. Vai tu kaut ko justu? Viss atkarīgs no intuīcijas jeb *Fingerspitzengefühl*, kā teiktu vācieši. Lai tevi nemaldina apstāklis, ka mana josta nav apkārta ar ieročiem. Tas

430

nav vajadzīgs. – Vienu ilgu mirkli viņa acīs strāvoja bezgalīgs ļaunums. Tad viņš tās samirkšķināja, un sejā iegūla ierastā mānīgā pieklājības izteiksme.

– Jāatzīstas, ka es jums noticēju.

– Bija vērts pūlēties. Tagad man ir skaidrs, kāpēc Tods tevi izvēlējies par palīdzi. – Viņš pasmaidīja savu lūša smaidu. Zobi vien, bez siltuma. – Gudras sievietes vienmēr bijusi viņa vājība. Taču mums tu neesi noderīgs informācijas avots. Tas gan mani nepārsteidz.

– Vai Tods tik ļoti jūs apdraud? Un es arī?

– Es teiktu, ka mēs parasti uz draudiem nereaģējam. Mēs paši radām draudus. Un tos izpildām. Pēdējā laikā tas notiek biežāk nekā agrāk. Ansari tīkls ir viens no pasaulē lielākajiem, un nu tas pieder mums. Nikoss Stavross bija cieši saistīts ar slepenu ieroču kravu pārkraušanu, jo mēs kontrolējam arī *Stavros Maritime*. Tāpat kā desmitiem citu bruņojuma un munīcijas vairumtirdzniecības uzņēmumu. Esmu pārliecināts, ka tu šo to zini par biznesu. Lietišķajā pasaulē to sauc par pārņemšanu.

– Tas nozīmē vienādas preces ražojošu nelielu firmu pakļaušanu vienai ar mērķi dominēt tirgū. Jums taisnība, es orientējos šajā biznesā. *Coventry Equity* finansiāli atbalstīja dažus tādus nodomus.

– Neviens nespēj iedomāties, ka to var darīt paralēlajā ekonomikā, tā dēvētajā melnajā tirgū. Manuprāt, esam pierādījuši pretējo. Tas, protams, nozīmē, ka mēs kļūsim vēl varenāki nekā līdz šim.

– Kas ir "mēs"?

– Es domāju, ka tu to zini.

– *Theta*.

– Tu nosauci vienu daļu no veseluma. – Rainharta sejā atkal pavīdēja smaida grimase. – Vai saproti, uz kāda sliekšņa mēs stāvam?

– Es saprotu, ka jūs manipulējat, lai panāktu sev tīkamu rezultātu vēlēšanās visā pasaulē.

– Tā ir tikai blakus nozare. Galu galā ir ļoti maz valstu, kurās vēlēšanas kaut ko nozīmē. Pārējā pasaulē pār vēlēšanu urnām valda ieroči. Tieši tāpēc mēs darām to, ko darām. Mēs efektīvi pārvaldām vardarbības pieejamību. Vienīgais ceļš, kā nelegāli grupējumi var iegūt bruņojumu, ved caur mums. Mēs varam nodrošināt to režīmu stabilitāti, kuri bez mūsu atbalsta tiktu gāzti.

431

Mēs varam destabilizēt režīmus, kas bez mūsu iejaukšanās cieši turētos pie varas. Kā jau tu saproti, mēs veidojam kaut ko gluži jaunu. Kaut ko tādu, kur nācijai un valstij nebūs nozīmes, – mēs veidojam paši savu tautu savienību.

Andrea ieskatījās patētiskā vīrieša skadrajās, apņēmības pilnajās acīs.

– Kādēļ? Kāds tam visam ir mērķis?

– Andrea, netēlo muļķi! Domāju, ka tu lieliski to saproti.

– Es saprotu, ka jūs esat Ģenēze. Tik daudz es patiešām saprotu. Tāpēc jūs gribējāt uzzināt, vai Tods ir spējīgs sadzīt jums pēdas.

Džereda Rainharta pelēkzaļās acis iepletās.

– Vai tu patiešām domā, ka esmu Ģenēze? Diez vai. Diez vai, Andrea. – Viņa balss aiz satraukuma kļuva skaļāka. – Ģenēze ir galēji negatīvs spēks. Ģenēze izraisa postu un nelaimes.

Andrea, cenzdamās izprast šo atbildi, juta, ka viņai reibst galva. *Ģenēze. Tavs ienaidnieks.*

– Jūs baidāties no viņa, – brīdi klusējusi, viņa klusi, gandrīz čukstus teica.

– Es baidos no postīšanas valdzinājuma. Kurš saprātīgi domājošs cilvēks no tā nebaidās? Ģenēzei visur ir pakalpiņi, viņš pastāvīgi vervē algotņus un sabiedrotos...

– Jūs baidāties no viņa.

– Kad es tev saku – Ģenēze ir gļēvulis! Tieši tāpēc viņš nevienam nerādās un neļauj uz sevi paskatīties.

– Kā tad viņš vervē sev sabiedrotos? Kā viņš darbojas?

– Informācijas laikmetā? Bērnu spēle. Ģenēze pārbauda tā dēvētās aizsargātās interneta tērzēšanas lappuses un sameklē veiksmes kareivjus, kuri sazinās, izmantodami pasaules tīmekli. Ģenēze elektroniski maksā pat tiem informatoriem, par kuriem citi viņam sagatavo elektroniskus ziņojumus. Tā kā neviens nezina, kurš strādā un kurš nestrādā Ģenēzes labā, valda vispārēja baiļu mānija. Tas viss tiek darīts ļoti viltīgi. – Rainharta balsī jautās gan aizvainojums, gan apbrīna. – Ģenēze ir zirneklis zirnekļu tīkla vidū. Laiku pa laikam kāds no tīkla pavedieniem saules staros iemirdzas, un tad mēs to ievērojam. Ģenēze pastāvīgi slēpj savu seju. Taču viņam nav pozitīvas programmas, ko pasaulei piedāvāt. Viņš – varbūt viņa? – alkst mūs satriekt.

– Vai tāpēc, ka Ģenēze grib ieņemt jūsu vietu?

– Varbūt. Drīz vien mēs uzzināsim ko vairāk. Ar šo jautājumu nodarbojas labākie no labākajiem. – Viņš vēlreiz paspīdināja zobus saltā smaidā. – Kad viss būs beidzies, Ģenēzi atcerēsies ne vairāk kā grumbu uz ceļa.

– Bet... ko īsti vēlaties jūs?

– It kā tu nezinātu! Tavs tēvocis apgalvoja, ka tu esot spējīga skolniece. Viņš pat iedomājās, ka tu ar laiku mūsu organizācijā ieņemsi svarīgu vietu.

– Pols Bānkrofts.

– Protams. Pirmām kārtām tas bija viņš, kurš izgudroja grupu *Theta*.

Andrea juta, ka viņai pakrūtē briest nelabums.

– Un tagad jūs grasāties izveidot savu armiju. Vai jūs zināt, cik briesmīgi tas skan?

– Briesmīgi? Esmu pārsteigts, cik maz no sava tēvoča tu esi iemācījusies. Viss, ko mēs darām, kalpo cilvēces labklājībai. To apstiprina mūsu aprēķini. Mūsu korumpēto pasauli grupa *Theta*, kas ir patiesi ideālisti, visiem spēkiem cenšas padarīt labāku.

Andrea nodrebēdama atcerējās Pola Bānkrofta citēto rindiņu no Manīlija apcerējuma: "Pacelies augstāk pār savu saprātu un padari sevi par Visuma pavēlnieku."

– Es nesaprotu vienu, – viņa sacīja. – Kāpēc mēs risinām šo sarunu? Kāpēc jūs esat šeit?

– Vari uzskatīt mani par sentimentālu muļķi. Taču es gribu tevi iepazīt, pirms... – Viņš atskatījās. – Es nebrīnos, ka Tods Belkneps tevi dievina. Esmu ziņkārīgs un vēlos uzzināt, kāds cilvēks tu esi. Vēlos brīvi un vaļsirdīgi parunāties ar tevi, lai tu saprastu, ka tikpat brīvi un vaļsirdīgi vari runāt ar mani. – Viņš uz mirkli apklusa un tad turpināja: – Tu man neticēsi, taču Tods man nav vienaldzīgs. Es viņu mīlu kā brāli.

– Jūs pareizi teicāt, – Andrea atbildēja. – Es jums neticu.

– Kā brāli, – Rainharts atkārtoja, it kā nebūtu dzirdējis, ko Andrea saka. – Tā kā runa ir par mani, tās ir sarežģītas, cieņpilnas jūtas, jo es savu brāli nogalināju. Nevienu citu kā savu dvīņubrāli. Savādi, ka es pat nespēju atcerēties, kādēļ. Tolaik es biju vēl bērns. Taču es novēršos no temata.

– Jūs esat slims cilvēks, – Andrea drebošā balsī teica.

– Nē, veselība man ir laba. Taču es saprotu, ko tu ar to gribi teikt. Es esmu... citāds nekā lielākā daļa cilvēku.

– Ja Tods zinātu, kāds jūs īstenībā esat...

– Viņš pazina vienu no maniem paveidiem. Cilvēki ir sarežģīti, Andrea. Draudzība ar Belknepu man prasīja lielu darbu... es strādāju ļoti, ļoti cītīgi, lai to izkoptu un saglabātu. Tas nozīmēja, ka traucēkļi, kas novirzīja viņu sāņus, bija jāaizvāc.

Traucēkļi, kas novirzīja viņu sāņus, bija jāaizvāc.

– Jūs turējāt viņu gluži kā izolācijā, – Andrea vārgā balsī teica. – Neļāvāt gūt līdzsvaru. Brīdī, kad Todam ar kādu cilvēku izveidojās sirsnīgas, ciešas attiecības, jūs... rīkojāties, lai tās izbeigtu. Kad viņš sēroja, jūs allaž bijāt līdzās un mierinājāt viņu. Šis cilvēks jūsu labā izdarītu visu. Bet vienīgais, ko jūs sniedzāt viņam pretim, bija nodevība.

– Un tomēr, Andrea... es rūpējos par viņu, – kalsnais vīrietis klusi iebilda. – Un sajūsminājos. Viņam piemita... viņam piemīt neparastas spējas. Ja Tods apņemas, ja viņš noskaņojas, pasaulē nav neviena, kam viņš nespētu sadzīt pēdas.

– Pirmām kārtām tāpēc jūs pielipāt viņam kā dadzis, vai ne? Viņš man stāstīja par Austrumberlīni, par notikumiem pirms daudziem gadiem. Kas tas bija – dubultgājiens?

– Tu *patiešām* esi gudra. Neilgi pirms tam biju savervējis Lagneru. Es sapratu, ka tāds cilvēks var būt noderīgs, un nekļūdījos. Tajā pašā laikā kļuva skaidrs, ka jaunā mistera Belknepa talants sameklēt cilvēkus pārspēj Lagnera slēpšanās talantu. Vienīgās izredzes glābt Lagneru nozīmēja radīt iespaidu, ka Dzinējsuņa medības beigušās ar viņam vēlamo rezultātu. Mēs rūpīgi iestudējām izrādi, kas pārliecinātu Belknepu par Lagnera nāvi. Mums tas izdevās.

– Bet jūs ieguvāt vēl ko labāku. Dzinējsuņa uzticību un pieķeršanos. Viņa spēku jūs pārvērtāt vājumā.

Rainharts māja ar galvu, un viņa sejā iepletās pazīstamais stingais smaids.

– Esmu saprātīgs cilvēks. Tods ir apveltīts ar īpašu talantu. Kā gan lai es nevēlētos viņu par savu sabiedroto?

– Viņa spējas izraisīja jūsu skaudību, un jūs gribējāt tās ekspluatēt, tāpēc darījāt visu, lai to panāktu. Jau toreiz, kad viņš bija vēl iesācējs.

– Dārgā, tu lasi manī kā atvērtā grāmatā.

– Jā. – Kā kodīgs šķīdums Andreu pildīja pretīgums. – Kā gan jūs varat staigāt pa zemes virsu?

– Andrea, neuzņemies soģa pienākumu. – To teicis, Rainharts krietnu brīdi klusēja. – Dīvaini, – beidzot viņš sacīja, – es sarunājos ar tevi tā, kā vienmēr esmu vēlējies parunāties ar Todu. Diez vai viņš saprastu mani labāk nekā tu. Taču pamēģini, Andrea. Pamēģini mani saprast. Ne jau katra atšķirība nozīmē invaliditāti. Pirms daudziem gadiem es vērsos pie kāda psihoterapeita, ļoti cienījama speciālista. Norunājām, ka viņš man veltīs vienu pēcpusdienu.

– Jūs neizskatāties pēc tāda, kas apmeklētu psihoterapeitu.

– Toreiz biju vēl jauns. Kā mēdz teikt, sava "es" meklējumos. Tātad es devos uz mājīgu biroju Vestendas avēnijā, Manhetenā, un atkailināju tur savu dvēseli. Izstāstīju pilnīgi visu. Mani uztrauca kāda mana rakstura īpašība... vai, pareizāk, mani uztrauca tas, ka tā mani pilnīgi nemaz neuztrauca, kaut gan es zināju, ka uztraukties vajadzētu. Andrea, droši vien vislabāk to varētu pateikt tā – es biju piedzimis bez morālā kompasa. Un apzinājos to jau bērnībā. Protams, ne uzreiz. Par šo trūkumu es uzzināju tāpat, kā uzzina par daltonismu. Pēkšņi atklājas, ka citi redz īpatnību tur, kur tev viss izskatās normāls.

– Jūs esat briesmonis.

Rainharts nelikās viņu dzirdam.

– Atceros, mūsu labradora kucei piedzima kucēni, un man šķita, ka to ir vairāk, nekā viņa spēs aprūpēt. Tā nu es vienu aizņēmos, lai veiktu eksperimentu. Ar asu nazi uzšķērdis kucēna vēderu, pārsteigts raudzījos uz to, ko tur ieraudzīju. Es pasaucu brāli un parādīju viņam, ko ar kucēnu esmu izdarījis – mazās zarnas atgādināja sliekas, un aknas izskatījās tādas pašas kā cālim. No tā skata es neguvu nekādu sadistisku uzbudinājumu – mani bija mudinājusi tikai ziņkāre. Kad brālis ieraudzīja beigto kucēnu, viņš paskatījās uz mani it, kā es būtu derdzīgs kroplis vai kaut kāds necilvēks. Viņa skatienā bija bailes un riebums. Es to nesapratu! Gluži vienkārši nesapratu. – Rainharta balss skanēja spokaini, it kā no citas telpas. – Es sāku to saprast, kad kļuvu vecāks. Taču nekad neko nejutu. Citi cilvēki rīkojas, nedomādami pakļaujoties morālajai intuīcijai. Man tādas intuīcijas nekad nav bijis. Man šie noteikumi bija jāmācās, tāpat kā citi mācās pieklājības noteikumus, un tās reizes, kad tos pārkāpu, man vajadzēja slēpt. Tā bija ar brāļa nāvi, ko uzdevu par nelaimes gadījumu, teikdams, ka automašīna viņu notrieca un aizbrauca. Droši vien tāpēc, ka biju labi iemācījies slēpt šo savu īpatnību, es galu galā nonācu izlūkdienestā. Izlikšanās bija kļuvusi par manu otru dabu.

435

Andreu mocīja nelabums.
– Un jūs to visu pastāstījāt psihoterapeitam?
Rainharts pamāja ar galvu.
– Kā izrādījās, tas bija visai vērīgs psihoterapeits. Kad viņš beidzot sacīja: "Šķiet, ka mūsu laiks ir beidzies," – es viņu turpat pie galda ar savu kaklasaiti drošības pēc nožņaudzu. Tagad sev jautāju: vai mūsu tikšanās sākumā es zināju, ka grasos viņu nogalināt? Manuprāt, zemapziņā to zināju, jo rūpīgi sekoju, lai nekur viņa birojā neatstātu pirkstu nospiedumus. Par pieņemšanu biju vienojies ar svešu vārdu un tā tālāk. Un tāpēc, ka to zināju, es spēju runāt ar viņu tik brīvi.
– Tāpat kā ar mani, – Andrea izdvesa.
– Šķiet, ka mēs saprotam viens otru. – Rainharta balsī nebija ne miņas no nelaipnības.
– Jūs teicāt, ka allaž kalpojat labajam. Ka visa grupa *Theta* kalpojot labajam. Vai patiešām domājat, ka jūs, sociāli bīstams tips, kādam spējat darīt labu?
– Es nesaskatu šeit paradoksu. – Rainharts atspiedās pret sienu iepretim viņas gultai. Viņa seja pauda gan uzmanību, gan saltu vienaldzību. – Vai zini, manu dzīvi pārvērta doktors Bānkrofts. Ar prātu allaž esmu vēlējies veltīt savu mūžu labajam, rīkoties cēla mērķa vārdā. Pirms tam es nemācēju šo mērķi *ieraudzīt*, man šķita, ka parastie cilvēki rīkojas, pakļaudamies tik sarežģītam dažādu izjūtu un apsvērumu juceklim, ka es reizēm nespēju ne paredzēt, ne izprast viņu nevainojami argumentētos lēmumus. Man bija vajadzīgs ceļvedis, kas man norādītu skaidru taku pie labā. Un tad es sastapu doktoru Polu Bānkroftu un uzzināju par viņa darbību.
Andrea klusuciezdama vērās uz Rainhartu.
– Viņš ir cilvēks ar ģeniāli vienkāršu dzīves algoritmu – skaidru, tīru un objektīvu, – Rainharts turpināja. – Viņš man atklāja, ka morāle nav subjektīva izpratnes spēja. Ka tas ir vienkāršs jautājums par cilvēka maksimālu lietderību. Un ka intuīcija ļaudis visticamāk novirza no pareizā ceļa. – Rainharta balss kļuva mundrāka, acis iedegās. – Man trūkst vārdu, lai izstāstītu, cik apburts es biju. Vienmēr atcerēšos, ko doktors Bānkrofts man reiz teica. Viņš teica, lai es salīdzinot sevi ar vīru, kurš atturas nodīrāt ādu dzīvam cilvēkam, jo viņam tāda doma ir pretīga. Šā vīra motīvs ir vienīgi pretīgums. Ja no tā atturēšos es, viņš teica, mans lēmums būs saistīts ar pārdomātām aksiomām un principiem. Kurš

sasniegums no ētikas viedokļa ir izcilāks? Šie vārdi bija īsta dāvana. Taču lielākā dāvana bija viņa stingrie morāles principi. Svētlaimes formula.

– Kā jūs par to varat runāt!

– Tramvajs, kurš zaudējis vadību. Tu taču atceries šo piemēru, vai ne? Ja kāds pārliks pārmijas, tas metīs līkumu, un bojā ies viens cilvēks, nevis pieci.

– Atceros.

– Un tas, šaubu nav, būs pareizi darīts. Taču tagad, teica doktors Bānkrofts, iedomājieties, ka esat orgānu pārstādīšanas ķirurgs. Ja atņemsiet dzīvību vienam cilvēkam un izmantosiet viņa orgānus, jūs spēsiet glābt piecus pacientus. Kāda ir atšķirība starp šīm divām situācijām? Nekādas. *Nekādas*, Andrea.

– Jūs katrā ziņā tādu nesaskatāt.

– Loģika taču ir skaidra. Ja kāds šajā situācijā ļauj vaļu izjūtām, tad, protams, viss ir citādi. Vecajiem aizspriedumiem jāizzūd. Doktors Bānkrofts ir lielākais, cildenākais zinātnieks, kādu man gadījies sastapt. Viņa filozofija nozīmē, ka es patiešām varu veltīt savu dzīvi kalpošanai lielam labumam. Šī filozofija sniedza man algoritmu, kas aizstāja iztrūkstošo... gluži kā tāda bioelektroniska acs. Doktors Bānkrofts paskaidroja, ka darīt labu ne vienmēr ir viegli, ka tas ir grūts darbs. Tods droši vien jums stāstīja, ka esmu kā uzburts uz darbu...

– Pols teica... – Andrea viņu pārtrauca. – Viņš teica, ka svarīga ir ikviena cilvēka dzīvība. Un kā ar manējo? Kā ar *manējo*, sasodīts?

– Ak, Andrea... Tā kā tu esi samērā labi informēta par mūsu operācijām, mums atbilstoši jārīkojas. Tava dzīve ir ļoti svarīga, gluži tāpat kā tava nāve. – Rainharta balss skanēja gandrīz vai maigi.

– Mana nāve, – Andrea neskanīgi atkārtoja.

– Visus, kas mīt uz šīs zaļās zemes, gaida nāve, – Rainharts teica. – Tu taču to zini. Cilvēki par nogalināšanu runā tā, it kā tas būtu kaut kas ārkārtīgs, taču patiesībā tas ir tikai viens no darba kārtības jautājumiem.

– Viens no darba kārtības jautājumiem.

– Ja jau par to ir runa, man tev kas jāpavaicā. Tev taču ir O asins grupa, vai ne?

Stingi raudzīdamās vienā punktā, viņa pamāja ar galvu.

– Lieliski. – Rainharts saberzēja plaukstas. – Universālais donors. Vai neesi slimojusi ar hepatītu, *HIV*, sifilisu, malāriju, papilomu vai citām ar asinsrites sistēmu saistītām slimībām? – Viņa auksto ķirzakas acu skatiens ieurbās Andreā.

– Nē, neesmu, – Andrea nočukstēja.

– Ceru, ka esi regulāri ēdusi. Svarīgi, lai iekšējie orgāni būtu veseli, lai dzelzs līmenis būtu normāls, un tā tālāk. Domāju, ka tu saproti, kāpēc tevi vairs nesazāļojam ar nomierinošām vielām. Tāpēc, ka mēs nevēlamies, lai ar tām būtu pārplūdināti tavi orgāni. Saņēmējiem tas nebūtu vēlams. Gribu teikt, ka tieši patlaban es meklēju jaunu, veselu sievieti. Tava nāve glābs pusduci dzīvību. Turklāt man vajadzīgas ne vien asinis, bet arī aknas, sirds, divas nieres, divas radzenes, aizkuņģa dziedzeris, divas lieliskas plaušas un, bez šaubām, daudz asinsvadu. Es priecājos, ka tu nesmēķē.

Andrea valdījās, lai nesāktu konvulsīvi rīstīties.

– Saudzē sevi, – Rainharts novēlēja, iedams uz durvju pusi.

– Saudzē *pats* sevi, garīgais kropli! – Andrea neizturējusi iekliedzās. Tikai niknums, pāri plūstošs niknums deva viņai spēku, neļaudams salūzt šajā pašā brīdī. – Vai tas nebiji tu, kurš teica, ka Tods Belkneps spēj sadzīt pēdas ikvienam, ja vien viņš uz to noskaņojas?

– Jā, tas biju es. – Rainharts pasmaidīja, pieklauvēdams pie tērauda durvīm. – Un tieši uz to es ceru.

DIVDESMIT SEPTĪTĀ NODAĻA

Dominikas Sadraudzība, saņurcīts sauszemes ovāls, kas atrodas starp Martiniku un Gvadelupu, kādreiz bijusi britu kolonija, un tas joprojām jūtams šīs zemes kulinārijā. Taču to kompensē daudz kas cits. Zemu nodokļu industrijai Dominika pievienojās samērā vēlu – likumu par starptautisko kompāniju uzņēmējdarbību tā pieņēma tikai 1996. gadā –, taču ātri nopelnīja tāda uzticama partnera reputāciju, kurš prot turēt mēli aiz zobiem. Dominika ir suverēna valsts un nav pakļauta ne amerikāņu, ne eiropiešu noteikumiem. Minētais likums noteica, ka privātas informācijas izpaušana, īpaši informācijas par sodāmību izpaušana, ir kriminālnoziegums. Salā neeksistēja nekādas finanšu līdzekļu pārvietošanas kontroles, nekāda ar likumu noteikta lietišķās darbības uzraudzība. Trīsdesmit jūdžu garā un divreiz šaurākā sala ir bagāta ar bieziem mežiem, zaļām ielejām, gleznainiem ūdenskritumiem un robotu krastu. Lai gan Dominikas iedzīvotāju skaits sasniedz tikai ap septiņdesmit tūkstošiem cilvēku, kuru lielākā daļa dzīvo galvaspilsētā Rozo, elektroapgādes un sakaru tīklu infrastruktūra šeit ir neparasti labā līmenī. Ekologi pastāvīgi sūdzas par dažādām antenām, kas uzstādītas kalnu virsotnēs lielākajos mežu rezervātos, bet indikatoru spuldzītes kaitina akvalangistus, kam tādas mūsdienu laikmeta zīmes atņem ilūziju par šīs Ēdenes nošķirtību un neskartību.

Belknepam nekādu ilūziju nebija, un viņš negrasījās apjūsmot tropu salas krāšņumu. Tiklīdz kopā ar Volteru Saču viņš izkāpa no lidmašīnas, abi devās uz šķūnim līdzīgu celtni, kas atradās aptuveni trīssimt jardu attālumā no Melvilholas, galvenās lidostas. Spilgti dzeltens logotips norādīja, ka tas ir automašīnu nomas punkts.

– Mani sauc Henrijs Džailzs, – Belkneps teica. – Esmu pasūtījis pilnpiedziņas apvidus automašīnu. – Viņš bija izņēmis no mutes smaganu uzmavu, bet smaganas joprojām sāpēja.

– Pilnpiedziņas auto salūzis, draugs, – melodiski noteica aiz letes sēdošais vīrietis. – Mašīna iekļuva avārijā karnevāla laikā pērnajā janvārī. Kopš tā laika tā arī stāv.

– Vai jūs bieži ļaujat cilvēkiem pasūtīt mašīnas, kas nedarbojas? – Sačs noprasīja. Pēc garā lidojuma viņš nebija labā noskaņojumā.

– Kaut kas būs sajaukts. Ziniet, uz telefona zvaniem dažreiz atbild mana sieva. Viņa kopš tūkstoš deviņsimt septiņdesmit sestā gada viesuļvētras nav īsti atlabusi.

Vērīgāk vīru nopētījis, Belkneps redzēja, ka viņš ir stipri vecāks, nekā šķita pirmajā acu uzmetienā. Viņa gludi skūtā galva spīdēja tropu svelmē un āda – melna kā darva – izskatījās pēc gumijas.

– Ko tad varat man piedāvāt, draugs?

– Man ir *Mazda*. Divu riteņu piedziņa, lai gan neesmu pārliecināts, ka vienmēr tā ir.

– Ar ko braucat jūs pats?

– Es? Ar to tur veco džipu. – "To tur" izklausījās pēc "do dur".

– Cik maksās, ja es to noīrēšu?

Vīrietis noraidoši iesvilpās, caur priekšējo zobu starpu ievilkdams gaisu.

– Tie ir mani riteņi.

– Cik tu prasi, lai tie būtu mani?

Nomātavas saimnieks vispirms lika viņam šķirties no divsimt ASV dolāriem un tad pasniedza sava džipa atslēgas.

– Kurp jūs dosieties, draugs? – vīrs jautāja, bāzdams banknotes kabatā. – Ko gribat aplūkot šajā paradīzes salā?

Belkneps paraustīja plecus.

– Vienmēr esmu vēlējies redzēt Verdošo ezeru. – Verdošais ezers bija ģeotermiska dīvainība, applūdināta krātera sprauga, viens no salas interesantākajiem apskates objektiem.

– Tad jums laimējies. Vai zināt, tas ezers ne vienmēr vārās. Pērn lielākoties tikai tvaikoja, draugs. Toties šogad ir īsti verdošs. Piesargieties, kad esat tam tuvumā.

– Ņemšu to vērā.

Kad viņi izbrauca uz ceļa, kas veda uz dienvidiem Rozo virzienā, Volts saskāba vēl vairāk.

– Tavas sasodītās spiegu lietas mani novedīs kapā, – viņš činkstēja. – Tu vismaz vari sevi aizstāvēt. Bet es?

Belkneps viņu uzlūkoja, taču neko neteica.

Džipā bez atsperojuma bija jūtama ikviena gramba. Pret mašīnas jumtu ik pa brīdim nograbēja augļu koku zari ar biezām, vaskainām lapām, no kurām laukā spraucās laimi, banāni, gvajaves augļi. Tik zaļojošu ainavu Belkneps nekad nebija redzējis.

– Vai zini ko? – Volts sabozies sacīja. – Es sāku domāt, ka tavam atmiņas čipam ir nepareiza kontrolsumma.

– Tur, no kurienes tu nāc, tā droši vien ir ikdienišķa frāze, – Belkneps noteica.

– Uz kurieni mēs īsti braucam?

– Uz Bēdu ieleju, – Belkneps atbildēja.

– Tu joko.

– Paskaties kartē.

– Tomēr nejoko vis. – Sačs pēc brīža nopūtās. Desmit stundu ilgais ceļš – Sanhuanā viņi pārsēdās mazā propelleru lidmašīnā – abus bija nogurdinājis kā fiziski, tā garīgi.

– *Privex* atrodas Rozo, – Sačs stīvi atgādināja.

– Tu kļūdies. Tā ir tikai pastkastīte. Iestāde atrodas kalna nogāzē, nedaudz augstāk virs Morne Prosperas ciema.

– Kā tad tu to zini?

– Mans dārgais draugs Volt. To zināt ir mans darbs. Es esmu meklētājs. *Privex* ir kalna aizvēja pusē, jo tā ir atkarīga ne vien no daudzajiem salas optiskajiem kabeļiem, bet arī no satelītantenām, kuru puduris no debesīm nosūc interneta pārraidi.

– Kā gan tu...

– Notiek piegādes. Maršrutētāji un serveri, centrmezgli un komutatori, visas šīs informācijas arhitektūras sastāvdaļas, laiku pa laikam jānomaina. Tās nekalpo mūžīgi.

– Sapratu. Tātad, kad piegādes firma sagatavojusi *Connetrix* serverim detaļas, kādam tās jānogādā iestādē. Telekomunikāciju ļaudis to sauc par pēdējās jūdzes problēmu.

– Īstenībā viņiem ir *Cisco* serveri. Kaut kas tāds, ko viņi dēvē par *Catalyst* seši tūkstoši piecsimtās sērijas supervizora dzinēju.

– Bet kā...

– Kā es zināju, ka Privex tāds ir? Es to nezināju. Tāpēc tādu ierīci viņiem pasūtīju. Piezvanīju uz vienu no tīkla aparatūras lielākajām kompānijām, teikdams, ka zvanu no Dominikas, un, nosaucis pastkastītes numuru, pieteicu servera un citu datora ierīču pasūtījumu par pusmiljonu dolāru. No sarunas sapratu, ka viņiem ir *Cisco*. Vārdu sakot, es noskaidroju, ka preču nogādei uz

441

Dominiku vienā no transporta firmām tiks īrēts helikopters. Tā nu es piezvanīju uz šo transporta firmu arī.

– Un uzzināji precīzu atrašanās vietu.

– Jā.

– Neticami.

– Kā jau es teicu, tas ir mans darbs.

– Kur īsti atrodas šī vieta?

– Augstu kalnos virs Rozo ielejas.

– Ak tāpēc bija vajadzīgs džips! – Sačs novilka. – Lai uzbrauktu kalnā.

– Mēs iesim kājām. Tā būs drošāk. Džips lauku ciemā piesaistīs uzmanību, bet mums tajā iestādē jāierodas neievērotiem.

– Tas nozīmē, ka par helikopteru nav ne runas. Neraža! Šis ceļojums neatbilst reklāmas aprakstam.

– Nekāds kruīzs tas patiešām nebūs, – Belkneps piekrita. – Piedod. Pēc tam tu varēsi nokārtot kompensāciju.

– Pie velna! Paklausies, man būtu labāks garastāvoklis, ja es dabūtu ieēst un nomazgāties dušā.

– Jāpaciešas, – Belkneps attrauca. – Tādām lietām mums nav laika.

– Tu joko? – Sačs, izlaizdams pirkstus caur pelēkbrūnajiem matiem, paskatījās uz Belknepu. Viņa acis izskatījās vēl vairāk iekaisušas nekā parasti. – Nē, tu... nejoko.

Pēc divdesmit minūtēm Belkneps paslēpa džipu mūžzaļo guanabanu audzē – to blīvā lapotne pilnīgi aizsedza automašīnu.

– Tālāk dosimies kājām.

Viņi izkāpa uz mīkstas, porainas zemes, un šķita, ka siltais, mitrais gaiss viņus apskalo kā dušas ūdens.

Belkneps vēlreiz palūkojās pulkstenī. Laika patiešām bija maz – Andreas dzīvība karājas mata galā. Ģenēze jebkuru brīdi varēja viņu nogalināt.

Ja vien tas jau nebija noticis.

Belknepam aizžņaudzās krūtis. Tādu varbūtību nedrīkstēja pieļaut. Viņam jāsaņemas.

Kādēļ Ģenēze nolaupīja Andreu? Iespējams, viņai kaut kas ir zināms, kāds svarīgs sīkums, kura nozīmi viņa nenojauš. Bet varbūt – šī doma viesa Belknepā cerību – Andreas nolaupīšana liecina par izmisumu, kas pārņēmis viņa noslēpumaino pretinieku? Kur Andrea patlaban atrodas? Ko Ģenēze nolēmis ar viņu darīt?

Belkneps domās aizgaiņāja murgainās ainas, kādas caurvija baisos stāstus par Ģenēzi. Viņam jāsaņem sevi rokās un jākoncentrējas uz darāmo. Taču pārciest nākamās pāris stundas būs ļoti grūti.

Jāiet. Jāliek solis pēc soļa.

Vietām zeme bija staigna, vietām slidena un dubļaina. Jo tālāk viņi gāja, jo nogāze kļuva stāvāka. No vulkāniskajām plaisām plūda tvaiki. Pār taku šūpojās virvēm līdzīgas vīnstīgas. Virs galvas slējās simtiem pēdu gari koki, kuru savijušies zari veidoja pārsegu, kas nelaida cauri saules gaismu. Abi gāja, raudzīdamies zem kājām. Pēkšņi Sačs iekliedzās. Belkneps apsviedies ieraudzīja milzu vardi, kas sēdēja uz spīdīgi zaļu sūnu klāta celma.

– Vietējie tās sauc par kalnu cālēniem, – Belkneps paskaidroja. – Tā ir delikatese.

– Ja man tādu briesmoni restorānā pasniegs uz šķīvja, es to iestādi iesūdzēšu tiesā. – Lai gan bija noieta tikai trešā daļa ceļa, Sačs jau smagi vilka elpu. – Es joprojām nesaprotu, kāpēc augšup mēs nevarējām braukt ar mašīnu, – viņš kurnēja.

– Varbūt tu domā, ka mums vajadzētu ierasties, skaļi signalizējot? Es taču teicu, ka svarīgi ir nonākt galā neievērotiem. Ja mēs būtu braukuši pa ceļu ar džipu, mūsu pārvietošanos fiksētu desmitiem elektronisku sargposteņu.

Vēl pēc brīža Sačs lūdza apstāties, lai atvilktu elpu. Belkneps piekrita triju minūšu atpūtai, taču citu iemeslu pēc. Pēdējos pāris simtus jardu viņu māca sajūta, ka abiem seko. Protams, tādu iespaidu varēja radīt iztraucēto meža dzīvnieciņu sarosīšanās, taču cilvēka soļus viņš labāk sadzirdētu, ja abi uz dažām minūtēm sastingtu un ieklausītos.

Belkneps neko aizdomīgu nedzirdēja, taču trauksmes izjūtas neizgaisa. Viņš labi saprata, ka ikviens pieredzējis vajātājs pieskaņojas izsekojamo soļiem un nekust no vietas, ja tie apstājas. *Sasodīts! Varbūt tomēr būs izlicies?*

– Skaties abām acīm, šeit var būt čūskas, – Belkneps brīdināja ceļabiedru, kad viņi gājienu atsāka.

– Es redzu tikai ķirzakas un viendienītes, – strauji elpodams, Sačs pavēstīja. – Ķirzaku tomēr nav tik daudz, lai tiktu galā ar visām mušiņām.

– Ja iedziļināmies, saprotam, ka tas ir labi gan ķirzakām, gan viendienītēm.

– Tātad vienīgi cilvēki nerīkojas tā, lai būtu labi visiem, – tehniķis īgni noteica. Brīdi klusējis, viņš turpināja: – Es apdomāju, ko tu man stāstīji par Ģenēzi.

– Es ceru.

– Es apdomāju faktu, ka neviens šo tipu nav redzējis un viņš – vai viņa – sazinās tikai elektroniski. Izklausās pēc izpausmes formas, avatāras.

– Avatāras? Tas ir kaut kas no Indijas, vai ne?

– Jā, no mitoloģijas. Teiksim, Krišna ir viena no daudzajām dievības Višnu avatārām, cilvēks, kurā šī dievība iemiesojusies, un šai avatārai zemes virsū ir konkrēta sūtība. Mūsdienās ļaudis, kas spēlē datorspēles, avatāru lieto, lai apzīmētu savu interaktīvo *alter ego*.

– Lai apzīmētu *ko*?

– Vairāklietotāju datoru sistēmā spēles vienlaikus iespējams spēlēt vairākiem cilvēkiem, un dažas no šīm spēlēm ir neiedomājami sarežģītas. Sistēmai var pieslēgties un tajā vai citā komandā spēlēt dalībnieki jebkurā pasaules malā. Tāpēc viņi izveido savu interneta tēlu, par kuru ir atbildīgi. Tas ir viņu virtuālais "es".

– Gluži kā segvārds?

– Nujā, bet tas ir tikai sākums. Šie tēli mēdz būt ļoti sarežģīti, ar savu vēsturi un reputāciju, un tas viss ietekmē stratēģiju, kādu pret viņiem izmanto citi spēlētāji. Tu brīnītos, uzzinādams, cik komplicētas ir mūsdienu datorspēles.

– Es to atcerēšos, – Belkneps sacīja. – Kas zina, varbūt kādreiz būšu piekalts pie gultas. Taču pagaidām izaicinājumu man pietiek reālajā pasaulē.

– Realitātei tiek piešķirta pārāk liela nozīme, – Sačs aizelsies attrauca.

– Varbūt. Taču var iegūt sāpīgus punus, ja tai piešķir pārāk mazu nozīmi.

– Tu gribi sacīt, ka mums pa ceļam būs Verdošais ezers?

– Tas ir pavisam netālu, – Belkneps atbildēja. – Bijuši gadījumi, kad cilvēki tā ūdeņos patiešām applaucējušies un pat gājuši bojā. Temperatūra tajā reizēm ļoti paaugstinās. Tā vis nav nekāda sasodīta karsta vanna.

– Es tik ļoti vēlētos atsvaidzināties vēsā ūdenī... – Sačs grūtsirdīgi nopūtās.

Bija pāri pusnaktij, kad, beidzot izdzirdējuši vēja zvaniņus, viņi saprata, ka sasniegts ciems. Jau no attāluma bija redzama balta ūdens strēle – šaurs, gandrīz trīssimt pēdu augsts ūdens-kritums. Nosvīdušo ādu nedaudz atvēsināja viegls vējš. Apsēdu-šies uz plakana akmens, viņi noraudzījās uz mirdzošo satelītan-tenu puduri, kas mēnessgaismā izskatījās pēc savādas, no citas planētas nokritušas milzu buķetes.

– Tātad viņiem ir tīkls, kas darbojas ar satelītiem, – Sačs no-brīnījās. – Virtuāls privāts tīkls. Tā ir mūsdienīgākā aparatūra, kas ražota *Hughes Network Systems*.

Ēka bija zema, gara celtne no izdedžu blokiem un betona. No attāluma raugoties, tās blāvi zaļais siluets pilnīgi saplūda ar me-žu. Tuvumā tā atgādināja kalna virsotnē nosēdušos degvielas uz-pildes staciju. Bruģētu autostāvlaukumu norobežoja nesen iestā-dīti krūmi, kas salīdzinājumā ar savvaļas augiem izskatījās vārgi un izstīdzējuši. Elektrības un telefona līnijas, kas aizvijās augšup kalnā gluži kā čūskas, sastapās pie nelielas mājiņas bez logiem, kur acīmredzot atradās transformators. Droši vien kaut kur tuvu-mā bija arī rezerves dīzeļa ģenerators.

– Vai tev ir kāda nojausma, kādi drošības līdzekļi šeit izman-toti? – Sačs jautāja, cenzdamies apvaldīt trīsas balsī.

– No pieredzes kaut kāds priekšstats man par tiem ir, – Bel-kneps atbildēja.

– Elektriskais žogs?

– Tādos džungļos? Diez vai. Šeit ir pārāk daudz savvaļas dzīv-nieku. Sākot no oposumiem līdz iguānām un savvaļas suņiem – galu gala bus nevis aizsargbarjera, bet restes ar ceptu gaļu. Tā pa-ša iemesla pēc šeit neder perimetra signalizācija. Tā iedarbotos trīs reizes stundā.

– Kas tad to visu sargā? Bruņots sargs?

– Nē. Tie, kas šajā vietā strādā, uzticas tehnoloģijām. Droši vien paļaujas uz vismodernāko kustības detektoru, kas drošības ziņā nav salīdzināms ar naktssargu, kurš mēdz iedzert vai aizmigt, vai ņemt kukuļus. Modernām ierīcēm tādi netikumi nepiemīt, un šīs iestādes vadītāji to lieliski zina.

– Tieši tā spriestu arī *es*, – Sačs paziņoja. – Es uzstādītu ultra-modernu sistēmu, kas, konstatējusi svešinieku, automātiski izdzēš informāciju. Kā mēs tiksim galā?

– Šeit ir daudz ierīču, kas izdala siltumu, daudz jutīgu apara-tūru. Tas nozīmē, ka jābūt arī spēcīgai dzesēšanas sistēmai. – Bel-kneps rādīja uz jumtu, kur virs resnas alumīnija caurules bija plats pārsegs ar vertikālām restēm, kas atgādināja grilu. – Logu šeit nav. Vai redzi? Ārā pie sētaspuses durvīm ir dzesinātājs un ventilators, caur kuru iekļūst auksts gaiss. – Viņš pamāja augšup. – Ventilācijas sistēmas otrs gals, kur izplūst siltais gaiss, ir tur. Liela diametra caurule. Tātad jāuzkāpj uz jumta, jānoskrūvē restes un jāķepurojas iekšā.

– Un tad iedarbosies signalizācija.

– Pilnīgi pareizi.

– Pēc standarta drošības noteikumiem, – Sačs norādīja, – aptuveni piecpadsmit sekundes vēlāk aparatūra pārslēgsies automātiskā informācijas izdzēšanas režīmā. Visas datnes tiks izdzēstas. *Privex* labāk zaudēs informāciju nekā pieļaus tās noplūdi.

– Tas nozīmē, ka mums jāstrādā ātri. Jāatslēdz drošības iekārtas smadzenes, pirms tās devušas izdzēšanas pavēli. Puiši, kas komandē šajā iestādē, dzīvo pilsētā. Objektā viņi var nokļūt pusstundas laikā. Mums būs jāpārspēj viltībā tikai mašīnas.

– Bet kā? Es neesmu radīts pārdrošībām – vai skaidrs?

– Tev tikai jāsagaida, līdz es atvēršu sētaspuses durvis un tad jābrāžas iekšā.

– Kā tu to izdarīsi?

– Skaties un mācies, – Belkneps noņurdēja.

Viņš izņēma no mugursomas neilona kāpnes, kam bija pierīkota divas pēdas gara, izbīdāma metāla caurule. Vairākas reizes to pagarinājis, Belkneps pagrozīja to vēlreiz, un caurules galā izvirzījās divi āķi. Uzmetis skatienu plakanā jumta malai, viņš izraudzījās vietu, kur stiepās alumīnija caurule, notēmēja un atvēzējies svieda teleskopisko cauruli ar āķiem galā uz jumta. Ar dobju dzinkstoņu āķi aizķērās aiz caurules, un neilona kāpnes atritinājās gluži kā gara melna šalle. Belkneps paraustīja kāpnes, pārbaudīdams, vai tās turas stingri, un ātri uzrāpās uz jumta.

Ticis augšā, viņš notupās uz ceļiem pie ventilācijas režģa un izņēma no instrumentu komplekta skrūvgriezi, ar ko noskrūvēja četras stūru skrūves. Uzmanīgi nolikdams režģi uz jumta, viņš juta, ka no resnās alumīnija caurules plūst urīna smaka. Gaisa plūsma caurulē bija vāja.

Gluži kā ķirzaka ielocījies tajā iekšā ar galvu pa priekšu, viņš virzījās pa slīpo eju, pēc dažiem jardiem nokļūdams kapa klusumā un pilnīgā tumsā. Ausīs dunēja tikai paša elpa, ko metāla caurule vairākkārt pastiprināja. Pēdu pēc pēdas viņš līda uz priekšu pa līkumaino piķa melno tuneli, klausīdamies savā nedabiski skaļajā elpā. Kādā vietā, kur caurule pagriezās, viņš brīdi karājās ar

446

galvu lejup, juzdams, ka deniņos pulsē asinis, un tad ātri noslī-
dēja vairākus jardus caurulē dziļāk.

Pēkšņi Belkneps manīja, ka tā kļuvusi šaurāka. Viņš izstiepa
rokas uz priekšu, meklēdams atbalstu, un sataustīja slidenu, eļ-
ļainu metāla virsmu, pārāk vēlu saprazdams, ka šo cauruļvadu
veido divu dažādu diametru caurules. Vilkdams elpu, viņš juta,
ka šaurā caurule spiež krūškurvi, neļaudama tam izplesties, tā-
pēc bija iespējama tikai sekla ieelpa. Belknepam uzmācās drau-
dīga klaustrofobija. Viņš aizlīda vēl dažas pēdas pa vertikālo cau-
ruli. Pirms tam Belkneps bija iedomājies, ka grūtākais būs visiem
spēkiem palēnināt nolaišanās ātrumu, un viņam ne prātā nenā-
ca, ka šaurajā caurulē viņš jutīsies kā iesprūdis, ka vajadzēs cīnī-
ties, lai vispār pakustētos uz priekšu. Mobilais tālrunis jakas ka-
batā sāpīgi spiedās krūškurvī. Viņš mēģināja to izvilkt, taču
tālrunis izslīdēja no rokas un nokrita kaut kur lejā, atsizdamies
pret kādu neredzamu virsmu.

Vai troksnis iedarbinās kustības detektoru? Nekas nenotika,
acīmredzot priekšmeta svars bija pārāk mazs. Toties viņš bija pā-
rāk liels. Un tāpēc bija iekļuvis lamatās.

Iekļuvis lamatās.

Pirmām kārtām nedrīkst ļauties panikai, Belkneps sev atgādi-
nāja. Viņam prātā ienāca muļķīga doma, ka viņš nespēj saprast,
vai šajā piķa melnajā tumsā viņa acis ir vaļā vai ciet. Cenzdamies
saglabāt mieru, viņš lēsa, ka līdz caurules galam nevar būt vai-
rāk par divpadsmit pēdām. Domas prātā drudžaini šaudījās. Sačs
bija gudrs puisis, taču viņš dzīvoja atrautībā no reālās pasaules.
Ja Belkneps šeit iestrēgtu, Sačs nemūžam nespētu izgudrot, kā lai
viņu dabū laukā. Viņam šeit būtu jāpaliek visa nakts. Un kas tā-
lāk? Kāds liktenis viņu piemeklēs, ja viņu uzies *Privex* nolīgtie
drošības vīri?

Viņš pats bija vainīgs, sasodīts! Visa šī operācija bija pārstei-
dzīga, izmisums ņēma virsroku pār apdomību. Plānu viņš bija
izstrādājis steigā, nenodrošinādamies ar ierastajiem piesardzības
līdzekļiem, turklāt nebija paredzējis rezerves plānu. Nolādēts!

Aiz satraukuma viņš bija nosvīdis. Ar drūmu ironiju nodomā-
jis, ka sviedri varētu atvieglot līšanu, viņš ievilka elpu un, cik vien
varēdams sarāvies, locīdamies spraucās tālāk gluži kā čūska vai
tārps. Pēc brīža alkaini ierāvis gaisu, viņš atkal juta, ka metāls
viņu no visām pusēm spiež. Varbūt pareizāk būtu, ja viņš atgriez-
tos? Belkneps jutās tā, it kā dzīvs būtu iemūrēts pazemē.

Nožēla, niknums un bailes traucēja domāt. Spriedzes hormoni viņa elpu padarīja svelpjošu. Bērnībā viņam bija astmas lēkmes, un viņš tās atcerēsies visu mūžu. Tādās reizēs viņš jutās tā, it kā būtu noskrējis sprinta distanci, pēc kuras viņam liek elpot caur salmiņu. Gaiss bija, taču tā nepietika, un šķita, ka šī nepietiekamība ir daudz sliktāka par pilnīgu gaisa trūkumu. Šīs sajūtas nebija viņu piemeklējušas vairākus gadu desmitus, taču nu viņš atkal jutās tieši tā.

Nolādēts!

Sviedriem noplūdis, viņš locīdamies un sēkdams palīda vēl vienu jardu uz priekšu. Ausīs dauzījās asinis, spiediens krūtīs auga. Beidzot tu esi iekritis. Izstieptā roka uzdūrās kaut kam nelīdzenam. Restes! Viņš bija sasniedzis caurules otru galu. Restes paspiedis, Belkneps juta, ka tās nedaudz padodas. Tikai mazliet, taču tas uzmundrināja. Sagrozījies viņš uzsita pa restēm ar elkoni... un izdzirdēja tās ar troksni nokrītam uz grīdas.

Pēc mirkļa viņš saklausīja griezīgu pīkstoņu.

Pie velna! Kustības detektors jau darbojās, bet viņa noberztie, sūrstošie pleci un gurni joprojām bija iesprostoti šajā ellišķīgajā caurulē. Ritmiskais, neprātīgais, nebeidzamais trauksmes signāls kļuva aizvien skaļāks. Nebija šaubu, ka drīz pīkstēšana pāraugs nepārtrauktā gaudošanā un iedarbosies drošības sistēma, kas izdzēsīs apmēram miljonu elektronisko ziņojumu. Visa šī spraukšanās, viss ceļojums šurp būs veltīgs. Pēdējais pavediens būs iznīcināts.

Ja Belkneps spētu ievilkt plaušās pietiekami daudz gaisa, viņš kliegtu.

Andrea Bānkrofta nodrebinājās, atcerēdamās Džereda Rainharta lūša skatienu un viņa pēkšņās temata maiņas, sarunā pārsviežoties no personas uz personu. Šis cilvēks acīmredzot viegli ieguva varu pār daudziem, jo viņa maldināšanas prasme bija nepārspējama. Andreu biedēja tēls, ko viņa uz mirkli bija Rainhartā ieraudzījusi. Belkneps viņa rokās bija instruments, taču Andrea saprata vēl ko. Viņš bija slimīgi piekēries Belknepam, kura dzīvi tik ilgi grozīja pa savam. Tajā pašā laikā viņš baidījās no Ģenēzes tikpat ļoti kā viņa un Tods.

Kādēļ viņa ir šeit? Kāds tam ir īstais iemesls?

Andrea Bānkrofta vienmērīgi soļoja pa balto telpu gluži kā būrī iesprostots dzīvnieks, kas visiem spēkiem cenšas uzturēt sevī cerību. Prāta pesimisms, gribas optimisms. Tāda bija viņas spāņu literatūras skolotāja mantra. Vecais cīnītājs godāja pirmskara komunistus un republikāņus. Andrea atcerējās fragmentu no spāņu dzejnieka Rafaēla Garsijas Adevas vārsmām, kas viņai bija jātulko.

> *El corazón es un prisionero en el pecho,*
> *encerrado en una jaula de costillas.*
> *La mente es una prisionera en el cráneo,*
> *encerrada detrás de placas de hueso...*
>
> *Sirds ir gūsteknis krūtīs,*
> *Ieslēgta ribu sprostā.*
> *Saprāts ir gūsteknis galvaskausā,*
> *Ieslēgts kaulu plāksnēs...*

Šīs rindiņas neviesa viņā atvieglojumu. Gūsteknis parasti zina, kas ir viņa cietums un kur tas atrodas. Andreai par to nebija ne jausmas. Vai šī vieta patiešām ir Ņujorkas štata ziemeļos? Andreai bija aizdomas, ka tas nav cietums, jo Rainharts to bija nodēvējis par "klosteri", un viņai šķita, ka šis izteikums atbilst patiesībai. Pamestā klosterī varētu būt tāda telpa kā šī, kas pārveidota par cietuma kameru, no kuras bēgšana nav iedomājama. Tods varbūt varētu no šejienes izbēgt. Taču viņa nav Tods. Viņa to fiziski nespēj.

Fiziski nespēj. Cietums nav tikai sienas un durvis. Tajā ir cilvēki, bet vietās, kur ir cilvēki, mēdz atgadīties kas negaidīts. Viņa atcerējās cietumsarga līdakas skatienu. *Tikai profesionālisms mani attur no jūsu izvarošanas līdz nemaņai un vēl kādu collu tālāk.* Andreas skatiens neviļus atgriezās pie dienasgaismas lampas virs durvīm, un tās naidpilnā sterilā gaisma asociējās ar spīdzināšanu.

Cietums, kas nav cietums. Daži sīkumi šajā telpā liecināja, ka tā par kameru pārveidota nesen. Skapītis varbūt atbilda cietuma standartam, taču senā vanna tāda nebija. Lampu virs durvīm pakāpjoties varēja aizsniegt, turklāt cietumā tai apkārt būtu metāla siets. Viņa varēja izdarīt pašnāvību, ja to vēlētos, tomēr īstā cietumā tādas iespējas nebūtu. Sargs, kurš viņai atnesa ēdienu, vīrietis ar spalvainām rokām, iedegušu bronzas krāsas pieri un biezu, īsi apcirptu bārdu, to uzlika nevis uz plastmasas paplātes, bet uz folijas, kādu izmanto saldētu pārtikas produktu iesaiņošanai lielveikalos. Lai būtu kas darāms, Andrea foliju nomazgāja – nākamajā reizē sargs droši vien to paņems.

Viņa nolēma piepildīt vannu ar ūdeni. Ielikusi caurumā gumijas aizbāzni, viņa atgrieza abus krānus līdz galam. No tiem šļācās ūdens ar rūsas piejaukumu, kas liecināja, ka krāni sen nav lietoti. Kamēr vanna pildījās, viņa apsēdās uz gultas malas. Pirksti satraukti burzīja biezo foliju, un acis no jauna pievērsās spožajai dienasgaismas lampai virs durvīm.

Andrea piegāja tai tuvāk. Apaļa spīdīga caurule, ko ar enerģiju apgādāja maiņstrāvas tīkls. Pa vadiem plūstošā elektrība traucas uz nekurieni. *Kā slazdā nokļuvusi*, Andrea nodomāja.

Tad viņa palūkojās uz foliju savā rokā, un prātā ienāca vēl kāda doma.

Lai gan man ir sešdesmit trīs gadi, profesionālās meistarības ziņā esmu virsotnē, Vils Gerisons domāja. Savu *Toyota Land Cruiser* viņš novietoja ciemā, aiz dzērienu veikala, kura vitrīnas organisko stiklu spožā saule bija padarījusi nespodru. Gerisons jau vairāk nekā desmit gadu alkoholiskos dzērienus nelietoja. Tāpēc, sasodīts, viņš tagad bija savā labākajā fiziskajā formā. To izlēmis,viņš sāka iet pa kalnu augšup.

Ceļā uz Dominiku Gerisons uzmanīgi izpētīja salas fotogrāfisko datu bāzi, kas bija Nacionālās drošības pārvaldes rīcībā. Fotouzņēmumi bija palielināti līdz tādai izšķirtspējai, ka varēja saskatīt atsevišķus palmu zarus un indikatoru ugunis uz *AT&T* antenas. No putna lidojuma *Privex* iekārtas bija viegli ieraugāmas. Šajā nelielajā celtnē, kas līdzinājās bunkuram, no visām pusēm saplūda resni kabeļi melnā apvalkā, bet gaisā slējās sudrabainu satelītsakaru šķīvju puduris.

Velns lai parauj, cik tas Kastors tomēr ir pārgalvīgs! Gerisons, vērodams, kā Belkneps rāpjas augšā uz objekta jumta, bija spiests to atzīt. Kastors grasījās atvērt Faberžē olu ar sasodītu lauzni. Pārsteidzoši! *Kāpēc gan mēs paši to neiedomājāmies?*

Gerisons paslēpās aiz biezi saaugušām, vakara rasas lāsēm izrotātām "ziloņa ausīm", kā šo augu dēvē tā milzīgo lapu dēļ. Atlika gaidīt. Drošības pēc viņš bija iedzēris dažas ibuprofēna tabletes, taču pagaidām ceļgali vēl nebija sāpējuši. Belkneps ir ēkā. Pēc neilga laika viņš iznāks no tās ārā. Taču nekur tālu netiks. Brīdī, kad Tods Belkneps domās, ka guvis panākumu, ka viņu nekas neapdraud un neviens nezina viņa atrašanās vietu, kad viņa uzmanība būs atslābusi... tieši tad Dzinējsunim pienāks gals.

Gerisons izstaipījās, un *Barret M98* snaipera šaujamais iespiedās viņam vaiga. Šis ierocis, kas bija izkrāsots zaļiem un brūniem maskēšanās laukumiem, bija aprīkots ar integrētu trokšņa slāpētāju, un tam aptverē bija zemskaņas munīcija. Tas nozīmēja, ka vairāk nekā simt metru attālumā šāviena skaņa nebūs dzirdama. Jaunībā Gerisons bieži izcīnīja godalgas šaušanā. Taču snaipera meistarība slēpjas pozīcijas izvēlē. Tādas pozīcijas, no kuras trāpīšanai mērķī vairs sevišķa meistarība nav vajadzīga, un viņam bija laba pozīcija. No šejienes mērķī varētu trāpīt pat desmit gadus vecs puika.

Kad viņš tiks galā ar Belknepu, varēs veltīt vienu dienu salas jaukumu apjūsmošanai. Runā, ka Verdošais ezers esot apskates vērts.

Viņš ieskatījās pulkstenī, palūkojās optiskajā tēmēklī un gaidīja.

Daudz laika vairs nebija.

Sakopojis spēkus, lai pārvarētu paniku, kas stindzināja ķermeni, Belkneps izelpoja no plaušām pēdējo unci gaisa, apvija pirkstus ap caurules malu, pie kuras iepriekš bija piestiprinātas restes, un pavilkās uz priekšu. Pirmā ārā izbāzās galva, pēc tam nedabiskā leņķī uz cietās grīdas sabruka sāpošais ķermenis. Belkneps aizgūtnēm kampa gaisu.

Viņš bija iekšā.

Velnišķīgie pīkstieni pieņēmās skaļumā. Belkneps ar pūlēm pietrausās kājās un paskatījās visapkārt. Telpu apspīdēja blāvi sudrabaina gaisma, kas plūda no simtiem nelielu gaismas diožu displeju. Belkneps atcerējās, ko teica Sačs. Aptuveni piecpadsmit sekundes vēlāk aparatūra pārslēgsies automātiskā informācijas izdzēšanas režīmā. Viņš metās pie lielas dzelzs kastes, no kurienes nāca pīkstieni un kas atgādināja firmas *Sub-Zero* ledusskapi, un uzgāja aiz tās tīkla kabeli. Tas bija resns kā milzu čūska, un Belkneps ar pūlēm to izrāva no sienas spraudkontakta.

Pēc mirkļa pīkstoņa atsākās.

Ak kungs... Tas, protams, bija avārijas akumulators, kura jaudas pietiks, lai tiktu ieslēgts automātiskais izdzēšanas režīms.

Cik sekunžu atlicis? Sešas? Piecas?

Belkneps izsekoja tīkla kabeli līdz tā galam, kur ieraudzīja, ka tas stiepjas ārā no plakanas tērauda kastes. Brīdī, kad pīkstēšana jau bija kļuvusi apdullinoša, viņš pagrāba kabeli un izrāva kontaktdakšu, kas savienoja akumulatoru un signalizācijas sistēmu.

Pīkstoņa aprāvās.

Beidzot iestājās svētlaimīgs klusums. Piestreipuļojis pie durvīm, Belkneps atvilka četrus aizbīdņus, ar kuriem bija nostiprinātas ar tēraudu apkaltās durvis, tās atvēra un klusi iesvilpās.

Sačs nekavējoties ieskrēja iekšā.

– Ak Dievs, šeit ir tik daudz tehnikas! Ar to pietiktu, lai vadītu visu ASV aizsardzības tīklu! – viņš klusi iesaucās. – Ak, es labprāt ar to visu padarbotos!

– Mēs neesam atbraukuši, lai izpriecātos, Volt. Mēs meklējam sasodītu elektronisku kniepadatu elektroniskā siena kaudzē. Tāpēc izvelc palielināmo stiklu. Mums vajadzīgi digitālie pirkstu nospiedumi. Derēs arī daļēji nospiedumi. Es negrasos doties mājup tukšām rokām.

Sačs klīda pa telpu, ar interesi pētīdams augstos plauktus ar serveriem un maršrutētājiem, un kārbām, kas izskatījās pēc *DVD* atskaņotājiem, taču bija savienotas ar tievu spilgtas krāsas vadiņu simtiem.

Beidzot viņš sastinga, domīgi raudzīdamies uz priekšmetu, kas atgādināja lielu melnu ledusskapi.

– Plāni mainījušies, – datoru ģēnijs paziņoja.

– Kas noticis? – Belkneps uz viņu jautājoši paskatījās.

– Vai tavā mugursomā ir daudz vietas?

– Vai tu improvizē, Volt?

– Vai tevi tas traucē?

– Nē, – Belkneps atbildēja. – Pagaidām tas ir vienīgais cerību stars.

Sačs pārbrauca ar delnu pār deniņiem, kur mati bija apgriezti ļoti īsi.

– Manā acu priekšā ir piecu terabaitu glabāšanas sistēma. Dod man vienu minūti laika, un es tev nokopēšu šīs sasodītās kastes saturu.

– Volt, tu esi ģēnijs! – Belkneps iesaucās.

– It kā es to nezinātu, – Sačs attrauca.

Vils Gerisons laiski nosita moskītu. Ceļā uz šejieni, neuzdzerdams ūdeni, viņš bija norijis tableti pret malāriju, taču neatcerējās, pēc cik ilga laika sākas tās iedarbība. Gerisons palūkojās pa ieroča optisko tēmēkli, pagrozīja šaujamo uz divkāja, lai sarkanais punkts atrastos tieši pret durvīm, pa kurām drīz iznāks Tods Belkneps.

Ja gribi, lai darbs būtu padarīts tev pa prātam, viņš atkal nodomāja, *padari to pats.* Tā taču bija taisnība.

Saldus sapņus, "Henrij Džailz"! Paliec sveiks, Kastor! Ardievu, Belknep! Pēkšņi Gerisonam šķita, ka aiz muguras dzirdējis skaņu, ar kādu pārlūst zariņš, ja tam uzmin ar kāju. Nekas tāds taču nevarēja būt, vai ne?

Belkneps tas nevarēja būt, jo viņš joprojām bija ēkā, un turpat bija arī amatieris, ko viņš atvilcis sev līdzi. Kas gan vēl zina, ka viņš ir šeit? Belknepam nebija ne partnera, ne palīgvienības, ne atbalsta grupas.

Gerisons ātri atskatījās. Nekā. Neviena tur nebija.

Viņa pirksts atkal iegula aiz mēlītes, taču tajā pašā mirklī, atkal izdzirdējis troksni, viņš vēlreiz apsviedās.

Pēkšņi viņa kaklu aizžņaudza mežonīga sāpe, miesā iegriezās dedzinoša stīpa, un šķita, ka galva tūlīt pārplīsīs no pārliekā spiediena.

Beidzot viņš ieraudzīja uzbrucēju.

– Tu! – Gerisons izdvesa. Vārds mutē pamira. Nakts tumsa apņēmīgā vīra acu priekšā sabiezēja aizvien melnāka un dziļāka, pārvērzdamās mūžības tumsā.

– Muļķa trusis, – Džereds Rainharts nomurmināja, satīdams ketguta auklu ap garotes koka spalu. Sens rīks, taču viens no retajiem, par kuru labāks mūsdienās nav izgudrots.

Aukla pat nebija mitra no asinīm. Amatieri bieži izmanto tievu tērauda stiepli, taču pareizi konstruēta garote neiegriežas miesā, tā saspiež miega artērijas un iekšējās un ārējās jūga vēnas, neļaudama asinīm nonākt smadzenēs, ne arī no tām izplūst. Pareizi pastrādāts netīrais darbs ir pavisam tīrs. Gluži kā šajā reizē – vienīgais izplūdušais šķidrums bija urīns, kura plankums rēgojās uz pa
vecā spiegošanas meistara biksēm.

Odu un knišļu dūkoņas un kokuvaržu pīkstēšanas pavadīts, Rainharts vilka līķi pa nogāzi lejup, līdz nonāca pie sarkano vulkānisko smilšu iegulas. Atbrīvojis Gerisona ķermeni no drēbēm, viņš tās rūpīgi salocīja, ielika plastmasas maisā un iebāza mugursomā. Protams, līķi gluži vienkārši varēja noslēpt brikšņos, taču Rainhartam padomā bija kas cits.

Viņš stīvēja savu nastu uz priekšu, līdz sēra izgarojumu smārds kļuva neizturams un aizvien trūcīgāko augu valsti nomainīja slideni ķērpji un sūna. No šur tur redzamām vulkāna spraugām un dubļu katliem gaisā cēlās tvaika strūkliņas, kas mēnessgaismā spīguļoja kā sudrabs.

Pa debesīm skrēja lēveraini mākoņi, ik pa brīdim aizsegdami mēness sirpi. Pēc desmit minūtēm Rainharts bija ticis pie laukakmeņu krāvuma, aiz kura saraustītajā gaismā pavērās garaiņu apslēpts, liels pienbalts aplis. Tas bija Verdošais ezers. Rainharts saviebies pacēla līķi – viņam nepatika raudzīties uz tā savītušo ādu, paplašinātajām vēnām un pretīgi iesirmajiem matiem uz muguras – un pārvēla to pāri drūpoša pumeka malai. Ķermenis palēkdamies noripoja lejā pa stāvo krauju un iegrima putainā, burbuļojošā ūdenī.

Pēc pāris stundām sēra ietekmē āda nolobīsies no skeleta. Zobi un kauli nogrims divsimt pēdu dziļā ezera dibenā. Neviens nesūtīs nirējus tādā ūdenī pat tad, ja tam būtu iemesls, un Rainharts šaubījās, vai tāds radīsies. Viņš bija apmierināts ar veikumu. Konsulāro operāciju nodaļas puiši varēs palauzīt galvu.

Viņš atvēra mobilo tālruni un piezvanīja uz kādu numuru Amerikas Savienotajās Valstīs. Dzirdamība bija ļoti laba.

– Viss norit, kā plānots, – Rainharts sacīja. Mirkli ieklausījies apkārtnē, viņš turpināja: – Vils Gerisons? Neraizējieties. Viņam patlaban, teiksim tā, klājas karsti.

DIVDESMIT ASTOTĀ NODAĻA

Sargs noskaities ieraudzīja, ka no kameras durvju apakšas iztecējusi peļķe. Viņš steidza atvērt durvis – iebāza atslēgu slēdzenē, nospieda uz leju rokturi un ieklupa iekšā.

Tā maita pārplūdinājusi vannu! Šī doma bija viena no pēdējām, kas izskrēja sargam caur prātu. Viņš paguva klusībā nošausmināties, kāpēc viņa roka nevis vienkārši satvērusi durvju rokturi, bet krampjaini to sagrābusi. Viņš nobrīnījās par savītas folijas strēmeli, kas bija piestiprināta pie iekšpuses roktura un savienota ar kaut ko augšā, bet viņš nespēja saskatīt, ar ko. Sargs saprata, ka ūdens zem kājām patiešām satecējis no pāri plūstošās vannas, un pat ievēroja zilu uzrakstu uz sāls paciņas papīra, kas peldēja peļķē, kur viņš bija iekāpis. Visas šīs dusmu un pārsteiguma pilnās domas izbrāzās viņam caur smadzenēm vienlaikus gluži kā panikas pārņemts pūlis, kas metas uz durvīm, apjautis briesmas.

Bija vēl daudz domu, ko viņš iedomāties nepaspēja. Viņam neatlika laika apsvērt, ka ar vienu desmitdaļu ampēra strāvas pietiek, lai izraisītu sirds muskuļaudu raustīšanos. Viņš neievēroja, ka pie durvīm kļuvis tumšāk nekā iepriekš, jo lampa virs tām bija sasista. Asas, vibrējošas sāpes ieplūda rokā, krūtīs, kājās, it visur, aizskalodamas apziņu. Tapēc sargs vairs neredzēja, ka viņa ļimstošais ķermenis nosprosto durvis, neļaudams tām aizcirsties, nejuta, ka gūstekne pārlec viņam pāri, un nedzirdēja, ka sievietes vieglie soļi klostera gaitenī attālinās.

Andrea, kājām tik tikko skardama grīdas flīzes, platiem, klusiem soļiem, gluži kā rēgs, lavījās pa akmens gaiteni prom. Savādajai apkārtnei viņa nepievērsa uzmanību – ne apaļajām kolonnām, ne arkām virs galvas gluži kā vecā kapelā, ne masīvajām sijām. Pie sienas karājās bārdaina ikona, zem kuras noplukušiem,

zeltītiem slāvu burtiem kaut kas bija rakstīts. Pareizticīgo kloste-
ris, kurā sargi ir amerikāņi. Ko tas īsti nozīmē?

Viņu pamanīja brūngandzeltenā formas tērpā ģērbies vīrs,
kurš stāvēja garā gaiteņa galā, – pacēlis skatienu, tas acumirklī
ķēra pie jostas, kur bija ierocis. Andrea ienira kādā sānu telpā,
tādā kā šaurā noliktavā. Strupceļš.

Varbūt tomēr ne? Andrea aizvēra durvis, ar pūlēm tumšajā tel-
pā kaut ko saskatīdama. Viņas priekšā bija smagu krēslu kaudze,
un, uzrāpusies uz šīs piramīdas, viņa ieraudzīja nelielu eju, kas
veda uz gaišu, flīzēm izklātu priekštelpu. Kārpīdamās pāri
krēsliem, viņa atspērās un lēca. Krēslu kaudze sagāzās, un viņa
ieklupa segtajā ejā.

Virs galvas, apmēram divdesmit pēdu augstumā, bija griesti,
bet labajā pusē augsta ķieģeļu pussiena – pārāk augsta, lai pār-
rāptos tai pāri –, taču Andrea juta sejā ieplūstam svaiga gaisa
plūsmu, dzirdēja attālas putnu balsis un lapu šalkoņu vējā. Viņa
traucās uz priekšu, kur dienas gaisma bija visgaišākā. Plaušas
jau pildīja āra gaiss, un adrenalīna un cerību spārnotais ķerme-
nis šķita gluži bez svara. Vēl mazliet, mazliet... Nākamajā mirklī
Andreai virsū uztriecās nez no kurienes uzradies sargs, notriek-
dams viņu uz cietās grīdas.

Vīrietis, noliecies pār viņu, pūlējās atvilkt elpu.

– Kāda māte, tāda meita, – viņš sēkdams noteica.

Andrea pazina šo cilvēku – tas bija autovadītājs ar karti no
Vašingtonas. Cilvēks, kurš viņu nolaupīja. Sirmi, viļņaini mati, iz-
valbītas acis gluži kā plastmasas lellei, nedabiski maza mute un
gļēvs zods ar bedrīti.

– Nepieskarieties man! – Andrea rīstīdamās izgrūda.

– Vai zini, tava māmiņa arī nevēlējās pakļauties. Viņa negribē-
ja mirt, nespēja saprast, ka tas mums visiem nāks par labu. Beigu
beigās bijām spiesti iedurt viņai etilspirtu tieši cirkšņa artērijā. Tas
bija pavisam niecīgs dūrieniņš.

– Jūs nogalinājāt manu māti.

– Tu saki to tādā tonī, it kā tas būtu kas slikts. – Vīrietis no-
spurcās.

Andrea pietrūkās kājās no flīžu seguma, taču vīrietis, to redzē-
dams, iespēra viņai pa vēderu, un viņa, no sāpēm rīstīdamās, vi-
duklī saliecās uz priekšu. Sargs no aizmugures ar elkoni apžņau-
dza viņas kaklu, vienas kājas ceļgalu iespieda viņai mugurā, bet
otru aplika ap viņas potītēm.

– Ja tu pakustēsies, es tev salauzīšu mugurkaulu, un tā būs ļoti sāpīga nāve.

Andreai šķita, ka viņas pietūkušās kakla vēnas tūlīt pārsprāgs.

– Lūdzu... – viņa izdvesa. – Piedodiet. Es darīšu, ko liksiet.

Vīrietis pagrieza Andreu pret sevi. Viņam rokā bija pistole. Andrea, uzmetusi tai ašu skatienu, redzēja, ka pistole ir melna. Stobra caurums bija īpaši melns.

– Navaski! – vīrietis iekliedza mazā rācijā. – Šurp!

Brutāli grūstīdams, viņš veda Andreu pa gaiteni. Sargs ar vaska bālo ādu un blāvajām līdakas acīm – tātad Navaskis – tuvojās pa flīzēm izklāto gaiteni.

– Velna izdzimums! – viņš stiepti nolādējās, sagrābdams savu šoka pistoli.

– Pareizāk būtu raganas izdzimums, – atbildēja vīrietis, kas Andreu veda.

– Džejs par to negribēs ne dzirdēt.

– Varbūt Džejam tas nemaz nebūtu jādzird. Mēs varam paātrināt notikumus. Izdarīsim tā, lai viņa vairs nevārsta muti.

Vīrieši sagrāba Andreu aiz elkoņiem. Brīdi pretojusies, viņa saprata, ka tam nav jēgas, jo tvēriens bija pārāk ciešs.

– Viņa ir sparīga, – dienvidnieks teica. – Tu, Džastin, esi liels speciālists visās lietās, tāpēc pasaki man, vai viņa būs lietojama, kad mēs viņu pārvērtīsim par dārzeni? – Viņa elpa smirdēja.

– Seksu regulē muguras smadzenes, – otrs atbildēja. – Galvas smadzeņu līdzdalība tur nav vajadzīga. Tātad, ja visu izdarīsim pareizi, mana atbilde ir "jā".

Andrea no visa spēka mēģināja izrauties. Velti.

– Ko *tu* šeit dari? – vīrs, kuru sauca Džastins, pēkšņi noprasīja vēl kādam vīrietim, kas bija uzradies gaiteņa galā. – Domāju, ka tu esi fonda puisis.

– Saņēmu jūsu trauksmes signālu, – tas atbildēja, pacilādams rāciju un ieliekdams to atpakaļ bikšu kabatā, – un jaunus norādījumus.

– Pašā laikā, – dienvidnieks noteica.

Andrea, cieši raudzīdamās jaunpienācējā, juta, ka viņas šausmas aug. Plecīgais, labi pašūtā pelēkā uzvalkā ģērbies vīrietis, kurš stāvēja divdesmit jardu tālāk, bija tas pats vīrs, kas apmeklēja viņu Kārlailā un kopš tās reizes acīmredzot viņai sekoja. Bandīts, kas ar neslēptiem draudiem ieteica viņai klusēt.

Sajutusi, ka vēl viena bruņota vīra klātbūtnē abu pārējo tvēriens nedaudz atslābst, Andrea, gluži kā saņēmusi pēkšņu impulsu, spēji metās uz priekšu, izraudamās no sargu tvēriena, un traucās trešajam vīram tieši virsū – cita ceļa viņai gluži vienkārši nebija. Itin kā palēninātā filmas kadrā viņa redzēja, ka vīrietis pelēkajā uzvalkā no žaketes izrauj lielu revolveri un paceļ to sev priekšā. *Labāk, lai nāve ir ātra*, viņa nodomāja.

No piecpadsmit pēdu attāluma gluži kā hipnotizēts kobras upuris lūkodamās stobra caurumā, Andrea ieraudzīja, ka no tā izšaujas zilbaltas liesmiņas. Vīrietis divas reizes aši nospieda mēlīti.

Tajā pašā mirklī viņa acīs Andrea manīja rāmu trāpīga šāvēja pašapziņu. Viņš nemēdza kļūdīties.

Jeilas universitāte, kas ir trešā vecākā Amerikas Savienoto Valstu universitāte, dibināta 1701. gadā, taču lielākā daļa ēku, arī slavenās gotikas stila koledžu ēkas, kuras ar šo augstskolu asociējas pirmām kārtām, celtas pirms nepilniem simt gadiem. Jaunie nami, kur izvietotas zinātniskās pētniecības nodaļas un laboratorijas, gluži kā gredzens ieskauj vecās studentu pilsētiņas senākās ēkas, atgādinādami klasiskas Eiropas pilsētas priekšpilsētu. Datorzinātnes fakultātei piederīgie lepojas, ka viņi mācās un strādā deviņpadsmitā gadsimta celtnē, lai arī cik pamatīgi tā vēlāk pārbūvēta. Artura K. Vatsona korpuss ir ķieģeļu ēka ar arkām rotātu fasādi, kas joprojām atspoguļo Viktorijas laikā valdošo tieksmi uz grandiozumu. Tā atrodas iepretim Grovstrītas kapsētai, un daži uzskata, ka Artura K. Vatsona korpuss atgādina kapenes.

Belkneps, stāvēdams līdzās Volteram Sačam uz ietves pretim šai ēkai, juta neizskaidrojamu satraukumu. Belknepu atkal nepameta neskaidra nojauta, ka viņiem seko. Bet kas? Viņa intuīcija bija pretrunā ar pieredzi – ja kāds patiešām abiem sekoja, viņam jau sen tas bija jāatklāj. Vai patiešām viņa profesionālā piesardzība pārvēršas vajāšanas mānijā?

– Atkārto vēlreiz, kā tavu draugu sauc, – Belkneps saspringti teica.

Sačs nopūtās.

– Stjuarts Pērviss.

– Kopš kura laika tu viņu pazīsti?

– Mēs kopā studējām. Tagad viņš ir docents Datorzinātnes fakultātē.

– Tu patiešām viņam uztici? Viņš kavējas jau piecpadsmit minūšu. Vai esi pārliecināts, ka viņš patlaban nezvana universitātes pilsētiņas apsardzei?

Sačs sāka mirkšķināt acis.

– Pirmajā kursā Stjū nocēla man meiteni. Savukārt otrajā kursā es nocēlu meiteni viņam. Mēs izlēmām, ka esam norēķinājušies. Viņš ir lielisks puisis. Viņa māte sešdesmitajos gados bija slavena instalāciju māksliniece. Tu jau zini, kompozīcijas no visādām sijām, baļķiem un citiem priekšmetiem un materiāliem. Satriecoši. Iedomājies Ņujorkas "Izliekto arku" Džordžijas O'Kīfas interpretācijā.

– Man nav ne jausmas, par ko tu runā.

Sačs paplikšķināja ar delnu pa Belknepa neilona mugursomu.

– Vecais, mūsu rokās ir magnētiskā lente ar milzumlielu atmiņu. Tajā glabājas vesels informācijas okeāns – vai saproti? No parasta neliela firmas *Dell* datora nebūs nekādas jēgas. Toties Stjū palīdzējis uzstādīt savā fakultātē *Beowulf* klasteri. Tas ir tas pats, kas divsimt sešdesmit centrālo procesoru, kas bez šuvēm savienoti vienā paralēlā arhitektūrā. Tas ir spēks! Un mums tas jāiejūdz darba ratos. – Sačs kādam pamāja. – Lūk, arī Stjū! Sveiks, Stjū! – viņš uzsauca vīrietim, kas bija ģērbies plandošā baltā kreklā, melnos džinsos un ādas sandalēs.

Vīrietis, aptuveni četrdesmit gadus vecs, tuvodamies pamāja viņam pretim. Biezie melnie briļļu ietvari bija vai nu ārkārtīgi eleganti, vai arī, gluži otrādi, bezgaumības kalngals atkarībā no tā, ar cik lielu ironiju savas brilles uztvēra to īpašnieks. Stjuarts Pērviss uzsmaidīja vecajam draugam, nodemonstrēdams starp diviem priekšzobiem ieķērušos salātu lapas gabaliņu. Elegance diez vai bija šā cilvēka iezīme.

Stjuarts Pērviss veda ciemiņus pa plašo vestibilu uz aizvērtām, zaļi krāsotām durvīm ēkas dziļumā. Aiz tām bija kāpnes, kas veda uz pagrabtelpām, kur atradās fakultātes galvenie datori. Belkneps uz docenta kakla ievēroja sarkanīgus izsitumus. Lai gan zodu un ādu virs augšlūpas Pērviss bija gludi noskuvis, tur bija saskatāma zilganpelēka ēna, kas liecināja par neseniem bieziem bārdas rugājiem.

– Kad tu, veco zēn, piezvanīji un lūdzi pakalpojumu, es domāju, ka tev vajadzīgs ieteikums, – docents teica. – Taču nojaušu, ka īstenībā tu gribi padarboties ar Lielo Bertu. Pretēji noteikumiem, tas tiesa. Ja par to uzzinātu sistēmu galvenais administrators... nujā, galvenais administrators esmu es. Mēs paši esam viena bezgalīga instrukciju secība. Vai arī esam piešķīruši sev šo funkciju, kaut ko līdzīgu autoregresijai. Vai esi dzirdējis anekdoti par Bilu Geitsu un ekrānsaudzētāju?

Sačs nobolīja acis.

– Īstenībā es to zinu, Stjū.

– Sasodīts... – Pērviss nomurmināja. Viņš gāja pa betona grīdu, savādi palēkdamies, un Belkneps atskārta, ka viņam ir protēze. – Nu tātad, Brīnumbērns Volt, par cik terabaitiem ir runa? – Viņš pagriezās pret Belknepu. – Par Brīnumbērnu viņu iedēvēja jau pirmajā kursā.

Sačs plati pasmaidīja.

– Tāpēc, ka es velnišķīgi labi uzokšķerēju sirdspuķīšu telefona numurus.

Pērviss uzmeta viņam pārmetuma pilnu skatienu.

– Sirdspuķīšu? Tikai nevajag, Volt! Tu biji laimīgs, ja tev ļāva darboties ap sieviešu dzimtes robotu. – Smīnēdams viņš pagriezās pret Belknepu. – No meitenēm viņš uzzināja tikai viņu kārtas numuru kursa žurnālā.

Vatsona ēkas pagrabstāvs atgādināja plašu alu, ko vienmērīgi apgaismoja dienasgaismas lampas, un tās bija izvietotas tā, lai mazinātu datoru monitoru mirgojumu. Gluži kā morgā, Belkneps nodomāja, ieraudzījis daudzos nerūsējoša tērauda skapjus. Tūkstošiem mazu ventilatoru atvēsināja spēcīgās mikroshēmas, kas radīja klusu, vienmērīgu troksni.

Pērviss sparīgi soļoja uz priekšu pa galveno eju līdz vidum, tad pagriezās pa labi.

– Pieņemu, ka tu esi paņēmis līdzi četru milimetru digitālo lineāro lenti, – viņš lietišķi sacīja Sačam.

– Jā, *SDLT*.

– Mēs izmantojam superdigitālo lineāro lenti. Dodam priekšroku *Ultrium 960*, taču arī *Quantum SDLT* ir pietiekami droša.

Sačs no somas izvilka smagos rullīšus, un Pērviss tos uzlika uz automātiskā ielādētāja, kas izskatījās pēc vecmodīga videokasešu atskaņotāja. Viņš nospieda taustiņu, un lente, spalgi īdēdama, sāka griezties.

– Pirmais solis ir rekonstrukcija, – Pērviss skaidroja Belknepam. – Mēs informāciju iekopējam ātras piekļuves atmiņas formātā. Tas ir, cietajā diskā. Mēs šeit izmantojam manis izgudrotu kļūdu labošanas algoritmu.

– Tas nozīmē, ka tajā ir vairāk blusu nekā lietderīgu funkciju, – Sačs piebilda.

– Volt, tu neko neesi sapratis. Tieši blusas ir lietderīgās funkcijas. – Acīmredzot Pērviss atcerējās kādu vecu strīdu. – Jēziņ! – viņš spēji iesaucās. – Vai tas, ko mēs šeit redzam, ir ASV Statistikas pārvaldes datu bāze? Šķiet, tagad es saprotu, kāpēc bija vajadzīga *SDLT*.

– Šis juceklis varēja uzrasties transportēšanas laikā, – Sačs sāji noteica. – Lai nodrošinātos pret nesankcionētu izmantošanu, datu sagatavotājs ir tos apstrādājis, un tos atšifrēt būs ļoti grūti.

– Taču tu, Volt, kā aizvien, vieglāko ceļu nemeklē, vai ne? – Pērviss izvilka plauktiņu ar tastatūru un sāka rakstīt. Ekrānu piepildīja skaitļi, un tad skaitļus aizstāja tāds kā osciloskopa robotais grafiks.

– Tātad esam palaiduši statistiskās zondes programmu, kas klasificē šifrētu tekstu atbilstoši konkrētām frekvencēm, kādas raksturīgas atšķirīgām šifrēšanas sistēmām. – Viņš uzmeta skatienu Belknepam. – Tā ir tikai statistiska analīze. Teksts nebūs salasāms, taču programma pateiks, kādā valodā tas uzrakstīts. – Raudzīdamies ekrānā, Pērviss murmināja: – Nāc, nāc, nebaidies... Tā, ļoti labi, tagad es tevi jūtu. – Viņš pievērsās Sačam. – Lente sākas ar sešdesmit četru bitu atslēgu. Informācija aizsargāta ar bloku šifru. Parametriskais algoritms. No parastas stājas paceļam kreiso kāju, izdarām veiklu kustību un apgriežamies uz vietas. Īstenībā mēs veicam nelielu loģisku operāciju, un darbs pavirzās uz priekšu. Taču ne līdz galam, protams. Šajā brīdī tajā iesaistās *Beowulf* klasteris. Jāteic, ka tas, ko redzu, atstāj uz mani iespaidu. Patiesībā drošības sistēma ir gluži vienkārši izcila. Pat fenomenāla. Uzlauzt to nav iespējams... ja, protams, nenozogam dublējumkopiju.

– Vai drīkstu ievadīt meklēšanas parametrus? – Sačs jautāja.

– Mēs strādājam *Prolog* programmēšanas valodā. Ja vēlies, varam pārslēgties uz *Python*. Vai tu joprojām esi *Python* cienītājs?

– Tu taču zini, ka esmu.

Pērviss paraustīja plecus un piecēlās kājās, atbrīvodams Sačam vietu.

– Jūties kā mājās.

Sačs apsēdās pie tastatūras un sāka klabināt taustiņus.

– Redziet, tas ir kaut kas līdzīgs zemledus makšķerēšanai, – Pērviss nelabojama skolotāja tonī skaidroja Belknepam. – Jūs neredzat, kas atrodas ūdens dziļumos, tāpēc skaidri nezināt, ko tur

461

lai dara. Tāpēc jūs izcērtat caurumu, iemetat ēsmu un tad gaidāt, lai zivs pati atnāk.

– Tavi muļķīgie salīdzinājumi nevienu neinteresē, Stjū, – Sačs noņurdēja. – Mums tikai vajadzīgas atbildes.

– Tāda ir dzīve, vai ne? Mēs visi ierodamies šajā pasaulē, vēlēdamies saņemt atbildes. Taču esam spiesti samierināties ar muļķīgiem salīdzinājumiem. – Pār Sača plecu viņš ielūkojās ekrānā. – Šķiet, ka piekodās...

– Vai to visu nevar kaut kā paātrināt? – Belkneps jautāja.

– Jūs jokojat? Šī sistēma joņo kā gepards, kas sarijies narkotikas. Tas ir spēks, mans draugs!

– Vai šo datni varam izdrukāt? – Sačs vaicāja.

Pērviss nicinoši nospurcās.

– Uz papīra? Tas taču ir pagājušais gadsimts, Volt. Vai tu neko neesi dzirdējis par elektronisko grāmatvedību, par birojiem bez papīru kalniem?

– Manuprāt, es to atgādni saburzīju neizlasītu.

– Jauki, alu cilvēk. Ceru, ka mūsu rokrakstu telpā vēl ir saglabājušies daži mūki rakstveži.

– Tu laikam pēcpusi arī noslauki virtuāli, – Sačs noburkšķēja.

– Labi, labi. Tūlīt visu izdrukāsim ar lāzerprinteri, tu, Gūtenberga apjūsmotāj. – Pērviss pakasīja savu iekaisušo kaklu, tad piegāja pie citas tastatūras un uzklikšķināja vairākas komandas. Iespaidīga lieluma printeris iedūcās un izmeta papīra lapu.

– Kas tas ir? – Belkneps jautāja.

Tas bija tas pats ziņojums, ko viņam iedeva senatora Kērka biroja vadītājs, taču šajā lapā bija iesākuma dati.

– Izskatās, ka jauktas pēdas, – Pērviss sacīja.

– Būs jāpārbauda viss šā ziņojuma maršruts, – Sačs steidzīgi paskaidroja. – Un jāizdrukā tas arī.

– Tas ir kaut kas līdzīgs digitālajam hidrolokatoram, – Pērviss pievērsās Belknepam. – Tādam, ko rāda filmās par vecām zemūdenēm. Vai kas līdzīgs pasta balodim, kas lido pa garu tuneli. Aizlidojis līdz galam, tas atgriežas atpakaļ un pastāsta, ko pa ceļam redzējis, jo patiesībā tas nav pasta balodis, bet runājošs papagailis!

– Apklusti, Stjū! – Sačs docentam uzkliedza. – Mans draugs negrasās iesniegt par šo tematu skolotājam domrakstu izvērtēšanai. Viņam vajadzīgas tikai atbildes.

Drīz vien no lāzerprintera izslīdēja vēl trīs lapas.

– Jā-ā... – ieskatīdamies pirmajā lapā, Pērviss domīgi novilka.
– Tātad mums ir trīsdesmit piecu baitu paketes, no kurām katra izdarījusi trīsdesmit lēkumu. Kur tikai tās bijušas! – Viņš ar zīmuli apvilka vairākas skaitļu virknes. – Pērtas reģionalajā akadēmiskajā tīklā ar kodu *AS7571*, Kanberas galvenajā tīkla mezglā un Kvīnslendā, Riodežaneiro *Rede Rio de Computadores* Brazīlijā, *Multicom* Bulgārijā, *EntreNet* Kanādā, *Universidad Tecnica Federico Santa Maria* Čīlē, *Ropaček a SilesNet* Čehijas Republikā, *Azero* Dānijā, *Transpac* Francijā, *SHE Informationstechnologie AG* Vācijā, *Snerpa ISP* Īslandē... mīlīši, man sāk griezties galva! Kāds ir spēlējis paslēpes.
– Jo vairāk lēkumu, jo vairāk vidutāju, jo grūtāk izsekot, – Sačs teica.
– Vienu kodu es nepazīstu, – Pērviss noklikšķināja citu skaitli. – Ak jā, protams! *MugotogoNet* Japānā! *ElCat* Kirgizstānā! Jābrīnās, ka šis mazais ceļotājs nav dabūjis caureju.
Sačs mirdzošām acīm pievērsās izdrukātā maršruta pēdējai lapai. Belkneps tajā ieraudzīja burtu un ciparu virtenes, kas viņam neko neizteica.

```
* hurroute (8.20.4.7.) 2 m s**
* mersey (8.20.62.10) 3 m s 3 m s 2 m s
* efw (184.196.110.1) 11 m s 4 m s 4 m s
* ign-gw (15.212.14.225) 6 m s 5 m s 6 m s
* port1br1-8-5-1.pt.uk.ibm.net (152.158.23.250) 34 m s 62 m s
* port1br3-80-1-0.pt.uk.ibm.net (152.158.23.27) 267 m s 171
* nyor1sr2-10-8-0.ny.us.ibm.net (165.87.28.117) 144 m s 117
* nyor1ar1-8-7.ny.us.ibm.net (165.87.140.6) 146 m s 124 m s
* nyc-uunet.ny.us.ibm.net (165.87.220.13) 161 m s 134 m s 143
* 10 105.ATM2-0.XR2.NYC1.ALTER.NET (126.188.177.158) 164 m s
```

– Un ko tas viss nozīmē, Volt? – Belkneps jautāja. Viņa balsī bija jaušama nepacietība. – Kurā pasaules malā ir Ģenēze?
Sačs vairākas reizes samirkšķināja acis.
– Sākuma punktam jābūt kaut kur šeit, bet... droši varu teikt vienīgi to, ka tas ir Ņujorkas štats, – viņš atbildēja. – Stjū? Pārbaudi termināļa *ISP* kodu.
– Esmu dzirdējis ļaudis sakām, ka ceļot un iztēloties galamērķi esot patīkamāk, nekā tajā ierasties, – Pērviss skaļi prātoja. – Taču ar dažiem ir citādi. Vai atceries manu bijušo draudzeni, kas

mēdza vispirms izlasīt romāna pēdējās lappuses, lai zinātu, ar ko viss beidzas? Viņu tas kaut kādā ziņā ļoti nomierināja.

– Sasodīts, Stjū!

– Ak! – Pērviss iesaucās, pētīdams *UNIX* izsniegto atbildi.
– Tikai pāris stundu brauciena attālumā! Bedfordas apgabals.

– Tur atrodas Katona, – Belkneps klusi teica. – Tam nav nekādas jēgas. – To teikdams, viņš atcerējās, ko bija dzirdējis Kērka birojā. Ka Ģenēze it kā apdraudot Bānkrofta fondu. Vai Ģenēze jau būtu iespraucies fonda iekšienē?

– Vai tad ar to nepietiek? – Pērviss noprasīja. – Nu, vēl jau ir arī ievadizvades pamatsistēmas sērijas numurs, kas īstenībā ir datora reģistrācijas numurs. Vairāk gan neko uzzināt nav iespējams.

– Viņam taisnība, Tod, – Sačs piebalsoja. – Tas ir viss, ko var noteikt pēc šā maršruta izpētes.

– Vai es tagad varu no jauna pieslēgt *Beowulf* tiešsaistei? – Pērviss nožāvājās. – Jeilas un Ņūheivenas Medicīnas centrā jau visi būs satraukušies. Viņi tam pieslēdzas, lai izlasītu Psihiskās pētniecības institūta skenējumus.

– Katona, – Belkneps atkārtoja. Viņa izmisuma un nepacietības izmocītajā prātā pazibēja cerība. – Varbūt mēs vēl kaut ko varam secināt no tā datora numura? Man jāzina precīza tā atrašanās vieta.

– Paklausies, – Sačs sacīja, – es palikšu te un pārbaudīšu komerciālās datu bāzes, varbūt man izdosies kādu pavedienu izzvejot no tām. Tu labāk dodies turp. – Pagriezies pret Pērvisu, viņš turpināja: – Iedod viņam bezvadu klēpjdatoru, kas savietojams ar "Omegu".

– Šeit nav nekāda sasodīta Pestīšanas armija, Volt.

– Iedod gan. Tu dabūsi to atpakaļ.

Pērviss samierinājies nopūtās un atvienoja kādu plaukstdatoru no darbstacijas.

– Tikai nekopē pornogrāfiju, – viņš Belknepam teica. – Es redzēšu, ja tu būsi to darījis.

– Ceru, ka tuvākajās dienās redzēsimies, – Sačs ar krēslu pagriezās pret Belknepu. – Došu ziņu, tiklīdz man būs pavēstāms kas noderīgs.

– Tu esi labs cilvēks, Volter Sač, – slepenais aģents sirsnīgi atbildēja, bet tad, atcerējies savu paviršību, saviebās. – Nolādēts! Gandrīz piemirsu... es Dominikā sadauzīju savu mobilo tālruni.

Sačs pamāja ar galvu.

– Ņem manējo. – Viņš pasniedza Belknepam savu *Nokia* tālruni un tikko jaušami pasmaidīja. – Un esi piesardzīgs! Jūsu spēlē par balvu papildu dzīvības, šķiet, nepiešķir.

– Varbūt tāpēc, ka tā nav spēle, – Belkneps drūmi piekrita.

Andrea, redzēdama no ieroča stobra gala izšaujamies zilgan-baltas liesmas, neapzinājās, ka aiz šausmām kliedz. Atbalsodamies akmens gaitenī, šāvieni nograndēja apdullinoši skaļi. Mirkli vēlāk vīrietis lietišķi ielika lielo revolveri atpakaļ makstī, kur tas nozuda zem vaļīgi pašūtās žaketes, neatstādams nevienu pie-rādījumu, ka tur atrodas.

Andrea Bānkrofta satriekta juta, ka joprojām ir dzīva. Turklāt neskarta. Tas nebija loģiski. Viņa pagrieza galvu atpakaļ un ie-raudzīja, ka abi viņas sargi nekustīgi guļ zemē. Pierē tiem, gluži kā trešā acs, bija saskatāms mazs tumšs caurums.

– Es nesaprotu... – viņa izdvesa.

– Man par to nav daļas, – vīrietis sacīja. Viņa seja bija neiz-teiksmīga, it kā viņš veiktu ikdienišķu darbu, bet tajā pašā laikā Andrea juta viņa ciešo skatienu. – Man uzdots aizvest jūs no še-jienes prom. Tāda ir instrukcija.

– Uz kurieni?

Varenie pleci pavilkās augšup un nolaidās atpakaļ.

– Kur vien jūs vēlaties.

Viņš jau bija pagriezies un devās prom. Andreai neatlika ne-kas cits kā sekot. Abi izgāja pa zemiem, eņģēs iekārtiem vārtiem un devās lejā pa platiem akmens pakāpieniem, līdz iznāca plašā zālienā ar īsi nopļautu zāli. Pāris simtu jardu tālāk viņa redzēja tādu kā sporta laukumu, taču atskārta, ka tas ir helikopteru no-laišanās laukums. Tur stāvēja četri rotorplāni – paveci, apbružāti militārie modeļi. Andrea paātrināja soli, cenzdamās neatpalikt no bezvārda vīrieša.

– Kur mēs esam?

– Apmēram desmit jūdžu uz ziemeļiem no Ričfīldspringsas. Varbūt piecas jūdzes uz dienvidiem no Mohokas.

– Kur tas ir?

– Ņujorkas štata ziemeļos. Ciematu sauc Džeriko. Apmēram pirms desmit gadiem *Theta* to nopirka no Austrumu pareizticī-go baznīcas. Pārāk maz mūku tādā plašā klosterī. Parastais stāsts. – Viņš palīdzēja Andreai iekāpt nelielā helikopterā, uz kura zilā sāna baltiem burtiem bija uzraksts ROBINSON un modeļa numurs R44 – sīkumi, kas gluži kā dadži iekērās Andreas atmiņā, – piesprādzēja viņu ar siksnu un pasniedza ausu aizsargus.

– Paklausieties, – Andrea atkal iesāka. – Esmu tik apjukusi... – Viņa juta, ka dreb. – Mana māte...

– Bija ļoti neparasta sieviete. – Vīrietis pieliecās Andreai tuvāk un cieši satvēra viņas apakšdelmu. – Es reiz viņai apsolīju, ka jūs pieskatīšu. Jūs abas. Taču es viņu pievīlu. Neatrados viņai līdzās brīdī, kad biju vajadzīgs. – Viņa balss tikko jaušami ietrīsējās. – Nevarēju pieļaut, ka atkārtotos kas tamlīdzīgs.

Andrea samirkšķināja acis, mēģinādama saprast viņa vārdu jēgu.

– Jūs teicāt, ka esot saņēmis instrukciju, – viņa teica. – No kā? Kas jums tās dod?

Viņš lūkojās Andreai acīs.

– Ģenēze, – viņš atbildēja. – Kas gan cits?

– Taču Bānkrofta fondā...

– Es saņēmu labāku piedāvājumu. Teiksim tā.

– Neko nesaprotu, – Andrea nočukstēja.

– Tad lai tā arī paliek, – viņš noburkšķēja un iedarbināja dzinēju. Rotoru radītajā troksnī vīrietis kliedza: – Uz kurieni? Uz kurieni lidosim?

Bija tikai divas iespējas. Vai nu mūžīgi slēpties no Pola Bānkrofta, vai ieskatīties viņam acīs. Andrea varēja doties uz Katonu vai arī bēgt no Katonas prom, cik tālu vien iespējams. Viņa nezināja, kāda rīcība būtu gudrāka. Toties viņa zināja, ka ir nogurusi no baiļu sajūtas, no izsekošanas. Vienā mirklī lēmums bija pieņemts.

– Vai jums pietiks degvielas, lai nokļūtu Bedfordas apgabalā? – viņa jautāja.

– Un atgrieztos atpakaļ, – vīrietis sacīja.

– Es neatgriezīšos, – Andrea atbildēja.

Viņa nopietnajā sejā iezagās viegls smaids. Gluži kā plaisa ledū.

– Tad lai tā arī paliek.

Vēl viena noīrēta automašīna, un vēl viens asfaltēts ceļš. Caur vējstiklu redzamā šoseja atgādināja bezgalīgu betona upi, ko izraibināja nelieli tumši plankumi, ar darvu aizķepinātas bedrītes, un ierobežoja apbružāts, sarūsējis aizsargžogs. Abās ceļa pusēs gluži kā krasti slējās slāņainu iežu sienas. Šis ceļš aizvedīs viņu tur, kur viņam jānokļūst. Attālums, kas vēl jāpārvar. Ienaidnieks un draugs. Tāpat kā Ģenēze?

Kad Belkneps pabrauca garām pagriezienam uz Norvolku, Konektikutas štatā, iezvanījās tālrunis. Tas bija Sačs ar jaunākajām ziņām.

– Es izdarīju, kā tu teici, – Sačs sacīja no satraukuma drebošā balsī. – Piezvanīju uz *Hewlett-Packard* klientu dienestu un teicu, ka esmu datoru remonta firmas darbinieks. Nodiktēju *BIOS* sērijas numuru, un viņi to ievadīja pārdošanas dokumentu datnē. Pircējs ir Bānkrofta fonds. Nekāds pārsteigums tas nav, vai ne?

Belknepam šķita, ka kaklā ieplūst skābe.

– Laikam gan nav, – viņš atbildēja. Taču... ko tas nozīmē? Vai to, ka Ģenēze galu galā ir Pols Bānkrofts? Vai gluži vienkārši to, ka Ģenēzei izdevies iekļūt fondā? – Labi strādāts, Volt! Tev taču ir senatora Kērka privātā e-pasta adrese, vai ne?

– Viņš maršrutā norādīts kā saņēmējs, protams.

– Man vajadzīgs, lai senators Kērks nosūta kādu ziņu no sava e-pasta adreses.

– Tu gribi teikt, lai es nosūtu ziņu, it kā būtu senators Kērks.

– Jā. Tu, protams, izmantosi maskēšanas programmu, lai saglabātu slepenību savā galā.

– Es varu izmantot virtuālo fāzes modulācijas sistēmu.

– Jauki. Saki viņiem, ka saruna ir steidzama, lai viņi pusotras stundas laikā izveido virtuālo tērzēšanas telpu. Apjautājies, kāpēc kāds Tods Belkneps ieradies pie senatora ar jautājumiem par Ģenēzi.

– Sapratu, – Sačs atbildēja. – Tev acīmredzot vajadzīgs, lai Ģenēze sēž pie sava datora, vai ne? Fiziskajā telpā.

– Fiziskajā telpā? Vai tā tu teici?

– Jā gan, – Sačs noņurdēja. – Tā viņi dēvē reālo pasauli. – Viņš brīdi klusēja un tad pajautāja: – Vai tu domā, ka izdosies?

– Es nezinu, vai izdosies. Es tikai zinu, ka jāizdodas.

– Labi, ka tu saki "zinu", nevis "ceru", jo cerība nav nekāds plāns.

– Pareizi, – Belkneps dobjā balsī atbildēja. – Un plāns ir tikai viens.

Manhetenas centrālā daļa

Smita kungs bija neizpratnē un, lai gan viņš vienmēr lepojās ar spēju savaldīties, pat nedaudz aizkaitināts. Norādījumi, kas bija pienākuši uz viņa plaukstdatoru, bija nekaunīgi īsi. Parasti viņš saņēma plašāku personas aprakstu, bet šajā reizē bija norādīta tikai vieta un dažas "objekta" ārējās pazīmes.

Vai viņam vairs neuzticas? Ar ko viņš to izpelnījies? Vai darbinieku pārkārtošanās dēļ, par ko viņš vēl nav dzirdējis, mainījies viņa kurators? Vai kaut kas grozīts operāciju noteikumos?

Galu galā tas nebija svarīgi. Smita kungs sēdēja ielas kafejnīcā Braianta parkā un iedzēra vēl vienu stipras kafijas malku. Viņš vispirms paveiks uzdevumu un tad izteiks savas bažas, kā tas pieklājas profesionālim.

Apsēdieties pie galdiņa, kas ir vistuvāk Sestās avēnijas un Četrdesmit otrās ielas krustojumam, bija teikts norādījumos. "Objekts" parādīšoties pie zemā akmens mūra, kas stiepjas caur parku un atdala atpūtas zonu no Ņujorkas publiskās bibliotēkas zemes gabala. Smita kungam bija jālieto "pildspalva".

Vīrietis ieradās paredzētajā laikā, sešas pēdas garš, kalsns, rudiem matiem – tieši tāds, kāds bija aprakstīts norādījumos.

Smita kungs, nolēmis paraudzīties uz "objektu" no tuvāka attāluma, ar izklaidīgu sejas izteiksmi devās uz akmens mūra pusi. "Objekts" uz viņu palūkojās.

Smita kungs samirkšķināja acis. Šis vīrietis nebija nekāds svešinieks.

Gluži pretēji.

– Ak, Džonsa kungs! – viņš iesaucās. – Kāds pārsteigums!

– Dārgais Smita kungs! – Kolēģis bija ne mazāk izbrīnījies. – Vai tas nozīmē, ka mums dots viens un tas pats uzdevums?

Smita kungs brīdi vilcinājās.

– Nav iedomājams nekas pretīgāks. Patiesībā mana uzdevuma mērķis saistīts ar *tevi*.

– Mani? – Džonsa kungs šķita pārsteigts. Taču ne ļoti pārsteigts.

– Jā, esmu spiests to secināt. Man nepaziņoja "objekta" vārdu, bet tu pilnīgi atbilsti aprakstam.

Smita kungs zināja, ka "objekta" identitāte kļuvusi zināma Kērka komisijai. Kā tāda neveiksme atgadījusies, nebija skaidrs.

Vai Džonsa kungs pieļāvis kļūdu? Drošības apsvērumi prasīja "izgaismotā" aģenta likvidēšanu.

– Vai zini, kas ir savādi? – Džonsa kungs sacīja. – Tu atbilsti mana "objekta" aprakstam. Man teica, ka runa esot par kādu mūsējo, kurš sevi atklājis. Tu taču zini, kādai drošības apsvērumu diktētai rīcībai pēc tam jāseko.

– Vai tu nedomā, ka šoreiz kāds kaut ko gluži vienkārši sajaucis? – Smita kungs draudzīgi pašūpoja galvu.

– Kāda kancelejas žurka ierakstījusi darbinieka vārdu ailē, kur jāraksta "objekta" vārds, – rudmatis teica. – Un ardievu, cilvēka vairs nav. Ļoti iespējams, ka tas viss ir tikai ierēdņa kļūda.

Smita kungs piekrita, ka tāda varbūtība ir pieļaujama. Taču, zinādams, ka operācija ir ļoti slepena un rūpīgi uzraudzīta, viņam nebija šaubu, ka nekādas kļūdas šeit nav. Turklāt viņš, Smita kungs, bija profesionālis.

– Kopā, mans draugs, – viņš sacīja, – mēs tiksim skaidrībā, kas īsti noticis. Atļauj tev parādīt ziņojumu, ko saņēmu savā plaukstdatorā.

Viņš iebāza roku krūškabatā, taču izvilka no tās nevis mazo datoru, bet priekšmetu, kas atgādināja pildspalvu tērauda futrālī. Smita kungs nospieda uzgali, un atskanēja kluss klikšķis. Ārā izlidoja adatiņa.

Džonsa kungs palūkojās lejup.

– Tev nevajadzēja tā darīt, – viņš teica, izvilkdams adatiņu no krūtīm un pasniegdams to Smita kungam. – Cik saprotu, tā ir medūzas inde.

– Baidos, ka tev taisnība, – Smita kungs apstiprināja, – Man ļoti žēl. Vēl dažas minūtes tu neko nejutīsi. Pretindes nav. Kad inde nonāks asinīs, vairs nekas nebūs glābjams.

– Nolādēts! – tonī, kādā cilvēki izsakās par nolauztu nagu, Džonsa kungs noburkšķēja.

– Tava pašcieņa un stoiskā stāja šajā liktenīgajā mirklī ir apbrīnas vērta, – Smita kungs aizkustināts bilda. – Nespēju izteikt, cik man žēl, ka tam vajadzēja notikt. Tici man.

– Es tev ticu, – Džonsa kungs atbildēja. – Jo man arī žēl, ka es to izdarīju.

– Tev... žēl...

Smita kungs pēkšņi aptvēra, ka pāris minūtēs nosvīdis gluži slapjš, lai gan agrāk nekas tamlīdzīgs ar viņu nenotika. Saules gaisma žilbināja acis, acu zīlītes iepletās. Reiba galva. Tas bija nepārprotamas pazīmes, kādas raksturīgas, ja cilvēka organismā iekļuvusi inde.

– Kafija...? – Smita kungs aizelsdamies izdvesa.

Džonsa kungs pamāja ar galvu.

– Tu taču zini, ka tas ir mans iecienītais paņēmiens. Man *ļoti* žēl.

– Nebiju domājis...

– Metilāta atvasinājums no ciguatoksīniem. Tam arī nav pretindes.

– Tas, ko mēs pērn izmantojām Kalmikijā?

– Tieši tas pats.

– Ak kungs!

– Ja tev izdotos izdzīvot, tu nožēlotu. Inde iedarbojas uz nervu sistēmu. Tu būtu drebelīgs plānprātis, ko rausta konvulsijas un kas pieslēgts pie mākslīgās elpināšanas aparāta. Tā patiešām nebūtu nekāda dzīve.

– Jā, tev taisnība... – Smita kungs juta karstus un aukstus viļņus, it kā viņu svaidītu no ugunskura āliņģī un atpakaļ. Lai gan pats jutās tik nožēlojami, viņš ievēroja, ka Džonsa kunga seja kļūst pelnpelēka, un tā bija paātrinātas audu atmiršanas pazīme.

– Savādi, vai ne? – Džonsa kungs sacīja, pieķerdamies pie margām, lai noturētos kājās. – Mēs bijām partneri un...

– Un esam kļuvuši par viens otra slepkavām.

– Nujā... Lai gan es tā negribētu sacīt.

– Mums vajadzīga vārdnīca, – Smita kungs teica. – Vai... vai ir vēl kāds vārds, ar ko apzīmē vārdnīcu?

– Varbūt šo joku ar mums izstrādājis kāds lietpratīgs jokdaris? – Džonsa kungs vārgā balsī prātoja. – Man gan smiekli par to nenāk. Patiesībā... es nejūtos tik labi, lai smietos. – Džonsa kungs noslīga zemē. Viņa plakstiņi raustījās tāpat kā locekļi.

Viņam blakus uz ietves bruģa saļima arī Smita kungs.

– Labi, ka esam viens otram līdzās, – viņš nogārdza.

Spožā gaisma Smita kungu vairs netraucēja, un viņš uz mirkli pat iedomājās, ka viss būs labi. Taču tā nebija. Gaisma netraucēja tāpēc, ka viņš grima tumsā. Viņš neko vairs nesaoda, neko nedzirdēja un neredzēja. Neko nejuta.

Viņš bija prom. Jo vairs nebija nekā.

DIVDESMIT DEVĪTĀ NODAĻA

Katona, Ņujorkas štats

Belkneps atstāja automašīnu ceļmalā nelielu gabalu pirms pagrieziena, kas veda uz Bānkrofta fonda mītni, un tālāk devās kājām. Uzmanīgi pārrāpies pār kaļamās dzelzs žogu, kura augšpusē bija asi pīķi, viņš vakara puskrēslā pa liepu aleju tuvojās ēkai. Tā bija gluži kā sastapšanās mežā ar maskētu milzu aerobusu. Sākumā Belkneps neko nesaskatīja, bet tad pēkšņi ieraudzīja kaut ko tik lielu, ka nespēja nobrīnīties, kā to nebija ievērojis iepriekš. Bija svētdiena, tātad brīvdiena, un šeit nevienam nevajadzēja būt. Taču Belkneps nedrīkstēja būt tik bezrūpīgs, lai tā domātu. Kur ir Andrea? Vai viņa šeit ir ieslodzīta?

Netālu no pēdējās liepas, kas auga kādus trīsdesmit jardus no ēkas, piebraucamā ceļa malā, viņš pieplaka pie zemes, pārbaudīja pulksteni un atvēra piezīmju grāmatiņas lieluma bezvadu plaukstdatoru, ko viņam bija iedevis docents. Pēc Sača norādēm, viņš iegāja virtuālajā tērzētavā, kur notika saruna reālajā laikā. Sačs bija izdarījis visu, ko viņš lūdza, un Ģenēze, paklausīdams it kā senatora lūgumam, bija piekritis tikties šajā informācijas apmaiņas telpā, tiesa, izmantojot maskēšanās sistēmu. Norunātais laiks bija klāt. Bezvadu dators šķita mazliet par lēnu, taču savu darbu padarīja.

"Radušies jautājumi par jūsu saistību ar Bānkroftu," Belkneps uzklikšķināja.

Kluss pīkstiens, un ekrāna apakšā parādījās vārdi:

Jūsu darbs, senator, kā Jūs pats sakāt, esot "uztaustīt puvi un to novērst". Es varu vienīgi norādīt Jums pareizo virzienu.

Belkneps uzrakstīja: "Man jāzina, vai Jūsu informāciju neaptraipa metode, ar kādu Jūs to iegūstat."
Pēc dažām sekundēm bija lasāma atbilde:

"Saindētā koka auglis" ir tiesiska doktrīna. Ceru, ka fakti, ko es Jums nogādāju, palīdzēs Jums ievirzīt izmeklēšanu pareizā gultnē un kalpos Jums par neapstrīdamiem pierādījumiem.

"Kādas tajā visā ir Jūsu intereses?" Belkneps, uzdevis nākamo jautājumu, pa piebraucamo ceļu pieskrēja tuvāk ēkai.

Mani interesē briesmīgas sazvērestības apturēšana. Tikai Jūs varat to izdarīt.

Vēl viens pārskrējiens, un Belkneps uzklikšķināja: "Tomēr Jūsu vārds visā pasaulē iedveš bailes."

Tikai mans vārds. Mana slava dzīvo, lai gan es neeksistēju.

Kad Belkneps ar plaukstdatoru rokā tuvojās parādes durvīm, viņa sirds dauzījās tik strauji kā vēl nekad. Caur matēto durvju stiklu ieskatījies iekšā, viņš viegli pagrūda durvis. Tās nebija aizslēgtas, un viņš iegāja patumšā vestibilā, kur gaisā jautās mēbeļu lakas citronu aromāts un veca koka smarža. Belknepa dzirdi sasniedza klusa mūzika. Stīgu instrumenti, ērģeles un balsis – kaut kas no baroka. Uzrakstījis un nosūtījis vēl vienu jautājumu, Belkneps klusi lavījās uz mūzikas skaņu pusi. Precīzi savietotie grīdas dēļi zem Persijas paklāja ne čīkstēja, ne krakšķēja. Kabineta durvis, pa kurām plūda jaukās skaņas, bija pusvirus. Pret liela datora ekrāna blāzmu iezīmējās augsta krēsla atzveltne.
Belknepam šķita, ka viņa skaļie sirdspuksti dun pa visu namu.
Viņš dzirdēja klusus tastatūras klikšķus. Uz viņa plaukstdatora displeja pēc pāris sekundēm parādījās vēl viena rindiņa.

Vispārēja labklājība ir tikai tad, ja labi jūtas katrs atsevišķs cilvēks. Jo ikviens no mums ir tikpat vērtīgs, cik visi kopā.

Belknepam mati uz pakauša cēlās stāvus. *Viņš bija vienā telpā ar Ģenēzi.*

472

Ļaunuma džgars – marionešu dancinātājs – sēdēja tikai divdesmit pēdu attālumā.

No grāmatplauktā ievietotā kompaktdisku atskaņotāja plūda blokflautas skaņas, pec tam skumju liturģiju dziedāja sulīgs mecosoprāns. Bahs, Belkneps nodomāja. Vai viena no viņa mesām? Belkneps neskaidri atcerējās kādu Lieldienu dievkalpojumu, kurā viņš piedalījās, un prātā ienāca skaņdarba nosaukums – "Svētā Mateja pasija". Viņš nolika plaukstdatoru malā un klusi no žaketes izvilka pistoli.

– Runā, ka tas, kurš tevi ieraudzīšot, mirs, – beidzot viņš sacīja, notēmējis ieroci uz augsto krēsla atzveltni. – Esmu nolēmis pārbaudīt, vai tā ir.

– Tie ir blēņu stāsti maziem bērniem, – Ģenēze atbildēja. Šī balss... tā nebija vīrieša balss. – Pasakas, kurām jūs esat par vecu. – Cilvēks, kurš sēdēja grozāmajā krēslā, lēni pagriezās pret Belknepu.

Tas bija zēns. Kalsns, ar gaišiem, cirtainiem matiem un sārtiem vaigiem, ģērbies teniskreklā un īsbiksēs.

Puišelis. Divpadsmit vai trīspadsmit gadus vecs?

– Vai tu esi Ģenēze? – Belknepa balss aiz pārsteiguma bija aizsmakusi.

Zēns pasmaidīja.

– Tikai nesakiet manam tēvam, lūdzu.

– Tu esi Ģenēze, – Belkneps, joprojām tam īsti neticēdams, atbildēja uz savu jautājumu. Šķita, ka telpa viņam apkārt sāk griezties gluži kā rotaļlaukuma karuselis.

– Jā, Ģenēze ir mans virtuālais tēls. – Zēna balss vairs nebija augsta, taču neatgādināja arī pieauguša vīrieša baritonu. – Domāju, ka jūs esat Tods Belkneps.

Belkneps mēmi pamāja ar galvu. Viņš atskārta, ka nav aizvēris muti, un atgādināja sev, ka jāievelk elpa.

– Es esmu Brendons.

Brendons Bānkrofts. Nevis tēvs, bet dēls.

– Vai vēlaties *Sprite*? – Brendons apjautājās. – Nē? Es gan labprāt padzeršos.

TRĪSDESMITĀ NODAĻA

– Kur jūs gribētu izkāpt? – Andrea izdzirdēja vīrieša balsi austiņās – citādi helikoptera troksnī sazināties nebija iespējams. – Pie mājas? Pie biroja?

– Pie mājas, – Andrea atbildēja. Viņa tiksies ar doktoru Bānkroftu aci pret aci šā cilvēka miteklī.

Helikoptera saceltajā vējā zāle padevīgi piespiedās pie zemes, un lapukoki ap nolaišanās laukumu, sajutuši brāzmas, sāka trīsināt savu zaļo rotu. Tiklīdz helikoptera tērauda pieši skāra zemi, Andrea jau traucās uz durvīm. Pēc brīža, kad bezvārda vīrietis bija prom, viņa skriešus metās uz priekšu pa krūmiem aizaugušo taku. Nokļuvusi pie žoga, Andrea nogriezās sāņus un, izjoņojusi cauri nelielai birztalai, šķērsoja pļavu, tuvodamās Pola Bānkrofta mājai. Ārdurvis bija vaļā, un Andrea uzskrēja pa kāpnēm augšup. Viņu apņēma pazīstamais cietkoksnes grīdu un tīru paklāju aromāts... Mājas saimnieka darbistaba bija tukša. Guļamistabā viņa ieraudzīja nesaklātu gultu. Šķita, ka Pols Bānkrofts grasījies doties pie miera, bet tad aizsaukts prom. Andrea saprata tikai to, ka mājās viņa nav.

– Kur ir Andrea? – cenzdamies sakopot domas, Belkneps noprasīja.

– Es domāju, ka tā ir Andrea, kas nāk, bet tas bijāt jūs. Kuru katru mirkli viņai jābūt klāt. Viņa ir lieliska, vai ne?

– Jā, – Belkneps atbildēja. Telpa atkal sāka griezties.

– Jūs izskatāties bāls. Vai tiešām nevēlaties padzerties?

– Gan jau būs labi.

Brendons pamāja ar galvu.

– Ceru, ka būs. – Viņš bikli novērsa skatienu. – Ar Andreu gribēja izrīkoties slikti. Viens no maniem cilvēkiem, kurš bija ieguvis lielo vīru uzticību, izskaitļoja, kur viņa jāmeklē, un aizveda viņu no tās vietas prom ar helikopteru. Viņa gribēja nokļūt šeit.

Andrea ir drošībā? Belkneps nesaprata, vai var ticēt šai ziņai, pareizāk, vai var ticēt šim avotam. Lai gan bažas nepagaisa, viņā uzbangoja spējš atvieglojums.

– Vai jums patīk Bahs? – zēns vaicāja.

– Šī mūzika man patīk, – Belkneps atbildēja.

– Man patīk dažāda mūzika. Šis skaņdarbs mani vienmēr saviļņo. – Zēns pagriezās atpakaļ pie tastatūras un sāka rakstīt. Belkneps redzēja puišeļa lāpstiņas, kas tikko manāmi kustējās zem plānā kokvilnas krekla auduma. – Mateja evaņģēlija divdesmit sestā un divdesmit septītā nodaļa. – Brendons nospieda tālvadības pults taustiņu, un mūzika pieklusa. Zēns citēja: – Bet ap devīto stundu Jēzus sauca stiprā balsī: *Eli, Eli, lama sabahtani!* Tas ir: "Mans Dievs, Mans Dievs, kāpēc Tu esi mani atstājis?"

Belkneps uzmeta zēnam neizpratnes pilnu skatienu.

– Neraizējieties, es neiedomājos sevi par mesiju, – Brendons viņu nomierināja. – Kad Jēzus izauga, viņš uzzināja, ka viņa tēvs ir Dievs. Es uzzināju, ka mans tēvs *tēlo* Dievu. Ir atšķirība, vai ne?

– Vai nu Dievu, vai velnu. Grūti pateikt.

– Grūti? – Brendons cieši lūkojās Belknepam acīs. – Esmu dzirdējis, ka velnišķīgākais, ko nelabais pastrādājis, esot tas, ka viņš pārliecinājis ļaudis par savu neesamību, – viņš sacīja. – Ja mērojaties spēkiem ar nelabo, jums jāpanāk, lai cilvēki zina, ka tas eksistē.

– Jāpārliecina ļaudis, ka tas, ko viņi redz, ne vienmēr ir īsts, – Belkneps vilcinādamies teica, pamazām apjēgdams patiesību. – Bet visi šie nostāsti... Tikai, lai vairotu iespaidu par Ģenēzes visvarenību?

– Jā, protams. Vai esat kādreiz spēlējis datorspēli ar daudziem dalībniekiem? Jūs varat radīt savu "es" un izdomāt šā virtuālā dubultnieka dzīvi. Tagad, cik saprotu, jūs par tādām lietām šo to zināt. Jūs taču uzdevāties par senatoru K., vai ne? Tā jau es domāju.

Tātad Ģenēze ir elektroniska leģenda, Belkneps atskārta. Ne vairāk, ne mazāk. Līdz ar apjausmu viņš juta godbijību. Leģenda, kas ietērpta nostāstos, kuri savukārt izplatīti internetā un tālāk no mutes mutē.

– Bet tas taču nav viss, vai ne? – Belkneps domīgi sacīja. – Ģenēze no konta uz kontu pārsūtīja naudu, nolīga cilvēkus... Šie cilvēki nekad tevi neredzēja, un tu sūtīji norādes, kontrolēji un stimulēji. Tu darīji daudz ko. Taču... kādēļ?

Brendons brīdi klusēja.

– Es mīlu tēvu. Viņš taču ir mans tēvs, vai ne?

– Viņš ir ne tikai tavs tēvs. Viņš ir vēl kas, un tu to labi zini.

Brendons skumji pamāja ar galvu.

– Viņš radījis kaut ko lielāku par sevi. Kaut ko... Jaunu. – Pēdējo vārdu zēns nočukstēja.

– Tavs tēvs uzskata, ka lielāka labuma sniegšana lielākam skaitam cilvēku attaisno jebkādu rīcību, – Belkneps sacīja.

– Jā.

– Taču tu, cik sapratu, domā citādi.

– Manuprāt, katra dzīvība ir svēta. Nevis tāpēc, ka es būtu pacifists vai kas cits. Viens ir nogalināt pašaizsardzības nolūkā, bet pavisam kas cits – laupīt dzīvību, vadoties pēc kaut kādām abstraktām teorijām. Slepkavība nav attaisnojama ar kalkulatora aprēķiniem.

– Tātad mēnešiem ilgi no attāluma, digitāli un neizsekojami tu ģenerēji notikumus, iesaistīdams neskaitāmus cilvēkus, kuri nekad neredzēja tevi vaigā, kuriem tu pārsūtīji finanšu līdzekļus un pavēles un kuru padarīto bez pūlēm kontrolēji. Kādēļ? Lai izārdītu grupu *Theta*?

– Operāciju, kas maksā miljardus.

– "Inverbrass", – Belkneps teica. – Tu izraudzījies Ģenēzes vārdu, zinādams, ka tēvā tas iedvesīs bailes. Kērka komisija bija tava izdevība. Tā tev palīdzētu gūt Amerikas Savienoto Valstu valdības atbalstu, lai grupu *Theta* iznīdētu ar visām saknēm. Tu vāci materiālus par grupas operācijām un sūtīji to senāta izmeklēšanas komisijas vadītājam.

– Neko citu es nevarēju izdomāt, – zēns sacīja. Neparasts puišelis, Belkneps domāja. Reizē pašpārliecināts un trausls. – Vai jūs, lūdzu, nevarētu nolaist zemāk ieroci? Neņemiet ļaunā, bet man nepatīk, ka tas ir vērsts pret mani.

Belkneps bija aizmirsis, ka viņam rokā joprojām ir pistole.

– Piedod, – viņš teica, – sliktas manieres. – Belkneps nolika šaujamo uz pusapaļa galdiņa pie durvīm un pagājās telpā pāris soļu uz priekšu. – Vai tavs tēvs zina, kāda ir tava attieksme pret grupu *Theta*?

– Viņam nepatīk, ja es lasu Kanta darbus, Bībeli arī ne. Viņš zina, ka mums ir dažādi uzskati, taču mani argumenti viņu nepārliecina. To nav viegli izskaidrot. Kad es jums saku, Belknepa kungs... es mīlu tēvu. Taču... – Brendons aprāvās.

– Tu domāji, ka tev viņš jāaptur. – Belknepa balss bija atmaigusi. – Tu domāji, ka neviens cits to nedarīs. Tu mērojies ar savu tēvu spēkiem tādā kā virtuālā šaha spēlē.

– Kāds tur šahs, ja katrs bandinieks nozīmē cilvēka dzīvību.

– Tev taisnība.

– Sākumā es domāju, ka pietiks, ja, uzdodamies par Ģenēzi, piedraudēšu viņam.

– Piedraudēsi, ka grupu *Theta* atmaskos Kērka komisija.

– Jā. Taču tas nelīdzēja. Es sāku vākt arhīvu – ko līdzīgu digitālam dosjē – par šīs grupas operācijām. Tas nebija vienkārši, bet es to darīju. Šis dosjē izgaismo visas saknes un zarus līdz pēdējam sīkumam.

– Tātad dosjē veidošanu tu esi pabeidzis?

Zēns piekrizdams pamāja.

– Tas nozīmē, ka, piespiezdams dažus taustiņus, tu vari to nosūtīt Kērka komisijai. Un briesmonis, kas slēpjas tumsā, nokļūs spožas gaismas staros.

Brendons atkal pamāja.

– Pienācis laiks to izdarīt, vai ne?

Ģenēze ir trīspadsmit gadus vecs puišelis. Belkneps nespēja ar šo domu aprast.

– Tad jau Džereds Rainharts strādā tava tēva labā. Viņam nav nekas kopīgs ar Ģenēzi.

– Rainharts? *Ak Dievs, nē!* Cik esmu dzirdējis, viņš esot briesmīgs tips. Priecājos, ka mūsu ceļi nav krustojušies.

No durvīm atskanēja samtaina, taču salta un valdonīga balss.

– Līdz šim. Līdz šim tie patiešām nebija krustojušies, – kāds teica.

TRĪSDESMIT PIRMĀ NODAĻA

Belkneps apcirties ieraudzīja gara auguma vīru, kas reiz bija viņa labākais draugs. Pollukss un Kastors. Ēnās tītais siluets durvīs izskatījās nedabiski kārns, bet pistole viņa rokā – nedabiski liela.

– Man žēl, ka nevalkāju platmali, – bijušais cīņubiedrs sacīja, raudzīdamies uz Belknepu. – Tad es to varētu noņemt tavā priekšā.

– Džered... – Belkneps izgrūda aizsmakušā balsī.

– Tu esi pārspējis pats sevi, – Rainharts turpināja. – Tu patiešām esi apbrīnas vērts. Esmu pārsteigts, lai gan jau sen zināju, ka tu tāds esi. Bet nu tavi pūliņi ir galā. Ar pārējo es tikšu galā. – Viņš smīnēdams uzmeta skatienu Brendonam. – Tavs tēvs tūlīt būs klāt.

– Ko es esmu izdarījis! – Belkneps nočukstēja, juzdams, ka sirds pamirst. – Ak Dievs... ko es esmu izdarījis...

– To, uz ko neviens cits nebūtu spējīgs. Bravo, Tod! Es to saku no sirds. Tu izdarīji visu melno darbu. Es? Es atkal būšu cienījams džentlmenis galifē biksēs. To zina visi mednieki. Lai notvertu lapsu, jāiet aiz dzinējsuņa. Man jāteic, ka mēs pat iedomāties nevarējām, kur slēpjas mūsu lapsa. Mēs to neiedomātos pat miljons gados. Taču tagad viss nostājas savā vietā.

– Tu mani izmantoji. Visu šo laiku, tu...

– Biju drošs, ka tu mani nenodosi, draugs. Man vienmēr bijusi vērīga acs uz talantiem. Jau pašā sākumā es zināju, ka tu esi unikāls. Birokrāti nodaļā tevi apskauda, un daudzi nesaprata, kā pret tevi lai izturas. Taču es zināju. Un vienmēr apbrīnoju tevi.

Tu patiešām zināji, kā pret mani jāizturas. Jau 1987. gadā Austrumberlīnē.

Belkneps mēģināja kaut ko pateikt, taču vārdi bija iesprūduši kaklā.

– Visu šo laiku tu... – viņš beidzot izstomīja, bet Rainharts nebija pateicis visu, tāpēc viņu pārtrauca.

– Zināju, cik sīksts tu esi, un zināju, uz ko esi spējīgs. Pazīstu labāk tevi nekā jebkurš cits. Kopā mēs bijām neuzvarami. Ceļā uz mērķi nekas mūs nespēja apturēt. Tas bija mūsu triumfa laiks, un es vienmēr to atcerēšos.

– Tātad tu mani *uzrīdīji*. Atstāji ēsmu un palaidi, lai skrienu tai pakaļ. – Sāpīgā atskārta plosīja Belknepu ar ciklona spēku.

– Tu ļāvi, lai sadzenu pēdas Ģenēzei, jo tā bija vienīgā iespēja, kā tu viņu varētu atrast.

Ēsma. Belknepam kļuva grūti elpot. Cita pēc citas sekoja atskārtas, un ikviena no tām viņu satricināja līdz sirds dziļumiem. Itāliešu meitene. Omānas Princītis. Cik daudzi vēl? Tie visi, paši neapjauzdami, tuvināja Rainhartu mērķim. Šīs ilgstošās operācijas dalībniekiem nebija ne jausmas par lielmeistara stratēģiju. Jo sevišķi Kastoram.

Belknepam šķita, ka galvaskauss tūlīt plīsīs no domām. Kad Tallinā viņš atklāja patiesību par Lagneru, nodevēju, kurš bija kļuvis par ieroču tirgoni, ilūzijā par Polluksu radās plaisa. Lai Dzinējsuns turpinātu ceļu pa Ģenēzes pēdām, Rainhartam plānu vajadzēja mazliet koriģēt, tāpēc par ēsmu kļuva Andrea. Ak kungs!

Rainharts savas velnišķīgās ieceres īstenošanā izmantoja Belknepa cilvēcīgumu, īpašības, ko tas joprojām nebija zaudējis, – uzticību, pieķeršanos un spēju iemīlēties.

Ja tava acs tevi apgrēcina, izrauj to...*

Juzdams, kādu naidu viņā izraisa Rainharta nodevība, Belkneps uz mirkli nožēloja, ka nav pārvērties trulā, nejūtīgā briesmonī, kurā vairs nav ne miņas no cilvēciskām jūtām. Taču nē! Viņš nekad nebūs tāds kā Rainharts! Savā ziņā tas nozīmētu padošanos, tas nozīmētu, ka viņš ir uzvarēts, ka viņš piekāpies apstākļiem un liktenim.

– Es raugos uz tevi, Džered, – Belkneps klusi teica, – un man šķiet, ka redzu tevi pirmo reizi.

– Un es tavās acīs redzu nosodījumu un pārmetumu. Vai tad tu nesaproti? – Rainharta balsī ieskanējās gluži vai sāpes. Viņa rokās blāvi spīdēja smagā pistole. – Vai tu neapjēdz, ka grupai Theta nebija citas izvēles? Bija apdraudēta mūsu eksistence... Lieki būtu piebilst, ka visi mūsu pūliņi izdibināt draudu avotu bija neveiksmīgi.

– Tu biji grupas *Theta* slepenais dūzis, – Belkneps sacīja. Viņš iztēlojās domino kauliņu krišanu, kā tie garā, līkumotā rindā cits

---

* Mateja ev. 18:9.

pēc cita klusi sagāžas. – Amerikāņu izlūkdienesta darbinieks ar pielaidi valsts noslēpumiem, slepenais aģents, kurš varēja piegādāt visu informāciju, kāda bija Amerikas Savienoto Valstu valdības rīcībā. Ja grupai *Theta* vajadzēja kādu atrast, tu acīmredzot safabricēji ticamu ieganstu, kāpēc Konsulāro operāciju nodaļas aģentiem pa galvu pa kaklu bija jāmetas to meklēt. Visu šo laiku es domāju, ka tu mani piesedz. – Belknepa balsī jautās apvaldīts niknums, gluži kā viela, uz kuru iedarbojas ārkārtīgi liels spiediens. – Īstenībā tu iedūri man mugurā nazi. Tu pārgāji pretējā pusē un kļuvi par sasodītu nodevēju...

– Tāda spriedelēšana par draugiem un ienaidniekiem ir naiva. Patiesībā es tiecos satuvināt, pat saplūdināt abus veidojumus. Kādēļ gan strādāt atsevišķi, ja mērķis ir viens? *Theta*, Konsulāro operāciju nodaļa... Mēs ar Polu bijām vienisprātis, ka racionālā pasaulē tām jādarbojas kopā, gluži kā viena ķermeņa divām rokām. – Rainharta šaudīgais skatiens pievērsās zēnam. – Starp citu, nespēju noliegt, ka esmu satriekts, uzzinājis, kas ir Ģenēze. Šis brīnumbērns... zudušais dēls. Nodevējs pie brokastu galda. Svešinieks, kas visu laiku bijis līdzās. Kurš gan to varēja iedomāties?

Svešinieks, kas visu laiku bijis līdzās. Belkneps cieši raudzījās uz Rainhartu – apmāna meistaru, melu virtuozu, nepārspējamu manipulatoru. Rainharts bija ietekmējis visu viņa dzīvi. Taču nebija īstais brīdis, lai pievērstos personiskajai drāmai, jo izšķīrās daudz kas svarīgāks. Belkneps slepus uzmeta skatienu pistolei, ko bija atstājis uz pusapaļā galda pie durvīm, un domās sevi izlamāja. Ierocis bija tuvāk Rainhartam nekā viņam. Viņš nevarēja spert soli, neizraisīdams aizdomas.

– Nāciet šurp! – Rainharts uzsauca kādam gaitenī, un durvīs iestājās Pols Bānkrofts. Viņš izskatījās tāds, it kā būtu uzcelts no gultas, un tā acīmredzot arī bija. Kājās uzrāvis haki krāsas bikses un uzvilcis sporta kreklu, viņš labajā rokā tik cieši žņaudza nelielu revolveri, ka pirkstu kauliņi bija balti. – Palūkojieties uz savu lielāko ienaidnieku, – Rainharts sacīja. – Uz mūsu visu ienaidnieku.

Vecais filozofs pavērtu muti raudzījās uz Brendonu, it kā neviena cita šeit nebūtu.

– Mans dēls... – viņš izmocīja.

– Piedodiet, ka jūs pārtraucu, – Rainharts saudzīgā balsī teica. – Svētie raksti sākas ar izcelšanos jeb ģenēzi un beidzas ar atklāsmi. Šī ir mūsu atklāsme.

Plati ieplestām acīm vecais vīrs pagriezās pret Rainhartu.

– Šeit acīmredzot ir kāda kļūda. Tas nevar būt!

– Vai tad jūs joprojām neko nesaprotat? – Rainharts jautāja.

– Vai tad beidzot viss nav skaidrs? Nu mes redzam, kā Ģenēzes rokās nonāca visi tie dokumenti. Nu mēs redzam, kāpēc...

– Vai tā ir taisnība, Brendon? – Bānkrofts no jauna pievērsās dēlam. – Pasaki man, vai tā ir *taisnība*?

Zēns apstiprinādams pamāja ar galvu.

– Kā tu spēji man to nodarīt? – Jautājums izlauzās tēvam no mutes, atgādinādams kaucienu. – Kā tev varēja ienākt prātā doma izpostīt manu mūža darbu? Visus šos gadus esmu pūlējies, padarīdams pasauli labāku – organizējis, plānojis, *gādājis*... bet tu šeit sēdi un gudro, kā to visu izputināt? Kā pavērst vēstures ratu atpakaļgaitā? Vai tu tik ļoti ienīsti cilvēci? Vai tu tik ļoti ienīsti *mani*?

– Tēt, es tevi mīlu, – Brendons klusi sacīja. – Tā nav, kā tu saki.

Džereds Rainharts nokrekšķinājās.

– Nav īstais laiks salkanai vāvuļošanai. Par to, kas tagad jādara, nevar būt divu domu.

– Lūdzu, Džered! – sirmais zinātnieks izmisis iesaucās. – Lūdzu, ļauj mums izskaidroties!

– Nē. – Rainharts bija nelokāms. – Ar pāris taustiņu piesitieniem jūsu dēls grasījās nosūtīt Kērka komisijai informāciju, kas mūs iznīcinātu, un nekas vairs nebūtu glābjams. Viņš bija sagatavojies satriekt drumslās visu, ko radīšanai jūs veltījāt savu dzīvi. Jums jārīkojas pēc tiem morāles principiem, kurus allaž esam ievērojuši.

– Bet...

Rainharts neļāva viņam runāt.

– Ja jūs tagad nerīkosieties pēc tiem principiem, – Rainharts sacīja ļaunā balsī, kas stindzināja asinis, – kurus vienmēr esat sludinājis, izrādīsies, ka visu mūžu esat melojis, ka jūsu dzīve bijusi melīga. Lielākais labums lielākam cilvēku skaitam – mērķis, ko nedrīkst kompromitēt. Vai atceraties, ko mums teicāt un ko mācījāt? Jā, Ģenēze ir jūsu dēls, taču viņa dzīve ir tikai viena cilvēka dzīve. Un tā viņam jāatņem jūsu mūža darba vārdā, visas cilvēces vārdā.

Pols Bānkrofts pacēla mazo revolveri. Viņa roka drebēja.

– Ja jums nebūtu nekas pretim, to varētu izdarīt es, – Rainharts piedāvājās.

Brendons, kurš joprojām sēdēja grozāmajā krēslā, pagriezās un ielūkojās tēvam acīs. Puišeļa skatienā bija mīlestība, apņēmība un vilšanās.

– Tavs ceļš, ne mans, ak, Kungs, lai cik tumšs tas būtu, – zēns sāka dziedāt trīsošā balsī. Pār vaigu viņam noritēja asara. Belkneps juta, ka puišelis skumst ne tikdaudz par sevi, cik par savu tēvu.

– Viņš grib teikt, ka nevienam nav tiesību aizstāt Dievu, – cieši vērdamies uz filozofu, Belkneps sacīja. Augstprātība un pašpārliecinātība bija samaitājusi šā gudrā vīra ideālismu, padarījusi to kroplu. Viņš nesaprata, ka galu galā ir tikai cilvēks, nevis Dievs, – cilvēks, kurš par visu vairāk pasaulē mīl savu dēlu, un tas bija skaidri redzams.

Bēdu salauzts un sāpju pārņemts, Pols Bānkrofts pagriezās pret Rainhartu.

– Paklausies, ko es teikšu. Viņš nāks pie prāta. Beigu beigās viņš *nāks* pie prāta. – Pievērsies dēlam, viņš dedzīgi turpināja: – Mans bērns, tu apgalvo, ka ikviena dzīvība ir svēta. Tā ir reliģijas, nevis saprāta valoda. Mēs labāk teiksim, ka ikviena dzīvība ir vērtība. Ka ikviena dzīvība ir svarīga. Un tāpēc mēs nebaidāmies skaitīt. Skaitīt dzīvības, ko var glābt. Tās ir sāpīgu darbību pozitīvās sekas. To taču tu saproti, vai ne? – Viņš runāja ātri un izmisīgi, aizstāvēdams savu pasaules uzskatu pret bērna skaidro redzējumu. – Esmu veltījis savu dzīvi cilvēcei, uzticīgi tai kalpodams. Esmu centies pasauli padarīt labāku. Tāpēc, ka tu, mans dēls, esi nākotne.

Brendons lēni papurināja galvu.

– Dažreiz cilvēki apgalvo, ka negribot laist pasaulē bērnus, jo pasaule ir tik draudīga, – viņa tēvs sacīja. – Mana mūža laikā cilvēki pieredzējuši daudz ko briesmīgu – pasaules karu, genocīdu, gulagu nometnes, badu, masu asinspirtis, terorismu. Desmitiem miljonu dzīvību iznīcinājis cilvēku neprāts. Divdesmitajam gadsimtam bija jākļūst par visu laiku izcilāko gadsimtu, taču tas kļuva par ļaunākās vardarbības gadsimtu mūsu vēsturē. Tā nav pasaule, kādu es vēlētos atstāt tev mantojumā, mans mīļais, dārgais bērns. Vai tad man nav taisnība?

– Lūdzu, tēvs... – zēns iesāka.

– Protams, tu to sapratīsi, – Bānkrofts turpināja, un viņa acis aizmiglojās. – Mans dēls, mans lieliskais dēls. Viss, ko mēs darām, no loģikas un morāles viedokļa ir attaisnojams. Mūsu mērķis nav varas vai bagātības vairošana. Mēs tiecamies sniegt labumu. Neraugies uz grupas *Theta* darbību kā uz kaut ko atsevišķu. Skaties uz to kā daļu no lielākas programmas, un tu sapratīsi, ka tās dzinulis ir altruisms. Grupa *Theta* ir altruisms darbībā. – Bānkrofts ievilka elpu. – Jā, reizēm jāizlej asinis, jācieš sāpes. Tieši tāpat kā ķirurģijā. Vai ķirurģiem jāaizliedz darboties savā arodā tikai tādēļ, lai izvairītos no neilgām ciešanām, ko viņi rada? Tad saki man, kāpēc...

– Jūs veltīgi tērējat laiku, – Rainharts strupi aprāva doktora Bānkrofta runas plūdus. – Lai gan es jūs ļoti cienu, man jāatgādina, ka šeit nav nekāds seminārs.

– Tēvs, – Brendons atkal klusi iesāka, – vai patiešām tu domā, ka drīksti vienu cilvēku nolemt nāvei, lai iepriecinātu citu?

– Paklausies...

– Tu veikli izrīkojies ar cilvēku likteņiem, izlemdams, kas ir viņu interesēs. Taču tev tas nav jālemj. Melodams cilvēkiem, tu viņiem kaut ko atņem. Tev cilvēki ir tikai mērķa sasniegšanas līdzeklis. Neviens tev tādas tiesības, tēt, nav devis. Tā kā tu neesi Dievs, tev pastāvīgi jāatceras, ka tu vari kļūdīties. Ka tavas teorijas var būt maldīgas. "Ne ko Es gribu, bet ko Tu." Kristus vārdi pie krusta.

Rainharts ieklepojās.

– Ikviena dzīvība ir svēta, – Brendons atkārtoja.

– Es tevi lūdzu, mans bērns... – Pols Bānkrofts nesaprata, kā lai dēlu pārliecina.

– Es patiešām tevi mīlu, tēt, – Brendons sacīja. Viņa sārtie vaigi un spožās acis pauda savādu mieru. – Taču ir jautājumi, kurus nav tiesību izlemt nevienam cilvēkam, ir izvēle, ko nav tiesību izdarīt nevienam cilvēkam, un darbības, uz kurām nevienam cilvēkam nav tiesību...

– Brendon, tu neklausies, ko es saku... – vecais filozofs steigšus viņu pārtrauca.

– Tēt... ja nu tu kļūdies? Padomā par to!

Pola Bānkrofta acis iespīdējās.

– Brendon, *lūdzu*!

Taču zēna balss bija skaidra un rāma.

– Ja nu tu kļūdies?

– Mans dārgais dēls, lūdzu...

– Ir laiks. – Rainharts, uzmetis Bānkroftam dzedru skatienu, pavicināja gaisā ieroci. Kalsnā, garā vīra skatiens bija lietišķs un

483

apņēmības pilns. Viņa drošība un izdzīvošana bija atkarīga no tā, vai viņš iznīcinās Ģenēzi vai ne. – Pol, to prasa jūsu loģika. Nošaujiet zēnu. Vai arī to izdarīšu es. Vai jūs mani saprotat?

– Es tevi saprotu, – doktors Bānkrofts klusā, neskanīgā balsī atbildēja. Viņš samirkšķināja acis, aizgainīdams asaras, stingrāk satvēra revolveri, ātri pagrieza roku par divdesmit grādiem un izšāva.

Uz Rainharta baltā krekla dažas collas zem krūškaula izpletās sarkans plankums.

Rainharts iepleta acis, bet acumirklī pacēla pistoli un raidīja atbildes šāvienu. Viņš bija profesionālis – lode trāpīja Polam Bānkroftam pierē, un nāve iestājās momentāni. Vecais zinātnieks saguma un nogāzās uz paklāja.

Brendons apslāpēti iekliedzās. Viņa krīta bālo seju izķēmoja šausmu izteiksme. Rainharts pagrieza pret zēnu lielkalibra ieroča stobru, no kura stīdzēja dūmu strūkliņa.

– Es neieredzu sevi par to, ko izdarīju, – Rainharts gurdi sacīja. – Bieži es tā nejūtos. – Izklausījās, ka viņam kaklā kaut kas burbuļo, it kā viņš to skalotu. Belkneps nojauta, ka viņa bijušā drauga plaušās ieplūst šķidrums. Līdz nosmakšanai atlika piecpadsmit, divdesmit sekunžu. – Es atņēmu viņam dzīvību, lai godinātu viņa domāšanu. Ceru, ka viņš to saprata. Tagad man jāizdara tas, ko viņš nespēja izdarīt.

Rainharts vēl nebija pabeidzis savu sakāmo, kad Belkneps strauji nostājās Brendonam priekšā, aizsegdams viņu Rainharta skatienam.

– Viss ir *beidzies*, sasodīts! – Belkneps viņam uzkliedza. Viņš dzirdēja gaitenī atskanam soļus.

Rainharts nogrozīja galvu.

– Vai tu domā, ka es nespēšu tevi nogalināt, Tod? Jāmet kauliņi. Ja ne – stājies no spēles ārā.

Viņa acis kļuva stiklainas un to skatiens klīstošs, kustības stīvas un neveiklas. Pēdējiem spēkiem pacēlis roku, Rainharts izšāva uz Belknepu. Lai gan zem krekla uzvilktā kevlara bruņuveste lodi aizturēja, Belkneps mazliet zemāk par atslēgas kaulu juta sāpīgu triecienu. Ja lodes trajektorija būtu par dažām collām augstāka, tā viņu ievainotu nāvējoši. Pašsaglabāšanās instinkts mudināja Belknepu pieliekties un mesties pie ieroča, taču viņš nedrīkstēja atstāt zēnu neaizsargātu.

– Veikli, Tod. Kā izrādās, tu esi sagatavojies. Mana skola.

Belkneps pastiepa roku aiz muguras, pārliecinādamies, ka zēns Rainhartam nav redzams.

– Tu mirsti, Džered, un labi to apzinies. Viss ir beidzies. – Viņš lūkojās bijušajam draugam acīs, it ka gribēdams ar to vēl kaut kā sazināties, prāts pret prātu, skatiens pret skatienu.

– Man teica, ka tas, kurš ierauga Ģenēzes seju, mirst, – Rainharts drebošā balsī izstomīja, joprojām pavērsis pistoli pret Belknepu. – Var sacīt, ka biju brīdināts. Tāpat kā tu.

– Tu patiešām mirsti, Džered.

– Jā? Allaž esmu centies saglabāt par sevi kādu noslēpumu. Ceru, ka vēl kāds atlicis...

Pēkšņi Belkneps juta, ka Brendons metas prom, ka Rainharts spiests izlemt, ar kuru no viņiem izrēķināties vispirms.

Atskanēja sievietes balss. Tā bija Andrea.

– Rainhart! – viņa iesaucās.

Viņa stāvēja durvīs, pagrābusi no galdiņa Belknepa pistoli un tēmēja uz kalsno vīru. Drošinātājs bija atbīdīts, viņai atlika nospiest ieroča mēlīti.

Džereds atskatījās.

– Tu! – viņš ar tādu kā izbrīnu novilka. Vārds izskanēja kā vaids, kā skaņa, ar kādu no bieza dēļa izvelk naglu.

– Kāda ir tava asins grupa, Rainhart? – To jautādama, Andrea nospieda mēlīti. Atskanēja skaļš blīkšķis, ierocis viņas rokās palēcās augšup, un lode trāpīja garajam vīram augstu krūtīs, kur pēc mirkļa parādījās sarkana tērcīte.

Belkneps mežonīgi šaudīja skatienu no vienas telpas puses uz otru. *Vai tu nevarētu gluži vienkārši nomirt?* viņš mēmi lūdza Džeredu Rainhartu. *Vai tu, lūdzu, nevarētu gluži vienkārši ņemt un nomirt?*

Brendons bija patvēries istabas stūrī, kur sēdēja uz grīdas, galvu nokāris un rokām aptvēris ceļgalus. Viņa seju slēpa ēnas, bet plecu raustīšanās pauda, ka viņš raud.

Tas bija kas neticams – Rainharts joprojām stāvēja.

– Tu šauj kā maza meitene. – Viņš nicinoši pasmīnēja un atkal pagriezās pret Belknepu. – Viņa tev neder, – smagi vilkdams elpu, Rainharts uzticēja tam savu atzinumu. Kalsnā vīra plaušas pildīja šķidrums, tāpēc viņa elpa atgādināja guldzienus. – Neviena no viņām tev nederēja.

Andrea nospieda mēlīti vēlreiz un vēlreiz. Asiņu strūkla uzšļācās uz datora ekrāna.

485

Rainharts, joprojām uzmanīgi raudzīdamies Belknepam sejā, atkal cēla pistoli augšup, taču tā izslīdēja viņam no rokas. No mutes kaktiņa plūda asiņu straumīte. Noklepojies viņš grīļodamies ar muti kampa gaisu, nespēdams vairs savaldīt savus ļimstošos locekļus. Belknepam šī aina nebija sveša – viņa priekšā bija cilvēks, kas lēni aizrijās ar savām asinīm.

– Kastor... – Rainharts nosēca.

Mirkli pirms sabrukšanas uz grīdas viņš spēra soli uz priekšu, akli izstiepis pret Belknepu rokas, it kā gribēdams to nožņaugt – vai apskaut.

PĒCVĀRDS

Pagāja gads, un Andreai bija jāatzīst, ka viņas dzīvē daudz kas mainījies. Varbūt pārējā pasaule nebija kļuvusi citāda, taču viņas pasaulē bija notikušas svarīgas pārmaiņas. Viņa pieņēma lēmumus, ar tiem nereti pārsteigdama ne vien Belknepu, bet arī sevi, – un tie šķita vienīgie pareizie. Brīva laika, lai pārdomātu visu, kas noticis, viņai bija mazāk, nekā viņa vēlējās. Andrea saprata, ka, pildīdama Bānkrofta fonda direktora pienākumus, nav iespējams vienlaikus nodarboties vēl ar ko citu. Šis amats prasīja visus spēkus, jo viņa vēlējās to paveikt tā, kā uzskatīja par vajadzīgu.

Labot grupas *Theta* pastrādātos briesmīgos noziegumus nebija iespējams. Taču, kā viņa kopā ar vīru atzina, fondam pasaulē patiešām bija nenovērtējama nozīme, un tai pēc ļaundabīgā audzēja izgriešanas bija jākļūst vēl lielākai. Vēl viens lēmums tika pieņemts vairākās tikšanās reizes ar senatoru Kerku pirms viņa nāves. Šā baismīgā izauguma – grupas *Theta* – samērā ilgā eksistence bija jāsaglabā noslēpumā, lai šis fakts nemestu ēnu uz citām labdarības organizācijām visā pasaulē un neiedragātu to reputāciju, radot tūkstošiem neparedzamu seku. Vēsts par velnišķīgo veidojumu, iespējams, izraisītu aizdomīgumu, naidu un apsūdzību lavīnu, kas turpinātos gadu desmitiem. Tie grupas *Theta* vadītāji, kuriem neizdevās nozust bez pēdām, tika nodoti Tieslietu ministrijas Izlūkošanas politikas un pārbaudes departamentam, kura tiesas sēdes nacionālās drošības apsvērumu dēļ bija slēgtas.

Andreas skatiens apstājās pie fotogrāfijām uz biroja rakstāmgalda. Divi vīrieši viņas dzīvē. Ik rītu, kad Andrea devās uz darbu, tie abi atlicināja laiku basketbolam. Brendons auga ātri – vieni vienīgi stūraini elkoņi, garas, kaulainas rokas un neveikla gaita. Četrpadsmit gadu.

– Uzmanību, uzmanību! – zēns sauca sporta komentētāja balsī, traukdamies uz grozu, un melnās *Puma* sporta kurpes izskatījās viņa tievajām kājām par lielu. – Jūs patlaban esat Brendona Bānkrofta neatkārtojamo metienu liecinieki! Viņš met! Viņš gūst punktus! – Bumba apriņķoja ap stīpu, bet grozā neiekrita. – Jūs pieredzēsiet, ka šis sportists drīz vien liks par sevi runāt! – Brendona kreklu šur tur izraibināja sviedru plankumi, bet Tods bija nosvīdis gluži slapjš.

– Ja man nesāpētu apakšstilbs... – Tods, viegli klibodams, atguva bumbu. Pēc diviem dribliem viņš atliecās un iemeta bumbu grozā. Neilona tīkls viegli nošvīkstēja, saskardamies ar grubuļaino gumijas bumbu, – Brendons šo skaņu bija iedēvējis par "punktu mūziku".

Andrea, stāvēdama pie ligustra dzīvžoga, papurināja galvu.

– Pataupi savus aizbildinājumus tām reizēm, kad grozā netrāpīsi, Tod. – Rīta saules stari sildīja Andreas seju, taču ne jau saule vien pildīja viņas sirdi ar prieku un siltumu šajā brīdī, kad viņa tā stāvēja un vēroja abus savus vīriešus.

– Paklausies, nāc tu arī paspēlēt! – Brendons viņu aicināja.
– Tikai uz pāris minūtēm, lūdzu!

– Un bez augstpapēžu kurpēm, kundze, – Tods brīdināja, izskatīdamies maigs un puicisks.

– Taču atceries, ka, tiklīdz tu uzvilksi sporta kurpes, starp Brendona un Toda komandām sāksies sīva cīņa par tiesībām aicināt tevi savā vienībā. – Brendona balss bija kļuvusi zemāka nekā pirms gada. Tad viņš Andreai uzsmaidīja, un Andrea jau kuro reizi nopriecājās, ka viņa sirsnīgais smaids ir tas pats iepriekšējais. Viņai šķita, ka Brendons ir viens no pasaules brīnumiem.

Lai vienmēr mēs būtu tikpat laimīgi kā šajā brīdī, Andrea domās klusi lūdza.

– Jūtos gandarīta, dzirdēdama, ka par mani sāktos sacensība, bet diemžēl jūsu piedāvājums tiks izskatīts kaut kad vēlāk. – Viņa aizgriezās, gluži vai sakautrējusies par savu laimi. – Birojā mani jau gaida. Tā ka mēģiniet, puiši, uzvarēt bez manis. Norunāts?

Tods aplika Brendonam ap kalsnajiem pleciem savu nosvīdušo roku.

– Par to neraizējies, – mazliet aizelsies, viņš teica. – Parūpējies par pārējo pasauli.

Brendons māja ar galvu.

– Mēs pieskatīsim viens otru.

***

Bija agra pēcpusdiena, un Andrea līdz šai stundai bija vadījusi trīs fonda atbildīgo amatpersonu sanāksmes un tikusies ar diviem apgabala administrācijas pārstāvjiem. Vecākais Dienvidamerikas reģionālās programmas direktors šajā brīdī ziņoja viņai par jaunumiem fonda veselības aizsardzības kampaņā šajā kontinentā. Sēdēdama savā kabinetā pie rakstāmgalda un klausīdamās ziņotājā, viņa iedrošinādama māja ar galvu.

Andreas skatiens no jauna aizslīdēja pie fotogrāfijām, kas bija novietotas uz galda, un hroma ietvarā viņa ieraudzīja savu atspulgu. Salīdzinājumā ar iepriekšējo gadu viņa bija kļuvusi gluži vai par citu cilvēku – lai to atzītu, nebija jāskatās spogulī. Andrea to juta pēc apkārtējo attieksmes. Viņa beidzot bija atradusi dzīvē savu vietu, un tas piešķīra viņai pašpārliecību. Andreu bezgala gandarīja doma, ka, saprātīgi izlietodama fonda līdzekļus, viņa padara pasauli labāku, turklāt likumīgā ceļā. Vienīgajā pareizajā ceļā, kas vispār iespējams, Andrea par to bija pārliecināta. Viņa lepojās, ka fonda darbības pamatā ir atklātums, un neko neslēpa, jo nekā slēpjama nebija.

– Urugvajas projekts ir paraugs, – Dienvidamerikas reģionālās programmas direktors sacīja, – un mēs ceram, ka daudzi citi fondi un nevalstiskās organizācijas iepazīsies ar mūsu pieredzi un to pārņems. – Sirmā, nedaudz sakumpušā vīra sejā bija manāms nogurums. Šis cilvēks ar apaļo seju un brillēm fondā strādāja divdesmit gadu, kuros savām acīm bija skatījis ne mazumu ciešanu un trūkuma. Taču savas ilgās darbības laikā viņš bija pieredzējis arī to, ka ciešanas un trūkumu iespējams mazināt.

– Dalīties savā pieredzē, – Andrea teica, – ir labākais, ko varam darīt. Ja citi fondi to pārņems, atdeve daudzreiz palielināsies. Pats galvenais, lai šie reģioni netiktu pārsteidzīgi norakstīti. Tur iespējamas pārmaiņas, un dzīve tajos mainīsies uz labo pusi. – Tāpat kā bija mainījusies viņa pati.

Viņas vīrs un audžudēls arī bija kļuvuši citādi. Lai cik dažādi bija Tods un Brendons, starp abiem izveidojās draudzīgas attiecības, kas Andreu iepriecināja. Tā kā Brendons tikko bija atvadījies no bērnības un Toda dzīvē bija iestājies tāds kā pārdomu laiks, abi, juzdamies savā ziņā līdzīgi, satuvinājās. Neviens, protams, nepārspēja Brendonu intelekta ziņā, taču viņš bija nobriedis emocionāli – kļuvis jūtīgāks un vērīgāks attiecībās ar cilvēkiem sev apkārt, un tas ļāva viņam Todā saskatīt ko tādu, kas lielākajai daļai cilvēku palika apslēpts. Zēns apjauta Toda ievainojamību un dedzīgu vēlēšanos par kādu rūpēties, iespējams tāpēc, ka pats bija tikpat ievainojams un juta tādu pašu karstu vēlēšanos par kādu rūpēties. Zēns bija ieguvis tēvu, un vīrietis bija ieguvis dēlu.

Andrea bija ieguvusi ģimeni.

– Ziņas no Gajanas nav tik iepriecinošas, – programmas vadītājs piesardzīgi turpināja. Viņš stāstīja par grūtībām vakcinācijas plāna īstenošanā valsts lauku rajonos. Andrea šim darbam veltīja sevišķu uzmanību. Pirms mēneša viņa bija apmeklējusi Gajanas lauku apvidus un atcerējās ainas, ko bija vērojusi trūcīgos aravaku cilts indiāņu ciemos Morukas upes piekrastē. Andrea nespēja bez sirdssāpēm un dusmām noraudzīties, kā ciemu iedzīvotājus nopļauj epidēmija, ko mūsdienās būtu iespējams novērst.

– Es nesaprotu, – viņa teica. – Plāns ir ļoti rūpīgi izstrādāts visos sīkumos. – Ar šo programmu Bānkrofta fonds gribēja pierādīt, ka veselības aizsardzības jautājumus iespējams risināt pat ļoti atpalikušos reģionos.

– Programma patiešām ir pārdomāta, Bānkroftas kundze, – direktors atbildēja. – Turklāt jūsu apmeklējums viesis cerību.

– Es nekad neaizmirsīšu, ko pagājušajā mēnesī šajā valstī redzēju. – Andreas neskanīgā balss pauda dziļu pārdzīvojumu.

– Diemžēl turienes iekšlietu ministrs anulējis mums izsniegto atļauju darba turpināšanai. Viņš draud izsūtīt no valsts visus mūsu nolīgtos medicīnas darbiniekus, turklāt aizliedzis veikt potēšanu.

– Es nespēju ticēt savām ausīm. – Andrea bija pārsteigta. – Tam taču nav nekāda attaisnojuma...

– Jums taisnība, – sirmais vīrs drūmi apstiprināja. – Attaisnojuma nav nekāda, ir tikai izskaidrojums. Redziet, indiāņi, ko mēs mēģinām glābt, lielākoties atbalsta konkurentu politisko partiju.

– Vai esat pārliecināts, ka ir tieši tā? – viņa neticīgi vaicāja.

– To mēs uzzinājām no mūsu sabiedrotajiem valsts pārvaldē, – programmas direktors skumji paskaidroja. – Tā patiešām ir nelietība. Tūkstošiem ļaužu nomirs tāpēc, ka šo cilvēku biedē demokrātija. Viņš ir ārkārtīgi korumpēts, un tas nav tikai pieņēmums. Mēs pazīstam cilvēkus, kuru rīcībā ir dokumentāri apstiprinājumi naudas pārvedumiem, kas nosūtīti uz ministra kontiem ārzonu bankās.

– Un ko lai mēs iesākam?

– Es gribētu ierosināt... Vai mēs varam vismaz izskatīt iespēju rīkoties tā, lai šis nelietis saņem pēc nopelniem? Liksim viņam saprast, ka viņa pērkamību mēs varam pierādīt un tādējādi sagādāt viņam politiskas nepatikšanas. Protams, bez jūsu akcepta mēs neko tamlīdzīgu neatļausimies. – Programmas direktors uz brīdi apklusa un tad pavaicāja: – Ko teiksiet, Bānkroftas kundze?

Andrea klusēja, gara acu priekšā skatīdama ainu, ko iepriekšējā mēnesī bija vērojusi sava brauciena gaitā. Kāda aravaku cilts indiāniete gariem, spoži melniem matiem un tramīgām, mirdzošām acīm rokās šūpoja savu bērnu. Medicīnas māsa, kas pavadīja Andreu Santarosas klīnikas apmeklējumā, klusi paskaidroja, ka bērniņš pirms dažām minūtēm miris no difterijas, bet neviens nevarot saņemties un jaunajai māmiņai to pateikt.

Andreas acis tajā brīdī pieplūda asarām. Bērna māte palūkojās uz viņu un, ieraudzījusi svešinieces sejas izteiksmi, acumirklī saprata, kas viņai pateikts. Viņas bērns bija miris. No mātes krūtīm izlauzās bezgalīgu bēdu pilnas vaimanas.

– Tāda nekaunība... – programmas direktors novilka klusā, nomāktā balsī. – Es zinu, kāda ir jūsu attieksme pret jebkādām nelikumībām, un esmu ar jums vienisprātis. Taču, ak Dievs, mēs varētu šim reģionam sniegt labumu...

– Vai cita ceļa nav?

– Ak, ja būtu... – Sirmais vīrs purināja galvu. Kaut kas Andreas sejā pieredzējušajam darbiniekam deva cerību, un šķita, ka viņa acis iegailas. – Jūs taču zināt, kāda ir šī pasaule. Darīt labu ne vienmēr ir vienkārši. – Viņš ar gaidpilnu skatienu raudzījās uz Andreu.

– Tā ir, – Andrea klusi attrauca, pūlēdamās sevi pārvarēt. – Lai notiek. Izdarīsim to... tikai šo vienu reizi.

Roberts Ladlems

BĀNKROFTA STRATĒĢIJA

Redaktore Dace Kapara
Korektore Silvija Sīlīte
Maketētāji Igors Iļjenkovs un Ilze Kalēja
Atbildīgā sekretāre Ilze Kalēja

"Apgāds "Kontinents"",
LV-1050, Rīgā, Elijas ielā 17, tālr. 7204130.
Apgr. formāts 130x200. Ofsetiespiedums.
Iespiesta un iesieta SIA "Jelgavas Tipogrāfija",
LV-3002, Jelgavā, Langervaldes ielā 1A.

R. Ladlems
La 144 Bānkrofta stratēģija / No angļu val. tulk. Āris Jansons. – R.,
"Apgāds "Kontinents"", 2008. – 491 lpp.

Tods Belkneps, leģendārs ASV valdības izlūkdienesta sle-
penais aģents, uzzinājis, ka viņa kolēģi un draugu Libānā
nolaupījis noziedzīgs grupējums, bet viņa izlūkošanas no-
daļa atsakās to glābt, izlemj doties draugam palīgā viens.

Savā bīstamajā ceļā viņš sastop Investīciju fonda analīti-
ķi Andreu Bānkroftu, kura tikko sākusi darbu Bānkroftu ģi-
menes fonda padomē. Šis fonds ir labdarības organizācija,
ko vada ģimenes patriarhs Pols Bānkrofts. Jo vairāk Andrea
iepazīstas ar fonda darbību, jo vairāk viņai rodas jautāju-
mu, uz kuriem atbilžu nav. Turklāt viņa uzzina par Ģenēzi,
noslēpumainu indivīdu, kas ikvienam iedveš bailes. Kāda
ir fonda saistība ar šo necilvēku, par kuru visi runā čukstus?

Lai noskaidrotu patiesību, Tods Belkneps un Andrea
Bānkrofta sāk darboties kopā, nenojauzdami, kādus neiedo-
mājamus triecienus viņiem gatavo... tuvākie cilvēki.

ISBN 978-9984-35-387-6

"Apgāda "KONTINENTS"" interneta grāmatnīca

Pirmais interneta grāmatveikals
Latvijā aicina Jūs savās lappusēs!
Mūsu adrese internetā:
www.kontinents.lv

Informāciju par šo grāmatu vairumtirdzniecību
var iegūt pa tālruni 7204130.